सृष्टिकर्त्ता विश्वकर्मा
का
इतिहास

सृष्टिकर्त्ता विश्वकर्मा का इतिहास

डॉ. गुरु रामजी विश्वकर्मा मधुकर

PUBLICATIONS

कल्पज़ पब्लिकेशन्स
दिल्ली-110052

सृष्टिकर्त्ता विश्वकर्मा का इतिहास

रुपये 750

ISBN: 81-7835-604-X

प्रकाशन वर्ष 2007
कल्पज़ पब्लिकेशन्स
सी-30, सत्यवती नगर, दिल्ली-110052
ई-मेल: kalpaz@hotmail.com
अक्षर मुद्रांकन: क्विक मीडिया
सालासर ऐमेजिंग सिस्टम, दिल्ली

मानस भुवन में,
सृष्टिकर्त्ता एक ही अवतार है।
विश्व के इतिहास में,
सर्वत्र पालनहार है॥

(डॉ. गुरु रामजी विश्वकर्मा मधुकर)

समर्पित है उस दिव्यात्मा
को जिसने लिखने की
प्रेरणा दी

विषय-सूची

द्वितीय खण्ड

प्रारम्भिक विश्वकर्मा समाज एवं द्रविण-आर्य-अनार्य

तृतीय खण्ड

मध्ययुगीन भारतीय समाज एवं विश्वकर्मा बंशज की प्रमाणिकता

चतुर्थ खण्ड

अद्वितीय कला कृतियां

पंचम खण्ड

पुरातात्विक श्रोत एवं संसाधन

प्रो. सुरेन्द्र सिंह कुशवाहा
कुलपति
Prof. S.S. Kushwaha
Vice Chancellor

महात्मा गांधी काशी
विद्यापीठ, वाराणसी–221002
Mahatma Gandhi Kashi
Vidyapith, Varanasi–221002

पत्रांक/Ref.   दिनांक/Date 18 जून, 2007

भारतीय समाज वर्ण व्यवस्था पर आधारित है। कालान्तर में वर्ण व्यवस्था के अन्तर्गत जातियों का उद्‌भव कर्म के आधार पर हुआ। समाज में प्रत्येक जाति का महत्वपूर्ण स्थान है। सामान्यतः विश्वकर्मा समाज प्राचीन काल से ही अभियांत्रिकी सम्बन्धी कार्य सफलतापूर्वक सम्पन्न करता चला आ रहा है। इस समाज ने ग्रामीण अर्थव्यवस्था के विकास में महत्वपूर्ण योगदान किया है। भगवान विश्वकर्मा को अभियांत्रिकी का सृजनकर्ता माना जाता है। वर्तमान समय में विश्वकर्मा समाज ही नहीं वरन् अन्य जातियों के ऐसे लोग जो अभियांत्रिकी अथवा यंत्र सम्बन्धी कार्य या व्यापार करते हैं, वे सभी भगवान विश्वकर्मा की जयन्ती मनाते हैं और इस दिन अपने-अपने कल-कारखानों को बन्द रखकर भगवान विश्वकर्मा की पूजा-अर्चना करते हैं। भगवान विश्वकर्मा किसी एक जाति अथवा धर्म के प्रतीक नहीं, बल्कि सम्पूर्ण अभियांत्रिकी के जनक माने गये हैं। भगवान विश्वकर्मा पर डॉ. मधुकर जी द्वारा लिखी गयी पुस्तक से सामान्य जन के ज्ञान में वृद्धि होगी, ऐसा मेरा विश्वास है।

(सुरेन्द्र सिंह कुशवाहा)
कुलपति

डॉ. गुरू रामजी विश्वकर्मा मधुकर,
लेखक
''सृष्टिकर्ता विश्वकर्मा का इतिहास''
डॉ. मधुकर स्टेशन रोड,
गाजीपुर –233001

प्रो. राम प्रकाश सिंह
कुलपति
Prof. Ram Prakash Singh
F.N.A.Sc.
Vice-Chancellor

लखनऊ विश्वविद्यालय,
लखनऊ–226007
University of Lucknow
Lucknow–226007
(U.P.) India

पुरोवाक

डॉ. गुरू राम जी विश्वकर्मा मधुकर द्वारा लिखित ऐतिहासिक एवं राष्ट्रीय महत्व की पुस्तक **सृष्टिकर्ता विश्वकर्मा का इतिहास** का मैंने परिशीलन किया। यह पुस्तक आज के परिपेक्ष्य में सृजन एवं निर्माण की दृष्टि से इस क्षेत्र में कार्यरत लोगों के लिए उपयोगी होगी।

सृजन एवं निर्माण के क्षेत्र में लोगों को सर्वांगीण रूप से प्रशिक्षित करने के लिए यह आवश्यक है कि उन्हें विषय की नवीनतम उपलब्धियों को सरल भाषा में उपलब्ध कराया जाय। इस दिशा में यह पुस्तक एक खोजपरक प्रयास है।

सृष्टि के निर्माता भगवान विश्वकर्मा के बिना सृष्टि के किसी भाग को भी जान पाना कठिन ही नहीं असम्भव भी है। इनको सृष्टि का आदि रचयिता तथा शिल्प विज्ञान का जन्म दाता कहा गया है। धरती पर जो कुछ दिखाई दे रहा है, सब उन्हीं की देन है। लेखक ने सर्वेक्षण कर काफी गहन अध्ययन, चिन्तन, मनन कर इस पुस्तक की संरचना की है। लेखक का यह प्रयास बहुत ही सार्थक एवं उपयोगी है। इससे जिज्ञासु पाठकों, विद्यार्थियों एवं शोध छात्रों को लाभप्रद जानकारी प्राप्त होगी।

आज स्वतंत्रता प्राप्त के समय का त्याग व बलिदान की दृष्टिगोचर नहीं हो रहा है। जो समुदाय, वर्ग या जातियां सशक्त थी, वह राजनीति में घुस गई और देश की बागडोर उन्हीं के हाथों में रही है। लेखक ने इस पुस्तक के माध्यम से बिखरे समाज को एकीकृत करने का प्रयास किया है। यह प्रयास कितना सार्थक है इसका मूल्यांकन आने वाली पीढ़ियां करेंगी।

मैं इस पुस्तक के लेखक डॉ. मधुकर जी को हृदय से साधुवाद देना चाहता हूं कि उन्होंने पाठकों के समक्ष अपनी मौलिक सोच एवं सशंक्त लेखन से ऐसी कृति प्रस्तुत की है। इस पुस्तक की सर्वग्राहयता एवं सफलता की हार्दिक कामना करता हूं।

दिनांक: जून 22, 2007

(राम प्रकाश सिंह)
कुलपति

प्रो. अशोक कुमार कालिया
कुलपति
सम्पूर्णानन्द संस्कृत
विश्वविद्यालय
वाराणसी–221002

दूरलेख : 'श्रुतम्'
दूरभाष { कार्यालय : (0542) 2204089
निवास : (0542) 2204213
: (0542) 2206617
फैक्स : (0542) 2206617

पत्रांक/V.C. 891/129/2007 दिनांक/21/6/2007

सन्देश

डॉ. गुरू राम जी विश्वकर्मा द्वारा रचित **"सृष्टिकर्ता विश्वकर्मा का इतिहास"** नामक पुस्तक का मैंने अवलोकन किया। इस पुस्तक में लेखक ने अपने गंभीर अध्ययन के द्वारा इसके इतिहास पर जो दृष्टिपात किया है, वह प्रशंसनीय है।

मुझे आशा एवं विश्वास है कि अन्य प्रकाशनों की भांति डॉ. मधुकर जी की यह कृति आमजन सहित जिज्ञासु विद्यार्थियों के लिए उपयोगी होगी। इस कार्य के लिए लेखक साधुवाद का पात्र है। इसकी सफलता एवं सर्वग्राह्यता हेतु मैं हार्दिक शुभकामना ज्ञापित करता हूँ।

(प्रो. अशोक कुमार कालिया)
कुलपति

प्रस्तावना

विश्वकर्मा समाज अपने आप में एक स्वाभिमानी समाज है। इसमें मनु, लोहार, मय-बढ़ई, त्वष्टा-ठठेरा, ताम्रकार, शिल्पी-शिल्पकार एवं दैवेज्ञ-स्वर्णकार बंशज आते हैं। इस सबकी जनसंख्या 12 प्रतिशत है। इतनी बड़ी संख्या होने के बावजूद आज तक विश्वकर्मा समाज में राजनैतिक चेतना की जागृति नहीं हो सकी। पूरे देश में 5 हजार से अधिक संगठन और समितियां चल रही हैं। परन्तु ये संगठन और समितियाँ अपने-अपने क्षेत्रों में सीमित है। विभिन्न खेमें में बटी इन समितियों के द्वारा सत्ता में भागीदारी हासिल नहीं हो सकती। यही एक मात्र ऐसा समाज है जिसका आदि से अनन्त तक गौरवशाली सृजनात्मक पृष्ठ भूमि रही है। इसके सापेक्ष में पौराणिक ग्रंथ क्या कहते हैं, इसका उल्लेख इस पुस्तक के प्रथम खण्ड-अध्याय-1 एवं पंचम खण्ड अध्याय-15 में दिया गया है।

व्युत्पत्ति की दृष्टि से विश्वकर्मन् एक विशेषण है: विश्व = सबकी कर्मा = करने वाला, निरूक्त, 10/25 में, "विश्वकर्मा सर्वस्यकर्ता" कहा गया है। इस प्रकार विश्वकर्मा की जो अवधारणा विकसित हुई उसमें वह स्वयंभू ब्रहम एवं परात्पर परमात्मा ही है जो अकेले ही बिना किसी उपादान एवं आधार के, एक मात्र अपने द्वारा सारे जगत की सृष्टि करता है। सारे सृष्टि जगत में वह एवं उसमें सारा सृष्टि जगत समाहित है। न उस विश्वकर्मा का अंत है और न ही उसके द्वारा रची गयी सृष्टि का अंत है। वह अत्यंत असाधारण अनंता है।

पौराणिक आख्यानों, वैदिक आर्य ग्रंथों, जातक कथा, बाल्मीकि रामायण, त्रिपिटक, जैनग्रंथों, कौटिल्य अर्थशास्त्र, शिल्पशास्त्र आदि में विश्वकर्मा संतानों का विवरण मिलता है। विश्वकर्मा की पाँच संताने मनु-लौह ज्ञाता, मय-काष्टकला ज्ञाता, त्वष्टा ताम्रविद, शिल्पी-पत्थकलाविद् दैवज्ञ-विश्वजनी सोने-चाँदी की अद्भूत कला की स्वामी थी। संस्कृत के शिल्पशास्त्र, पाकशास्त्र और नाट्यशास्त्र में विश्वकर्मा संतानों की कलाओं से सात्कार होता है। उत्तर हो या दक्षिण प्रवीणतम् कारीगरों को "आचार्य तथा पंडित की

उपाधि देने का प्रचलन मिलता है। इतिहास लेखन में इसके क्रमबद्ध प्राथमिकता की अनदेखी और विदेशी इतिहासकारों की निष्पक्षता और संकीर्णता को रेखांकित करता है।

रामायण के अयोध्या काण्ड में शिल्पकार, संगतराशि, काष्ठ कलाकार, ठठेरे, संगीत वायु, सर्जक, मायावी, बुनकर, लुहार, कुम्भकर, गंधी, गीतकार हथियार निर्माता स्वर्णकार आदि का हस्तकलाविदों में उल्लेख किया गया है। जातक में 18 तरह के दूस्तकारों कुसमहा का विवरण मिलता है। संस्कृत के अमर कोष में दस्तकारो को शिल्पी और उसके संघ का श्रेणी कहा गया है।

ईसा पूर्व चौथी सदी कला का स्वर्ण काल था। भारतीय शिल्पकारों ने कठोर पत्थर, शिलाओं, चट्टानों में कालजयी रचनाऐं अंकित की। दक्षिण में ईसा पूर्व दूसरी व पहली सदी की चट्टानों को काटकर बनाये तक्षशिला का मन्दिर इसका उत्कृष्ट उदाहरण है।

अद्वितीय योद्धा और मेवाड़ के महाराणा कुम्भा ने भारत मुनि के नाट्य शास्त्र के बाद "कुम्भा संगीतराजम्" की रचना की। इसमें संगीत नृत्य और अभिनय तीनों के व्याकरण सहित सभी जानकारी हैं। उन्होंने चित्तौड़ के "कीर्तिस्तम्भ" में इसे तक्षित करवाया। चमत्कारी शिल्पकारों ने इस कालजयी रचना को उत्कीर्ण करने का अद्वितीय कार्य किया। समाज उनके उत्पादों का व्यापार समुद्र पार देशों में करता था।

पतन की पराकाष्ठा में भारतीय दस्ताकारों, विश्वकर्मा संतानों का भाग्यचक्र ही बदल गया। 18 वीं शदी तक अंग्रेजी शासन काल में दस्तकारी का भारतीय चमकता सूर्य डूबने लगा। सस्ते माल और समाज के अन्य वर्गों द्वारा अंग्रेजी शासन द्वारा सुनियोजित रूप से दस्तकारों को नष्ट करने के कुचक्र चले। भारतीय शिल्पी दस्तकार भूख से बेहाल रहे, बेरोजगार हो गये। लेकिन उनकी हस्तकला मिट नहीं सकी। वे स्वतंत्रता के बाद फिर से छाने के प्रयास में संलग्न हो गये। दिन प्रति दिन प्रगति की ओर अग्रसर होकर राष्ट्रीय फलक पर पुनः छाने लगे।

यह सच है कि भगवान विश्वकर्मा ने जब धरती, आकाश, पाताल आदि की रचना की और उसके बाद इन्सानी सृष्टि की शुरूआत की तब यहाँ न कोई जाति थी न कोई धर्म। सबका एक ही धर्म था-इंसानी प्रेम।

लेकिन संसार का विस्तार होने के साथ ही जातियों और धर्मों का महाजाल फैलता गया और इंसानी प्रेम, जाति, मजहब की संकीर्णताओं में बढ़ता गया। किन्तु विश्वकर्मा पूजा आज भी प्रतिवर्ष इस संकीर्णता से बाहर निकलने का संदेश देती है जिसका उल्लेख अध्याय 5 में है।

इतिहास इस बात का साक्षी है कि आदि मानव निरा जंगली था। वृक्षों के नीचे नग्नावस्था में रहने वाले पशुओं के कच्चे मांस से पेट भरने वाले से लेकर आज के सभ्य सुसंस्कृत कहे जाने वाले मानव की काया पलट भगवान विश्वकर्मा की देन है।

भगवान विश्वकर्मा के संबंध में विद्वानों के दो मत प्रचलित है। प्रथम भगवान विश्वकर्मा का विराट रूप, जिसने अखिल ब्रहमाण्ड की रचना की और दूसरा भगवान विश्वकर्मा का अवतारी रूप जिसने अपनी शिल्प कला से संसार को सुखमय बनाया।

श्रीमद् भागवत् (स्कन्द-5, अध्याय-5) के अनुसार भगवान विश्वकर्मा के पिता प्रभास तथा माता आंगिरसी थीं। विद्वानों का यह भी मत है कि भगवान विश्वकर्मा की माता का वास्तविक नाम भुवना था। किन्तु अंगिरा कुल में जन्म लेने के कारण उनका आंगिरसी नाम भी प्रसिद्ध है। इस प्रकार विश्वकर्मा जी के नाना महर्षि अंगिरा तथा मामा, बृहस्पति थे। श्रीमद्भागवत (स्कन्ध अध्याय 6) के अनुसार शिल्पकलाधिपति विश्वकर्मा का विवाह कृति के साथ हुआ जिनसे चाक्षसु मनु (चौदह मनुओं में से) एक का जन्म हुआ। विश्वकर्मा जी की संज्ञा नाम वाली पुत्री भगवान सूर्य को विवाही थी जिनसे देव स्वतः मनु (चौदह मनुओं में से एक) यमराज, यमुना और दोसा अश्वनी कुमारों का जन्म हुआ। विश्वकर्मा पुराण के अनुसार भगवान विश्वकर्मा की दो अन्य पुत्रिया सिद्धि और बुद्धि भगवान गणेश को ब्याही थीं। जिनसे क्षोम और लाभ नाम के दो पुत्रों का जन्म हुआ। इसका उल्लेख इसलिये किया गया है कि समाज में व्याप्त विसंगतियों का निराकरण हो सके। लोग अपने अतीत से वर्तमान को जान सके।

सभी शिल्प कलाओं में निपुण भगवान विश्वकर्मा के पंचपुत्रों के वंशज आज भी सारे संसार में फैले हुए है और भारतवर्ष में विश्वकर्मा पांचाल, जागिण, आचार्य आदि विभिन्न उपाधियों से जाने जाते हैं। इसका उल्लेख अध्याय-4 में किया गया है। भगवान विश्वकर्मा के आदर्शों पर चलकर एक महान् सृष्टि रूपी समाज का निर्माण हो। ऐसा संकल्प ले तभी महान् राष्ट्र का सपना साकार होगा।

पौराणिक ग्रंथों के अनुसार यह स्पष्ट है कि विश्वकर्मा के पाँच पुत्रों मनु, मय, त्वष्टा, शिल्पी एवं दैवेज्ञ की कुल परम्परा का विकास हुआ। वह कालान्तर पांचाल वंश में क्रमशः लौहकर्म, काष्ठकर्म, कांस्यकर्म, पाषाण कर्म एवं सुवर्ण कर्म के रूप में प्रतिष्ठापित हुई। ऐतिहासिक भारत के पूर्वी भाग में लौहशिल्प, पश्चिमी भाग में ताम्रशिल्प उत्तरी भाग में पाषाण शिल्प, दक्षिणी भाग में काष्ठ शिल्प और मध्य भाग में सुवर्ण शिल्प के केन्द्र स्थापित किये गये। इसी सिद्धांत पर हिन्दू धर्म का अति मंगलकारी "स्वास्तिक" का चिन्ह आधारित है। इस प्रकार प्रत्येक शुभ कार्य में स्वास्तिक का रेखांकन एवं पूजन भगवान विश्वकर्मा के मंगलकारी स्वरूप के दर्शन का बोध कराया है।

युग परिवर्तन के साथ विभिन्न सामाजिक एवं धार्मिक मान्यताओं के रूप में परिवर्तन एवं परिवर्धन हुआ किन्तु विश्वकर्मा का संबंध किसी विशेष संप्रदाय या पूजा पद्धति से न होने के कारण उनका देवत्व स्वरूप यथावत बना रहा। सृजन एवं शिल्प की लोकहितकारी प्रबृति के कारण इनका शिल्पाचार्य स्वरुप भी समाज में श्रद्धा एवं आदर का केन्द्र बना हुआ है। विश्वकर्मा का सम्बन्ध किसी जाति विशेष से न होकर शिल्प के समग्र परिवेश से है, इसी लिए विभिन्न रुपों मे शिल्प, उद्योग प्राद्यौगिकी तथा कृषि आदि के कार्यो से जूड़े वर्ग के लोग इन्हें (विश्वकर्मा) को अपना इष्टदेव मानते हैं।

इस प्रकार वैदिक युग से लेकर आज तक विश्वकर्मा की उपयोगिता समाज के सभी क्षेत्रों में इतनी बढ़ी कि विभिन्न राजनीतिक, सामाजिक, आर्थिक एवं निर्माणात्मक व्यवस्थाओं में उसकी अनिवार्यता स्थापित हो गयी है। इसी लिये कर्म आधारित समाज की व्यवस्था तथा सुसंचालन में भी इस देवता तथा उसी देव परम्परा का योगदान स्वीकार किया जाता है तथा वर्तमान सामाजिक एवं धार्मिक परम्पराओं में विश्वकर्मा पूजा इसकी प्रतिकात्मक अभिव्यक्ति है। एक मात्र एक यही ऐसे देव है जिनकी सर्वत्र पूजा अर्चना की जाती है, जिन्होंने सुर्य, चन्द्र को बनाया और सारी दुनियाँ को पल्लवित-पुष्पित किया है।

विश्वकर्मा उत्पत्ति एवं विकास तथा पाँचाल राजवंश के इतिहास की संरचना हेतु मेरे अंग्रजो द्वारा कई दशकों से निरन्तर दबाव आ रहा था जो मेरे लिये अत्यन्त कठिन खोजपरक कार्य था। इस बीच विभिन्न शोध कार्य में व्यस्तता/तथा ऐतिहासिक एवं राष्ट्रीय महत्व की समसामयिक पुस्तकें "हम

और हमारी आजादी" "सामाजिक न्याय" "भारतीय नारी और उसका त्याग" के लेखन एवं प्रकाशन में व्यस्तता के कारण मैं अपने पूर्वजों की धरोहर को लिपिबद्ध नहीं कर सका जितनी मेरे समाज को मुझसे अपेक्षायें थी। यह पुस्तक लेखक द्वारा कई दशकों में भारत भ्रमण पदयात्रा एवं जनसंपर्क के उपरान्त अपने सहयोगियों के विचारों को समाहित कर आप के समक्ष प्रस्तुत है। लेखक का प्रयास कितना सार्थक है इसका निर्णय आप सभी पाठक बृंद करेंगे।

लुप्त पाँचाल राजवंश के संबंध में प्राचीन शिला लेखों, पुरातात्विक खुदाइयों से प्राप्त प्राचीन कालीन अवशेषों, वस्तुओं, सिक्कों, ब्राहमी लेखों, शिलापट्ट, संग्रहालयों में उपलब्ध आदि कालीन वस्तुओं के सूक्ष्म अध्ययन से स्पष्ट है कि पाँचाल राज्यों की श्रृंखला में विश्वगुप्त और दामन गुप्त नाम का शिल्पी राज्य था। चीनी यात्री ह्वेनसांग यहाँ आये थे उन्होंने इसे विश्व के 16 राज्यों में से एक बताया था। ब्रामी लेखों शिला पट्टों के अध्ययन से ज्ञातव्य है कि महात्मा बुद्ध ने यहाँ नागवंश के राजा को बौद्ध धर्म में दीक्षित किया था। यह प्रश्न शोध का विषय है, क्या महाभारत के समय पाँचाल देश इसका अंश था। कई ऐसे दुर्लभ सिक्कों के एक ओर पाँचाल वंश के तीन चिन्ह अंकित हैं जिसके नीचे तीसरी सदी ईसा पूर्व प्रचलित ब्राहमीलिपि में विश्वगुप्त-शिल्पाचार्य अंकित हैं जो शिल्पदेव राजवंश की पुष्टी करता है। यहाँ इसका उल्लेख इसलिये आवश्यक है कि प्रबुद्ध समाज इस पर ध्यान केन्द्रित करेगा। भ्रमण काल के दौरान कई सहयोगियों ने राजा दुपद की राजधानी कम्पिल नगरी का उल्लेख किया। एक लेखक एवं इतिहासकार की दृष्टि से मैं विशेषरूप से फरूखाबाद, ऐटा, मैनपुरी, कानपुर, शाहजहाँपुर, बरेली, बदायूँ, पीलीभीत और नैनीताल आदि जिले के अतिरिक्त गंगा-यमुना के दोआव, इटावा, कानपुर, फतेहपुर, रायबरेली, प्रतापगढ़ और उन्नाव आदि का भ्रमण किया। राजा विराट की राजधानी-चक्रनगरी की खोज में द्वैत वन गया जहाँ से कुदरकोटगंज आसई के पुराने खेड़े आज भी प्राचीन नगरों और गढ़ों का स्मरण कराते हैं। इन प्राचीन खेड़ों की न तो अभी तक खुदाई ही हुई और न खोज की। इस पर पुरातत्व विभाग को ध्यान केन्द्रित करना चाहिए।

आज हम संक्रमण काल के दौर से गुजर रहे हैं। हजारों वर्षो तक विश्वकर्मा बंशज मनु, मय, त्वष्टा, शिल्पी और दैवेज्ञ सृष्टि के निर्माण के

प्रतीक रहे हैं। भगवान विश्वकर्मा की पाँचों संताने आज के आधुनिकीकरण के दौर में बिखराव के कारण दिग्भ्रमित हैं। आजादी के बाद देश के सामाजिक परिदृश्य में जो परिवर्तन आया है वह प्रजातंत्र के चमत्कारिक लक्षणों का प्रतिफल है। जनतांत्रिक मूल्यों पर आधारित स्वतंत्र भारत की नई व्यवस्था ने देश के कमजोर वर्गों के लिए एक नई रोशनी दी है। समाज के बदलाव की एक असाधारण प्रक्रिया आरम्भ हुई। इस बदलाव से वे लोग लाभ की स्थिति में रहे जो संगठित थे। एक स्थान पर केन्द्रित थे। इसके विपरीत विश्वकर्मा समाज, जो पूरे देश के गाँवों-गाँवों में बिखरा है, उन्हें न तो समाज में सम्मान मिला, न ही उनका आर्थिक स्थर ऊँचा उठा, न उन्हें शिक्षा के क्षेत्र में अच्छे अवसर मिले और नहीं मिली उन्हें सत्ता में भागीदारी जबकि स्वतंत्रता संग्राम में इस समाज के बहुतेरे लोगों ने अपने प्राणों की आहुति दी है। जिसका उल्लेख अध्याय 14 में है।

आज स्वतंत्रता प्राप्ति के समय का त्याग एवं बलिदान कहीं दृष्टिगोचर नहीं हो रहा है। जो समुदाय, वर्ग या जातियाँ सशक्त थीं वे राजनीति में घुस गयीं और देश की बागडोर उन्हीं के हाथों में रही। सामाजिक आर्थिक दृष्टि से समर्थ लोग ही सत्ता में आ पाये। यहाँ तक कि जिन असामाजिक तत्वों को राजनीतिक प्रश्रय मिला, वे भी धीरे-धीरे सत्ता में स्थान पा गये। इस तरह धन-बल बाहुबल एवं संख्या की दृष्टि से समर्थ वर्ग के हाथों में सत्ता का ध्रुवीकरण होने लगा तथा समाज के बृहत्तर हितों की अनदेखी होनी लगी।

हमारे विश्वकर्मा बंशज, बुद्धि, विद्या एवं कला में अग्रणी होते हुए राजनीतिक चेतना के अभाव एवं संख्या बल में बिखरे होने के कारण सत्ता में भागीदारी हासिल नहीं कर पाये और दिन प्रतिदिन पिछड़ते चले गये। 12 से 15 करोड़ आबादी वाला विश्वकर्मा समाज राजनीति में अर्थहीन सा हो गया। अब समय आ गया है कि हम अपने समाज के अस्तित्व की रक्षा के लिए अपने विखण्डन और बिखराव को रोके। समाज को एकजूट कर और इस एकीकृत समाज के मत के मूल्य को पहचानें। आश्चर्य की बात है कि जनसंख्या की दृष्टि से 12 प्रतिशत होते हुए भी विश्वकर्मा वर्ग के लोगों की सत्ता में 0.1 प्रतिशत भी भागीदारी नहीं मिली शैक्षिक, सामाजिक और आर्थिक दृष्टि से पिछड़े विश्वकर्मा लोग राजनैतिक क्षेत्र में भी पिछड़े ही रहे। कदचित् एक दो लोग दल की विशेष कृपा से सत्ता में आ जाते हैं, वे

पार्टी के लोग बन जाते हैं, अपनों के हितैषी नहीं रहते। क्योंकि वह सीट उन्हें अपनों से नहीं, सत्ताधीशों की कृपा से मिली है। जबकि वह राजनीतिक दल उन्हें नमूने के तौर पर दिखाकर यह दावा करता है कि हम बंचित लोगों को सत्ता में भागीदारी दे रहे हैं। ऐसी स्थिति में विचारणीय है कि हम अपनो से क्या अपेक्षा करें और हमें क्या करनी चाहिए।

आज विश्वकर्मा समाज उस चौराहे पर खड़ा है जहाँ उसे सही दिशा-निर्देश की बड़ी आवश्यकता है। सभी जानते हैं कि मनु, मय, त्वष्टा, शिल्पी एवं दैवज्ञ विश्वकर्मा समाज के मूल अंग है जिनकी संख्या 12 प्रतिशत है। यह समाज पूरे देश के धीमान् जागीड उपाध्याय ओझा, झा, टोक, लाहोरी, मथुरिया, सूत्रधार ककुहास, रामगढ़िया, मैथिल, द्विवेदी, त्रिवेदी, विप्पला, लोष्ठा, लोटा, महुलिया, रावत, मधुकर स्थपति, कान्यकुंज, मालवीय, मागध, पंचालर, सरवरिया, गौड़, देव-कमलार, आचार्य विश्वब्राहमण कंशाली, विश्वकर्मा, नवन्दन, तरंच्छ, पाँचाल एवं जगतगुरु इत्यादि नामों से जाना पहचाना जाता है। इसके अतिरिक्त भी अन्य कई उपनामों से विभिन्न प्रदेशों में विश्वकर्मा बंशज जाने जाते हैं।

विश्वकर्मा समाज की विभिन्न उपनामों से बिखरी जनसंख्या को एकीकृत करने के प्रयास टुकड़ों में हुए हैं जिसका कोई विशेष प्रभाव इसलिए नहीं पड़ा क्योंकि इन प्रयासों में आपसी ताल मेल और सामंजस्य का नितांत अभाव था। इसका एक विशेष कारण यह भी था कि अभी तक हम समाज में अपने को ब्राहमण सिद्ध करने में लगे रहे और यह अभीष्ट प्रमाणिक तौर पर हमें प्राप्त भी हुआ। परन्तु भौतिक और सामाजिक दृष्टि से लोहार (लौहकार बढ़ई, काष्ठकारा, ठठेरा, ताम्रकार, शिल्पी, पाषाणकार और सोनार, स्वर्णकार, कोहार, कुम्भकार) से अलग हटकर हम अपनी पहचान नहीं बना सके।

उपालम्भ, अपेक्षा और उपहास के भय से हमारे समाज का शिक्षित वर्ग अपनी जाति छिपाने लगा और आज यह स्थिति है कि लगभग 40 प्रतिशत लोग ब्राहमणत्व की चादर लपेटे अपनों से ही दूर होते चले जा रहे हैं। विश्वकर्मा वर्ग का एक बड़ा तबका खुद को विश्वकर्मा बताने में हिचकता है कभी अपने नाम के आगे किसी "लचीले वर्ग" का उपनाम जोड़ कर तो कभी किसी जोड़-तोड़ के माध्यम से इस वर्ग ने अपने ही असली स्वरूप

(विश्वकर्मा) को देखने से इंकार कर दिया है। यही वह घूघट है जो वास्तव में विश्वकर्मा समाज के पुरुषों की पहचान और एका में बाधक है। साथ ही अन्य समाजों की तरह अपना समाज भी अनेकानेक संगठनों में विभक्त है। इससे हमारी शक्ति क्षीण हो रही है। इस क्षीण होती शक्ति के संचयन के लिए एकीकरण आवश्यक है।

हमें समाज के एकीकरण के महत्व एवं अनिवार्यता को रेखांकित करना चाहिए। इसलिये हे कर्मयोगियों, श्रमजीवियों, कामगारों, शिल्पियों, बुद्धिजीवियों उठो और अपना उद्धार स्वयं करने का व्रत लो। अपने सभी का एकीकरण करो और विशाल शक्ति-पुंज की संरचना करो जो समाज का मार्ग-दर्शन करें। इस महान कार्य में अहम् भूमिका होगी, समाज के उन लोगों की जो शिक्षित है, जागरूक है, और साधन संपन्न है। बात तो तब है जब आप किसी भूखों को भोजन, बेघर को घर और साधनहीन को साधन दिलाने में मदद करें, किसी के काम आयें। इसी से पैदा होगी एकीकरण की भावना और दिखेगा समाज का सशक्त रूप।

इस समय गोधूलि बेला का अंधकार हो सकता है, पर उषा की सुनहरी बेला निश्चित रूप से आयेगी। हम जानते हैं कि जिस समाज का कप्तान ही न हो, उसका भटक जाना स्वाभाविक है। लेकिन संतोष की बात है कि अभी हमारे समाज का जहाज सिर्फ भटका है, डूबा नहीं है। इसलिए उम्मीद की जानी चाहिए कि समाज का कप्तान मिल जाने के बाद जहाज पुनः अपनी दिशा एवं गति प्राप्त कर लेगा। मैं अपने मनश्चक्षुओं द्वारा स्पष्ट देख रहा हूँ कि विश्वकर्मा समाज पहले से कहीं अधिक सात्विक एवं विकसित भावों से जाग उठा है। मैं भगवान विश्वकर्मा से इसकी पुनः प्रतिष्ठा की कामना करता हूँ

विश्वकर्मा समाज के विकास के विगत इतिहास पर दृष्टि डाली जाय तो हम यह भी पाते है कि विभिन्न संगठनों द्वारा विभिन्न राज्यों में समय-समय पर अनेक बैठकें और सम्मेलन होते रहे हैं, और आज भी हो रहे हैं, किन्तु टुकड़ों में। किसी का आपस में कोई मेल नहीं है। समन्वय की यही कमी आज हमें एकजूटता की प्रेरणा दे रही है। इस परिपेक्ष में वर्ष 1981 ई. में कानपुर के बृजेन्द्र स्वरूप पार्क में विश्वकर्मा बंधुओं के विशाल सम्मेलन और उससे प्राप्त प्रतिफल का उल्लेख कदाचित आज बहुत ही प्रासंगिक है।

उस महासम्मलेन के मुख्य अतिथि भारत सरकार के तत्कालीन गृहमंत्री माननीय ज्ञानी जैल सिंह थे, जिसमें एक लाख से भी अधिक विश्वकर्मा बंधुओं ने भाग लेकर संगठित एकता का सराहनीय परिचय दिया था इसी के परिणामस्वरूप माननीय ज्ञानी जैल सिंह को इस देश के सर्वोच्च महामहिम राष्ट्रपति के पद की प्राप्ति हुई। यह था उस महासम्मेलन का राजनीतिक सत्ता में भागीदारी का प्रतिफल। उसी महासम्मेलन के बाद हमारे समाज में राजनैतिक चेतना की, सामाजिक जारूकता का, जागरण अभियान आरम्भ हुआ। वह समय था-समाज को संगठित रखने हेतु "गाइडलाइन" तैयार करने का। किन्तु हम चुक गये और समाज को जनान्दोलन के मार्ग तक नहीं पहुँचा सके। विश्वकर्मा समाज की पहचान एक संघर्षरत समाज के रूप में होनी आरम्भ हो चुकी है। कल जरूर आयेगा जब विश्वकर्मा समाज का सही मूल्यांकन किया जायेगा। इस समाज की अनदेखी नहीं होगी। हम आवाहन करते हैं–यदि उपलब्धियाँ हासिल करना है तो संघर्ष के साथ सामना करना ही होगा और आत्मविश्वास ही वह कवच है जो इस अस्तित्व युद्ध में सहायक होगा।

शौर्य और पराक्रम के क्षेत्र में राजस्थान के गाड़िया लोहारों का महान योगदान है जिन्होंने मेवाड़ के ऐतिहासिक दुर्ग उदयपोल द्वार के नीचे आज से 400 वर्ष पूर्व एकत्र होकर कसम खाई, हे वीर भूमि चित्तौड़, हम तुम्हारे पुत्र यह प्रतिज्ञा करते हैं कि जब तक हम पराधीनता से मुक्ति नहीं दिला देगें तब तक बस्तियों, वनों में कहीं भी घर बना कर नहीं रहेंगे और न पलंग पर सोयेंगे। न तो दीपक जलायेंगे और न तो कुए अथवा बावड़ी से पानी निकालने के लिए डोरी का प्रयोग करेंगे। ऐसा त्याग व बलिदान-मयी कठोर प्रतिज्ञा विश्व के इतिहास में कहीं नहीं मिलती। इसका उल्लेख मैंने राष्ट्रीय-अंतर्राष्ट्रीय सम्मेलनों में किया है तथा राष्ट्रीय मंचों से उठाया है। इसका भी संक्षिप्त उल्लेख इस पुस्तक के अध्याय-11 में है।

वह क्षण मेरे लिए बेहद दुखदायी रहा जब मैंने मण्डल आयोग के समक्ष सर्व-प्रथम अति-पिछड़े वर्गों, प्रजावट शिल्पी जातियों की बात उठायी तथा इस संबंध में सम्पूर्ण भारत का भ्रमण-पद यात्रा कर सर्वेक्षण रिपोर्ट प्रस्तुत की जिसकी अनदेखी की गयी। आयोग की रिपोर्ट में इसे समाहित नहीं किया गया। काफी विरोध प्रकट करने पर इसे स्पेशल सील्ड कवर में

राष्ट्रपति भारत को अलग से भेजा गया। इस आधार पर अति पिछड़े वर्ग-शिल्पी-प्रजावट जातियों अपने अधिकार के लिए एक जुट होकर संघर्षकर सकेगी। इसका उल्लेख मैंने ऐतिहासिक पुस्तक "हम और हमारी आजादी" में चेयरमैन मण्डल कमीशन माननीय बिन्देश्वरी प्रसाद मण्डल के साक्षात्कार में एवं "सामाजिक न्याय" की पुस्तक में उल्लिखित किया है जो कालान्तर इन वर्गों को न्याय दिलाने में सहायक होगा।

सामाजिक महिला उषा थीमान् काण्ड का वह क्षण बेहद हृदय विदारक रहा जब उसे काफी संघर्ष के बाद कहीं से भी न्याय नहीं मिला। नारी समाज की ऐसी कई दुर्दान्त घटनाएँ समाचार पत्रों द्वारा संज्ञान में आई जो तिरस्कृत और अपमानित होती रहीं। जिसे लिखने में लेखनी भी शर्म से झुक जाती है। देश, राष्ट्र, समाज कितना संवेदनशील है, इसका उल्लेख नारी समाज की अमर कृति "भारतीय नारी और उसका त्याग" में किया गया है जो आधी दुनियाँ के सच को प्रतिबिंम्बित करता है।

अतीत के वे बीते चलचित्र आज भी स्मृतियों को कुरेरते हैं। यादों के धुधलके में एक दर्द, मन को बेंध जाता है। यही वह दर्द था। जो तड़पती पीड़ा के साथ अवसर पाकर जातीय पुर्ननिर्माण के माध्यम से प्रवाहित हुआ और दिव्यात्मा का कथानक साकार हुआ। गहरी व्यस्तता के बीच यही एक बेचैनी थी जो इस पुस्तक के लिखने की प्रेरणा बन गयी। पुस्तक आप के हाथ में है। इसमें मेरा अपना कुछ नहीं। मैंने जो कुछ धर्मशास्त्र, इतिहास, वेद, पुराण उपनिषद, शिल्प शास्त्र के ग्रंथों एवं संदर्भित पुस्तकों में पाया वही दिव्यात्मा की प्रेरणा से लिख दिया। दक्षेस (सार्क) सम्मेलन 2007 में प्रस्तुत पुस्तक एशियान देशों में भी सहायक होगी।

देश में फैले करोड़ों विश्वकर्मा शिल्पी समाज एवं दस्तकारों को यदि इस पुस्तक से अपना गौरव जानने और समझने में थोड़ी सी प्रेरणा मिली तो मेरा यह प्रयास सार्थक एवं भलीभूत होगा। मनुष्य सामाजिक प्राणी है, वह जिस समाज से संबंधित है, उसके विकास के प्रति उसका अपनत्व उसकी मानसिकता पर निर्भर करता है। विश्वकर्मा उत्पत्ति एवं विकास की मूल धारणाओं को इस पुस्तक के पाँच खण्डों एवं पंद्रह अध्यायों में यथास्थान समावेश करने का एक प्रयास मात्र है ताकि भावी पीढ़ियाँ इससे अनुप्राणित होकर अपना तथा अपने समाज को गौरान्वित कर सकें। इतिहास में एक नया अध्याय जोड़ सकें।

उत्तर-पूर्व-दक्षिण भारत, मध्य प्रदेश, उत्तर प्रदेश, दिल्ली, हरियाणा, पंजाब, राजस्थान, पश्चिम-बंगाल, बिहार, असम, उड़ीसा, तमिलनाडु, कर्नाटक, केरल, महाराष्ट्र, गुजरात आदि में सैकड़ों की संख्या में हमारे बंधुगण शिक्षण संस्थानों का संचालन कर रहे हैं। इन सभी प्रयासों और कोशिशों से एक बात सामने उभर कर आती है कि अब हमारे समाज में कुछ व्यक्ति शिक्षा का महत्व समझने लगे हैं। वास्तव में शिक्षा ही एक मात्र साधन है जिससे हम अज्ञानता के तिमिर की दूर कर सकते हैं और एक सच्चे और श्रेष्ठ नागरिक के रूप में अपना जीवन यापन कर सकते हैं।

भारतीय स्वतंत्रता संग्राम में विश्वकर्मा कुल रत्नों (मनु, मय, त्वष्टा, शिल्पी, दैवेज्ञ प्रचलित लोक नाम लौहकार, काष्ठकार, ताम्रकार, वास्तु शिल्पी एवं स्वर्णकार ने अपने प्राणों की आहुतियाँ दी हैं। इसका उल्लेख इस पुस्तक की संरचना में किया गया है। लेखक के विचार के पीछे अपने उन अमर शहीदों को श्रद्धांजलि अर्पित करने के साथ-साथ उनकी भावनाओं, साहस, शौर्य, चरित्रोंत्कर्ष और उच्च आदर्शों को सुरक्षित तथा जीवित रखने का एक प्रयास एवं प्रयोजन भी है जिससे हमारी भावी पीढ़ियाँ कदापि भूले नहीं कि स्वतंत्र भारत का भवन जिन अकथ बलिदानियों की नींव पर बनाया गया है, उसमें विश्वकर्मा समाज के कुल रत्नों की उस अस्थि एवं रक्त का गारा-माटी भी प्रयुक्त हुआ है। हमारी भावी पीढ़ियाँ स्वातंत्रय रक्षण हेतु सदैव अपने पूर्वजों से प्रेरणा लेती रहीं तथा त्याग और बलिदान का आर्दश प्रस्तुत करने हेतु सदैव तत्पर रहे। दक्षेस (सार्क) सम्मेलन तथा जंग-ए-आज़ादी की 150वीं वर्षगाठ पर संशोधित पुस्तक "सृष्टि कर्त्ता विश्वकर्मा का इतिहास" ऐतिहासिक लाल किला में 11 मई 2007 को समर्पित की गयी।

किसी भी उत्कृष्ट कार्य को कितना भी तन्मयता से क्यों न किया जाय उसमें कहीं न कहीं कमी रह जाती है। इसलिये लेखक, विचारक, चिंतक के रूप में मेरा विनम्र निवेदन है कि इसमें गुणात्मक सुधार हेतु अपने स्पष्ट विचार लेखक को भेजने का कष्ट करें ताकि इसे अगले संस्करण में यथास्थान प्रतिष्ठापित किया जा सके।

(डॉ. गुरु रामजी विश्वकर्मा मधुकर)

आभार-निवेदन

भारत वर्ष के उन तमाम राष्ट्रीय एवं प्रान्तीय संगठनों, पुस्तकालयों, शोध् संस्थानों, विद्वतजनों, लेखको समीक्षकों, रचनाकारों का हृदय से आभारी हूँ जिन्होंने इस पुस्तक की संरचना में अपना अमूल्य योगदान किया एवं लेखक की हर संभव सहायता की।

इस पुस्तक के प्रकाशन एवं वितरण में विशेष सहयोग देने वाले बन्धुओं के प्रति विन्रम कृतज्ञता व्यक्त करता हूँ जिन्होंने सुझाव दिये और इसे अंतिम रूप प्रदान करने में सहायक रहे। मैं विशेष रूप से प्रो. डा. ईश्वरी शरण, डा. वी. ठाकुर जे.एन विश्वकर्मा, अजेय भारद्वाज, आत्माराम पाँचाल, शशि कला शर्मा, श्री कृष्ण प्रसाद विश्वकर्मा, श्यामसुन्दर लाल अग्रवाल, भारती नार्गाजुन, ओमप्रकाश शर्मा, राजेन्द्र कुमार शर्मा, राघव शर्मा, अमित अग्रवाल, राम आसरे विश्वकर्मा, रमाशंकर शर्मा, डा. एस.ए. ज्ञानेश्वरन् आदि सहित उन सभी साथियों का हृदय से आभारी हूँ जिन्होंने संगोष्ठी के दौरान अपना सहयोग दिया। दक्षेस (सार्क) सम्मेलन तथा जंग-ए-आज़ादी की 150 वीं वर्षगाठ पर हजारों बलिदानी देश भक्त विश्वकर्मा कारीगरों की याद में, जिन्होंने आज़ादी के लिए अपना सर्वस्व लुटा दिया था, उनकी स्मृति में लेखक की पुस्तक सृष्टिकर्त्ता विश्वकर्मा का इतिहास ऐतिहासिक लाल किला में 11 मई 07 को समर्पित की गयी।

बहुप्रतीक्षित इस पुस्तक की विषय वस्तु एवं प्रस्तुतिकरण के बारे में सार्थक आलोचना एवं सुझावों का हार्दिक स्वागत किया जायेगा क्योंकि इससे मुझे अगले संस्करण में सहायता मिलेगी। उनसे मेरी अपेक्षा है कि कृपया अपने विचार एवं सुझाव लिखित रूप से भेजने का कष्ट करें। इससे लेखक की मार्गदर्शन एवं प्रेरणा मिलेगी। दक्षेस (सार्क) सम्मेलन -2007 में प्रस्तुत पुस्तक आप के समक्ष है। अंतर्राष्ट्रीय समुदाय सहित भारतीय समुदाय भी गौरान्वित होगें।

पाठक बृन्द से मेरा विन्रम निवेदन है कि इस पुस्तक के पढ़ने के बाद इसकी मूलधारणा को अनपढ़ भाईयों, माताओं और बहनों को भी बताने और समझाने का कष्ट करें जिन्हें सृष्टि निर्माता भगवान विश्वकर्मा के बारे में जानने, सुनने समझने की उत्कठ अभिलाषा है, परन्तु वे विवश हैं। कम से कम ऐसे पाँच व्यक्तियों को पढ़कर-सुनाकर हमें एक पोस्टकार्ड पर अपने और उनके नाम और पता के साथ मुझे अवश्य सूचित करें। यही मेरा इस पुस्तक के लिखने का पुरस्कार होगा। आप के द्वारा यदि यह पुरस्कार मुझे मिलता रहा तो आने वाली दूसरी पुस्तक का वही इतिहास होगा।

आप समाज की सेवा करें। आप का अपना जीवन प्रगति पथ पर मंगलमय हो। इसी शुभकामना के साथः

डा. गुरुरामजी विश्वकर्मा मधुकर

स्थायी पताः

डॉ. गुरुरामजी विश्वकर्मा मधुकर

गाजीपुर सिटी

गाज़ीपुर–233001

उ.प्र., दूरभाषः 0548–2224171

प्रथम खण्ड

सृष्टिदेव वैदिक विश्वकर्मा

1

भारोपीय काल के देवता एवं विश्वकर्मा

1. विश्वकर्मा–व्युत्पत्ति एवं अवधारणा

वैदिक चिन्तकों ने प्रत्येक प्राकृतिक शक्ति को गुण एवं कर्म के अनुसार विभिन्न नाम-रूपों से अभिहित किया। इसीलिए शौनक का कथन है कि "व्युत्पत्ति-शास्त्रियों अथवा नैरूक्तों का कथन है कि नौ (कर्मों) से इनकी (नामों की) उत्पत्ति होती है; पौराणिक ऋषिगण और मधुक, श्वेतकेढ़ु तथा गालव आदि कवि भी ऐसा ही विचार रखते हैं।" आगे शौनक ने नौ कर्मों के अंतर्गत आवास, कर्म, रूप, मङ्गलत्व, वाच, आसीश, स्वेच्छा, निकटवास तथा उच्च-कुलत्व की गणना की है[1]। प्राणियों की उत्पत्ति भी कर्म से ही होती है; कर्म से सत्व-संगति विकसित होती है; और प्रत्येक व्यक्ति वास्तव में किसी न किसी स्थान पर ही अस्तित्व धारण करता है, अर्थात् वह अपने निवास से ही उत्पन्न होता है[2]। स्वेच्छया रखे गये नाम भी किसी न किसी स्थान पर ही रखे जाते हैं। अतः शौनक का मानना है कि अस्तित्व का कोई भी ऐसा रूप नहीं जो कर्म से सम्बद्ध न हो, और न कोई नाम ही ऐसा है जो निरर्थक हो। नामों का अस्तित्व के अतिरिक्त और कोई स्रोत है ही नहीं। इस प्रकार सभी नाम कर्म से ही निष्कृष्ट होते है[3]।" इसलिए वैदिक संदर्भ के देवनाम, ऋषि नाम, व्यक्तिनाम या वस्तु नामों का सार्थक आधार है। "विश्वकर्मा" के सम्बन्ध में उक्त व्युत्पत्तिपरक अवधारणाएँ विचारणीय हैं क्योंकि ऋग्वेद में यह देवता, ऋषि एवं विशेषणात्मक अभिधान है।

व्युत्पत्ति की दृष्टि से "विश्वकर्मन्" एक विशेषण है: विश्व = सब (का), कर्मा = करने वाला।[4] ऋग्वेद संहिता में यह पद केवल आठ बार आया है। पाँच बार[5] देवता विशेष के अर्थ में तथा तीन[6] बार क्रमशः इन्द्र,

धामन् और सूर्य के लिए। इससे मीमांसकों का मत है कि यह एक ऐसा देवता है जो ऋग्वेदीय काल के अंतिम चरण में (यदि दशम् मण्डल को अंतिम चरण मानना उचित है तो) उभर रहा था।[7] इसी अभिधान के गुणवाचकता के कारण संहिताओं तथा ब्राह्मणों में यह मुख्यरूप से प्रजापति का विशेषण है।[8] तुलनात्मक अध्ययन से तथा उसमें प्राप्त शब्दों की व्युत्पत्तिपरक विवेचना से विद्वानों एवं भाषा वैज्ञानिकों ने भारोपीय काल के देवता-स्वरूप पर प्रकाश डालने का प्रयास किया है।[9]

यद्यपि यह भी सत्य है कि "विश्वकर्मा" नामक वैदिक अमूर्त् या भावात्मक देवता के सम्बन्ध में भारोपीय काल के देवताओं में से संदर्भ या विवेचन ढूंढने का प्रयास इस तथ्य को उद्घाटित करना है कि कौन-कौन से वैदिक देवता भारोपीय भाषा परिवार में सूचित हैं और उनमें विश्वकर्मा या त्वष्टा की स्थिति क्या है। यदि विश्वकर्मा के समकक्ष या समकालीन अन्य वैदिक देवता भारोपीय काल के देवताओं में परिगणित हैं तो यह विचारणीय है कि विश्वकर्मा का उल्लेख भाषाई संदर्भों में क्यों नहीं है तथा परोक्ष रूपेण उसकी सत्ता का पता लगाया जा सकता है। क्योंकि यदि विश्वकर्मा देवता ऋग्वैदिक काल में सर्वोच्च शक्ति सम्पन्न देवता के रूप में विवेचित हैं तो भारोपीय देव समूह में उसकी स्थिति क्या है? यह तथ्य इस दिशा की ओर भी संकेत करता है कि भारोपीय धार्मिक जीवन में इस देवता के लक्षणों को किस देवता के साथ जोड़कर उसकी स्थापना की गई।

भारोपीय काल के देवताओं का विवेचन भाषा विज्ञान का विशेष क्षेत्र है। इस अनुसंधान के अध्येता की इस विधा में रूचि मात्र है। अस्तु, भाषा विज्ञान के आचार्य एवं अध्येता गयाचरण त्रिपाठी के अध्ययन तथा शोध कृति[10] का आश्रय लेकर ही कुछ प्रकाश डाला गया है।

भारोपीय भाषा परिवार के तुलनात्मक अध्ययन से यह स्पष्ट हो गया है कि भारत, ईरान तथा यूरोप की विभिन्न जातियों की भाषाएं जैसे-ग्रीक, लैटिन, कैल्टिक, ट्यूटानिक, स्लोवानिक तथा लिथुआनियन आदि परस्पर इतनी समान है कि हमें यह मानने के लिए विवश होना पड़ता है कि ये अवश्य हीं विश्वकर्मा का मिथक रूप : वैदिक तथा परवर्ती साहित्य में मूलरूप में किसी एक ही जनक्षेत्र से उत्पन्न हुई होंगी। इनमें परस्पर ध्वनि, रूप, शब्द तथा वाक्य विन्यास की दृष्टि से इतना घनिष्ठ साम्य है कि इसे केवल संयोग अथवा पारस्परिक आदान-प्रदान की संज्ञा नहीं दी जा सकती

है। परस्पर घनिष्ठतया संबद्ध इन भाषाओं के शब्दों के विभिन्न रूप तथा उनकी छवियों की परस्पर तुलना करके तत्तत् शब्दों के प्राचीनतम मूल भारोपीय स्वरूप तक पहुंचा जा सकता है।[11]

भाषा विज्ञान के द्वारा एकाधिक प्राचीन संस्कृतियों में पाये जाने वाले किसी देवता-विशेष के वाची विभिन्न शब्दों में साम्य और एकात्म्य का बोध हो जाने पर उन-उन संस्कृतियों के साहित्यादि में वर्णित उस देवता विशेष की स्वरूपगत विशेषताओं और उनसे सम्बन्धित कथाओं का परस्पर तुलनात्मक अध्ययन भी प्रारम्भ हुआ जिससे "तुलनात्मक देवशास्त्र"[12] का विकास हुआ। इसी विधा से भारोपीय देवताओं के सम्बन्ध में कुछ कहने का प्रयास विद्वानों ने किया है।

भारोपीय काल के देवताओं में, आकाश का देव-द्येउस[13], वरुण-"अओरूएनॅस"[14], पृथ्वीमाता[15], तड़ित अथवा वर्षा का देवता[16], सूर्य, चन्द्रमा तथा उषस्[17], अश्विनौ[18], अग्नि[19], वायु तथा जल देवता[20] नामक वैदिक देवताओं के स्वरूप तथा अस्तित्व की झलक भारोपीय भाषाओं तथा उससे विकसित तुलनात्मक देवशास्त्र के माध्यम से देखने का प्रयास किया गया है किन्तु, इनमें विश्वकर्मा उल्लिखित नहीं है।

भारोपीय तुलनात्मक देवशास्त्र में विश्वकर्मा एवं त्वष्टा के प्रत्यक्ष संदर्भ भले ही नहीं मिलते हैं किन्तु नवीनतम अनुसंधानों से यह स्पष्ट हो गया है कि "तक्ष्" एवं उसके सगोत्र शब्द भारोपीय परम्पराओं में बहुतायत से मिलते हैं। उसी "तक्ष्" से आज की तकनीक (टेक्नॉलाजी) का विकास हुआ तथा "तक्षा" ही प्रारंभिक शिल्पी था। इस "तक्ष्" के सगोत्री शब्द वैदिक साहित्य तथा भारोपीय भाषाओं में मिलते हैं जिनके व्युत्पत्तिपरक विवेचन से मानव सभ्यता की प्रारंभिक मूल प्रविधि प्रस्तर नहीं थी बल्कि काष्ठ प्रविधि ही आरम्भिक सभ्यता की मूल प्रविधि थी। क्योंकि "तक्ष्" का प्रयोग पत्थर के उपादानों के सम्बन्ध में भारोपीय भाषाओं में नहीं है। तक्ष् के सम्बन्ध में अवेस्ता में "तसन्" तथा ग्रीक में टेक्टोन (Tecton) है जिससे "टेक्नॉलाजी" शब्द बना है।[21] सर्वदर्शी विश्वकर्मा द्वारा इस भूमि और द्विलोक की रचना के सम्बन्ध में ऋग्वेद (दशम् मण्डल) की ऋचाएँ यह प्रतिपादित करती हैं कि प्रारम्भिक संरचना में वन एवं लकड़ी ही थे। अवेस्तिक तथा ग्रीको-रोमन परम्पराओं में भी वृक्ष से ही निर्माण कार्य की चर्चा है।

यदि "तक्ष्" एवं शिल्प शब्दों के सगोत्रीय भारोपीय भाषाओं के शब्दों को ग्रहण किया जाय तो तुलनात्मक देवशास्त्र में त्वष्टा एवं विश्वकर्मा की परोक्ष उपस्थिति मानी जा सकती है। क्योंकि विश्वकर्मा की शाब्दी-परम्परा की विद्यमानता भारोपीय भाषाओं में उसके समानार्थी एवं सगोत्री शब्दों के कारण संभाव्य है।

विश्वकर्मा की वैदिक उत्पत्ति

ऋग्वेद के दशम् मण्डल के सुप्रसिद्ध "विश्वकर्मा सूक्तां" की विशद् व्याख्या हुई है। वैदिक देवशास्त्र पर अनुसंधान करने वाले लगभग सभी विद्वानों, अध्येताओं ने उक्त सूक्तों के आधार पर देवता के स्वरूप तथा उसकी उत्पत्ति का चिन्तन किया है। ऋग्वेद के अन्य दार्शनिक सूक्तों में भी देवताओं की उत्पत्ति का निर्देश किया गया है। प्रायः जल तत्व से देवों की उत्पत्ति को सम्बद्ध किया गया है।[22] अर्थर्ववेद[23] में देवताओं की "असत्" से उत्पत्ति की बात कही गयी है। सृष्टि सम्बन्धी एक सूक्त[24] के अनुसार इनकी उत्पत्ति जगत् की सृष्टि के बाद हुई। इसके अतिरिक्त इन लोगों को आकाश और पृथ्वी की संतान भी कहा गया है।[25] एक स्थल पर प्रत्यक्षतः विश्व के तीन स्तरों के अनुरूप ही देवों की त्रिस्तरीय उत्पत्ति का भी वर्णन है, जहाँ देवों को अदिति से उत्पन्न, जल से उत्पन्न और पृथ्वी से उत्पन्न आदि कहा गया है।[26] किन्तु यदि नैरूक्तिक तथा शौनकीय बृहद्देवता की धारणा, जिसका पूर्व पृष्ठों में उल्लेख किया जा चुका है, की ओर दृष्टिपात किया जाय तो यह स्पष्ट होता है कि देवों द्वारा एक दूसरे देवों की उत्पत्ति होती है। इसलिए उषस् को देवों की माता[27] और ब्रह्मणस्पति[28] तथा सोम[29] को देवों का पिता कहा गया है। देवों के उत्पत्ति की वैदिक धारणा का पल्लवन ब्राह्मण, उपनिषद् तथा पौराणिक कालों में हुआ। पुराणों में तो विस्तार से देवताओं के उत्पत्ति सम्बन्धी कथाएं हैं। क्योंकि पुराण पंचलक्षणं में इस प्रकार के वर्णनों की व्याख्या तथा महत्त्व है।

ऋग्वैदिक विश्वकर्मा स्वयं गर्भ के रूप में चित्रित है।[30] जबकि ऋग्वेद के दशम् मण्डल का ही हिरण्यगर्भसूक्त[31] हिरण्यगर्भ का तादात्म्य प्रजापति से करता है। ऐसा माना जाता है कि ऋग्वैदिक देवमण्डल के सर्वोच्च देवता की सर्वोत्कृष्ट शब्दों में स्तुति करने वाला यह सूक्त प्रजापति विषयक वैदिक मंत्रों में अद्वितीय स्थान रखता है।[32] हिरण्यगर्भसूक्त, विश्वकर्मा सूक्त के बाद का है जो इस बात की प्रबल संभावना को उद्भूत करता है कि प्रजापति की अवधारणा विश्वकर्मा के बाद की है।

वास्तव में विश्वकर्मा की उत्पत्ति विषयक धारणा अन्य देवों की धारणाओं से भिन्न हैं। इसका मौलिक कारण उसकी सर्वोच्चता तथा सर्वकर्ता को व्यक्त करने वाले को रखा गया है; जैसे-प्रजापति, विश्वकर्मा (त्वष्टा), बृहस्पति, आदि।

वस्तुतः वैदिक देवों के वर्गीकरण में यास्क एवं शौनक अधिक स्पष्ट हैं। यास्क ने कहा है कि नैरूक्तों के सिद्धांत के अनुसार केवल तीन ही देवता हैं—पृथ्वी स्थानीय अग्नि, अंतरिक्ष स्थानीय वायु अथवा इन्द्र तथा द्युस्थानीय सूर्य। तत्तत् वर्गों के समस्त देवता इन्हीं तीन प्रतिनिधि देवताओं के विविध रूप हैं।[33]

शौनक[34] का कहना है कि मुख्यतः ये ही तीन देवता हैं और शेष इनकी विभूतियाँ हैं; यही कारण है कि मंत्रों में एक देवता को दूसरे का उत्पादक कहा गया है। शौनक का यह भी मत है कि इन देवों की महानता के कारण इनके लिये विभिन्न नामों का व्यवहार किया गया है और इनके क्षेत्रों के विभाजन के अनुसार ही इनके नामों में विविधता दिखाई पड़ती है।[35] शौनक आगे कहते हैं कि यह देवता अपने नाम-भेद के कारण ही यथास्थान प्रतिष्ठित हैं। कुछ लोगों का ऐसा कथन है कि जो जिस देवता का भक्त होता है वह उसे ही उस स्थान पर प्रधान मानता है। वस्तुतः देवता के नाम-रूपों के सम्बन्ध में कोई एक मत स्थिर नहीं किया जा सकता है। सभी देवता अपने-अपने स्थान पर विभूति सम्पन्न हैं।

2. दिव्यात्मा द्वारा पंच मुखी विश्वकर्मा का वर्णन

एक दिन उसी मोतीझील की बगिया में उसका मैंने (दिव्यात्मा पत्नी का) स्मरण किया स्मरण के साथ ही वह आयी और मुस्कराती हुई अपने स्थान पर बैठ गयी। जब मैंने उससे उसका हाल चाल पूछा तब वह अधिक गंभीर हो गई। लगा कि वह गहन विचारों में खोती जा रही है। वह मौन थी। उसके नेत्र बंद थे। तन पुलकित था और होठ मुस्करा रहे थे। वह दो क्षण तक अपने में ही ध्यान मग्न थी। इसके बाद अंदर से मन को बाहर करके हर्षित होकर वह बोली, "कि जब मैं (दिव्यात्मा पत्नी) उस शुभ सहायक आत्मा के साथ विचरण कर रही थी तब उसने (शुभ सहायक आत्मा ने) मुझे पूर्व दिशा की ओर चलने का संकेत किया। मैं उसके पीछे चल पड़ी। पूर्व दिशा पहुँचने पर उसने मुझसे कहा जरा ध्यान से देखो। यहाँ लौह यज्ञ हो रहा है। लौह यज्ञ क्या है और क्यों हो रहा है? मेरे पूछने पर उसने (शुभ

सहायक आत्मा ने) मुझसे (दिव्यात्मा पत्नी से) कहा कि मुझे मुक्त आत्माओं में से एक ने जो कुछ इस विषय में बताया है वही मैं तुम्हें संक्षेप में बताता हूँ। उसने (शुभ सहायक आत्मा ने) कहना प्रारम्भ किया कि पंच दिशाओं में अलग-अलग पंच यज्ञ सृष्टि निर्माण और संचालन हेतु हो रहे हैं। पूर्व दिशा में यह लौह यज्ञ हो रहा है। लौह यज्ञ का वर्णन करते हुए उसने कहा कि—

यह जो तुम पूर्व दिशा देख रही हो। वही भगवान पंचमुखी विश्वकर्मा जी का सद्योजात मुख है उस मुख में तारक ब्रह्म शक्ति का निवास है। सृष्टि संचालन में सहायता करने हेतु तारक ब्रह्म शक्ति के लिए महर्षि सानग है। महर्षि सानग का ऋग्वेद है। ऋग्वेद से ही सानग महर्षि लौह यज्ञ कर रहे हैं। जड़ चेतन के क्रियाकलापों हेतु सृष्टि संचालन के लिये नित्य किया जाने वाला कर्म ही लौह यज्ञ है। यह लौह यज्ञ का आन्तरिक रहस्यमय स्वरूप है। अर्थात् यहाँ से सूर्य की किरणों के माध्यम से प्रभु की ऊर्जा शक्तियाँ बीज रूप में जड़ चेतन शरीरों में पहुँचायी जाती हैं। और सूर्य की पारदर्शी किरणों नित्य बीज रूप में प्राणवान ऊर्जा शक्ति को विभिन्न योनियों के शरीरों में प्रवेश कराती रहती हैं। यही जड़ चेतन जीव के क्रियाकलाप का कारण है। जब जीवात्मा प्राण वायु के साथ शरीर से पृथक होता है तब वजन में हल्की जीवात्माओं का प्रवेश अनेक उपखण्डों में होता रहता है। (यह चेतन लौह यज्ञ का रहस्यात्मक स्वरूप है) जड़ सृष्टि में लौह यज्ञ के माध्यम से और सूर्य की किरणों की सहायता से लौह धातुएं खनिज रूप में पृथ्वी लोक में उत्पन्न होती रहती हैं, जिससे मानव कल्याणार्थ लोहे आदि धातुओं की अनेक प्रकार की वस्तुओं का निर्माण होता रहता है। यह लौह यज्ञ का बाहरी रहस्यमय स्वरूप है।

इतना कह कर वह (शुभ सहायक आत्मा) मुझे (दिव्यात्मा पत्नी को) दक्षिण दिशा की ओर ले गई, जहाँ पर काष्ट यज्ञ हो रहा था। उसने (शुभ सहायक आत्मा ने) पुनः मुझसे (दिव्यात्मा पत्नी से) कहा कि यह प्रभु की रहस्यमय लीला है। इस लीला को विरले ही देख पाते हैं। इसे ध्यान से सुनो और गौर से देखो। उसने कहा कि दक्षिण दिशा ही विराट पंचमुखी विश्वकर्मा का वामदेव मुख है इस मुख में बिन्दु ब्रह्म शक्ति का निवास है। बिन्दु ब्रह्म शक्ति की सहायता के लिये सनातन महर्षि हैं सनातन महर्षि का यजुर्वेद है। यजुर्वेद से हीं सनातन महर्षि काष्ठ यज्ञ कर रहे हैं। काष्ठ यज्ञ

के भी आन्तरिक और बाहरी रहस्यात्मक स्वरूप है। चेतन शरीरों में अनेक प्रकार के रोगों का निर्माण होता रहता है यह आन्तरिक रहस्यात्मक स्वरूप है। जड़ में अनेक प्रकार के वृक्षों और पौधों की नयी-नयी प्रजातियों का जन्म होता रहता है जिससे मानव कल्याणकारी लकड़ी की बनी हुयी अनेक प्रकार की वस्तुओं का निर्माण होता रहता है। यही काष्ठ यज्ञ का आन्तरिक और ब्राह्य स्वरूप है। जो सृष्टि के निर्माण और संचालन का कारण है।

इसके बाद वह (दिव्यात्मा पत्नी) मुझसे बोली कि उसने (शुभ सहायक आत्मा ने) मुझे (दिव्यात्मा पत्नी को) पश्चिम दिशा की ओर चलने का संकेत किया और मैं (दिव्यात्मा पत्नी) उसके (शुभ सहायक आत्मा के) पीछे-पीछे चल पड़ी। जब मैं (दिव्यात्मा पत्नी) वहाँ पहुँची तब फिर मुझे उसने (शुभ सहायक आत्मा ने) ध्यान से सुनने और गौर से देखने को कहा और तब मैं (दिव्यात्मा पत्नी) गौर से सुनने और ध्यान से देखने लगी।

उसने (शुभ सहायक आत्मा ने) मुझसे (दिव्यात्मा पत्नी से) कहा कि पश्चिम दिशा ही पंचमुखी विश्वकर्मा का अधोरमुख है। इस मुख में कुण्डल ब्रह्म शक्ति का निवास है। कुण्डल ब्रह्म शक्ति की सहायता के लिए महर्षि अहंभून है। अहंमून महर्षि का सामवेद है। सामवेद से ताम्रयज्ञ हो रहा है। ताम्रयज्ञ के भी आन्तरिक और बाह्य रहस्यात्मक स्वरूप है। आन्तरिक रहस्यात्मक स्वरूप के अंतर्गत चेतन जगत के शरीरों में विभिन्न प्रकार की रक्त वाहिनी धमनियाँ ताम्र यज्ञ के द्वारा ही निर्मित होती रहती हैं। और बाह्य रहस्यात्मक स्वरूप के अंतर्गत भौतिक जड़ जगत में विभिन्न प्रकार के जल स्रोत, नदियाँ, सागर आदि ताम्र यज्ञ का बाह्य रहस्यात्मक स्वरूप है। सृष्टि निर्माण और संचालन हेतु उक्त दोनों स्वरूपों का विशिष्ट महत्व है।

इसके बाद वह (शुभ सहायक आत्मा) मुझे (दिव्यात्मा पत्नी को) उत्तर दिशा की ओर ले गया। और पूर्व की भाँति ही मुझे (दिव्यात्मा पत्नी को) देखने को कहा कि उत्तर दिशा ही पंचमुखी विश्वकर्मा का तत्पुरुष मुख है। इस मुख में दण्डक ब्रह्मशक्ति का निवास है। दण्डक ब्रह्म शक्ति की सहायता के लिए प्रयन्त महर्षि है। प्रयन्त महर्षि का अथर्व वेद है। अथर्ववेद से महर्षि प्रयन्त शिल्प यज्ञ कर रहे हैं। शिल्प यज्ञ की भी रहस्यात्मक दो स्वरूप है। आन्तरिक स्वरूप में चेतन जगत के शरीरों में नाना प्रकार की हड्डियों के ढाँचों का निर्माण नित्य होता रहता है। जड़ जगत में पृथ्वी लोक में अनेक प्रकार के पहाड़ों आदि का उदय और अस्त होना

शिल्प यज्ञ का बाहरी स्वरूप है। मानव कल्याणार्थ अनेक प्रकार के भवनों आदि का निर्माण, मनोरंजन के अनेक प्रकार के उपकरणों का निर्माण होते रहना भी शिल्प यज्ञ का बाहरी स्वरूप है। शिल्प यज्ञ को शिला यज्ञ भी कहते हैं।

इसके बाद वह (शुभ सहायक आत्मा) मुझे (दिव्यात्मा पत्नी को) ऊर्ध्व (ऊपर की ओर) दिशा की ओर ले गया। मुझे उसी भांति ध्यान से देखने और सुनने के लिये कहा और मैं (दिव्यात्मा पत्नी) उसी प्रकार से ध्यान से सुनने और गौर से देखने लगी। ऊपरी दिशा का सौंदर्य आभा मंडित था। उसने (शुभ सहायक आत्मा ने) कहा कि यह उर्ध्व (ऊपर की) दिशा ही विराट विश्वकर्मा का ईरान मुख है इस मुख में अर्द्ध चन्द्रक ब्रह्म शक्ति का निवास है अर्द्ध चन्द्रक ब्रह्म शक्ति की सहायता हेतु महर्षि सुपर्थ हैं इनका प्रणव वेद है। महर्षि सुपर्ण प्रणव वेद से स्वर्ण यज्ञ कर रहे हैं। सर्व यज्ञ के भी आन्तरिक और वाह्य दो रहस्यात्मक स्वरूप हैं।

आन्तरिक रहस्यात्मक स्वरूप के अंतर्गत चेतन जगत में प्रत्येक जीव के अंदर हृदय की धड़कन, नाड़ियों का संचालन स्वर्ण यज्ञ के द्वारा ही होता रहता है। यदि स्वर्ण यज्ञ न हो तो हृदय की धड़कन हो ही नहीं सकती। जीवन जीवित रह ही नहीं सकता। जड़ जगत में हीरे, मोती, जवाहर आदि बहुमूल्य खनिज पदार्थों का निर्माण स्वर्ण यज्ञ से ही होता है। यह स्वर्ण यज्ञ का वाह्य रहस्यात्मक स्वरूप है। इस प्रकार उक्त पाचों यज्ञ जब तक होते रहेंगे तभी तक ब्रह्माण्ड का अस्तित्व है। इनके न होने पर महाप्रलय होती है और ब्रह्माण्ड का अस्तित्व समाप्त हो जाता है। मैं (दिव्यात्मा पत्नी) यह देख और सुनकर आश्चर्य चकित थी कि उसने (शुभ सहायक आत्मा ने) एक बात और भी रहस्यमयी बताना प्रारम्भ किया कि उक्त वर्णन है–

3. अमैथुनी सृष्टि वर्णन

अमैथुनी सृष्टि विधान के अंतर्गत आवश्यकतानुसार सृष्टि निर्माण और संचालन हेतु सहायता के लिये उक्त सर्वोच्च ऊर्जा शक्ति पंचमुखी विश्वकर्मा द्वारा मनोकामना मात्र से अनेक प्रकार की दिव्य शक्तियों का जन्म होता रहता है। वे दिव्य शक्तियाँ, स्वतः मुक्त आत्माओं से, मुक्त आत्माएं, शुभ सहायक आत्माओं और दिव्यात्माओं से तथा सहायक दिव्य आत्माएं अन्य आत्माओं से सृष्टि संचालन का दायित्व एक दूसरे से लेकर कार्यरत रहती है। सृष्टि निर्माण और संचालन का वर्तुल ब्रह्माण्ड में इसी प्रकार से चलता

रहता है। सबसे बड़ी गूढ़ रहस्यात्मक बात यह है कि अपौरुषेय शक्ति ने (ईश्वर ने) ऐसा तंत्र सृष्टि निर्माण और संचालन का बनाया है कि वह स्वतः होता रहता है। उक्त सर्वोच्च ऊर्जा शक्ति पंचमुखी विश्वकर्मा तो साक्षी और दृष्टा बनकर उक्त लीला का आनन्द लेता रहता है।

मैंने (दिव्यात्मा पत्नी ने) पूछा कि यदि अमैथुनी सृष्टि विधान है तो मैथुनी सृष्टि विधान भी होनी चाहिये। उक्त मेरी (दिव्यात्मा पत्नी की) बात को सुनकर वह (शुभ सहायक आत्मा) कुछ गंभीर हो गया किन्तु अति शीघ्र मुझसे (दिव्यात्मा पत्नी से) अथर्ववेद, प्रणववेद) ज्ञाता, विद्वान, ध ार्मिक अनुष्ठान एवं कर्मकाण्ड के विश्वविख्यात पंडित हैं। यद्यपि विश्वरूप के पंडित बनाने का सर्वसम्मति से निर्णय हो गया था। किन्तु विश्वरूप की स्पष्टवादिता के स्वभाव से परिचित होने के कारण इन्द्र को कुछ अच्छा नहीं लगा। और देवयज्ञ योग स्वरूप का गोत्र सुपर्ण है। इनकी अलग-अलग संतान भी इसी गोत्र से जानी जायेंगी। उक्त पांचों के अतिरिक्त जो गोत्र हैं वे सब बाद में योगिक ऋषियों के तप के द्वारा हुये हैं जन्मजात नहीं। तुम्हें अब अच्छी प्रकार से ज्ञात हो गया है कि विश्वकर्मा के पांचों पुत्रों कौन है और उनका जन्मजात गोत्र क्या है। अस्तु अब आगे मैं (ब्रह्मा) तुम्हें (इन्द्र को) विश्वकर्मा पंचाल बंधुओं के सर्वोच्च महत्वपूर्ण गुण कौन-कौन से हैं उन्हें भी बताता हूं तुम (इन्द्र) ध्यान से सुनो।

ब्रह्मा जी पुनः इन्द्र को सम्बोधित करते हुए बोले हे! इन्द्र! ध्यान से सुनो। द्विज होना विश्वकर्मा पंचाल बन्धुओं का प्रथम गुण है। द्विज से भी ऊपर सभी विश्वकर्मा बन्धु ऋषि होते हैं। क्योंकि ऋषि पारलौकिक दृष्टि वाले सूक्ष्मदर्शी तपस्वी विद्वान को कहते हैं जिन्हें सामान्य व्यक्तियों से बहुत पहले घटने वाली घटनाओं का ज्ञान हो जाता है। वे ही अतीन्द्रिय दृष्टि वाले ऋषि होते हैं। यह गुण ईश चिन्तन, ज्ञान चिन्तन और साधना में निरंतर रत रहने पर प्राप्त होता है। ऐसे गुणों से युक्त लोग ही द्विज से श्री श्रेष्ठ ऋषि कहलाते है। उनका तृतीय गुण पिता होना है। पिता उन्हीं को कहते हैं जिनके संतान हो। यदि पिता ऋषि है तो संतान के कल्याण में संदेह नहीं हो सकता है। इस प्रकार के ऋषि तथा उनकी संताने यज्ञ करते हैं। लोकोपकार के लिये किया गया कर्म ही यज्ञ होता है। जनता ईश्वर का स्वरूप है अस्तु जनता के कल्याणार्थ अनेकानेक वस्तुओं का निर्माण करते रहने वाला उनका चौथा गुण लोकोपकारक होना है। हंसकर बोली कि दूसरी

मुक्ति आत्मा से मुझे (शुभ सहायक आत्मा को) मैथुनी सृष्टि की भी जानकारी मिली है। अभी हम लोग अपने-अपने अपखण्डों में चलते हैं और वहीं चलकर विश्राम करते हैं। इतना कहकर वह (शुभ सहायक आत्मा) अपने उपखण्ड में चला गया। और मैं (दिव्यात्मा पत्नी) भी अपने उपखण्ड में विश्राम करने हेतु चली आई। विश्राम कर ही रही थी कि तुमने मेरा स्मरण किया और स्मरण के साथ ही मुझे तुम्हारे पास आना पड़ा। उसने (दिव्यात्मा पत्नी ने) आगे कहा कि मैथुनी सृष्टि विधान की बात मैं अगली जानकारी के बाद ही तुम्हें बता पाऊँगी। आज काफी देर भी हो गयी है, यह कहकर वह (दिव्यात्मा पत्नी) हँसती हुयी अपने गन्तव्य स्थान को चली गयी और मैं भी अत्यन्त प्रसन्न चित अपने घर चला आया।

मैं घर तो चला आया किन्तु इस अस्तित्व में (ईश्वर में) सब कुछ कितना रहस्य छिपा है? दिव्यात्मा पत्नी द्वारा सुनकर और जानकर मैं आश्चर्यचकित था। जितना अधिक उसकी रहस्यमयी बातों को सोचता था, उतना ही अधिक उसमें खोता ही चला जा रहा था। यहाँ तक कि मुझे ऐसा लगा कि मानो मेरा सूक्ष्म शरीर दिव्यात्मा पत्नी के साथ उड़ रहा है और मैं भी अपनी स्वयं आखों से उक्त दृश्य देख रहा हूँ। इस प्रकार मेरा सजगता बढ़ती गई। अंतर्दृष्टि के विकसित होने पर व्यक्ति अपने आप को ईश्वर के प्रति समर्पित करने लगता है। प्रभु को सदैव अपने पास महसूस करने लगता है। सोते जागते, उठते, बैठते या कोई काम करते हुये भी ऐसे व्यक्ति को उसकी सुरति बनी रहती है।

जैसे गर्भिणी स्त्री कोई भी काम करने पर सतत् उसे अपने गर्भस्थ शिशु का ध्यान रहता है। या यों समझो कि जैसे कोई किसी को अचानक प्रेम करने लगता है तो 24 घंटे उसकी छवि उसके सामने नाचते लगती है। सोते में भी वह उसी का सपना देखता है। यही दशा उस समय मेरी हो गई थी जिस समय मैं वहाँ से घर आई थी।

4. मैथुनी सृष्टि

फिर भी घर आने पर मैं सोचने लगा कि नर-नारी के मिलन से संतान की उत्पत्ति होना ही यद्यपि मैथुनी सृष्टि है, तो भी मैथुनी सृष्टि कब से प्रारम्भ हुयी? किसने कैसे प्रारम्भ की? क्या ईश्वर मनुष्य रूप में जन्म लेता है? यदि हाँ तो कब, कैसे और क्यों? आदि प्रश्न मन में उठने लगे। मृत्युलोक में विद्वान उक्त विषय में एक मत नहीं है। कुछ विद्वान मैथुनी

सृष्टि का प्रारम्भ दक्षप्रजापति से और कुछ मनु सतरूपा से मानते हैं। दिव्यात्मा पत्नी से उक्त विषय में सही जानकारी मुझे अवश्य मिलेगी इस विश्वास के साथ भोजन के पश्चात् मैं विस्तर पर लेट गया और सो गया।

दूसरे दिन मैं जल्दी ही जग गया और प्रातः ठीक समय मोतीझील की बगिया पहुँच गया। मेरे स्मरण के साथ ही वह भी (दिव्यात्मा पत्नी) ठीक समय पर वहाँ आ गई और अपने स्थान पर बैठ गयी। मैं उससे (दिव्यात्मा पत्नी से) उक्त सभी बातों की जानकारी करने का आग्रह करने लगा। थोड़ी देर में ही उसने आगे का हाल बताना प्रारम्भ किया। मैं ध्यान से उसकी एक-एक बात सुनने लगा। वह (दिव्यात्मा पत्नी) मुझसे बोली "तुम्हारे पास से जाने के बाद वह (शुभ सहायक आत्मा) मुझसे बोला–"मैं बहुत देर से तुम्हारी प्रतीक्षा कर रहा हूँ। इतना कहकर उसने मुझे अपने साथ चलने का संकेत किया और मैं चुपचाप उसके पीछे चल पड़ी। वह मुझे आकाश में बहुत दूर एक विशाल उपखण्ड में ले आया और कहा कि एक मुक्त आत्मा के साथ मैं यहाँ आया था। उस मुक्त आत्मा ने जो कुछ भी जानकारी इस उपखण्ड के विषय में दी है, उसे मैं (शुभ सहायक आत्मा) तुम्हें (दिव्यात्मा पत्नी को) बताता हूँ तुम ध्यान से सुनो।

उसने (शुभ सहायक आत्मा ने) मुझसे (दिव्यात्मा पत्नी से) कहा, "ध्यान से देखो। जो इस उपखण्ड में ऊँचे-ऊँचे चार शिखर दिखाई पड़ रहे हैं, उन चारों में से तीन क्रमशः ब्रह्मलोक, विष्णु लोक और शिव लोक हैं। सबसे ऊँचा जो चौथा शिखर है। उसे तप लोक कहते हैं।

यहाँ पर दैवी शक्तियाँ और मुक्त आत्माएं तप करती रहती है। एक बार ब्रह्मा, विष्णु, महेश ने भी यहीं पर अनन्त काल तक भगवान विश्वकर्मा की तपस्या की थी। उसके ऐसा कहने पर मैंने उससे (दिव्यात्मा पत्नी से) कहा ऐसा क्यों? ब्रह्मा, विष्णु, महेश तो स्वयं ज्ञानी परम पिता परमात्मा हैं क्योंकि मृत्यु लोक में सभी उन्हें ही परमात्मा मानते हैं। उन्हीं का कीर्तन, भजन और पूजन करते हैं। जो साक्षात् ईश्वर स्वरूप हैं उन्हें भगवान विश्वकर्मा का तप करने की क्या आवश्यकता है? यह सुनकर मेरी दिव्यात्मा पत्नी ने मुझसे कहा कि जो प्रश्न तुमने किये हैं, वही प्रश्न शुभ सहायक आत्मा ने मुक्त आत्मा से किये हैं। अस्तु उक्त विषय में जो सम्वाद शुभ सहायक आत्मा और मुक्त आत्मा के बीच हुआ है, उस प्रसंग को मैं (दिव्यात्मा पत्नी) तुमको सविस्तार से बताता हूँ। तुम ध्यान से सुनो, "उसके इस कथन के

साथ ही मैं बड़े ध्यान से उसकी ओर देखने लगा। मेरी उत्सुकता समझ कर वह (दिव्यात्मा पत्नी) बोली, कि मुक्त आत्मा ने शुभ सहायक आत्मा से कहा कि मृत्यु लोक में उस विराट विश्वकर्मा परमेश्वर को (जिसने विश्व की रचना की है) पृथक-पृथक गुणों के कारण, मनुष्य पृथक-पृथक नाम से पुकारते हैं। (1) विश्वकर्मा (2) विधाता अथवा ब्रह्मा (3) स्वयंम्भू (4) हिरण्य गर्भ (5) आदित्य (6) त्वष्टा (7) विष्णु (8) महेश (9) प्रजापति ये सब विश्वकर्मा जी के ही नाम हैं। जिस प्रकार मृत्यु लोक में सूर्य एक ही दिखाई देता है किन्तु पृथक-पृथक गुणों के कारण सूर्य एक ही मित्र, रवि, खग, भानु, आदित्य, अर्क, भास्कर, हिरण्य गर्भ, सविता, पूषा, मरीच, सूर्य नारायण आदि नामों से मनुष्य पुकारते हैं और उसकी (सूर्य की) अराधना करते हैं। उसी प्रकार यद्यपि विराट विश्वकर्मा परमेश्वर एक हीं है किन्तु उपरोक्त पृथक गुणों के कारण जिस पृथक नाम में जिसकी श्रद्धा होती है उसी नाम को इष्ट मानकर मृत्युलोक के निवासी उसकी पूजा, अर्चना तथा जप करते रहते हैं।

मैथुनी सृष्टि कब से प्रारम्भ हुयी और किसने प्रारम्भ की? इस शंका का समाधान करते हुये उस मुक्त आत्मा ने कहा कि दक्ष प्रजापति से अथवा मनु सतरूपा से मैथुनी सृष्टि प्रारम्भ हुयी, उक्त धारणा मुत्यु के निवासियों की है यहा क्योंकि उक्त दोनों राजाओं के समय मनुष्य की संस्कृति और सभ्यता विकसित हो चुकी थी। राजाओं की शासन सत्ता के कई पीढ़ियों पहले जब न कोई राजा होता था और न कोई प्रजा होती थी। विराट विश्वकर्मा परमेश्वर द्वारा मैथुनी सृष्टि प्रारम्भ की जा चुकी थी। किन्तु उस समय मनुष्यों की बड़ी दयनीय दशा थी। मनुष्यों का जंगली जीवन था। जंगली हिंसक जीवों से बचने के लिए वे लोग गुफाओं में अथवा वृक्षों के ऊपर मचान बना कर नग्न अवस्था में रहते थे। पशुओं का मांस ही उनका आहार (भोजन) थ। अस्तु किस प्रकार मनुष्य जंगली जीवन को छोड़कर सभ्यता और संस्कृति के जीवन में प्रवेश करे? किस प्रकार गाँवों और नगरों की रचनायें हो? किस प्रकार वैज्ञानिक उन्नति से मानव कल्याण हेतु विभिन्न प्रकार की वस्तुओं का निर्माण हो? कैसे शासन तंत्र निरंकुश न हो पाये? सामाजिक, आर्थिक, राजनैतिक, धार्मिक, नैतिक आदि की व्यवस्थाएं किस प्रकार की जाय जिससे परस्पर सहयोग, शांति और प्रेम का वातावरण उत्पन्न हो? इत्यादि मनुष्यों की प्रारम्भिक ऐसी समस्याएं थी, जिन्हें दूर करना आवश्यक था। बिना विराट विश्वकर्मा परमेश्वर के मनुष्य योनि में जन्म

लिये, उक्त समस्याएं दूर नहीं हो सकती थी। इसीलिये ब्रह्मा, विष्णु, महेश ने इसी उपखण्ड के तप लोक में अनन्त काल तक तपस्या की थी।

ब्रह्मा, विष्णु, महेश के तप को देखकर विराट विश्वकर्मा परमेश्वर प्रसन्न हुये और उस उपखंड के तपलोक में आकाशवाणी हुयी, "हे! तपस्वियों! तुम्हारी मनो कामना पूरी होगी। मैथुनी सृष्टि में मनुष्यों की प्रारम्भिक समस्याओं को दूर करने के लिये अंगिरा कुल में अंगिरा की बेटी व बृहस्पति की बहिन भुवना अथवा अंगरिसी मेरी माँ होगी और देवताओं के अष्टम वसु प्रभास मेरे पिता होंगे। इस प्रकार माता भुवना के गर्भ से मैं मनुष्य योनि में जन्म लूँगा। मेरी अनेक दिव्य शक्तियों का जन्म भी मेरे द्वारा होगा। यह कहकर आकाशवाणी शांत हो गई। ब्रह्मा, विष्णु, महेश प्रसन्न होकर अपने-अपने लोक चले गये। दिव्यात्मा पुनः बोली कि आज विलम्ब अधिक हो गया है, अस्तु विराट विश्वकर्मा परमेश्वर का जन्म कैसे और कहाँ हुआ? इस सम्वाद की जानकारी मैं फिर दूँगी, ऐसा कहकर वह (दिव्यात्मा पत्नी) अपने गंतव्य स्थान को चली गई और मैं उक्त संवाद सुनकर आश्चर्य चकित किन्तु प्रसन्नचित अपने घर चला आया।

आगे का संवाद सुनने की बड़ी उत्सुकता थी। आज अतिशीघ्र प्रातः काल मैं मोतीझील की बगिया पहुँच गया। समय सुहावना था। आकाश आभा मण्डित था। मदमस्त हवा बह रही थी। पक्षियों का कलरव हो रहा था। पुष्प खिले थे। चारों ओर प्रकृति प्रसन्नचित सुन्दर दिख रही थी। बड़ी उत्सुकता से मैं दिव्यात्मा पत्नी का स्मरण कर रहा था। अपने ठीक समय पर वह आई मैंने उसे नमन किया और वह मुस्कराती हुई अपने स्थान पर बैठ गई। मेरी उत्सुकता को वह अच्छी प्रकार समझ रही थी। अस्तु वह स्वयं शुभ सहायक आत्मा और मुक्त आत्मा का संवाद सुनाने लगी।

दिव्यात्मा पत्नी बोली, कि जब मैं अपनी शुभ सहायक आत्मा के साथ उस उपखण्ड में थी तो वहीं पर वह (शुभ सहायक आत्मा) मुझसे (दिव्यात्मा पत्नी से) बोला कि लगभग (1972649053 वर्ष) एक अरब सत्तानबे करोड़, छब्बीस लाख उनचास हजार तिरपन वर्ष पहले सृष्टि की उत्पत्ति हो चुकी थी, यह अमैथुनी युग था जो कि देवताओं का युग कहा जाता है। इसी काल खण्ड में मैथुनी सृष्टि आरम्भ हो चुकी थी। मृत्यु लोक में नर-नारी का मनुष्य योनि में जन्म होने लगा था। देवता अपनी इच्छानुसार मृत्यु लोक में विचरण करते रहते थे। ब्रह्मा, विष्णु, महेश भी जिन्होंने विराट

विश्वकर्मा परमेश्वर की मनुष्य योनि में जन्म लेने के लिये तप किया था, मृत्यु लोक में विचरण करते रहते थे।

उसने (शुभ सहायक आत्मा ने) मुझसे (दिव्यात्मा पत्नी से) आगे कहा कि मृत्यु लोक में भारत वर्ष के दक्षिण दिशा में पम्पापुर नामक स्थान है। यह इतिहास प्रसिद्ध वही स्थान है जहाँ पर रामायण कालीन सुग्रीव और उसका भाई बालि रहा करते थे। वह स्थान बड़ा ही सुन्दर और आकर्षक था। एक बार देवताओं के साथ अष्टम वसु प्रभास इसी स्थान पर आये थे। उन्हें उक्त स्थान बड़ा सुन्दर लगा और वे यहीं पर रहने लगे। अंगिरा जो ब्रह्मा के मानस पुत्र थे तथा अमैथुनी सृष्टि में उत्पन्न हुए थे, उन्हें मृत्यु लोक में रहकर तप करने की इच्छा जगी और उन्होंने भारत वर्ष के जंगल प्रदेश में (जो कि महाभारत काल में कुरुक्षेत्र था, पंजाब और राजस्थान के बीच में) उग्र तप किया। उग्रतप के प्रभाव से ही उन्होंने अथर्ववेद की मानव कल्याण हेतु रचना की। तप के पश्चात् मैथुनी सृष्टि के अंतर्गत उनके मन में नारी और पुरुष के भोग की इच्छा जगी। अस्तु उन्होंने यहीं पर रह कर मरीचि ऋषि की बेटी सुरूपा को अपनी पत्नी बनाया। उस पत्नी के गर्भ से बृहस्पति आदि पुत्रों के सहित भुवना नामक पुत्री का जन्म हुआ। जिसे अंगरिसी भी कहते हैं।

5. पम्पापुर में विश्वकर्मा का जन्म

अंगिरा की पुत्री धीरे-धीरे जवान हुयी। उसकी सुन्दरता और विद्वता भुवन भर में विख्यात हुयी। उसकी युवावस्था की सुन्दरता को देखकर अंगिरा ऋषि ने उसके अनुकूल अष्टम् वसु प्रभास से उसकी शादी कर दी। अस्तु माता भुवना के गर्भ से ही पम्पापुर नामक स्थान में माघ महीने की शुक्ल त्रयोदशी के दिन विराट विश्वकर्मा परमेश्वर का मनुष्य योनि में जन्म हुआ। जन्म के दिन ब्रह्मा, विष्णु, महेश सहित सभी दिव्य विभूतियाँ पम्पापुर नामक स्थान में आई और विश्वकर्मा भगवान के शिशु रूप में दर्शन कर मन ही मन नमन और बन्दन करके अपने-अपने स्थान को चली गई।

इस प्रकार अमैथुनी सृष्टि के देवताओं का मृत्युलोक में आना जाना होता रहा। और कुछ देवता अपनी इच्छानुसार मृत्यु लोक में ही रहने लगे। इतना संवाद सुनाने के बाद दिव्यात्मा पत्नी बोली कि अधिक विलम्ब हो चुका है, आगे का संवाद फिर सुनाऊँगी, यह कहकर वह अपने गन्तव्य स्थान को चली गई। उस संवाद को सुन कर आगे की कथा को सुनने की

लालसा मेरी बढ़ती गई। आगे का संवाद और अधिक रोचक होगा, यह समझ कर प्रसन्न चित्त मैं भी अपने घर चला आया।

पम्पा सरोवर का वर्णन

दिव्यात्मा पत्नी बोली भारत के दक्षिण में पम्पापुर नगर के निकट ही एक पम्पा नाम का सुन्दर सरोवर था उसके चारों ओर सुन्दर घाट बने हुये थें जल निर्मल और मधुर था सरोवर के गहरे जल में रंग बिरंगी मछलियाँ निर्भय होकर स्वच्छंद विचरण करती थीं। विविध प्रकार के कमल खिले हुये थे। सरोवर के आस-पास बरगद, पीपल, पाकड़, आम, चम्पक, कदम्ब आदि वृक्षों की सघन छाया थी। वहाँ शीतल, मन्द एवं सुगन्धित हवा सदा बहती रहती थी। अनेक प्रकार के पक्षी विहार करते थे। ताल के समीप ऋषि मुनियों की पर्ण कुटियाँ बनी थी। सरोवर के निकट ही विश्वकर्मा जी की पर्ण कुटी थी। पर्ण कुटी के पास सुन्दर ऊँचा चबूतरा बना था जिस पर बैठ कर वह नित्य प्रवचन करते थे। चबूतरे के अति निकट श्रोताओं के बैठने के लिये एक हरा-भरा कुंज था, जिस पर बैठकर ऋषि मुनी विश्वकर्मा परिवार, नागरिक एवं सुदूर भागों से आये हुये भक्त गण विश्वकर्मा जी का प्रवचन सुना करते थे।

शुभ सहायक आत्मा और मुक्त आत्मा के संवाद की कथा को आगे कहती हुयी दिव्यात्मा पत्नी बोली, एक बार विदुषी विश्वरूप की पत्नी चन्द्रिका के मन प्रातः काल एकान्त में अपने श्वसुर विश्वकर्मा जी से मिलकर कुछ शंकाओं के समाधान करने की इच्छा उत्पन्न हुई। अस्तु उसने एक योजना बनाई।

योजनानुसार प्रातः काल निश्चित तिथि तय करके अपने समस्त परिवार को विश्वकर्मा जी के दर्शन हेतु राजी कर लिया। निश्चित तिथि में समस्त परिवार सहित वह विश्वकर्मा जी के आश्रम पहुँच गई। प्रातः काल का समय था शौंच आदि से निवृत्त होकर विश्वकर्मा जी तप कर रहे थे। उनके तप को देखकर ऐसा लगा था कि मानो शांति रस ने शरीर धारण कर लिया हो और वहीं तप कर रहा हो। मन ही मन सारा परिवार हाथ जोड़े हुए विश्वकर्मा जी की प्रार्थना करने लगा। अंतर्यामी विश्वकर्मा जी समझ गये कि उनका परिवार आया हुआ है। उन्होंने समाधि से विरत होकर अपनी आंखें खोली और सबको अपने पास बैठने का संकेत किया। उनके संकेत से समस्त परिवार विश्वकर्मा जी के पास बैठ गया। विश्वकर्मा जी के पास

बैठते ही विश्वरूप की पत्नी चन्द्रिका के मन में पूर्व की घटना का स्मरण होने लगा। उसके मन में एक बार के मनुष्य योनि में जन्म लेने के पूर्व यद्यपि उनकी (विश्वकर्मा जी की) अनेक दिव्य शक्तियाँ मृत्यु लोक में अनेक प्रकार की व्यवस्थाओं का संचालन धीरे-धीरे करने लगी थी। फिर भी मनुष्य जाति के कल्याण के लिये बहुत कुछ करना शेष था। जब बालक विश्वकर्मा 5 वर्ष के हुये तभी उन्हें गुरुकुल में पढ़ने के लिये भेज दिया गया था। यद्यपि अमैथुनी सृष्टि के प्रारम्भ में ही विराट विश्वकर्मा परमेश्वर के द्वारा अग्नि, वायु, सूर्य, और अंगिरा को वेदों का साक्षात्कार (ज्ञान) करा दिया गया था। जिसकी प्रेरणा से ही उन्होंने क्रमशः ऋग्वेद, सामवेद और अथर्ववेद की रचनाएं की थीं। फिर भी 5 वर्ष से लेकर 25 वर्ष तक गुरुकुल में रहकर विश्वकर्मा जी ने अपने गुरु से वेदों आदि ग्रन्थों का अध्ययन किया।

ऋग्वेद में समस्त पदार्थों के गुणों का वर्णन, यजुर्वेद में याज्ञिक प्रक्रियाओं द्वारा सिद्ध होने वाली सिद्धियों के साधनों का वर्णन, सामवेद में गन्धर्व विद्या अर्थात् गान विद्या का वर्णन, अथर्ववेद में पदार्थों के प्रयोगों का वर्णन मंत्र दृष्टत्व ऊर्जा शक्ति से भगवान विश्वकर्मा ने अल्पावधि में ही अतिशीघ्र साक्षात्कार (ज्ञान) कर लिया था। दिव्यात्मा पत्नी ने आगे कहा कि 25 वर्ष तक अध्ययन, मनन और चिन्तन करने के पश्चात् जब विश्वकर्मा जी अपने घर वापस आये तब तक उन्होंने गुरुकुल में रहकर ही अनेक प्रकार के ग्रन्थों की रचनाएं अपने अनुभव से कर डाली थीं। जिससे उनकी प्रसिद्धी धीरे-धीरे चतुर्दिक होने लगी थी। दिव्यात्मा पत्नी ने कहा कि शुभ सहायक आत्मा ने कुछ प्रमुख ग्रन्थों की रचनाएं भी बतायी थी जो निम्न प्रकार से हैं–

1. **कृषि शिल्प शास्त्र**–इसके अंतर्गत पृथ्वी के सभी प्रकार के उत्पादन में जिन-जिन यंत्रों और साधनों की आवश्यकता होती है, उन सभी का वर्णन किया गया है।

2. **जल शिल्प शास्त्र**–जल सम्बन्धी सभी गुण दोषों की जानकारी देते हुए, मनुष्य जाति के कल्याण के लिए जल शक्ति का उपयोग विभिन्न अर्थों में किस प्रकार किया जाता है? इसका विधिवत् वर्णन किया गया है।

3. **खनिज शिल्प शास्त्र**–समस्त भू-गर्भ विद्या के गूढ़ रहस्यों का वर्णन किया गया है।

4. **नौका शिल्प शास्त्र**–सभी प्रकार की नौकाओं का और समुद्री जहाजों का वर्णन किया गया है।

5. **रथ शिल्प शास्त्र**–सभी प्रकार के रथ, संबारियाँ आदि बनाने का वर्णन किया गया है।

6. **विमान शिल्प शास्त्र**–सभी प्रकार के आकाशगामी वायुयानों की रचना विधि का वर्णन किया गया है।

7. **वास्तु शिल्प शास्त्र**–सभी प्रकार के निर्माण कला का वर्णन किया गया है।

8. **प्राकार शिल्प शास्त्र**– सभी प्रकार के नगर अथवा दुर्गादि के रक्षार्थ प्राचीर अथवा परकोटा आदि के बनाने की विधि का वर्णन किया गया है।

9. **नगर शिल्प शास्त्र**–सभी प्रकार के छोटे बड़े नगरो की रचनाओं का वर्णन किया गया है।

10. **यंत्र शिल्प शास्त्र**–सभी प्रकार की कल, मशीनें आदि यंत्रों का वर्णन किया गया है।

25 वर्ष के बाद उनकी विश्व विख्यात प्रसिद्धी होने लगी थी। यौवन काल का आकर्षक व्यक्तित्व और आन्तरिक पवित्र भावों से उत्पन्न तेज को देख कर उन्हें पिता प्रभास ने उनका (श्री विश्वकर्मा जी का) ब्याह हिरण्यकश्यप की पौत्री विरोचन की बहिन दिति के पुत्र की कन्या प्राहलादी से कर दिया। अमैथुनी सृष्टि के प्रारम्भ के लौह यज्ञकर्ता महर्षि सानग, काष्ठ यज्ञकर्ता महर्षि सनातन ताम्र यज्ञकर्ता महर्षि अहंमून, शिल्प यज्ञ कर्ता महर्षि प्रयन्त और स्वर्ण यज्ञकर्ता महर्षि सुपर्ण दैवज्ञ अथवा विश्वरूप भगवान विश्वकर्मा के पाँच पुत्र तथा संज्ञा, छाया सुरेणु तीन पुत्रियाँ उत्पन्न हुयी। विश्वकर्मा जी ने अपने पांचों पुत्रों को पांचों वेदों का अध्ययन कराया। अलग-अलग वेदों में अलग-अलग पुत्रों को विशेष योग्यतायें प्रदान की ताकि वे अपनी-अपनी कला के द्वारा मनुष्य जाति के कल्याण के लिये स्वतंत्र रूप से ऐसी कलाओं का विकास करने में सक्षम हों, जो सदैव विकास को गति देती रहें और प्रत्येक युग में वे मनुष्य जाति का कल्याण करती रहें, कभी नष्ट न हों।

इसीलिये क्रमशः विश्वकर्मा के पांचों पुत्रों में मनु लौह कला विशेषज्ञ, मय काष्ठ कला, त्वष्टा ताम्र कला, शिल्पी, शिल्प कला, दैवज्ञ या विश्वरूप

स्वर्णकला विशेषज्ञ माने जाने लगे। कला विशेषज्ञ होने के नाते अनेक गाँवों कस्बों और छोटे बड़े नगरों का तथा कुटीर उद्योग धन्धों का विकास होने लगा। धीरे-धीरे मनुष्य जाति जंगली जीवन से निकलकर अब गाँवों और नगरों में रहने लगी। अनेक प्रकार के कल-करखानों का निर्माण होने लगा। यातायात के साधनों का विकास होने लगा। अब मनुष्य एक दूसरे के सम्पर्क में आने लगा जिससे मेल जोल, रहन सहन का वातावरण बदला और लोग सभ्य जीवन बिताने लगे। वेदों के ज्ञाता होने कारण विश्वकर्मा के पांचों पुत्रों द्वारा जीव जगत और ब्रह्म की सत्ता की जानकारी हेतु धार्मिक अनुष्ठानों और कर्म काण्डों की अनेक विधियों का जन्म हुआ। इसके अतिरिक्त राजतत्र की व्यवस्था, में राजा निरंकुश होकर प्रजा पर अत्याचार न करे इस हेतु राजा को परामर्श देने के लिये **पुरोहिती व्यवस्था** का जन्म हुआ। सामाजिक वर्ग विहीन की व्यवस्था हुई जिससे जाति-पांति का भेदभाव नहीं रहा। आर्थिक क्षेत्र में सभी को समान रूप से अर्थोपार्जन के क्षमतानुसार सुअवसर प्रदान किये गये जिससे निर्धन और धनी होने का भेद-भाव नहीं रहा। राजनैतिक क्षेत्र में सभी को मान्य राजा ही प्रजापति कहलाता था जो पुरोहित के राजकाज के परामर्श बिना शासन नहीं कर सकता था। गुरुकुल आश्रमों की व्यवस्था पहले से ही थी किन्तु अब राज्य का उत्तरदायित्व था कि वनवासी गुरुकुलों की सुरक्षा तथा अन्य सभी प्रकार की सहायता राजा की ओर से होती रहे और गुरुकुल आश्रम स्वतंत्र रूप से अध्ययन अध्यापन का कार्य करते रहें। छोटे-बड़े का भेद भाव न हो और सभी प्रकार के लोगों की शिक्षा, दीक्षा की व्यवस्था समुचित ढंग से चलती रहे। इसी काल खण्ड में ही विश्व भर के मनुष्य जाति की सभ्यता और संस्कृति का जन्म हुआ। कालान्तर में अनेक प्रकार के वैज्ञानिक और तकनीकी अनुसंधान किये गये। अनेक प्रकार की मानव उपयोगी वस्तुओं का निर्माण किया गया। उक्त सभी कारणों से इसे विश्वकर्मा संस्कृति के नाम से मान्यता मिली और विश्व में विश्वकर्मा नाम या जाति से नहीं बल्कि मनुष्य जीवन व्यतीत करने की विशिष्ट विधि की उपाधि से विभूषित किया जाने लगे। विश्वकर्मा जी के पांचों पुत्रों का ब्याह कैसे और किससे हुआ तथा उनकी पुत्रियों का ब्याह किससे हुआ इस संवाद को मैं (दिव्यात्मा पत्नी) फिर बताऊँगी अब समय अधिक हो गया है, यह कहते हुये वह (दिव्यात्मा पत्नी) अपने गन्तव्य स्थान को चली गई। मैं भी आश्चर्य चकित था कि जिस विश्वकर्मा संस्कृति को आज लोग नहीं जानते या लोगों ने जानबूझ कर भुला दिया है

वह वास्तव में विश्व में कितनी गौरवशाली थी आदि अनेक विचारों के साथ प्रसन्नचित आगे के संवाद को सुनने के लिये उत्सुक अपने घर चला आया।

संदर्भ

1. बृहद्देवता, 1/25.
2. वही, 1/29.
3. वही, 1/30-31 : नामकर्मकोऽस्ति हि न नामास्ति निरर्थकम्।
   : नान्यत्र भावान्नामानि तस्मात्सर्वाणि कर्मतः।।
4. निरूक्त, 10/25 : "विश्वकर्मा सर्वस्यकर्ता"; बृहद्देवता, 2/50 : "विश्वस्य जनयन्कर्म विश्वकमैंष तेन सः"; सिंह, फतह, दि वैदिक एटीमोलॉजी, पृष्ठ 216-217; सूर्यकान्त, ए प्रैक्टिकल वैदिक डिक्शनरी, पृष्ठ 607. "विश्व-कर्मन् = सर्वकर्ता"।
5. ऋग्वेद, 10/81/2, 5-7 एवं 10/82/2.
6. वही, 8/98/2, 10/166/4 एवं 10/170/4.
7. शास्त्री, शिवचरण, निरूक्त मीमांसा, पृष्ठ 334; मैक्डॉनल, ए.ए, वैदिक माइथोलॉजी (रामकुमार राय का हिन्दी अनुवाद), पृष्ठ 324-325.
8. विश्वबन्धु (संपादक), ब्राह्मणोद्धारकोशः, पृष्ठ 746 में विश्वकर्मन् एवं प्रजापति सम्बन्धी संहिताओं तथा ब्राह्मण ग्रंथों के संदर्भ।
9. भारोपीय भाषा परिवार के देवसूचक अनेक शब्दों तथा उनकी व्याख्या के लिए द्रष्टव्य; जेम्स हेस्टिंग्स (सम्पा.), इन्साइक्लोपीडिया ऑफ रिलीजन एण्ड ईथिक्स के विभिन्न खण्ड; मिर्का इलियाडे (सम्पा.) दि इन्साइक्लोपीडिया ऑफ रिलीजन, 15 खण्ड; इलिजारेन्कोवा, टी.जे., लेंग्वेज एण्ड स्टाइल ऑफ दि वैदिक ऋषिज्; ब्लूमफील्ड, रिलीजन ऑफ दि वेद; मैक्डॉनल, वै. मा.; त्रिपाठी, गयाचरण, वै. दे., प्रथम भाग, प्रथम अध्याय भारोपीय काल के देवताओं पर एक दृष्टि पृ. 1-42 आदि।
10. वै. दे., भाग 1 एवं 2.
11. वही, भाग 1 पृष्ठ 1-2.
12. वही, पृ. 3 (देवताओं की उत्पत्ति सम्बन्धी सिद्धान्तों के लिए देखें पृ. 5-13)।
13. वही, पृ. 14.
14. वही, पृ. 20.
15. वही, पृ. 24.
16. वही, पृ. 26.
17. वही, पृ. 29.

18. वही, पृ. 34.
19. वही, पृ. 36.
20. वही, पृ. 39.
21. चतुर्वेदी, प्रेमसागर, टेक्नॉलाजी इन वैदिक लिटरेचर, (वूडेन टेक्नॉलाजी) अध्याय 3-4–इसमें भारोपीय भाषाओं के शब्दों का विस्तृत विवेचन "तक्ष्" के संदर्भ में दिया गया है।
22. द्रष्टव्य–मैक्डॉनल, वे.मा., पृ. 25; त्रिपाठी, गयाचरण, वै.दे. भाग 1, तृतीय अध्याय।
23. अथर्ववेद 10/7/25.
24. ऋग्वेद, 10/129/6.
25. वही, 10/63/2.
26. मैक्डॉनल, वै. मा., पृ. 25; तुलनीय ऋग्वेद 1/139/1.
27. ऋग्वेद, 1/113/19.
28. वही, 2/26/3.
29. वही, 9/87/2.
30. ऋग्वेद, 10/82/6.
31. हिरव्यगर्भसूक्त संख्या 121.
32. ऋग्वेद, 10/81/1.

2

निर्माण एवं संरचना

1. अनेकानेक विमानों की रचनाएं

ब्रह्माण्डों के संचालन हेतु परस्पर परामर्श के लिये दैवी शक्तियों को (ब्रह्मा, विष्णु, महेश और इन्द्रादि को) आकाशीय उपखण्डों के लोकों में अतिशीघ्र आवागमन की अनेक प्रकार की कठिनाइयों का सामना करना पड़ता था। पृथ्वी लोक में भी असुरों के भय से दैवी शक्तियों के लिये अलग-अलग लोकों में आने जाने के लिए कोई समुचित व्यवस्था नहीं थी। आये दिन अब असुर शक्तियों का आक्रमण होने लगा था। अब राष्ट्र में अमन चैन की महती आवश्यकता थी, क्योंकि यहीं से विश्वकर्मा सभ्यता और संस्कृति की प्रेरणा विश्व भर के सुदूरवर्ती विभिन्न देशों में शीघ्रता से फैल रही थी। और सुदूर देशों में भी असुर और सुर शक्तियों का संघर्ष चलता रहता था। आम जनता के अंदर ऐसा जन जागरण होने लगा था कि दैवी शक्तियों के अंदर अधिकाधिक भोग करने की प्रवृत्ति न जगे तथा असुर शक्तियाँ अकारण शांति भंग न करें। उपरोक्त कठिन समस्याओं का हल करने के लिए ही विश्वकर्मा जी ने अनेक प्रकार की वैज्ञानिक खोजों की परम्परा का श्री गणेश किया। और उन्हीं खोजों के आधार पर समुचित आवागमन के साधनों की पूर्ति हेतु विमानों का निर्माण करना प्रारम्भ किया।

अनेक प्रकार के विमानों की संरचनाएं निम्नवत हैं—

1. पुष्पक विमान—पुष्पक विमान का निर्माण किया। इसमें इस प्रकार के विभिन्न यंत्रों का प्रयोग किया गया था जो विमान को इच्छानुसार विशालकाय और अतिसूक्ष्म कर देते थे और समय पड़ने पर शत्रुओं की निगाह पड़ने पर ओझल हो जाते थे। कुछ यंत्र ऐसे लगे थे कि विमान ध्वनि रहित होकर चलने लगता था। और ऐसे यंत्र भी लगे थे कि विमान इच्छा

शक्ति से परिचालित जहाँ कही भी चलने की इच्छा की जाय वह मन की गति से भी तेज चलने लगता था। यह विमान रामायण कालीन वही विमान था (त्रेतायुग का) जिसमें बैठ कर राम सेना सहित लंका से अयोध्या आये थे।

2. पारे से परिचालित विमान–इस समय विमान विद्या बहुत उन्नतिशील हो चुकी थी। आज कल की भाँति विमानों में पेट्रोल का प्रयोग न होकर पारे का प्रयोग होता था। अन्यान्य प्रकार के ईंधन भी जिनमें तेल भी था, काम में लाये जाते थे। सारी पृथ्वी का चक्कर लगाने के लिये मात्र तीन पाव (वर्तमान में 750 ग्राम) पारे से काम चल जाता था। वैज्ञानिक प्रकरण में विश्वकर्मा जी ने 32 प्रकार के विमानों के रहस्यों का वर्णन किया है इससे यह भी पता चलता है कि 32 रहस्यों को जानने वाला उस समय का विमान चालक (पालयट) एक लोक से दूसरे लोकों में भी आने जाने में समर्थ था।

3. सर्प की आकार का विमान–विश्वकर्मा जी ने इस विमान में इस प्रकार के यंत्रों का प्रयोग किया था कि वह एकदम सीधा पृथ्वी से सैकड़ों मील आकाश में उड़ता हुआ, कुलाची भरता हुआ, अर्थात् उलट-पलट करता हुआ, चक्राकार उड़ता हुआ, सर्प की भाँति चलता हुआ, कभी-कभी अदृश्य हो जाता हुआ आकाश में एक ही स्थान में मंडराता हुआ, शीघ्र ही पृथ्वी में आकार पुनः उसी स्थान में अतिशीघ्र पहुँच जाता था।

4. सर्वत्र विचरण करने वाला विमान–विश्वकर्मा जी ने इस विमान में विशेष प्रकार के तकनीकि से युक्त यंत्रों का प्रयोग किया था कि जो इच्छा शक्ति से परिचालित था और जल, थल, नभ में तथा पहाड़ी चोटियों में कुलाचें भरता हुआ, कूदता, फाँदता पर्वत शिखरों पर चढ़ता हुआ, विचित्र ढंग से चलता हुआ दिखाई देता था।

5. टोही विमान–शत्रु की टोह लेने के लिये अथवा गुप्त संदेश भेजने के लिये विश्वकर्मा जी ने एक आश्चर्यजनक हाथी के आकार का विमान बनाया था जिस विमान के अंदर 60 व्यक्ति बैठ सकते थे। इस प्रकार के यंत्रों का प्रयोग किया गया था कि अंदर के बैठे हुये व्यक्तियों को शत्रु देख नहीं सकता था। वह शत्रु की भूमि में आसानी से विचरण करता हुआ गुप्त सूचनायें देता रहता था।

6. वैहापस विमान–यह युद्ध में प्रयोग किया जाने वाला विमान था। इसमें इस प्रकार के यंत्रों का प्रयोग किया गया था कि इच्छानुसार चलता था और अदृश्य हो जाता था। वह इतना विशाल विमान था कि उसमें सभी प्रकार के प्रक्षेपास्त्र रखने की व्यवस्था थी और विभिन्न प्रकार के शस्त्रागार बने थे जिनमें विभिन्न प्रकार के युद्ध में प्रयोग होने वाले अस्त्र शस्त्र रखे जाते थे जो आकाश मार्ग में शत्रुओं के संहार करने के काम में लाये जाते थे।

7. गरूड़ विमान–गरूड़ विमान की रचना भी युद्ध के लिये की थी जो युद्ध के समय शत्रु की भूमि में आक्रमण करके सीधे वापस आ जाता था।

8. शान्त कुम्भ विमान–रत्नों तथ दर्पणों से जड़ा हुआ, रत्न जड़ित खम्भों वाला, रत्न कलशों से सुशोभित, अग्नि में शुद्ध किये सोने के समान चमकने वाला, चन्दन के पुष्पों की माला से सुसज्जित, मन को आकर्षित करने वाला, सौ चक्रों से युक्त, मन के समान तीव्र गति से चलते हुये शान्त कुम्भ नामक दैदीप्यमान विमान को विष्णु जी ने आकाश में उड़ते हुये देखा था।

उक्त विमानों के अतिरिक्त निम्नांकित विमानों की रचनायें भी विश्वकर्मा जी ने की थी।

शक्त्युदग्म विमान–बिजली से चलने वाला विमान, भूतवाहु–अग्नि जल वायु से चलने वाला विमान, धूमयान–वाष्प से चलने वाला विमान, शिखोदगम पंच शिखी तेल से चलने वाला विमान, अंशुवाह–सूर्य की किरण से चलने वाला विमान, तारा मुख–चुम्बक से चलने वाला विमान, मणिवाह-सूर्य कान्त और चन्द्रमा आदि मणियों से चलने वाला विमान, मंरूत्सख–केवल वायु से चलने वाला विमान आदि विमानों की रचनायें विश्वकर्मा जी ने की थी।

2. दिव्याशस्त्रों का निर्माण

सुरक्षा की दृष्टि से नगरों और विमानों की रचना के बाद रसायनिक, द्रव्यों और पदार्थों के ज्ञान से उत्पन्न प्रयोग करके आश्चर्यजनक अस्त्र शस्त्रों का निर्माण किया था जिनके विषय में आदि काल से लेकर आज तक भी भ्रामक धारणा साधारण मनुष्यों और विद्वानों के मन में बनी हुयी है कि इस प्रकार के शस्त्रों का परिचालन मंत्र बल से ही संभव है परन्तु ऐसा नहीं है। विश्वकर्मा जी ने द्रव्यों और पदार्थों की रासायनिक शक्ति के ज्ञान को प्राप्त

कर अपने अनुभव से उन्हें प्रयोग करके ही निम्नांकित शस्त्रों का निर्माण किया था जिसे आज भी करना कठिन जान पड़ता है।

1. **अग्नेयास्त्र**–लोहे का वाण या गोला बनाकर उसमें ऐसे द्रव्य का घोल और पदार्थ रखे कि जो अग्नि के स्पर्श से वायु में धुआँ फैला देता था और सूर्य की किरणों के स्पर्श मात्र से वायु के तेज झोके से वह धुआँ जल उठता था और आकाश से आग की वर्षा होने लगती थी।

2. **वारूणास्त्र**–इसमें ऐसे द्रव्यों के घोल का तथा पदार्थों के लेप का प्रयोग किया गया था कि जिसका धुआँ वायु को स्पर्श करते ही शीघ्र बादल होकर आकाश में बरसने लगता था और आकाश की अग्नि की वर्षा को बुझा देता था।

3. **मोहनास्त्र**–इसमें नशीले द्रव्य का घोल डाल कर इस प्रकार बनाया गया था कि उसके धुएँ के लगने मात्र से शत्रु की सारी सेना मुर्छित होकर सो जाती थी। अर्थात् बहुत देर तक नींद में सोती रहती थी।

4. **तोपों की रचनायें**–शतध्नी, मुशुण्डी आदि अनेक प्रकार की तोपों की रचनायें की।

5. **बन्दूकों का निर्माण**–अनेक प्रकार की कम दूरी और अति दूरी की मार करने वाली और एक साथ ही अनेक लोगों को मार देने वाली बन्दूकों की रचनायें विश्वकर्मा जी ने की।

6. **पाशुपास्त्र की रचना**–बिजली से चालित बहुत बड़ा आग्नेयास्त्र बनाया।

इसके अतिरिक्त नगरों और ग्रामीणाञ्चलों में नाना विधि के उद्यानों, चित्र कला, दुर्ग, कुएँ बावली, तथा सड़कों आदि का निर्माण किया। ऐसी गाड़ी के धुरे की नाप करके उस समय बैलगाड़ी बनायी जो उस काल से लेकर आज तक उसी नाप से दो पहियों वाली गाड़ी इक्का तांगकें या चार पहियों वाले वाहन संसार में चल रहे है। जिनकी नाप विश्व भर में एक ही प्रकार की है। आदि काल से लेकर पुराण काल तक अर्थात् अब से लगभग तीन हजार वर्ष पूर्व तक विश्वकर्मा सभ्यता और संस्कृति विश्व भर में छायी रही। इतना करने के बाद दिव्यात्मा पत्नी बोली अब विलम्ब अधिक हो गया है अस्तु आगें की विभिन्न प्रकार की घटनाओं का वर्णन जो शुभ सहायक आत्मा के द्वारा मुझे ज्ञात हुयी है, उस संवाद की कथाओं को फिर कहूँगी,

यह कहते हुये वह अपने गन्तव्य स्थान को चली गयी। मैं भी उसके संवाद वर्णन से अत्यधिक प्रभावित प्रफुल्लित मन से अपने घर चला आया। देवता उस महातपस्वी दधीचि महर्षि की हड्डियों को लेकर विश्वकर्मा जी के पास आ गये, विश्वकर्मा जी ने उन पवित्र हड्डियों को पवित्र स्थान में रखा और वैदिक दिव्य मंत्रों से अभिमंत्रित कर उक्त हड्डियों से चार आयुद्ध बनाये।

3. विश्वकर्मा द्वारा अस्त्र बना कर देना

1. बज्र बना कर इन्द्र को दिया और चलाने की तकनीक दी।

2. सुदर्शन चक्र बनाकर विष्णु को दिया और उन्हें भी चलाने की सीख दी।

3. इसी प्रकार महेश को गाण्डिव और अजगव धनुष प्रदान किया, चलाने की विधि बतायी। उक्त गांडिव वही था जिसे अर्जुन ने द्वापर युग में महाभारत युद्ध में प्रयोग किया था। इसी प्रकार उक्त अजगव धनुष वही था जिसे चलाने की तकनीक कि सीख महेश के साथ-साथ रामायण कालीन त्रेता युग में राम सीता और परशुराम को प्राप्त थी। और जिससे सीता ने घर की सफाई करने हेतु धनुष को उठाकर अलग रख दिया था, जिसके कारण ही जनक को सीता स्वयंवर में धनुष तोड़ने की प्रतिज्ञा करनी पड़ी थी। और जिस स्वयंवर में रावण सरीखे बलवान राजा लोग धनुष को नहीं तोड़ पाये थे।

4. ब्रह्मास्त्र बनाकर ब्रह्मा को दिया। वह ब्रह्मास्त्र एक प्रकार से आधुनिक अणु बम था जिसे बिना विश्वकर्मा जी के सहमति के चलाया नहीं जा सकता था, क्योंकि उसके चलाने से एक क्षण में ही समस्त ब्रह्माण्ड नष्ट हो सकता था।

इतना कहकर दिव्यात्मा आत्मा चुप हो गई और मेरी तरफ देखने लगी। मैंने सोचा कि शायद वह अपने गंतव्य स्थान को जाने वाली है किन्तु आगे की कथा सुनने की लालसा को मैं रोक नहीं सका, अस्तु उसके देखने मात्र से मेरे नेत्रों में आँसू छलछला आये और प्रेम मग्न मेरी वाणी मूक हो गई केवल उसकी ओर टकटकी लगाकर देखने लगा। मेरी दशा देख मेरी दिव्यात्मा दोनों के (शुभ सहायक आत्मा और मुक्त आत्मा के) संवाद की कथा को आगे बढ़ाते हुए मुझसे बोली, कि इधर वृत्तासुर इन्द्र की खोज में

जो भी देवता मिलता उससे इन्द्र की विषय में पूछता और न बताने पर उसे जान से मार देता। कोइ्र भी देवता इन्द्र के विषय में नहीं जानता था कि इन्द्र कहाँ गये है! इस प्रकार पूछता और मार काट करता हुआ इन्द्र के राजमहल में पहुँच चुका था। विश्वकर्मा द्वारा दिये गये ब्रज को लेकर इन्द्र भी ऐरावत हाथी में सवार होकर वृत्तासुर की खोज करने लगा। जब इन्द्र अपने राज महल में पहुँचा तब उसे ज्ञात हुआ कि वृत्तासुर राजमहल की ओर बढ़ रहा है उसे देख इन्द्र ने वृत्तासुर को युद्ध के लिए ललकारा। इन्द्र की आवाज सुन कर वृत्तासुर पीछे की ओर मुड़ा और इन्द्र तथा वृत्तासुर का युद्ध होने लगा।

विश्वकर्मा जी द्वारा मुनष्य जाति के जीवन के उत्थान की शारगर्भित बातें सुनकर चन्द्रिका बहुत प्रसन्न हुयी और अतिशीघ्र वहाँ जाने के लिए तैयार हो गई और बार-बार विश्वकर्मा जी से सुगम उपाय बताने का आग्रह करने लगी।

4. विश्वकर्मा द्वारा पुष्पक विमान का वर्णन

इस प्रकार चन्द्रिका की उत्सुकता को देखकर विश्वकर्मा जी पुनः चन्द्रिका से बोले, हे! चन्द्रिके! मेरे द्वारा निर्मित पुष्पक विमान है जो इच्छा शक्ति से चलता है और सूक्ष्म तथा विशालकाय भी हो जाता है। इसकी विशेषता है कि यह जल, थल, और नभ में तो चलता ही है बल्कि पहाड़ों के सर्वोच्च दुर्गम शिखरों और घाटियों में कुलाचें मारता हुआ जहाँ इच्छा की जाय वहाँ आसानी से पहुँचा देता है। इसमें ऐसे तकनीकि यंत्र लगे हैं कि वह इच्छाशक्ति से क्षण भर में ही अदृश्य और प्रकट हो सकता है। वह ध्वनि रहित है। इसके अंदर के बैठे लोग सबको देख सकते हैं किन्तु बाहरी लोग इसे नहीं देख सकते । मैं तुम्हें उसकी तकनीकि की वह मंत्रणा बता दूँगा कि जब चाहोगी तुम उसे अपने पास बुला लोगी और उसमें बैठ कर इच्छानुसार जब जहाँ चाहोगी, विचरण करने लगोगी। इतना कह कर विश्वकर्मा चुप हो गये।

उक्त पुष्पक विमान की विशेषता सुन कर चन्द्रिका का मन पुलकित हो उठा। वह विश्वकर्मा जी से तुरन्त पुष्पक विमान बुलाने की करवद्ध प्रार्थना करने लगी। यह सुनकर विश्वकर्मा जी थोड़ी देर के लिये शांत ध्यान मग्न दिखाई पड़े और थोड़ी देर में ही उनकी मंत्रणा शक्ति से पुष्पक विमान आ

गया। चन्द्रिका को पुष्पक विमान की मंत्रणा बता दी और पुष्पक विमान में उसको बिठा दिया। पुष्पक विमान के अंदर बैठी हुयी चन्द्रिका ने समस्त विश्वकर्मा परिवार सहित विश्वकर्मा जी का नमन किया और हाथ जोड़े हुए अंदर बैठी रहीं। थोड़ी देर बाद चन्द्रिका की इच्छा शक्ति के अनुसार पुष्पक विमान आकाश में उड़ता हुआ दिखाई देने लगा। हिमालय पर्वत की अनेक उतुंग शिखरों और दुर्गम घाटियों में कुलाचें भरता वहाँ पहुँच गया जहाँ मुक्त आत्मायें सुमेरू पर्वत के उच्च शिखर में निवास करती थी।

अपनी शुभ सहायक आत्मा और मुक्त आत्मा के संवाद की कथा को सुनाती हुयी दिव्यात्मा मुझसे बोली, चन्द्रिका के वहाँ पहुँचने पर क्या हुआ? इसकी जानकारी मैं फिर दूँगी। अब विलम्ब काफी हो गया है, यह कहती हुयी वह अपने गंतव्य स्थान को चली गयी और मैं भी आगे की बातें सुनने की भावना के साथ खुशी-खुशी अपने घर चला आया।

दूसरे दिन दिव्यात्मा प्रातः ठीक समय पर मोती झील की बगिया पहुँच गये। परस्पर नमन के पश्चात् हम दोनों यथा स्थान बैठ गये। थोड़ी देर बाद शुभ सहायक आत्मा और मुक्त आत्मा के संवाद की कथा को सुनाती हुयी दिव्यात्मा मुझसे बोली कि सुमेरू पर्वत के सर्वोच्च शिखर पर पुष्पक विमान पहुँच कर रूक गया। चन्द्रिका के विमान से उतर जाने के बाद उसी की इच्छा शक्ति से पुष्पक विमान अदृश्य होकर अपने यथा स्थान चला गया। पर्वत शिखर की रमणीयता एवं पवित्र एकान्त स्थान को देखकर चन्द्रिका का मन परमानन्द से पुलकित हो उठा।

निकट ही एक सुन्दर तालाब था जिसके किनारे एक विशाल बरगद का पेड़ था। उस पेड़ के नीचे मुक्त आत्मायें नर नारी के रूप में मनुष्य शरीर धारण किये बैठी थीं। कथा सुनाने वाली दिव्यात्मा भी सुन्दर युवती का रूप धारण किये मंत्र में विराजमान थी। सभी को ज्ञात था कि आज परम पिता परमात्मा विश्वकर्मा जी कि सबसे छोटी बहू चन्द्रिका का आगमन होगा। कथा कहने वाली थी किन्तु सभी उसकी प्रतीक्षा कर रहे थे। उसके (चन्द्रिका के) पहुँचने पर सभी उसके स्वागत में खड़े हो गये। कथा कहने वाली दिव्यात्मा युवती ने उसे अपने मंच के पास ही सुन्दर आसन प्रदान किया और कहा कि हम सभी आप के दर्शन मात्र से कृतार्थ हो गये हैं। आप जिस लिए आयी हैं, हमें आज्ञा दीजिये।

पुष्पक विमान का निर्माण त्रेतायुग में देव शिल्पी विश्वकर्मा द्वारा हुआ था। इसका वर्णन वाल्मीकि कृत रामायण में मिलता है। यह विमान अनेक ऐतिहासिक घटनाओं के साथ होने के कारण, स्वयं एक इतिहास की वस्तु बन गया है। वाल्मीकि रामायण में इसकी बनावट के सम्बन्ध में लिखा है–कोई भी वस्तु उस विमान में ऐसी न थी जो पूरे प्रयत्न के साथ न बनाई गयी हो, और न कोई उसका ऐसा भाग था जो मूल्यवान रत्नों से न सजाया गया हो ओर न कोई ऐसी वस्तु बची थी जिसमें विशेष कारीगरी की छाप स्पष्ट न दीख पड़ती है। जैसा कि इसका नाम पुष्पक विमान था, उसमें विचित्र चित्रकारी के अतिरिक्त कुछ ऐसे फलदार वृक्ष भी देखे गये, जो सफेद रंग के थे जिसमें रमणीय सुन्दर पुष्प और रमणीय उपवन बनाये गये थे। पुष्पयुक्त पुष्पकरणियों में पराग सहित कमल के फूल अपनी अनोखी छटा दिखा रहे थे।

गर्मी और शीत के प्रभाव से दूर यह विमान सब ऋतुओं में अत्यन्त सुखदायी था। इस प्रकार यह उपमा रहित और सब मनोरथो को पूर्ण करने वाला विमान था। इसकी गति वायु के समान थी और स्वामी के मन की इच्छा के अनुसार अभीष्ट स्थान पर पहुँचा देता था। आदि शिल्पी सृष्टि निर्माता भगवान विश्वकर्मा का कार्य सुन्दर रचना तथा समूचे संसार को पुष्पित पल्लवित करने वाला था। आज जो कुछ इस धरती पर दिखाई दे रहा है सब उन्हीं की देन है। एक मात्र यही एक देवता है जिनकी सर्वत्र पूजा-अर्चना की जाती है। कहीं विश्वकर्मा जयन्ती, कही श्रम दिवस, कही प्रजापालक, कही उत्पादनकर्त्ता एवं सृजनकर्त्ता के रूप में पूज्यनीय एवं वन्दनीय है।

इस प्रकार पुष्पक विमान हमारे प्राचीन वैमानिक विमान का एक गौरवपूर्ण इतिहास है। इस आधार पर कहा जाय कि जिस देश में पुष्पक विमान जैसे विज्ञान का विकास हुआ, वह देश वास्तव में कभी टेक्नॉलाजी में उन्नति के शिखर पर पहुँचा हुआ होगा। हम आधुनिक युग में भी विमानों को उड़ते देख रहे है, किन्तु, पुष्पक विमान की अभूतपूर्व सौंदर्यमयी झाँकी को इतिहास में देखते हुए यह स्वीकार करना होगा कि वैसे अद्‌भुत कलाओं वाले विमानों की रचना में अभी सहस्त्रों वर्ष और लग सकते हैं। श्रेष्ठ कृतियों का सम्मान करके उन्हें अपना बना लेना दुर्लभ पदार्थों से भी अधिक दुर्लभ है। पुष्पक विमान के अन्वेषण हेतु विश्वकर्मा पुष्पक विमान अकादमी की स्थापना की जानी चाहिये।

भगवान विश्वकर्मा का कथन है कि मैंने सारे विश्व को इतना कलात्मक ढंग से बनाया है कि सारी सुख-संपदा, धन-धान्य, ऐश्वर्य आपके साथ है। इस ऐश्वर्य को पाने के लिये आपको भी विश्व के कर्म करने ही होंगे।

5. हिमालय के अनेक तीर्थ स्थलों का निर्माण एवं भ्रमण

उसने (मुक्त आत्मा ने) शुभ सहायक आत्मा के तिब्बत की राजधानी लासा से अनेक स्थलों की दूरी की जानकारी भी दी थी। कुछ स्थलों की दूरी की जानकारी देते हुए उसने (मुक्त आत्मा ने) बताया था कि तिब्बत की राजधानी लासा से कैलाश (महेश का स्थान) आठ सौ मील है। इसी प्रकार नेपाल पाँच सौ पच्चीस मील, अल्मोड़ा दो सौ तीस मील, बद्रीनाथ दो सौ चालीस मील, गंगोत्री दो सौ पैतालीस मील, शिमला चार सौ चालीस मील और कश्मीर (श्रीनगर) छ सौ मील है। इसी से लगी देव लोक की सीमा है जहाँ की राजधानी अमरावती है। दिव्यात्मा पुनः मुझसे बोली कि मुक्त आत्मा शुभ सहायक आत्मा कोलेकर ब्रदीनाथ के कर्म से ही जम्मू कश्मीर होती हुयी अमरावती पहुँची थी। अस्तु तिब्बत से बद्रीनाथ तक का और बद्रीनाथ से अमरावती तक के मार्ग का मनोहारी चित्रण करते हुये मुक्त आत्मा ने मेरी शुभ सहायक आत्मा को बताया था कि तिब्बत से नीचे बद्रीनाथ की ओर जाने का मार्ग बड़ा ही कठिन है। समुद्र की सतह से लगभग अठारह हजार फुट ऊँचे तिब्बत से नीचे उतरने में असहनीय शीत को सहन करना होता है। हिमालय के माना घाट जिसे मानापास सुरंग कहते हैं, फिसलने वाली हिम की अधिकता के कारण सुन्दर होते हुये भी अति दुर्गम है। माना पास दर्रा (सुरंग) दुर्गम अवश्य है परन्तु देवताओं का कैलास जाने का यही पुराना मार्ग है। पाण्डव और श्री कृष्ण तथा अनेक ऋषि मुनियों की कैलाश तथा बद्रीनाथ की यात्रा इसी माना पास दर्रा से हुयी थी। मानसरोवर में रहने वाले राजहंसों के आनेजाने का मार्ग माना पास दर्रा ही है। जिसे प्राचीन काल में क्रौचरंध्र कहते थे।

बद्री आश्रम (धाम) गंध मादन पर्वत माला पर स्थित है। यही से नील पर्वत भी दिखाई देता है, जो रामायण कालीन काकभुशुण्ड वन जन जाति का निवास स्थान है। माना पास का दर्रा (सुरंग) लगभग पहाड़ के अंदर छ मील लम्बा है। यहाँ पर वायु की कमी है। हिमजल धाराओं और पाषाण

समूहों को छोड़कर यहाँ मिट्टी के दर्शन नहीं होते हैं। कठोर हिम प्रदेश को अति कठिन माना पास दर्रे को (सुरंग) जो जीवित पार कर ले समझो कि वह बड़ा भाग्यशाली है और उसका स्वर्गारोहण का महाप्रस्थान सफल है। ऐसा मुक्त आत्मा और शुभ सहायक आत्मा के संवाद से मुझे (दिव्यात्मा पत्नी को) ज्ञात हुआ है।

ब्रदीनाथ का आश्रय नर नारायण नामक पर्वतों के बीच अलकनन्दा तट पर विराजित है। यही पर नर और नारायण ने तप किया था। बदरीवन के मुख्य दो तीर्थ स्थान है 1. तप्त कुण्ड 2. कुछ दूर पर स्थित ब्रह्मकपाली। व्यास तथा शंकराचार्य ने अपने मुख्य ग्रन्थ ब्रदीकाश्रम में ही लिखे थे। बद्रीनाथ से पन्द्रह सोलह मील दूर स्वर्गरोहिणी नामक प्रसिद्ध दिव्य भूमि है यहीं से युधिष्ठिर ने स्वर्गारोहण द्रोपदी सहित चारों भाईयों के साथ किया था। यहीं से थोड़ी दूर पर व्यास नाम का गुफा है जहाँ पर रह कर व्यास ने महाभारत ग्रन्थ की रचना की थी। यहीं पर थोड़ी दूर पर मुचकुन्द गुफा है राजा मुचकुन्द श्री कृष्ण के आदेशानुसार यही रहते थे। स्वर्गरोहिणी स्वर्ग पर जाने का सोपान है जो सर्वोच्च शिखर पर ब्रह्म का निवास स्थान है। इस स्थान पर जब सूर्य की किरणें पडती हैं तो चारों ओर पर्वत खण्ड रजतगिरि अथवा कनक गिरी के समान प्रशोभित हो जाते हैं। और पर्वत शिखरों से हिमखण्ड गिरते हैं तो ऐसी आवाजें आने लगती हैं मानों तोपों से गोला दाग दिया गया हो। यहाँ पर ऐसा आभास होता है कि ईश्वर ही मनोहर सरोवरों तथा कुण्डों के रूप में सुशोभित हो रहा है। ईश्वर ही इस शीत मारूत के रूप में प्रचन्डता से चल रहा है। स्फटिक निर्मल निर्झरों के रूप में बहने वाला भी ईश्वर है। यहाँ जो कुछ भी दिखाई देता है वह सब ईश्वर के अस्तित्व का प्रभाव है। यहाँ तो सारा हिमालय ब्रहमाण्ड के रूप में ईश्वरमय दृष्टिगोचर होता है।

दिव्यात्मा ने मुक्त आत्मा और शुभ सहायक, आत्मा के संवाद की कथा को आगे बढ़ाते हुये बोली कि ब्रदीनाथ से ऋषीकेस लगभग सड़सठ मील दूर है और केदारनाथ लगभग एक सौ पन्द्रह मील दूर है। केदारनाथ के मार्ग में विशिष्ट स्थानों के दर्शन होते हैं। बाहर हजार फुट की ऊँचाई पर स्थित तुंगनाथ पर्वत कस्तूरी मृगों और मोनाल पक्षियों से अलंकृत है और रमणीय वृक्षों से आच्छादित हैं। पंच प्रयाग नाम से प्रसिद्ध पाँच प्रयाग बद्रीमार्ग से ही

प्राप्त होते हैं। इनके क्रमशः नाम है 1. देवप्रयाग 2. रूद्र प्रयाग 3. कर्णप्रयाग 4. नन्द प्रयाग 5. विष्णु प्रयाग।

बद्रीनाथ से ऋषिकेश आने वाले मार्ग में चालीस मील दूर देव प्रयाग है। यहीं पर गंगोत्री से निकलने वाली भागीरथी गंगा और बद्रीनाथ से बहती अलकनन्दा का संगम होता है इसीलिये इस स्थान का नाम देवप्रयाग है। इस संगम की शोभा अर्वणीय है। श्री रामचन्द्र ने बुढ़ापे में इसी संगम स्थल में बैठकर तप किया था। कण्व महर्षि का आश्रम भी यहीं पर है।

यहाँ से आगे लगभग बीस मील की दूरी पर पूर्वोत्तर की ओर केदारनाथ से निकलने वाली मंदाकिनी अलकनन्दा में आकर मिलती है वही रूद्र प्रयाग कहलाता है। यहाँ से आगे अठारह मील की दूरी पर पिंडरा नदी और अलकनन्दा परस्पर मिलती है। अस्तु इस मिलन संगम स्थल को कर्ण प्रयाग कहते हैं। इसी के आगे कुछ दूरी पर नन्द प्रयाग है वहीं से आगे विष्णु प्रयाग के दर्शन होते हैं। यहाँ से लगभग सत्रह हजार फुट ऊपर नीति पास का दर्रा (सुरंग) है जो तिब्बत को जाने वाला दूसरा मार्ग है। नीति पास के अतिनिकट ही दोणगिरि नामक हिमालय की ऊँची चोटी है। यह रामायण काल के त्रेता युग का वही स्थान है जहाँ पर लक्ष्मण को शक्ति बाण लगने पर मृत संजीवनी बूटी लेने के लिये हनुमान जी आये थे। उक्त स्थान दिव्यौषिधियों का कोष कहा जाता है।

मुक्त आत्मा और सहायक आत्मा के संवाद की कथा को आगे बढ़ाते हुये दिव्यात्मा बोली कि पर्वतराज हिमालय के पश्चिम किनारे पर हिमालय के ही अंतर्गत लगभग समुद्र की सतह के पाँच हजार तीन सौ फुट की ऊँचाई पर लगभग चौरासी मील लम्बा तथा पच्चीस मील चौड़ा एक अत्यन्त मनोहर मैदान है जो विश्व विख्यात कश्मीर प्रदेश है। इस प्रदेश में जब मुक्त आत्मा मेरी शुभ सहायक आत्मा को लेकर आयी तब उसने (मुक्त आत्मा ने) मेरी शुभ सहायक आत्मा को कश्मीर की राजधानी चक्रधरपुर (श्रीनगर) लेकर आयी जहाँ पर देवयानी अपने पति विक्रम के साथ शासन कर रही थी और रानी शची देवयानी के महल में अतिथि के रूप में राजा नहुष के भय से गुप्त रूप में निवास कर रही थी। गुरु बृहस्पति की मंत्रणानुसार आगे की कार्यवाही करने की योजना बना रही थी। उसने (मुक्त आत्मा ने) आगे कहा कि कश्मीर से ही पूर्वोत्तर की ओर देव लोक इन्द्र के राज्य की सीमा प्रारम्भ हो जाती है। स्वप्न सुन्दरी देवयानी को छल से जब नहुष

लेकर भागने लगा था तब स्वयंवर में आये सभी लोग भयभीत थे किन्तु अनिमंत्रित विक्रम जो मामूली सैनिक था, उसने नहुष पर आक्रमण करके देवयानी को छुड़ा लिया था जिसे देवयानी ने स्वयंवर में पति के रूप में वरण कर लिया था।

6. मानसरोवर का वर्णन

दिव्यात्मा मुझसे बोली, वह स्वर्गीय मानसरोवर लगभग पैंतालीस मील से भी ज्यादा घेरे में है। वह इतना वर्तुलाकार है कि मानो माप कर बनाया गया है। हिम धवल शैल मालाओं से आवृत है। स्फटिक से भी अति निर्मल जल से भरा हुआ है। इसमें कीचड़ का नामो निशान नहीं है। जल के अन्दर ऋतु के समान स्पष्ट चमकने वाले छोटे पाषण समूहों से अलंकृत है। इसके आठ दिशाओं में तपोनिष्ठ ऋषि मुनियों के एकान्त सुन्दर ठहरने के स्थान बने हुये हैं। इन्हीं गुणों के कारण यह सारे संसार में प्रसिद्ध है। इसकी सुषमा वर्णनातीत है। यह सरोवर सफेद कमलों एवं मोती चुनने वाले विहार करने वाले राजहंसों से सुशोभित है। इसमें हमेशा अप्सरायें (देव लोक की सुन्दरियाँ) जल क्रीड़ा करती रहती है। इसके किनारे पंक्ति बद्ध खड़े कल्प वृक्ष के समान वृक्ष पुष्पित-पल्लवित होकर उन्मत झूमते रहते हैं। इसके तट पर यक्षों, किन्नर-गंधर्वों सिद्धों और देवों के ठहरने के लिये प्रिय स्थान है। तथा इसके पास ही कैलाश पर्वत की सर्वोच्च शिखर पर महेश की स्वर्णिम आभा मण्डित कैलाश नगरी चमकती हुई दृष्टिगोचर होती जान पड़ती है।

मानसरोवर आत्म-विश्वास, आत्मबोध तथा आत्म शक्ति की ऋषि-मुनियों की पैतृक संपत्ति है। क्योंकि यहाँ पर शरीर के अन्दर छिपी चैतन्य शक्ति आत्मा के दर्शन होते हैं। अन्तः करण में जो सूक्ष्म शरीर का तत्व विद्यमान है जिसके द्वारा ही स्थूल शरीर सक्रिय रहता है उसका उद्‌बोधन यहाँ पर निवास करने पर स्वतः होने लगता है। जघन्य अपराधों का परिमार्जन होता है और विषय विकारों से बोझिल मन निर्मल होकर आन्तरिक शांति का अनुभव करने लगता है। यहाँ आकर कुछ समय तक निवास करने पर किसी भी प्रकार की जलन का समन होता है और धीरे-धीरे व्यक्ति परम शांति का अनुभव करने लगता है। इसलिये इन्द्र ने अपनी जलन शांति हेतु मानसरोवर को ही सर्वश्रेष्ठ मानकर वही पर रहना स्वीकार किया था।

उसने आगे कहना प्रारम्भ किया कि जीवित अवस्था में विश्वरूप असुरों को भी यज्ञ का प्रसाद देते थे, उसी से सुरों और असुरों में मेल मिलाप होने

लगा था और देश दिनों दिन उन्नति के मार्ग में आगे बढ़ रहा था। यहाँ तक हो गया था कि अन्य देश भारत देश को विश्व गुरु के रूप में मानने लगे थे। विश्वरूप की मनोवैज्ञानिक, व्यवहारिक और उत्तम सफल राजनीति के कारण ही सुरों और असुरों ने मिलकर समुद्र मंथन भी किया था और समुद्र से चौदह रत्न प्राप्त किये थे। बिना असुरों की सहायता लिये समुद्र मंथन नहीं हो सकता था। यह बात इन्द्र सहित ब्रह्मा, विष्णु और महेश भी जानते थे। अस्तु विश्वरूप की दूरदर्शिता के कारण ही समुद्र मन्थन की सफलता प्राप्त हो सकी थी।

छल विहीन आत्मीय वाणी को सुनकर चन्द्रिका हँसते हुये बोली, हे! दिव्यत्मने:! तुम सदा कृतार्थ रूप हो। तुम्हारी तो प्रशंसा विश्वकर्मा जी स्वयं अपने श्रीमुख से मुझसे करते रहे हैं। आप लोगों के दर्शन मात्र से मुझे सब कुछ प्राप्त हो गया है। जिसके लिये मैं यहाँ आई हूँ, वह बात यह है कि सदा सुख देने वाली, दुखों का नाश करने वाली, प्रत्येक घरों में श्री समृद्धि को बढ़ाने वाली परम पिता विश्वकर्मा जी की कथा प्रारम्भ से सुनना चाहती हूँ। आप कथा सुनाने की कृपा करें यही मेरी प्रार्थना है। चन्द्रिका की सरल, सुप्रेम, सुखद, प्रनीत और विनम्र वाणी को सुनकर दिव्यात्मा युवती का मन अत्यधिक उत्साह से भर गया।

सर्वप्रथम बड़े अनुराग पूर्वक ईश्वर के विषय में सृष्टि निर्माण के पर्व की कथा का मनोहारी चित्रण प्रारम्भ किया। इसके बाद अमैथुनी सृष्टि रचना हेतु पंच मुखी विश्वकर्मों के स्वरूप तथा प्रभाव का वर्णन किया।

इसी प्रकार प्रतिदिन विश्वकर्मा जी की कथा के एक-एक बिन्दुओं को स्पर्श करती हुयी उनका रोचक वर्णन करना प्रारम्भ किया। प्रत्येक दिन कथा के निम्नांकित अलग-अलग रोचक बिन्दु होते थे। जिन्हें सुनकर आगे की कथा के प्रसंगों को सुनने के लिये मन में ललक बनी रहती थी।

7. सृष्टि निर्माण से लेकर अब तक की विश्वकर्मा की कथा

सृष्टि का निर्माण क्रमश: कैसे हुआ? सृष्टि विस्तार और संचालन हेतु पंच ब्रह्म शक्तियों, पंच महर्षियों, पंच वेदों, और पंच यज्ञों की उत्पत्ति, विकास और प्रभाव किस प्रकार हुआ? सृष्टि निर्माण हेतु सहयोगी दिव्य मानस पुत्रों का जन्म तब अमैथुनी सृष्टि रचना में उनका योगदान क्या था? समस्त ब्रह्माण्ड में उनके क्रिया कलापों का क्या प्रभाव पड़ा? जड़ चेतन अनेक प्रकार की योनियों का जन्म मैथुनी सृष्टि विघाटन के अंतर्गत कैसे,

क्यों, और कब हुआ? विश्वकर्मा मानस पुत्रों (ब्रह्मा, विष्णु, महेश आदि) के तप का क्या कारण था? सभी देवता विश्वकर्मा जी से मैथुनी सृष्टि में जन्म धारण करने की प्रार्थना क्यों कर रहे थे?

उनकी प्रार्थना पर मृत्यु लोक में विश्वकर्मा जी की नर शरीर में जन्म लेने की भविष्यवाणी किस प्रकार की हुयी व तद्नुसार विश्वकर्मा जी का जन्म, बाल चरित चित्रण, अध्ययन, गुरु कुल प्रणाली का विकास, वैज्ञानिक अनुसंधान, जीवनोपयोगी वस्तुओं का निर्माण, गाँव और नगरों का विकास, विश्वकर्मा जो का विवाह, पाँच पुत्रों और दो पुत्रियों का जन्म, पांचों को पांचोवेदों का ज्ञान। अलग-अलग पंच कलाओं में विशेष योग्यताओं का प्रशिक्षण। पाँचों पुत्रों का विवाह, पाँचों पुत्रों द्वारा विश्वकर्मा संस्कृति और सभ्यता का विश्वव्यापी प्रभाव। इन बिन्दुओं के वर्णन के साथ-साथ निम्नांकित घटनाओं के बिन्दुओं को भी प्रतिदिन कथा के माध्यम से कहना प्रारम्भ किया।

इन्द्र से अपमानित गुरु बृहस्पति का अदृश्य हो जाना और इन्द्र के अनुनय विनय से विश्वकर्मा की आज्ञा से सबसे छोटे पुत्र दैवज्ञ या विश्वरूप को इन्द्र का पुरोहित बनाया जाना। विश्वरूप को पुरोहित बनाना। विश्वरूप के पुरोहिती काल में मानव सभ्यता का संर्वागीण विकास कैसे हुआ? इन्द्र और अहिल्या की अनहोनी घटना की रोचक कथा का वर्णन और विश्वरूप द्वारा इन्द्र के कुकृत्यों की सार्वजनिक निन्दा आदि प्रसंगों का कथा के माध्यम से वर्णन किया।

विश्वरूप की लोक प्रियता में वृद्धि, इन्द्र को भयभीत होना, इन्द्र द्वारा विश्वरूप की हत्या, हत्या के जलन के शांत करने हेतु मानसरोवर में इन्द्र द्वारा गुप्त एक वर्ष तक निवास, मान सरोवर के प्राकृतिक सौंदर्य का वर्णन, इन्द्र की अनुपस्थिति में राजा नहुष द्वारा आक्रमण और इन्द्रपुरी के राज्य को मिला कर तिब्बत तक राजा नहुष के राज्य का विस्तार तथा नहुष द्वारा सुदृढ़ शासन व्यवस्था। इन्द्र की पत्नी शची का कश्मीर में शरण लेना कश्मीर में देवयानी का स्वयंवर। देवयानी का राजा नहुष द्वारा अपहरण और विक्रम द्वारा देवयानी को छुड़ाना, देवयानी और विक्रम का विवाह, राजा नहुष द्वारा इन्द्र की पत्नी शची को पटरानी बनाने की योजना, शची द्वारा गुरु बृहस्पति की खोज। देवयानी और गुरु की सहायता से दुल्हा के वेश में ऋषियों द्वारा ले जाती हुयी पालकी में बैठे राज नहुष की हत्या। इन्द्र और

शची का मिलन और पुनः इन्द्र का राजतिलक। विश्वरूप की हत्या से दुखी आप द्वारा (चन्द्रिका द्वारा) विलाप।

विलाप के कारण विश्वकर्मा द्वारा पुत्रेष्टि यज्ञ से वृत्तासुर को जन्म देना। वृत्तासुर और इन्द्र का युद्ध। इन्द्र का पलायन और इन्द्र का ब्रह्मा, विष्णु, महेश के साथ विश्वकर्मा जी की शरण में जाना और उनसे वृत्तासुर के मारने की प्रार्थना करना। परमदयालु विश्वकर्मा द्वारा दधीचि की हड्डियों से निर्मित देवताओं को शस्त्र बनाकर देना। विश्वकर्मा जी द्वारा बनाये गये बज्र से पुनः युद्ध में इन्द्र द्वारा वृत्तासुर का वध। यह देखकर समस्त विश्वकर्मा परिवार का दुखी होना। तत्पश्चात् तुम्हारा (चन्द्रिका का) और विश्वकर्मा जी का संवाद। तुम्हें संतुष्ट करने के लिये विश्वकर्मा द्वारा वृत्तासुर के पूर्वजन्म की कथा का वर्णन। और अन्त में विश्वकर्मा द्वारा आप को यहाँ पर भेजा जाना। इस प्रकार विश्वकर्मा के आदि से लेकर अब तक की कथा सुनकर चन्द्रिका का मन शोक, मोह आदि से रहित हो गया।

लगभग तीन माह तक कथा के उक्त अनेक प्रसंगों का वर्णन सुनकर तथा प्रतिदिन पर्वत शिखरों के अनेक पवित्र स्थलों में भमण कर चन्द्रिका के मन की कामवासना पूर्णतः समाप्त हो गई। श्री विश्वकर्मा जी की आदि से लेकर अब तक की कथा जिसे मुक्त आत्मा और शुभ सहायक आत्मा के संवाद से दिव्यात्मा ने सुनी थी, जब मैंने पुनः संक्षेप में सारतत्व के रूप में दिव्यात्मा से सुन कर मेरा सारा शरीर रोमांचित हो उठा और नेत्रों से प्रेमाश्रु बहने लगे। दिव्यात्मा ने कहा कि जिन्हें श्री विश्वकर्मा जी की कथा अच्छी नहीं लगती वे जड़ जीव हैं। अपनी आत्मा का इसी जीवन में स्वयं हनन करने वाले हैं। मेरी समझ में तो यह आता है कि धर्म के वास्तविक स्वरूप का ज्ञान मनुष्य के लिये आजकल सरल नहीं है क्योंकि संसार में इतने अधिक धर्म और धर्म गुरु पाये जाते हैं कि मनुष्य का एक निश्चय पर पहुँचना बड़ा कठिन हो जाता है अधिकतर मनुष्य भ्रम में पड़ जाते हैं। अगर ऐसा नहीं होता तो मनुष्य कुछ सारहीन कर्मकाण्डों को ही धर्म का सार क्यों समझ बैठता? और सब तरफ से आंखें बंद करके एक ही लकीर का फकीर क्यों बन कर रह जाता। इस प्रकार का धर्म पालन तो अन्ध विश्वास और अन्ध भक्ति के सिवा कुछ नहीं है। एक घंटे पूरा पाठ कर लेने से या किसी महात्मा के प्रवचन सुनने के पश्चात् आरती में कुछ दान दक्षिणा कर

देने से थोड़ा संतोष भले ही मनुष्य को मिल जाय किन्तु अध्यात्मिक जीवन के सारतत्व ईश्वर की वास्तविक पहचान से महात्मा तो वंचित रहता ही है वह व्यक्ति भी वंचित और अनजान रह जाता है जो वाकपटुता के शब्द जाल से सम्मोहित प्रवचन सुनता है।

आप के द्वारा श्री विश्वकर्मा जी की कथा सुनकर तो मुझे ऐसा आभास होता है कि यों तो धर्म का आविर्भाव मानव सभ्यता के आदि काल से ही हो चुका है। पर उस समय मनुष्य को जो कुछ भी अद्‌भुत घटनायें दिखाई पड़ती थीं, उसी में ईश्वर की कल्पना कर लेता था। यदि वह देखता कि कहीं आकस्मिक रूप से पृथ्वी से या जल से अग्नि प्रकट हो गयी है तो वह उसी की पूजा करने लगता था। इसी प्रकार उल्कापात, तीव्र तूफान, भूकम्प आदि विनाशकारी घटनाओं को भी वह ईश्वर का कोप समझ कर उसे भेंट पूजा द्वारा संतुष्ट करने की चेष्टा करता था। आज कल भी ग्रहण पड़ने पर दुर्गम पहाड़ियों के ऊपर देवी देवताओं पर लोग भेंट पूजा में न जाने क्या-क्या चढौना चढ़ाते और मनौती मानते रहते हैं। ये सब अन्ध विश्वास के कारण होता है और आज कल तो इनसे भी बढ़कर रात्रि के भगौती जागरण आदि अनेक धर्म के नाम पर व्यसाय बढ़ते जा रहे हैं। इस प्रकार मनुष्य ने ईश्वर की सत्ता के विषय में एक मनमानी कल्पना करके उसे धर्म का रूप दे दिया जो अनपढ़ भोली-भाली जनता को भ्रमित करने के सिवाय और कुछ नहीं है।

सच बात तो मुझे यह प्रतीत होती है कि शुद्ध धर्म कोई गुढ़रहस्य या कठिन समस्या नहीं है। हाँ! मनुष्य ने अपनी बाहरी संकीर्ण मनोवृत्तियों और अपने को श्रेष्ठ बताने के अहंकार के कारण उसे ऐसा बना दिया है। सीधे से सीधा और अल्पज्ञान रखने वाला अनपढ़ व्यक्ति भी उस पर चलता हुआ अपना और संसार का कल्याण कर सकता है। इस प्रकार अपनी आत्मोन्नति के सर्वोच्च शिखर पर पहुँच सकता है। पर जो धर्म को अस्वाभाविक बातों में फँसा कर उसे किसी प्रकार सिद्ध, चमत्कार अथवा गुरुड़म का साधन बना लेते हैं, वे कभी भी उसके मर्म को प्राप्त नहीं कर पाते। कोई भी मुक्ति पथ का अनुगामी सांसरिक राग द्वेष से बचकर ही स्वाभाविक धर्म का अनुयायी हो सकता है। इतना कहने के बाद मैं चुप हो गया। वह (दिव्यात्मा पत्नी) मेरी बात को सुनकर थोड़ी देर तक मुस्कुराती रही। फिर पुनः बोली, अब विलम्ब अधिक हो चुका है अस्तु चन्द्रिका और दिव्यात्मा

युवती की आगे क्या बात चीत हुई उसकी जानकारी मैं (दिव्यात्मा पत्नी) शुभ सहाय की आत्मा और मुक्त आत्मा के संवाद की कथा सुनकर फिर बताऊँगी। यह कहती हुई वह अपने गन्तव्यस्थान को चली गई और मैं भी अनेक विचारों में खोया हुआ अपने घर चला आया।

दूसरे दिन प्रातः ठीक समय पर दिव्यात्मा पत्नी और मैं मोतीझील की बगिया पहुँच गये। परस्पर नमन के पश्चात् हम दोनों यथा स्थान बैठ गये। पहले की भाँति ही मैं दिव्यात्मा पत्नी की ओर देख रहा था। थोड़ी देर की शांति के बाद दिव्यात्मा पत्नी शुभ सहायक आत्मा और मुक्त के संवाद की दिव्य शक्ति के अमृततुल्य वचन निर्णय करने की शक्ति नष्ट हो जाती है। परन्तु जिन्हें बाहर के जीवन से हट कर अंदर की सुसुप्त दिव्य शक्तियों को जगा कर जीने की कला का ज्ञान हो जाता है, वे आन्तरिक यात्रा की अंतर निहित दिव्य शक्तियों की पहचान करने लगते है, जिससे उन्हें दूसरों की जीवन की घटित घटनाओं को देखने की अद्‌भुत शक्ति प्राप्त हो जाती है। बहुत काल तक इसी अंतरमन की जीवन यात्रा से जीने का अभ्यास किया है। जिसे विश्वकर्मा जी के कथन का आपके द्वारा प्रतिदिन चिन्तन, मनन का अभ्यास नहीं हो पाता था, इसी लिये तुम्हें आंतरिक दिव्य शक्तियों का ज्ञान भी नहीं हो पाता था। वे दिव्य शक्तियाँ तुम्हारे अंदर मूर्च्छा अवस्था में सोयी पड़ी रहती थी। और इसीलिये तुम्हें काम वासना की पीड़ा को सतत् सहना पड़ता था।

8. दिव्य शक्ति का संदेश

साधारण मनुष्यों का जीवन क्या होता है? किस कारण वह अपनी आन्तरिक दिव्यशक्तियों की पहचान नहीं कर पाता? उसे तुम ध्यान से सुनो। यह कहती हुयी वह बोली कि साधारण मनुष्यों का स्वभाव ऐसा होता है कि वह प्रायः अपने बारे में स्वयं विचार नहीं कर पाता कि मैं कौन, कैसा और क्या हूँ? सदैव दूसरों को ही देखते रहने की उसकी आदत बन जाती है कि वह कौन, कैसा, क्या है? इस प्रकार की व्यर्थ की बातों में वह अपना सारा समय नष्ट करता रहता है। दूसरों की कमजोरियों और बुराइयों को बढ़ा-चढ़ा कर बताने की उसकी आदत बन जाती है। दूसरे की निन्दा करते रहने से, उनकी खराबियों और नुकसानों पर चुप चाप प्रसन्न होते रहने से उसकी व्यक्तिगत आंतरिक दिव्य शक्तियों की उन्नति रूक जाती है। ऐसा व्यक्ति दूसरों की कटु आलोचना करने और ईर्ष्या करने में ही लीन रहता है।

इसमें पड़कर वह अपने बहुमूल्य जीवन की पहचान नहीं कर पाता। उसे यहाँ तक ज्ञान नहीं हो पाता कि इन बातों से उसका कुछ भी हित साधन होने वाला नहीं है। परन्तु वह बेचारा करे तो करे क्या? अपनी बन चुकी आदत से लाचार बना रहता है। ऐसा सोचने और करने में ही उसे आनन्द आता है। यही नहीं बल्कि वह दूसरों की अपेक्षा अपने को अधिक बुद्धिमान समझता है। अपनी बुद्धिमता की तारीफ करते वह कभी नहीं थकता। उसे अपना प्रत्येक काम उत्तम प्रतीत होता है।

चोर, दुष्ट, कातिल, कम तौलने वाला, काम से जी चुराने वाला, काला बाजार करने वाला, झूठ बोलकर अपना काम बनाने वाला, जिसने उसके साथ भलाई किया है, संकट में साथ दिया है, उसकी भी बुराई करने वाला, अपने आप को बड़ा चालाक समझता है। उस अज्ञानी को यह भी ज्ञात नहीं होता कि चिराग तले अंधेरा भी होता है। ऐसे व्यक्ति कभी भी जीवन के प्रति सजग नहीं हो पाते। सदैव सोये रहते हैं। वे भीड़ के अनुसार चलते हैं। बाहरी दुनिया में जीना ही उनकी अपनी दुनिया होती है। किसी ने किसी प्रकार से अधिक धन पैदा करना ही उनकी दृष्टि से सर्वोच्च सुख का साधन होता है। उनके धन का अधिकतर दुरपयोग ही होता रहता है। सद्‌पयोग बहुत कम हो पाता है। धन कमाने की होड़ में अपना स्वास्थ भी बिगाड़ लेते हैं। जबकि स्वास्थ्य और शक्ति मनुष्य जीवन का सबसे बड़ा खजाना होता है।, इसके बिना अंतरमन की यात्रा का अभ्यास नहीं हो सकता। यदि तुम उक्त बिन्दुओं को ध्यान में रखकर उनसे बचों और अपने जीवन में प्रतिदिन अंतर मन की यात्रा का अभ्यास करो तो तुम भी मेरे ही समान दूसरों की घटित घटनाओं को अवलोकन कर सकती हो। और अपने जीवन को सफल बना सकती हो। उक्त बातों को ध्यान में रखकर जो इस प्रकार के जीवन जीने का अभ्यास कर लेता है।, तो उसके जीवन में आश्चर्यजनक परिवर्तन होता है, परिणाम स्वरूप काल कर्म गुण दोष के स्वाभाविक दुख उसे कभी भी स्पर्श नहीं कर पाते। उसे अपने अंदर के गुप्त प्रकट ईश्वर लीला के गूढ़ रहस्य बिना परिश्रम के ज्ञात होने लगते हैं। ईश्वर के विषय में नित्य नया अनुभव होने लगता है। ऐसी इच्छाशक्ति पैदा होने लगती है कि प्रभु की निकटता का वास्तविक अनुभव होने लगता है। जीवित अवस्था में ही सत् चित आनन्द के साथ जीवात्मा और परमात्मा के मिलन का अनुभव होने लगता है। यदि तुम्हारा जीवन इस प्रकार का हो जाय तो तुम्हारे लिये मृत्यु अभिशाप नहीं वरदान बनती दिखाई देने लगेगी। दिव्यात्मा युवती के मुख श्री विश्वकर्मा जी

के सम्पूर्ण कथा को सुनकर तथा होश पूर्वक जीवन जीने की कला सीख कर बोली हे! दिव्यात्मने! आप की कृपा से मेरा सारा संशय दूर हो गया है। मेरा मनुष्य जीवन सफल हो गया। उसकी सारगर्भित बातों से पुलकित हो वह बार-बार उससे विनय करती हुयी कहने लगी कि मुझे सदा अपनी दासी समझने की कृपा करती रहना।

ईश्वर के गूढ़ रहस्य को समझना बड़ा कठिन है। फिर भी मनुष्य शरीर पाकर ही इसके गूढ़ रहस्य को देखा, सुना, गुना और जाना जा सकता है। जो मनुष्य शरीर पाकर ऐसा नहीं करते मृत्यु के निकट होने पर उन्हें बड़ा कष्ट होता है। मोह में फँसे हुए प्राणी बड़ी कठिनाई से निकल पाते हैं। हाय! इतनी जल्दी मृत्यु आ गई? मैंने तो कुछ किया ही नहीं ऐसा सोचकर पछताते हैं। इस प्रकार नर शरीर पाकर भी मनुष्य आत्मा और परमात्मा की पहिचान किये बिना मृत्यु को प्राप्त होते हैं और आत्मा हन्ता होकर मनुष्य जीवन के स्वर्णिम सुअवसर को खो देते हैं। कुछ लोग ज्ञान होने पर भी ज्ञान के अहंकार के कारण भ्रमित रहते हैं। सही निर्णय नहीं ले पाते। इससे केसे बचा जाय? कैसे जीवित अवस्था में ही चेतना को प्राप्त करके मनुष्य अपनी जीवन यात्रा पूरी करें? उसी को मैं बताता हूँ। तुम सभी ध्यान से सुनो! फिर जैसी तुम्हारी इच्छा हो वैसा करो।

ईश्वर सम्बन्धी अनेक मतमतान्तरों के भ्रम में न पड़ कर ऐसा समझो कि कोई ऐसी अलौकिक दिव्य शक्ति है जो विश्व की रचना, संचालन, और संहार करती रहती है। उसी को सम्बोधित करने के लिये मनुष्यों ने अपनी आस्थानुसार उसके अनेक नाम रख लिये है। और उसे विभिन्न नामों से स्मरण करते रहते हैं। परन्तु विश्व की रचना, पालन पोषण और संहार का कर्म करते रहने के कारण उसका ईश्वर सम्बन्धी विश्वकर्मा नाम सरल, स्वाभाविक, मनोवैज्ञानिक, समस्त मतभेदों से रहित सर्वाधिक उत्तम और सर्वमान्य है। फिर भी आस्थानुसार जितने ईश्वर सम्बन्धी नाम है उन सभी नामों में मेरी ही शक्ति का निवास रहता है।

इसको यों समझो कि मनुष्य शरीर ही वह पवित्र मन्दिर हे जिसके अन्दर चैतन्य प्राणतत्व की शक्ति रहती है जिसके होने से ही शरीर के प्रत्येक अंग क्रिया कलाप करते दिखाई देते हैं। अस्तु शरीर के अंदर का प्राण तत्व ही शरीर मन्दिर का परम देवता अथवा ईश्वर है। जिस प्रकार प्रतिदिन मन्दिर की स्वच्छता करते रहने से अंदर के देवता की शोभा बढ़ती

है और वह चिरस्थायी होता है। उसी प्रकार प्रतिदिन शरीर की स्वच्छता से चैतन्य प्राण चिरस्थायी होता है। शरीर के अंदर और बाहर काम क्रोध, लोभ ईर्ष्या द्वेषादि विकार ही वह कूड़ा कचड़ा है जिसकी नित्य सफाई करते रहने की आवश्यकता होती है। ईश्वर के स्मरण के साथ नित्य सरल व्यायाम, योगासन आदि कुछ न कुछ करते रहना ही उस शरीर मन्दिर की सफाई का साधन है। इससे शरीर अरोग्य, सहनशील एवं पुरुषार्थी (कर्म करने वाला) बनता है। यदि मन्दिर की बाहरी सज्जादि मन्दिर के पुरुषार्थ की झलक है, तो अकर्मण्य न होकर सतत् कर्मशील बने रहना भी शरीर का पुरुषार्थ है। मन्दिर में प्रकाशकी समुचित व्यवस्था होती है जिससे मन्दिर के अन्दर की मूर्तिया गतिमान तथा प्राणवान प्रतीत होती है। इसी प्रकार शरीर के पुरुषार्थ की गति हेतु ज्ञान का प्रकाश होना अनिवार्य है। इसी प्रकाश से मोहादि का अन्धकार दूर होता है। और चैतन्य प्राणवान तथा गतिशील बना रहता है। इसी क्रम में धीरे-धीरे सत चित् आनन्द की प्राप्ति होने लगती है।

जैसे मन्दिर में पापी और पुण्यात्मा का भेद भाव नहीं होता दोनों की ही मनोकामनायें यहाँ पूरी होती है। उसी प्रकार शरीर के प्राण तत्व चैतन्य देवता को भी पाप पुण्य से कोई लेना देना नहीं होता। बड़े से बड़ा पापी भी इस प्रकार के शरीर मन्दिर में प्रवेश करने मात्र से ही चैतन्यशील होकर प्राणवान शक्ति को प्राप्त कर लेता है। जैसे अग्नि कूड़े कचड़े को जला कर भस्म कर देती है वैसे ही पापी का प्रत्येक पाप कर्म चैतन्य प्राणतत्व की अग्नि में जल कर भस्म हो जाता है। पापी और पुण्यात्मा दोनों को ही यहाँ पर समान दिव्य दृष्टि की प्राप्ति होती है।

सभी चाहते हैं कि हम दीर्घायु हों। जीवन भर अरोगी और सहनशील बने रहें। मृत्यु के क्षणों में भी बिना कष्ट के प्राण निकलें। होश पूर्वक प्रभु का स्मरण करते हुए स्वाभाविक मृत्यु को प्राप्त हों। इस हेतु उक्त बातों को ध्यान में रख कर जीवन यापन करने से मरणासन्न दशा में शरीर मन्दिर को ध्यान में रखकर जीवन यापन करने से मरणासन्न दशा में शरीर मन्दिर का चैतन्य प्राणवान शक्ति ही दिव्य शक्ति का बोध कराता है। उक्त दिव्य शक्ति के बोध होने से मनुष्य सत् चित् आनन्द के साथ शरीर को छोड़कर संसार से विदा होता है। यही विश्वकर्मा संस्कृति और सभ्यता की ईश्वर सम्बन्धी भक्ति भावना अथवा नित्य पूजा करने की सही जानकारी है, जिसे जीवित अवस्था में ही तद्नुसार जीवन यापन करने की सही जानकारी है,

जिसे जीवित अवस्था में ही तद्नुसार जीवन यापन करता हुआ मनुष्य प्राप्त कर सकता है और लौकिक तथा पारलौकिक दोनों ही प्रकार की सुख समृद्धि का आनन्द ले सकता है। इतना कहकर विश्वकर्मा जी चुप हो गये।

इस प्रकार भगवान विश्वकर्मा जी के अमृत तुल्य वचनों को सुनकर सभी विश्वकर्मा परिवार उनके चरणों का स्पर्श करने लगे। और एक स्वर से सभी अनुनय विनय करने लगे कि हे! कृपा निधान! तुम हमारे लिये प्राणों से भी अधिक प्यारे हो। तुम्हीं हमारे माता, पिता, गुरु और बन्धु हो। हे! प्रभु! तुम्हीं मेरे शरीर को जन्म मरण देने वाले हों और जीवात्मा को शांति प्रदान करने वाले हो। धन, वैभव, सम्पदा आदि को तुम्ही देने वाले हो। भवसागर से पार करने वाले तुम्ही हो। तुम्हारे बिना ऐसी सीख कौन दे सकता है? माता पिता की सीख भी स्वार्थ से भरी होती है किन्तु तुम्हारी सीख निस्वार्थ भावना को प्रेरित करने वाली है। आज हम लोगों को सही सीख मिल गयी कि ईश्वर की शुद्ध, भ्रम रहित भक्ति कैसी होती है? बिना इस प्रकार की भक्ति प्राप्त किये स्वप्न में भी परमार्थ की प्राप्ति नहीं हो सकती विश्वकर्मा जी ने अपने परिवार की प्रेम भरी वाणी सुनकर और यह जानकर कि उन्हें ईश्वर सम्बन्धी सही जानकारी हो गई है अत्यन्त हर्षित हो उठे। पुनः हँसते हुये विश्वकर्मा जी बोले हे! आत्मीयजनों। मेरे मनुष्य शरीर धारण करने का काम पूरा हो चुका है। अर्थात् अमैथुनी और मैथुनी सृष्टि के निर्माण का कार्य, विश्वकर्मा संस्कृति और सभ्यता की परम्परा के संचालन का कार्य, उसके प्रत्येक युग में अजर अमर बने रहने का कार्य, और वैज्ञानिक अनुसंधानों की अनेक विधि विधानों का कार्य अब पूर्ण हो चुका है। अस्तु अब मानवीय जीवन को समाप्त कर विराट अमानवीय लीला धाम में पुनः प्रवेश हेतु इस शरीर को त्याग करूँगा। मेरे जाने के बाद चन्द्रिका मेरे ही अनुसार आश्रय का सँचालन करेंगी। और मेरे कार्य को गतिप्रदान करेगी। मेरे शरीर त्यागने के बाद मेरा किसी प्रकार का अनुष्ठान नहीं किया जायेगा इतना कहकर विश्वकर्मा जी शान्त हो गये।

एकाएक घन घोर घटाये आकाश में घिर आयी। उसी क्षण विश्वकर्मा जी आश्रम से तुरन्त पैदल ही चल पड़े। उनके चलने पर समस्त विश्वकर्मा परिवार, नागरिक, ऋषिमुनि, भी उनके पीछे-पीछे चल पड़े। आगे चलकर विश्वकर्मा जी नर्वदा नदी के किनारे पीपल के वृक्ष के नीचे पद्मासन लगा कर बैठ गये। घन घोर वर्षा होने लगी। ब्रह्मा, विष्णु, महेशादि देवतागण भी

वहाँ पहुँच गये। घन घोर वर्षा के कारण नर्वदा नदी का जल वेग से बढ़ने लगा। विश्वकर्मा जी ने प्राणायाम करते हुये श्वास की गति को रोक कर समाधि लगा ली। हवा के झोकें के साथ ही शरीर से प्राण वायु निकल कर हवा में खो गया और देखते-देखते शरीर नर्वदा नदी के बाढ़ के अथाह जल राशि में विलीन हो गया। इस प्रकार अपने शरीर को भी जल के जीव जन्तुओं के लिये अर्पित कर वह महा प्रयाण को प्राप्त हो गये। इतनी कथा कहकर दिव्यात्मा अपने गन्तव्य स्थान को चली गई और मैं भी आनन्द पूर्वक घर चला आया।

महात्मन! शुभ सहायक आत्मा और मुक्त आत्मा के संवाद की कथा को मैंने विस्तार से तुम्हें सुनायी है। उक्त शुभ कथा के श्रवण और मनन करने से पुरुषार्थ की प्राप्ति होती है। पुरुषार्थ से काम करने की लगन उत्पन्न होती है। लगन से किये गये काम में सफलता मिलती है। और सफलता से धन वैभव में वृद्धि होती है। इसके साथ ही परम् पिता विश्वकर्मा के प्रति सच्ची श्रद्धा और भक्ति भावना का उदय होता है।

जलवायु की विपुल शक्ति, सूर्य का व्यापक तेज, चन्द्रमा की शीतलता, सागर की गहराई, व गम्भीरता, अनेक तीर्थों की पवित्रता, हिमालय की दृढ़ता, कामधेनु की इच्छापूर्ति, सरस्वती की बुद्धिमता, ब्रह्मा की सृष्टि निपुणता, विष्णु की पालन पोषण की जीवन दायिनी शक्ति, शंकर की संहार शक्ति, कुबेर की धन वैभव सम्पन्नता, त्रिगुणात्मक माया की प्रबलता, पृथ्वी भार वहन करने की क्षमता, ही तो भगवान विश्वकर्मा का दृश्य जगत् में व्यापक साकार स्वरूप है।

यदि विश्वकर्मा जी के उक्त स्वरूप के दर्शन करने का अन्यास हम नित्य करें, तो हमारे शरीर के अन्दर सुसुप्त विश्वकर्मा की सप्त ऊर्जा शक्तियों का जागरण होने लगेगा। अर्थात् प्राण वान शक्ति के जागरण से दीर्घ आयु, दुख रहित शक्ति से अरोग्यता और सहनशीलता, सुख स्वरूप शक्ति से पुरुषार्थ, तेज स्वरूप ऊर्जा शक्ति से तेजस्विता व सौंदर्य, श्रेष्ठ विचार ऊर्जा से शत् चित् आनन्द, पाप रहित ऊर्जा शक्ति से चेतना और दिव्य ऊर्जा शक्ति से दिव्यात्मा की प्राप्ति होती है। दिव्यता से जीवात्मा और परमात्मा के मिलन का परमानन्द प्राप्त होता है।

प्रत्येक जीव के लिये मृत्यु अनिवार्य है। यह कटु सत्य है कि मृत्यु के क्षणों में प्राण निकलने में जीव को बड़ा कष्ट सहना पड़ता है। प्राण निकलने

समय बड़ा कष्ट हो रहा था। मैं प्रभु के भक्ति भाव के साथ मेरी जीवात्मा का हल्का सूक्ष्म शरीर आकाश के उस उच्च उपखण्ड में पहुँचा जहाँ पर शुभ सहायक आत्मा से मेरी भेंट हुयी थी। इसके आगे का हाल मैं तुम्हें सुना चुकी हूँ।

प्रभु के स्मरण के साथ जीवात्मा का सूक्ष्म शरीर अत्यन्त हल्का होकर आकाश के उन उच्च उपखण्डों में पहुँचने की शक्ति रखता है जहाँ पर शुभ सहायक आत्मायें होती हैं जिनका काम नयी आत्माओं के मार्ग दर्शन करने का होता है। ऐसी आत्माओं का पुर्नजन्म नहीं होता। कामवासना के साथ जो प्राण शरीर से पृथक होता है उनकी जीवात्मा वजनदार होने के कारण आकाश के मध्य भाग तक ही जा सकती है। इस प्रकार की जीवात्माओं का पुर्नजन्म होता रहता है। जो जीवात्मायें क्रोध अथवा तामसी गुणों को साथ लेकर शरीर से पृथक होती हैं, वे आकाश के मध्य भाग से भी नीचे तक रह पाती हैं और उन्हें कीड़े मकोड़ों के रूप में अनेक योनियों में जन्म धारण करना होता है। इस प्रकार की जानकारी वहाँ पर मुझे प्राप्त हुयी थी जिसे तुम्हारे प्रश्न के अनुसार मैंने तुम्हें सुनाया है।

यही मरने के बाद का गूढ़ रहस्य है। तुमने अपने समस्त विकारों की व्यथा को मुझसे कहकर अन्दर के वासनात्मक कूड़े कचड़े को बाहर निकाल दिया है अस्तु तुम्हारा मन निर्मल हो चुका है। जो कुछ भी भगवान विश्वकर्मा जी की जीवन सम्बन्धी सार तत्व की कथा मैंने तुम्हें सुनायी है, उसे तुमने अच्छी प्रकार से समझ लिया है। अब तुम अपने शरीर के अन्दर ही अपने वास्तविक स्वरूप की पहचान करने में समर्थ हो। तद्नुसार जीवन यापन करना प्रारम्भ करो। भगवान विश्वकर्मा की असीम कृपा से अब तुम्हें माया से उत्पन्न किसी प्रकार का भ्रम नहीं होगा। इतना कहकर वह चुप हो गई और मेरी ओर ध्यान से देखने लगी।

मैं उक्त सारगर्भित उसकी वाणी सुनकर आश्चर्य चकित था। फिर भी जिज्ञासा वश मैंने उससे पूछा हे! देवी! मृत्यु लोक में अब भी लोग भगवान विश्वकर्मा के उक्त गूढ़ रहस्य को नहीं जानते हैं और नहीं उन्हें ईश्वर रूप में स्वीकार करते हैं? मेरे इतना कहने पर वह हँसती हुयी पुनः मुझ से बोली हे! महात्मन! ध्यान से सुनों।

मोह पिशाच से ग्रसित मन वालें, पाखण्डी, सदैव झूठ बोलने वाले, मूर्ख अन्धविश्वास अज्ञानी, विषयी, लंपट कपटी, कुटिल चालबाज, अहंकारी,

विवेकहीन, वाचाल, महामोह का पान करने वाले। धूर्त, दम्भी, ईर्ष्या द्वेष से जीने वाले, अपने को अधिक बुद्धिमान समझने वाले, सदैव दूसरों की निन्दा करने वाले लोग परम पिता परमात्मा स्वरूप विश्वकर्मा के उक्त सत्य स्वरूप के दर्शन नहीं कर पाते। उक्त कथा का ज्यों-ज्यों विस्तार होता जायेगा त्यों-त्यों उनका भ्रम भी इस विषय से दूर होता जायेगा। तुम अपने हृदय में विचार करो और अपने संशय को दूर करो तथा भगवान विश्वकर्मा को ईश्वर रूप समझ कर स्मरण करो। यह अच्छी प्रकार जान लो कि विश्वकर्मा जी ही आवश्यकतानुसार पृथ्वी में अपने अंश से अवतारी महापुरुषों को जन्म देते रहते हैं, जो अलग-अलग नाम भी लोगों के लिये प्रेरणा स्रोत होते हैं। उनमें भी भगवान विश्वकर्मा द्वारा परमात्मा स्वरूप शक्ति का संचार होता रहता है। इसी लिये लोग विभिन्न नामों से उन्हें ईश्वर के रूप में मान्यता प्रदान करते रहते हैं। इतना कहकर वह चुप हो गई और मेरी ओर देखने लगी।

दिव्यात्मा के उक्त सुन्दर वचनों को सुनकर मेरा मन हर्षित हो उठा। प्रेमाश्रु से नेत्र सजल हो उठे। उसकी दिव्य-वचनामृत वाणी सुनकर विश्वकर्मा जी का प्रताप और ऐश्वर्य मेरी मर्म स्थल को स्पर्श करने लगा। मैं बारम्बार दिव्यात्मा को नमन करने लगा। द्विज के रूप में मेरा जन्म हुआ जिससे मैं विश्वकर्मा जी के अनुपम रहस्य को अच्छी प्रकार से जान सका। मैं बड़ी देर तक हाथ जोड़े हुए उसे देखता रहा।

पुनः वह हँसती हुयी बोली, हे! महात्मन! प्रभु के निर्देशानुसार मैं तुम्हारे पास आयी थी। जिस लिये मैं आयी थी वह मेरा कार्य समाप्त हो गया है। मैं प्रतिदिन यहाँ न आ सकूँगी। जब कभी पुनः प्रभु का निर्देश होगा तभी मैं मृत्यु लोक में आ सकूँगी, यह कहते हुये वह अपने गंतव्य स्थान को चली गई और मैं भी आत्मानन्द का अनुभव करता हुआ अपने घर चला आया।

3

वेद पुराण अन्य ग्रंथो में सृष्टि निर्माता

1. वैदिक एवं पौराणिक ग्रंथों में विश्वकर्मा

एक विश्वकर्मा के रूप में विश्वकर्मा का प्रथमोल्लेख ऋग्वेद में मिलता है। दशम् मण्डल के दो सूक्त संख्या B1 एवं B2 के ऋषि एवं देवता दोनों ही विश्वकर्मा है। इसलिए इस विषय की अध्ययन शोध सामग्री भारतीय इतिहास के प्रथम लिखित साहित्य ऋग्वेद से प्रारम्भ होती है। ऋग्वेद में प्राप्त सामग्री विचारणीय तथा विश्लेषणात्मक अनुसंधान की दृष्टि से विशेष महत्वपूर्ण है क्योंकि इसमें वैदिक ऋषियों ने न केवल विश्वकर्मा के देवत्व एवं विराट स्वरूप का अपने प्रातिम चक्षु से दर्शन किया अपितु उसका ऋषित्व भी प्रतिपादित हुआ।

सामवेद में विश्वकर्मा विषयक सामग्री का अभाव स्वाभाविक है। क्योंकि 75 मौलिक ऋचाओं के अतिरिक्त शेष सभी ऋग्वेद से लिए गये हैं। कुल 1810 मंत्रों में सामवेद का ऋषिकार उत्तरार्चिक षष्ठ एवं षोडश अध्यायों में ऋग्वेद के अष्ट्म और दशम् मण्डलों को दो ऋचाओं को ही उदघृत करते हुए विश्वकर्मा का उल्लेख इन्द्र एवं यज्ञकर्ता विश्वकर्मा के रूप में किया है। अन्यत्र त्वष्टा विषयक ऋचाएं है।

यर्जुवेद का वर्ण्य विषय यज्ञीय है। इसीलिए इसका अन्य नाम अध्वर्यवेद भी है। चूंकि यर्जुवेद यज्ञीय प्रक्रिया का विवेचन करता है तथा कुल 40 अध्यायों में पाँच शाखाओं के माध्यम से यज्ञीय कर्मकाण्डो पर केन्द्रित ऋचाएं मिलती हैं, इसलिए समस्त वैदिक देवमण्डल यज्ञीय शक्ति के साथ सम्बद्ध है। यर्जुवेद में विश्वकर्मा देवता का पृथक अस्तित्व प्रतिपादित नहीं होता है।

ऋग्वेद की भाँति अथर्ववेद में विश्वकर्मा का देवत्व प्रतिपादित है। द्वितीय काण्ड के सूक्त संख्या 35 मंत्र 1 – 5 तथा षष्टकाण्ड के सूक्त संख्या 122 मंत्र

स्त्रोत सामग्रिया उपयोगी तथा विश्वकर्मा के देवत्व की अवधारणा की सुन्दर परिणति है। ऐतिहासिक काल के ज्योतिषाचार्या में केवल वराहगिरि ने बृहसंहिता में एक स्थान पर विश्वकर्मा का संदर्भ दिया है।

वाल्मीकिकृत ''रामायण'' एवं महर्षि वेदव्यास कृत ''महाभारत'' नामक में प्रस्तुत विषय की शोधात्मक अध्ययन सामग्री उपलब्ध है। इसमें देवशिल्पी विश्वकर्मा, त्वष्टा एवं दानव शिल्पी मय के महत्वपूर्ण निर्माण कार्यों, महलों, भवनो, दग्रो, संत, विमान शस्त्रास्त्र आदि के अद्‌भुत विलक्षण तथा चमत्कारिक निर्मिततियों का सुंदर वर्णन है। इसमें विश्वकर्मा एक देवता के रूप में विवेचित है। महाभारत में विश्वकर्मा जहाँ एक ओर विष्णु का नाम है वही वे शिल्प देवता भी है। महाभारत के आदि पर्व, सभापर्व, वनपर्व, विराटपर्व, उयांग पर्व, भीष्मपर्व, द्रोणपर्व, शल्यपर्व, शांतिपर्व, अनुशासनपर्व तथा आश्वमेधिक पर्व में विश्वकर्मा एवं त्वष्टा के देवत्व तथा निर्माण कार्यों के आधार पर महाकाब्यीय स्वरूप में क्रमशः विश्वकर्मा एवं त्वष्टा दोनों का वर्णन है।

पौराणिक कथाशास्त्र के अन्तर्गत विश्वकर्मा के विविध रूप वर्णित है। कालान्तर में संकल्पित कर ''विश्वकर्मापराण'' तैयार किया गया। विश्वकर्मा विषयक पौराणिक विवरणो की एक विशेषता यह भी है कि वर्णनक्रम में विश्वकर्मा देवता का वर्णन देवाधिदेव शिव तथा विष्णु के साथ विश्वकर्मा का भी वर्णन है। विश्वकर्मा के देवत्व एवं शिल्प विद्या के प्रवर्त्तक के रूप में वर्णन प्रायः सभी पुराणों एवं उपपुराणों में भी है। विश्वकर्मा का वास्तुविद्या के अट्‌ठारह आचार्यो में सम्मिलित होना, विश्वकर्मा द्वारा देवताओं के लिए आवासीय महल, वाहन, आयध आदि निर्मित करना एवं इसी प्रकार जगत की स्थिरता एवं पालन से संबंधित ऐसी अनेक कथायें हैं जो प्रायः सभी पुराणों में यत्र-तत्र किसी न किसी प्रसंग में उपलब्ध हो जाती है।

विश्वकर्मा देवता की संकल्पना को जिस प्रकार हमारे वैदिक ऋषियों ने साकार रूप प्रदान किया उसी प्रकार भारतीय संस्कृति के प्रसार के साथ ही यह संकल्पना प्राचीन विश्व के अन्य देशों में भी संक्रमित हुई। चीन तथा ईरान के साथ-साथ दक्षिण-पूर्व एशिया की संस्कृति में इस परम्परा के अवशेष आज भी विद्यमान है।

वास्तव में विश्वकर्मा की अवधारणा का उदभव उसी समय हो गया था जब आदि मानव ने अपना संचरणशील जीवन प्रारम्भ किया था और उसी

क्रम की स्थायी आवरण की ओर उसके अग्रसर होने से कृषि, आवास, भोजन की आकार के साथ ही वैदिक "तक्षा" की उत्पत्ति हो चुकी थी। एक लौकिक देवता होने के कारण विश्वकर्मा ही आदि देव हैं। इसीलिए वैदिक वाङ्मय में प्रायः सभी देवताओं के साथ इसका तुलनात्मक समीकरण देखने को मिलता है।

जिस प्रकार वेदों में सृजन के महत्व को स्वीकार करते हुए अधिभौतिक तथा अधिदैनिक नामख्यों के निर्माण में उनकी आवश्यकता का उल्लेख अनेक सूत्रों में किया गया उसी प्रकार समाज को व्यवस्थित रूप में संचालित करने के लिए मुख्य आस्था के अतिरिक्त अन्य आयुधो का निर्माण भी विश्वकर्मा तथा उसकी परम्परा के अधीन हुआ। जब हम विश्वकर्मा की निर्मिति की भावनात्मक अभिव्यक्ति को देखते हैं तो प्रायः प्रत्येक काल में वैदिक संकल्पना का भूर्तन दिखाई पड़ता है।

वेद पुराण में एवं अन्य ग्रंथों में अंकित विश्वकर्मा जी के विवरण की ऐतिहासिकता का उल्लेख इस अध्याय में यथास्थान किया जा रहा है ताकि व्यापा भ्रांतियों का निराकरण हो सके।

1. वेदों में विश्वकर्मा जी का विवरण इस प्रकार है:

1. ऋग्वेद मण्डल 910 सूक्त 81-82 के मन्त्रों का दृष्टा एवं देवता भुवन पुत्र विश्वकर्मा हैं।
2. यजुर्वेद अ. 18 मंत्र 58, 60, 65 का दृष्टा ऋषि विश्वकर्मा है। अ. 17 के मंत्र 17 से 32 तथा अ. 18 मंत्र 43 के देवता भी विश्वकर्मा हैं।
3. इसके अलावा सामवेद और अथर्ववेद में भी स्थान-स्थान पर विश्वकर्मा जी का विवरण आया है।

2. पुराणों में विश्वकर्मा जी का विवरण

1. वराह पुराण

   वराह पुराण के अ. 56 में विश्वकर्मा जी की उत्पत्ति का विवरण है।

2. पद्म पुराण

   1. पदम् पुराण भूखण्ड में विश्वकर्मा जी के शिल्प की मुक्त कण्ठ से प्रशंसा की गई है। इनका शिल्प सर्वोत्तम वताया गया है।
   2. पद्म पुराण भूखण्ड में शिव पार्वती संवाद में भगवान विश्वकर्मा जी के स्वरूप का बड़ा मनोहर चित्रण किया गया है।

3. पद्‌म पुराण भूखण्ड में भी विश्वकर्मा जी की पूजा का वर्णन किया गया है।
4. इसी में श्री कृष्ण एवं महादेव जी द्वारा विश्वकर्मा जी की पूजा का विवरण प्राप्त है।

3. विश्व ब्रह्म पुराण

1. विश्व ब्रह्म पुराण अ. 16/7/8 में भगवान विश्वकर्मा एवं गायत्री का विस्तार से उल्लेख किया गया है।
2. विश्व ब्रह्म पुराण के अ. 28 में विश्वकर्मा जी के पुत्र शिल्पी तथा उनकी संतान का विस्तृत ब्यौरा दिया गया है।
3. इसी प्रकार मनु, मय, त्वष्टा और दैवज्ञ की सन्तान का पूर्ण ब्यौरा इसी पुराण में मिलता है।

4. स्कन्द पुराण

1. स्कन्द पुराण नागर खण्ड के अ. 5 में विश्वकर्मा जी के पांचों पुत्रों का विस्तृत विवरण मिलता है।
2. इसी में मनु, मय, त्वष्टा शिल्पी एवं दैवज्ञ की उत्पत्ति का ब्यौरा भी मिलता है। यह ब्यौरा स्कन्द पुराण नागर खण्ड अ. 13 में है।
3. स्कन्द पुराण नागर खण्ड अध्याय-6 में विश्वकर्मा जी के पाँच पुत्रों के विवाह का विस्तृत विवरण दिया है।
4. स्कन्द पुराण में विश्वकर्मा जी के पुत्र सनातन की सन्तति का विशेष वर्णन है। इसका उल्लेख नागर खण्ड के अ. 181 में दिया गया है।

5. विष्णु पुराण

1. विष्णु पुराण अध्याय-4 में विश्वकर्मा जी को सम्पूर्ण शिल्पों का आचार्य, वेद विद् तथा समस्त शिल्प विद्या का जनक कहा गया है।
2. विष्णु पुराण में विश्वकर्मा वंशज सावर्णिक का मनवन्तर का भी विस्तृत उल्लेख किया गया है।
3. अंश-1 अ. 15 श्लोक–119 में विश्वकर्मा जी को प्रजापति कहा गया है।

6. वशिष्ठ पुराण

1. वशिष्ठ पुराण काण्ड-3 अ. 6 में विश्वकर्मा जी के पाँचों मुखों का विस्तृत वर्णन उपलब्ध है।

2. वशिष्ठ पुराण में भी विश्वकर्मा जी के पात्रों की उत्पत्ति का भी विवरण उपलब्ध है।
3. इसी में भगवान विश्वकर्मा जी के वंशजों का बड़ा सुन्दर वर्णन किया गया है।

7. वायु पुराण

1. वायु पुराण उत्तर भाग अ. 22 श्लोक 18 में बड़े-बड़े देवों के आचार्य के लिये विश्वकर्मा शब्द का प्रयोग किया गया है।
2. वायु पुराण उत्तर भाग अ. 22 श्लोक 16 में विश्वकर्मा जी को प्रजापति अर्थात प्रजा का पालक कहा गया है।

8. मत्स्य पुराण

1. मत्स्य पुराण के अ. 5 श्लोक 27 में विश्वकर्मा जी को प्रजापति अर्थात प्रजा का पालक कहा गया है।

9. ब्रह्म वैवर्त पुराण

1. ब्रह्म वैवर्त पुराण श्री कृष्ण जन्म खण्ड में राधा कृष्ण संवाद में श्री कृष्ण के मुखार्विन्द से इन्द्र द्वारा विश्वकर्मा जी की पूजा का विस्तृत विवरण मिलता है।

10. मूल स्तम्भ पुराण

1. मूल स्तम्भ पुराण के अ. 17 में भगवान विश्वकर्मा के विभिन्न युगावतारों का वर्णन मिलता है।

अन्य ग्रन्थों में

11. पुराणान्तर

1. विश्वकर्मा कुल में उत्पन्न विभिन्न शिल्पाचार्यों का विवरण मिलता है।

12. अमर कोष

1. अमर कोष में त्वष्टा विश्वकर्मा आदि शब्द की स्पष्ट व्याख्या एवं अर्थ शिल्पाधिपति के रूप में किया गया है।
2. सूर्य भी विश्वकर्मा शब्द का पर्यायवाची माना गय है अर्थात सूर्य को विश्वकर्मा कहा गया है। "अमरकोष" नानाअर्थ वर्ग काण्ड 108
3. विश्वकर्मा और बृहस्पति शब्द को पर्यायवाची माना गया है। अमरकोश प्रथम काण्ड श्लोक–5

13. तैतरीय ब्राह्मण

1. तैतरीय ब्राह्मण अध्याय–123 में भगवती सरस्वती को विश्वकर्मा स्वरूपा कहा गया है।
2. तैतरीय ब्राह्मण अष्टक–2 में विश्वकर्मा जी को प्रजापति अर्थात प्रजापालक कहकर सम्बोधित किया गया है।

14. तैतरीय श्रुति पंच महोपनिषद वाक्य

1. इसमें भी विश्वकर्मा जी के पाँचों पुत्रों का विवरण विस्तार से मिलता है।

15. निरूक्त दैवत्व कांड

1. निरूक्त दैवत काण्ड अ. 10 खण्ड–26 में उल्लेख आता है कि संसार में जितने भी शिल्पीय पदार्थ उत्पन्न हुए हैं उन सब का कर्ता भगवान विश्वकर्मा है।

16. बाल्मीकि रामायण

1. बाल्मीकि रामायण में भी भगवान विश्वकर्मा तथा नल एवं नील का विश्वकर्मा तनय के रूप में उल्लेख हुआ है। बाल्मीकि रामायण लंका काण्ड सर्ग–125 श्लोक 20 में स्वयं भगवान राम ने स्वयं अपने श्री मुख से विश्वकर्मा जी का उल्लेख किया है।

   उपरोक्त धर्म ग्रन्थों के अलावा अन्य बहुत से ग्रन्थों में भगवान विश्वकर्मा के सम्बन्ध में बहुत सी सामग्री उपलब्ध है और स्थान-स्थान पर उनका उल्लेख मिलता है जैसे पांचाल ब्राह्मण निर्णय वेद तत्व, शत्पत्, गोपथ, ब्राह्मण, विश्व ब्रह्म कुलोत्साह, ब्रह्मण्ड पुराण, अग्नि पुराण नृसिंह पुराण, छन्दोग्योपनिषद कपिल गीता, सत्यार्थ प्रकाश, शिवागम, शंकर विजय, आदि।

   इन सभी ग्रन्थों में भगवान विश्वकर्मा की महिमा का पर्याप्त मात्रा में गुणगान किया है।

2. विश्वकर्मा शब्दार्थ–शिल्पी-कुल वंशावली

विश्वकर्मा का देवत्व जिस प्रकार पौराणिक काल में शिल्पाचार्य के रूप व शिल्प देवता के रूप में परिणत हुआ, उसी प्रकार मध्य युग में इनकी प्रतिष्ठा शिल्पियों के कुल देवता के रूप में शिल्प की विभिन्न विधाओं के अनुसार हुई। देवता का आधार तो वैदिक ही है। किन्तु यह परंपरा राजवंश के विघटन के बाद प्रारम्भ हुई।

विश्वकर्मा की परवर्ती परंपरा में शिल्पी कुलो के विकास में मानसार शिल्पशास्त्र की परंपरा का महत्वपूर्ण योगदान रहा है इसमें विश्वकर्मा, मय, त्वष्टा तथा मनु के क्रमशः स्थयति, सूमग्राही बौद्धिक एवं तक्षर पुरू प्रतीकात्मक महत्व रखते हैं। इनसे समाज में शिल्पी कुल की शिलागत अवधारणा पोषित हुई। जहाँ ये ज्ञान की चार विशिष्ट पद्धतियाँ तथा प्रकार हैं वहीं शिल्प वैदुष्य के चार प्रतिमान हैं।

वास्तव में शिल्पाचार्य के रूप में विश्वकर्मा देवता का स्वरूप शिल्पियों की समृद्धि कुल परम्परा से ही सुरक्षित है। इतिहास बतलाता है कि विश्वकर्मा एक श्रेष्ठ शिल्पाचार्य थे। उनकी शास्त्रीय परम्परा थी अनुपालन समाज में इस वर्ग के समुदाय करते हैं।

विश्वकर्मा के कर्म व्यापित की तरह शिल्प का क्षेम व्यापक है। जिस शिल्प का विकास हुआ उसके लौह शिल्प के लिए भारत का पूर्वी भाग काष्ठ शिल्प के लि़ए दक्षिणी भाग, ताम्र शिल्प के पश्चिमी भाग तथा पाषाण शिल्प के लिए उत्तरी भाग एवं सुवर्ण शिल्प के लिए मध्य भाग सर्वोत्तम क्षेत्र है। यही कारण है कि विश्वकर्मा शिल्प एवं शास्त्र परम्परा के साथ शिल्पियों का शिल्प वैशिष्टय उन क्षेत्रों में विशेष रूप से पल्लवित हुआ।

हमारे शास्त्रों एवं धर्म ग्रन्थों में 'विश्वकर्मा' शब्द के कई अर्थ मिलते हैं।

1. विश्वकर्मा का शाब्दिक अर्थ है सर्व जगत् का रचियता, कर्त्ता अर्थात परमेश्वर, परब्रहम एवं विराट् विश्वकर्मा जो समस्त चर अचर जगत् का स्वामी है जिसने पंच तत्वों के यौगिक संघात से समस्त नैतिक एवं आध्यात्मिक जगत की रचना की है। और कण–2 में विद्‌यमान है।

2. 'विश्वकर्मा' शब्द का दूसरा अर्थ है आदि 'शिल्पाचार्य' भगवान विश्वकर्मा अर्थात जो पूर्ण शिल्पी है, श्रेष्ठ ब्राह्मण है, प्राचीन एवं अर्वाचीन ज्ञान और विज्ञान का अधिष्ठाता देवता है। जो समस्त रिद्धि सिद्धि का दाता है और ऐश्वैर्य के साधनों का रचयिता है। समस्त विश्वकर्मा वंश का परम पितामह है। धीमान जांगिड, पांचाल, सुत्थार आदि वर्गों और उपवर्गों का पूज्य एवं पूर्वज है।

3. विश्वकर्मा का तीसरा अर्थ हमारे शास्त्रों और धर्मग्रन्थों में उपाधि के रूप में भी मिलता है। जिस प्रकार त्वष्टा विश्वकर्मा सुधन्वा विश्वकर्मा

आदि। शिल्प शास्त्र एवं शिल्प कला के पारंगत विद्वान, आचार्य ऋषि एवं महर्षि भी अपने नाम के बाद उपाधि के रूप में भी इस शब्द का प्रयोग करते थे। इस बात में संदेह नहीं कि 'विश्वकर्मा' शब्द अत्यन्त व्यापक है।

'विश्वकर्मा' शब्द अत्यन्त प्राचीन है। इस शब्द का उल्लेख वेदों में सर्वत्र मिलता है। ऋग्वेद में विश्वकर्मा सूक्त का उल्लेख (ऋग्वेद मंडल 10 अ. छ सूक्त 81 मंत्र 1 से 14 तक) दिया गया है (कृप्या परिशिष्ट देखें)। इस सूक्त के ऋषि भुवन पुत्र विश्वकर्मा हैं और देवता भी विश्वकर्मा हैं। इससे न केवल 'विश्वकर्मा' शब्द की प्राचीनता का प्रमाण मिलता है, बल्कि ये भी साबित होता है कि 'विश्वकर्मा' एक उच्च कोटि के ऋषि और देवता थे।

उपरोक्त विश्वकर्मा सूक्त के 14 मन्त्रों में विश्वकर्मा को भगवान, परमेश्वर जगतकर्त्ता, उत्पत्ति, पालन और प्रलय का कर्त्ता महान शिल्पकार आदि शब्दों से सम्बोधित किया गया है। यही नहीं सूक्त के अनुसार 'भगवान विश्वकर्मा' ने ही जल, थल, पृथ्वी आकाश और सूर्य आदि को अपनी योग माया से उत्पन्न किया है। वह समस्त जगत का रचियता है, सब प्रकार के ज्ञान से युक्त है। सब का धारण पोषण करने वाला है। वह सब से अद्वितीय एवं उत्तम है अतः विश्वकर्मा जी न केवल विश्वकर्मा वंशियों के ही पितामह हैं बल्कि सभी व्यक्तियों द्वारा पूजनीय एवं वन्दनीय है।

यजुर्वेद के 34 वें अध्याय के मंत्र 58 में विश्वकर्मा जी की सर्व शक्तिमान एवं महाप्रभु के रूप में आराधना एवं पूजा की गई है, जो इस प्रकार है–

ब्रह्मणस्पते त्वमस्ययन्ता सूक्तस्य बोधितनयं च जिन्व।
विश्वं तद्द्रं यदवन्ती देवी बृहद्वदेम बिदथे सुवीराः।
य इमा विश्वा। विश्वकर्मा योनः पिता। अन्नपतेन्नस्य नो देहि।। 15।।
(यजु ।अ. 34। मंत्र 58)

उपरोक्त के अनुसार उनको सभी प्रकार के सुख, सम्पत्ति और वैभव का स्वामी और दाता कहा गया है। उपरोक्त मंत्र में 'महाप्रभु विश्वकर्मा' से याचना की गई है कि ब्रह्मांड के स्वामी परमेश्वर विश्वकर्मा आप इस संसार को नियम में रखने वाले हो, हमारी स्तुति को सुनिए, हे स्वामी! आप हमारी संतान से प्रीति रखिए। हमारे कुल की रक्षा करें। हे प्रभु! जो दिव्य आत्माएं महान् तप के पश्चात भी प्राप्त नहीं कर सकती है आप की कृपा से हमें

वह सब प्राप्त हो। आगे कहा गया है कि ब्रह्मा, विष्णु और महेश 'विश्वकर्मा' के पर्यायवाची हैं।

उपरोक्त विवेचन से ये तो स्पष्ट है कि 'विश्वकर्मा' उच्च कोटि के ऋषि, मुनि, महात्मा, देवता, भगवान और परमेश्वर है। संसार के रचयिता, अन्न धन के दाता, सांसारिक सुख, सम्पत्ति, धन, वैभव एश्वैर्य आदि उन्हीं की कृपा से मिलता है। वे ही विराट् विश्वकर्मा या आदि विश्वकर्मा है। परन्तु प्रश्न उठता है कि 'भगवान विश्वकर्मा' का 'शिल्प कर्म' से क्या सम्बन्ध है। वराह पुराण के 56 वें अध्याय के व्या 42 में उल्लेख है कि–

संसारे वर्तमानानां लोकानां हित काम्यया।
अग्निष्टोमादि कतृणां यज्वानां महतामपि।।
सर्वेषां चैव वर्णानाँ प्राणिनां स्थिति कारणात्।
शिलादारु विशेषादि श्रुतिमोत्पादनायच।।
सर्व लोकोपकारार्थ ब्रह्मा संचित्य बुद्धितः।
स्वस्य हस्तात्स मुत्पन्नो भूसुराचार्य तत्परः।
विवाहादिषु यज्ञेषु गृहानाम विधायकः।।
(वराह पुराण। अ. **51** पञ्चाल ब्रा. निर्णय। व्या. **42**)

अर्थात सृष्टि की रचना के पश्चात शिल्प साध्य विज्ञानादि बड़े-बड़े यज्ञों के करने और कराने तथा सब वर्गों के प्राणियों को स्थिर रखने के लिये, पत्थर और लकड़ी की प्रतिमाओं का निर्माण करने के लिए और लोकों का उपकार करने के लिए ब्रह्मा जी ने अपनी बुद्धि से विचार करके विराट या आदि विश्वकर्मा को पृथ्वी पर उत्पन्न किया। वह महान पुरुष, सर्वोत्तम एवं प्रथम वैज्ञानिक थे। उन्होंने घर, कुआँ, बाग बगीचों और सब प्रकार के शिल्पीय पदार्थों की रचना की, वे यज्ञ तथा विवाहादि में तथा सब प्रकार के शुभ कर्मों में पूज्य है और आचार्य (गुरु) है।

विश्वकर्मा जी का शिल्प कैसा था? उनकी कला कैसी थी? वे किस कुल में पैदा हुए थे? इसका विस्तृत विवरण हमें पद्म पुराण के भूखण्ड में मिलता है।

महादेव जी पार्वती से कहते हैं कि–

दिवि भुव्यंतरिक्षेवा पाताले वापि सर्वशः
गृह यंत्र रथो भूषा प्रतिमा वसनादिकम्।

यत्किंचिद् दृश्यते चित्रं तत्सवं विश्वकर्मजन।।

(पद्य पुराणे भूखण्डे)

अर्थात हे पार्वती! पृथ्वी आकाश और पाताल आदि के सब स्थानों पर मकान, मन्दिर, पुल, किला, कोट, आयुध, मशीने, रथ, गाड़ी, विमान, जलयान, आभूषण, प्रतिमा, देश, नगर, कुआं, और बावड़ी आदि जो कुछ भी चित्र और विचित्र पदार्थ नजर आते हैं वे सब 'विश्वकर्मा' के ही बनाए हुए है। विष्णु पुराण अध्याय 2 और 4 में लिखा है कि "सम्पूर्ण शिल्पों का आचार्य, वेदों का ज्ञाता, सभी प्रकार के शिल्पों का उत्पन्न कर्त्ता विश्वकर्मा है। वह जगतगुरु, महा तपस्वी है। उसका जन्म ब्राह्मण कुल में हुआ है।"

उपरोक्त से विश्वकर्मा शब्द का अर्थ, इस शब्द की प्रमाणिकता और महत्ता का पता चलता है। इस बात का भी पता चलता कि उनका शिल्प शास्त्र से क्या सम्बन्ध था, उन का शिल्प कैसा था? मगर इस बात की भी जिज्ञासा होती है कि इस महान ऋषि देवता कलाकार और रचयिता का स्वरूप कैसा होगा? यदि उनकी पूजा आराधना, अर्चना कि जाए तो किस रूप में कि जाए उनका ध्यान कैसे किया जाए? क्या वे निर्गुण अथवा सगुण, साकार है या निराकार हैं?

पदम् पुराण के भूखंड में शिव पार्वती संवाद में महादेव जी पार्वती से कहते हैं, कि—

चिन्तयोद्विश्वं कर्माणं शिवे वट तरोरधः,
दिव्य सिंहासन सीनं मुनिवृन्द निषेवितम्।
उपास्यसानभमैरः स्तूय मानां महर्षिभिः,
पंचवक्त्रं दश भुजं ब्रह्मचारि व्रते स्थितम्।।
लक्ष्मी सरस्वतीभयांच संक्षालित पद द्वयम्
वक्षस्थले च विभ्राण ब्रह्मविद्यामुपातनुम्
हार केयूर कटकं कुन्डलाद्यैः सुशोभितम्,
भस्माङ्ग राग्र दैवेशं वरदं सुस्मिताननम्।।
कुद्दालं करणीवास्य माम यंत्रं कमंढलुम,
विभ्राण दक्षणै हस्तैरवरोह क्रमात्प्रभुम।
मेरुं टंकं त्वनं भूषां वन्हिच दधतः करै,
अवरोह क्रमेर्णव वामेर्वाव विलोचने।
एवं ध्यायेन्यहा देवि विश्व कर्माण मभ्ययम्।।
(पद्य पुराणे। भूखंडे। शिव पार्वतिं संवादे)

अर्थात हे देवी! मन की शान्ति देने वाले विज्ञान रूप श्री विश्वकर्मा जी का ध्यान वट वृक्ष के नीचे बैठकर इस प्रकार करना चाहिए कि 'विश्वकर्मा' जी दिव्य सिंहासन पर बैठे है। मनु, मय, त्वष्टा, शिल्पी और दैवज उनके मनीश्वर पुत्र ध्यानस्थ उनके समक्ष बैठे हैं। एक ओर देवगण उनकी सेवा कर रहे हैं और दूसरी ओर सप्तऋषि उनका स्तवन कर रहे हैं विश्वकर्मा जी के पाँच मुख हैं और दस हाथ है। उन्होंने ब्रह्माचारी दीक्षा ली है लक्ष्मी और सरस्वती दोनों पाद प्रक्षालन करती है। उनके हृदय में मूर्तिमत ब्रह्मा विद्या है। विश्वकर्मा जी के गले में विविध दिव्य रत्नों और पुष्पों के हार हैं। कानों में दैदिप्यमान तेजस्वी कुंडल है। वे सर्वालंकारों से सुशोभित है। उन्होंने समस्त शरीर में भस्म रमाई हुई है। मुख पर एक दिव्य मुस्कान है। उनके हाथों में करनी, कुदाल, बसोला (तेसा) अभियंत्र, गज, गुणिया, हथौड़ा, संडासी, टांकी, निहाई, घट का पात्र और अग्नि कुण्ड है। ये शिल्प कर्म के दश आयुध है। जल का पात्र और कमंडल है। हे पार्वती इस प्रकार से शिल्पाधिपति विश्वकर्मा के स्वरुप का ध्यान करना चाहिए।

विश्वकर्मा जी उच्च कोटि के ऋषि, देवता, वैज्ञानिक, देवताओं के गुरु एवं पुरोहित ही नहीं बल्कि प्रजापति भी है।

ऋभवश्चापि देवानां रथकाराः भवन्ति हि।

ते सर्वें शिल्पिनः पुत्राः विश्वकर्म प्रजापतेः।।

(पंञ्चाल ब्राह्मण निणय। आख्यान 43)

अर्थात पांचाल, ऋभु रथकार एवं धीमान लोग जो कि देवतों के रथादि विमानों, के बनाने वाले शिल्पी लोग हैं, सब विश्वकर्मा प्रजापति की संतान है। यहाँ शिल्पी ब्राह्मण को शिरोमणि विश्वकर्मा प्रजापति का वंशज बताया गया है।

विश्वकर्मा प्रजापतिः

(तैतिरीय व्र.। अष्ठक 2)

यहाँ भी प्रजा का पालन करने वाला विश्वकर्मा प्रजापति है।

विश्वकर्मा भवेत् प्रजापतिः

(ऋग्वेद एतरेय। वा. पंचिकी 4। खंड 22)

अर्थात विश्वकर्मा प्रजापति हुए है!

(इसी प्रकार 'महाभारत आदि पर्व अ. 66 श्लोक 25 में तथा वायु पुराण उत्तर भाग अ. 22 श्लोक 16 में तथा विष्णु पुराण अंश 1। अ. 25

श्लोक 119 में तथा मत्स्य पुराण, अ. 5 श्लोक 27 में भी विश्वकर्मा को प्रजापति लिखा है)।

इतना ही नहीं बल्कि वेद में भी विश्वकर्मा प्रजापति है एतरेय ब्राह्मण याचिका 4 खंड 88 में उल्लेख है कि–

प्रजापति विश्वकर्मा मनो गंधर्व स्तस्य।

ऋक् सामान्यप्ससरस एष्टयो नाम।।

सन इदं ब्रह्मा क्षत्रं पातु तस्मै स्वाहा वाट ताभ्यः स्वाहा।

(यजु अ. 15, मंत्र 43)

उपरोक्त मंत्र में बताया गया है कि जैसे प्रजा को पालने वाला प्रजापति विश्वकर्मा सब कामों का करने वाला शिल्प विद्या आदि विज्ञान से ब्राह्मण और क्षत्रिय आदि की रक्षा करता है। वैसे ही सब मनुष्य भी उस प्रजापति विश्वकर्मा का यथोचित सत्कार करें। अत विश्वकर्मा प्रजापति है। इसके अलावा श्री विश्वकर्मा यजुर्वेद के अनेक मन्त्रों के द्रष्टा ऋषि तथा देवता है।

2. शिल्पीकुल वंशावली

वंशावली विराट् विश्वकर्मा

ब्रह्मा

|

विराट् विश्वकर्मा

मनु (सानग् भी कहते हैं)	**मय** (सनातन भी कहते हैं)	**त्वष्टा** (अहभून् भी कहते हैं)	**शिल्पी** (प्रत्न भी कहते हैं)	**दैवज्ञ** (सुपर्ण भी कहते हैं)
कांचना (पत्नी)	**सुलोचना** (पत्नी)	**जयन्ती** (पत्नी)	**करुणा** (पत्नी)	**चन्द्रिका** (पत्नी)
विभ्राज आदि 25 पुत्र	वामदेव आदि 25 पुत्र	भद्रदत्त विश्वरुप आदि 25 पुत्र	सुचिदत्त आदि 25 पुत्र	विश्वज्ञ आदि 25 पुत्र

(वशिष्ठ पुराण)

(श्री विश्वकर्मा सिद्धअष्टकम्)

आदिरूपं नमस्तुभ्यं, नमस्तुभ्यं पितामह
विराटाख्य नमस्तुभ्यं, विश्वकर्मन्नमोनमः
आकृति कल्पनानाथ, स्त्रिनेत्री ज्ञान नायकः
सर्वसिद्धि प्रदाता त्वं, विश्वकर्मन्नमोनमः
पुस्तकं ज्ञान सूत्रं च, कम्बी सूत्रं कमणडलुम्
धृत्वा संमोहयम देव, विश्व कर्मन्नमो नमः
विश्वात्माद भूतरूपेण, नाना कष्ट संहारकः
तारकानादि संसारात्, विश्व कर्मन्नमो नमः
ब्रह्माण्डाखिल देवानां, स्थानं स्वभूर्ततल तलम्
लीलया रचितं येन, विश्वरूपाय ते नमः
वि वव्यापिन्नमस्तुभ्यं, त्रयम्बकं हंसवाहनं
सर्वक्षेत्र निवासाख्यं, विश्वकर्मन्नमोनमः
निराभासाय नित्याय, सत्यज्ञानान्तरात्मने
विशुद्वाय विदुराय, विश्व कर्मन्नमोनमः
नमो वेदान्त वेद्याय, वेदमूलनिवासिने
नमो विविक्त चेष्टाय, विश्वकर्मैन्नमोनमः

इतिहास साक्षी है कि विभिन्न अवसरों पर जब भी ऋषि मुनियों, देवताओं और महापुरुषों पर भी संकट आया श्री विश्वकर्मा जी ने उनको नाना प्रकार के आयुध प्रदान किये और उनका संकट निवारण किया और उन्होंने विश्वकर्मा जी की पूजा आराधना और स्तुति की। श्री कृष्ण एवं भीम संवाद में उल्लेख आया है कि महर्षि मरिच, अत्रि, अंगिरा, पुलस्त्य, पुलह, क्रतु, वशिष्ठ आदि सप्तऋषियों ने ब्राह्मणत्व प्राप्त करने के लिए विश्वकर्मा जी की प्रार्थना की जो इस प्रकार है–

अस्माकम् दीयतां शीघ्रं भगवन् यज्ञ शीलताम्।
जयनं याजनं चैवाध्ययनाध्यापनं तथा।।
दानं प्रति ग्रहश्चेति षट्कर्माणि महाविभोः।
भाषितत‍ु मयस्तेषां श्रुत्वा तद्रोमहर्षण।।
दास्यामीति वचो दत्वा शक्यं कर्त्तुन चानृतम्।

इत्युक्त्वा स ददौ तेषां षट्कर्माणि महाविभुः।।
ऋषि भिस्तै गृहीतानि षट् कर्माणि तदा मयात्।

अर्थात हे प्रभु (विश्वकर्मा महाराज)! अब आप कृपा कर हमें यज्ञशीलता प्रदान कीजिए। हे महा विभो! यज्ञ करना, यज्ञ कराना, वेद पढ़ना तथा पढ़ाना, दान देना और दान लेना आदि षट्कर्मों का अधिकार हमें दीजिए। महर्षियों के ये शब्द सुनकर श्री विश्वकर्मा ने उनका वरदान दिया और षटकर्माधिकार की आज्ञा दी। यह वर प्राप्त करके सप्तर्षियों ने शिल्पाधिपति देवाधिदेव विश्वकर्मा जी की मुक्त कण्ठ से स्तुति की जो इस प्रकार है–

शिल्पाचार्य्याय देवाय नमस्ते विश्वकर्मणे।
मनवे मयाय त्वष्ट्रो च शिल्पिन् दैंवज्ञ ते नमः,
भक्ति तो विश्वकर्माणस्तुति यद्वावय मब्रतीत।

हे शिल्पाचार्य विश्वकर्मन् देव! हम आपके कृतज्ञ है। हम पर आपकी कृपा हो, हम आप को बारम्बार प्रणाम करते हैं एवं तत्वज्ञानी शिल्पाचार्य मनु, मय, त्वष्टा दैवज्ञ, शिल्पी आपके पुत्रों को भी हम प्रणाम करते हैं।'' इसी संदर्भ में सप्तऋषि आगे कहते हैं ''हे देव! आपकी कृपा से हमें शुद्ध ब्राह्मणत्व प्राप्त हुआ है। अब हम अपने मार्ग पर जाते है'' ऐसा कहकर उन ऋषियों ने श्री विश्वकर्मा जी को बार-बार प्रणाम किया, उनकी प्रदक्षिणा की इस प्रकार श्री विश्वकर्मा जी सप्तर्षियों के गुरु भी है।

इन्द्र द्वारा विश्वकर्मा जी की पूजा

ब्रह्मवैवर्त पुराण, कृष्ण जन्म खंड के अध्याय 47 के राधाकृष्ण संवाद में उल्लेख आता है कि देवाधिदेव इन्द्र ने भी कलाधिपति विश्वकर्मा जी की आराधना एवं स्तुति की जिसका विवरण इस प्रकार है–

कृष्ण उचावः

अथ शक्रस्य वृतान्त परमं श्रृणु सुन्दरी।
पापध्नं पुण्य वीजतं सव्यस्य कथयामिति।।

भारत ही एक देश है जहाँ चिंतनशील ऋषियों ने सृष्टि को विचार किया। इस सृष्टि की संरचना तथा नियमन के दैवीय तत्वों का निर्धारण किया गया। इसीलिए इस देश के धार्मिक जीवन में देव कथाओं की लम्बी परंपरा है। विश्व के अन्य किसी भी देश में देव संकल्पना, दैवी चिंतन तथा देवों के स्वरूप के विकास का सहस्त्रों वर्ष लम्बा इतिहास और देव

कथाओं के विकास की इतनी लम्बी अक्षुण्ण परंपरा प्राप्त नहीं होती है जितनी भारत में। सहस्त्रों वर्ष पूर्व वैदिक ऋषियों की सूक्ष्म अर्न्तदृष्टि, निरीक्षण-क्षमता एवं कल्पना शक्ति ने जिन देवों की उदभावना की थी उसके स्वरूप या आने वाली पीढ़ियों के हाथों से क्रमशः परिवर्तन एवं परिवर्द्धन होता चला गया और एक चित्रात्मक, वैविध्यपूर्ण तथा सजीव देवशास्त्र का जन्म हुआ। वास्तव में हिन्दू धर्म का विश्वास भवन इन्हीं देवों के प्रति विश्वास पर आश्रित है।

भारत के धार्मिक इतिहास में दैवी शक्तियों के विविध स्वरूपों को अत्यन्त सूक्ष्मता तथा दार्शनिक चिन्तन के आधार पर सांसारिक जीवन की अर्थवेत्ता के साथ जोड़ दिया गया है। इसीलिए भारत का सांस्कृतिक क्षितिज जगत को वादा किये हुए हैं। वेदों के धार्मिक स्वरूप से केवल वैदिक कालीन धर्म या देव स्वरूप प्रतिभाषित नहीं होता है अपितु, उक्त प्रभावों से देव चिंतन का प्राचीनतम स्वरूप ज्ञात होता है। इसीलिए ब्लूमफील्ड ने यह उदगार व्यक्त किया कि भारत का धार्मिक इतिहास उसकी प्राचीनतम कृतियों (वेदों) से नहीं अपितु बहुत पहले से प्रारम्भ होता है। मिथक रूप में देवताओं के प्रारम्भिक काल्पनिक स्वरूप तथा पौराणिक कथा परम्परा में इसका विकास दिखाई देता है तो यथार्थ रूप में आध्यात्मिक तथा नैतिक मूल्यों के साथ देवताओं का मानवीकरण और उसके कारण सामाजिक कथा का तथा धार्मिक प्रगति का शास्त्रीय एवं शिल्पगत विवरण मिलता है।

विश्वकर्मा जमद्रगुरु हैं। विश्वकर्मा जगन्नाथ हैं। विश्वकर्मा जगत्पत्ति है। विश्वकर्मा जगत प्रकाशक है। विश्वकर्मा पारब्रह्म है। विश्वकर्मा जगत के आधार हैं। विश्वकर्मा के पाँच मुखों से पाँच ब्रह्मा ऋषियों की उत्पत्ति हुई है। जिनके नाम मनु, मय, त्वष्टा, शिल्पी व दैवज्ञ है। ये पाँचों पाँच शिल्पयज्ञ कर्म करने वाले हैं इन्हें पंचाल कहते हैं। जिनसे जगत का कार्य संचालन होता है। विश्वकर्मा सृष्टि के प्रथम सत्र में ब्रह्मा कुल में हुए तत्पश्चात शिल्प विद्या का प्रकाश किया है। वे ही ब्रह्मा, विष्णु, महेश प्रभृति आदि देवी-देवताओं को रचे। उनकी स्तुति में, प्रार्थना उपासनादि में देव, देवियाँ, ऋषि, मुनि सदा लगे रहते हैं। वे पाँच मुख दस भुजा वाले हैं। सदा ब्रह्मचारी व्रत में स्थिर रहते हैं जिनके चरणों का प्रक्षालन लक्ष्मी, सरस्वती करती रहती हैं और जिनके हाथों में शंख, चक्र, गदा, पद्म, त्रिशूल, डमरु, कमण्डल, पुस्तक, धनुषबाण, गज शोभायमान हो रहा है और वे अव्यय हैं।

वेदों के मंत्र द्रष्टा ऋषि हैं। सृष्टि के आद्य प्रेरणास्रोत हैं। चतुदिग् मानव उद्धारक सम्यता के सृजक हैं। अन्नदाता हैं। ऐसे भगवान विश्वकर्मा की जय हो, जय हो।

संकीर्ण स्वार्थपरता और रूढ़ियों में जकड़ा हुआ समाज वर्तमान समय में जिस प्रकार जाति और वर्ग में सतही किश्तो में बँटा हुआ है उस प्रकार पूर्व काल में नहीं बँटा हुआ था। जाति और वर्ग को बढ़ावा देने वाले लोगों को यह नहीं भूलना चाहिए कि हर जाति और हर वर्ग के लोगों की जड़ें एक जगह से ही निकली हुई है। उसकी पुष्टि होती है हमारे धार्मिक तथा पौराणिक ग्रन्थों से जो हमारे समाज को सुव्यवस्थित तथा संस्कारिक ढंग से सामाजिक, सांस्कृतिक आध्यात्मिक, राजनीतिक तथा नैतिक दृष्टि देने में उल्लेखनीय भूमिका निभाते हैं। आज के विषाक्त वातावरण में आपसी विद्वेष की आग में झुलस रहे लोगों को सद्भावपूर्ण जीवन जीने के लिए प्रेरित करने हेतु युग की मांग है कि आम लोगों को पौराणिक ग्रंथों का बारीकी से अध्ययन तथा अवलोकन कराया जाए।

ऋग्वेद तथा यजुर्वेद में अंकित निम्नांकित ऋचा ही पर्याप्त है इस बात की पुष्टि के लिए कि समस्त सृष्टि के मूलाधार परब्रह्म विश्वकर्मा ही हैं–

विश्वकर्मा विमना अद्विहाया धाता विधाता परमोत संदृक।
तेषा मिष्टानि समिषा मदन्ति यत्रा सप्त ऋषनिपरएकमाहु:॥
यो नः पिता जनिता यो विधाता धामानि वेद भुवनानि विश्वा।
यो देवानां नामधा एक एव तं सम्प्रश्नं भुवना यन्त्यन्या॥

ऋग्वेद 10/82/2–3 या यजुर्वेद 17/26–27

अर्थात्–

वे विश्वकर्मा देव विशिष्ट महाशक्ति सम्पन्न व्यापक विश्व के निर्माता, धारणकर्ता, महान तथा सर्व द्रष्टा है। उन्हें सप्त-ऋषियों अथवा (प्राण की सप्त-धाराओं) से परे ब्रह्म कहा गया है। उनके अभीष्ट की पूर्ति उन्हीं की पोषण शक्ति से होती है। वे एक ही हैं और अद्वितीय हैं। जो परमेश्वर हम सबके पालन करने वाले और उत्पन्न करने वाले हैं, जो सबके धारणकर्ता हैं, जो सम्पूर्ण स्थानों और लोकों के ज्ञाता हैं, जो एक होकर भी विविध देवों के विविध नामों को धारण करते हैं। सभी लोकों के प्राणी अन्ततः उनको ही प्राप्त होते हैं।

यह ऋचा इस बात का बोध कराती है कि–यह स्वरूप उस परम विराट आदि शक्ति का बोधक है, जिसने सम्पूर्ण ब्रह्माण्ड एवं पिण्ड तथा जीव जगत की सृष्टि क्रिया तथा समस्त चराचर देवादि को उत्पन्न कर उनके नाम–धाम और स्वरूप के निर्माता होकर पालन–पोषण आदि करने के कारण वेदों ने उस विश्वकर्मा को सर्वद्रष्टा, सर्वपालक, सर्वश्रेष्ठ और सर्वतुल्य पिता कहा है। वे ही सम्पूर्ण विश्व के प्रति, नियामक, पालक, सभी यज्ञों के भोक्ता, स्वामी तथा धाता–विधाता कहे गये हैं। इनके सगुण–निर्गुण दोनों रूप हैं और सभी प्राणियों के एक मात्र प्राप्तव्य हैं। ये अनादि, अनन्त, अखण्ड, अविनाशी, परमेश्वर विश्वकर्मा हैं। वेदों में स्रोत देवता हैं। वैदिक विद्वान इन्हें प्रणव या ओम् भी अभिव्यक्त करते हैं। इसी यथार्थ बोध से प्रेरित होकर वेदों में आहुति देते हुए इस ऋचा को मंत्र के रूप में व्यक्त करते हुए कहा गया कि–

वाचस्पतिं विश्वकर्माण मूतये मनोजुवं वाजेअद्याहुवेम।
स नो विश्वानि हवनानि जोषद्विश्वशम्भूरवसे साधुकर्मा॥

ऋग्वेद 10/81/7 या यजुर्वेद–17/23

अर्थात्–

आज हम जीवन–यज्ञ में अपनी रक्षा के लिए ज्ञान के गति मन की तीव्र गति के समान वेगवान सृष्टि के रचयिता पिता परमेश्वर का आह्वान करते हैं। सत्कर्म की प्रेरणा कल्याण करने वाले वे विश्वकर्मा हमारे द्वारा प्रदत्त हविष्यापन्न हमारी रक्षा के निमित्त प्रेमपूर्वक ग्रहण करें।

ब्रह्मा, विष्णु और महेश के रूप में जिन त्रिदेवों का उल्लेख किया जाता है वे तीनों एक ही विश्व–विधाता विश्वकर्मा के व्यापार के अनुसार तीन रूप है। वे जब सृष्टि का कार्य करते हैं तो ब्रह्मा, पालन का कार्य करते हैं तो विष्णु और विकारों संहार करते हैं तो शंकर के रूप में जाने–पहचाने जाते हैं। इस प्रकार जैसे एक ही व्यक्ति जब अध्यापन करता है तो व्यापक, कविता पाठ करता है तो कवि और पत्रकारिता करता है तो पत्रावार के रूप में अलग–अलग ढ़ंग से जाना पहचाना जाता है जबकि व्यक्ति एक ही होता है। तात्पर्य यह कि ब्रह्मा, विष्णु और महेश तीनों ही तीन देव नहीं बल्कि एक ही देव परम परमेश्वर अर्थात विश्वकर्मा के तीन रूप हैं।

विश्वकर्मा समाज से जुड़े हुए लोग चूँकि सर्जक के रूप में जाने-पहचाने जाते हैं इसलिए त्रिदेवों में परमेश्वर के प्रथम स्वरूप ब्रह्मा की परम्परा में ही रखकर, उन्हें अपने सम्बन्धों की शृंखला का अवलोकन कराना उचित होगा। पौराणिक ग्रन्थों में शंकर के स्वरूप को ही अवतारों के रूप में अभिव्यक्त नहीं किया गया है किन्तु अन्य जो दो स्वरूप हैं उनका अवतारों के रूप में एक लम्बी शृंखला है। विष्णु-स्वरूप का राम और कृष्ण आदि के रूप में अवतरित होने के जिस प्रकार विस्तुत उल्लेख है उसी प्रकार ब्रह्म के स्वरूप का भी समय-समय पर अवतार हुआ है। आवश्यकता है उसे अपनी सूक्ष्म तार्किक दृष्टि से देखने की। कहा गया है कि जब-जब पृथ्वी पर धर्म की हानि होती है तब-तब किसी विशिष्ट सृजन की आवश्यकता पड़ती है तब-तब परमेश्वर अपने सर्जक ब्रह्मा-स्वरूप को साकार रूप देते हुए समय-समय पर विभिन्न नामों से अवतार लेते आये हैं इन अवतारों में इनका चार अवतार प्रमुख हैं।

1. त्वष्टा विश्वकर्मा (प्रथम)–इनके पिता का नाम अष्टम वसु प्रभास, पितामह का नाम धर्म तथा प्रपितामह का नाम ब्रह्मा है। इनकी माता का नाम भुवना है। जो आंगिरसी तथा वस्त्री आदि नाम से भी जानी जाती हैं। भुवना महर्षि अंगिरा की पुत्री तथा देवताओं के गुरू वृहस्पति की बहन हैं। परमब्रह्म परमेश्वर ने अनेक पुरियों, विमानों, शास्त्रास्त्रों, ग्रन्थों आदि की रचना के लिए त्वष्टा विश्वकर्मा (प्रथम) के नाम से अवतार लिया था। इन्हें वेद-मंत्रों के द्रष्टा ऋषि के रूप में भी जाना जाता है।

2. भौवन विश्वकर्मा–इनके पिता का नाम अपत्य, पितामह का नाम अंगिरा और प्रपितामह का नाम ब्रह्मा हैं। ये भुवन नाम से भी जाने गये। ये विश्वकर्मा-सूक्त के मंत्र-द्रष्टा ऋषि हैं। साथ ही ये अनेकानेक शिल्पादि के प्रवर्तक एवं सर्वमेघ यज्ञकर्ता और राज्य प्रणाली के संस्थापक के रूप में जाने पहचाने गये।

3. सुधन्वा विश्वकर्मा–इनके पिता का नाम धिष्णु, पितामह का नाम अथर्वा, प्रपिततामह का नाम अंगिरा है। अंगिरा, के पिता का नाम ब्रह्मा है। ये दशरथ-पुत्र श्री रामचन्द्र के धनुर्विद्या के भी आचार्य थे।

4. त्वष्टा विश्वकर्मा (द्वितीय)–इनके पिता का नाम शुक्राचार्य, पितामह का नाम भृगु तथा प्रपितामह का नाम ब्रह्मा है। इनकी माता का नाम मान्शी (अंगी) है। चार भाईयों क्रमशः 1. त्वष्टा 2. वरूणी 3. शंड 4. अर्भक में सबसे बड़े हैं। इनके त्रिशिरा-विश्वरूप के रूप में दानवों के आचार्य हुए।

सृष्टिकर्ता विराट विश्वकर्मा उपरोक्त चारों प्रमुख अवतारों के द्वारा महान वैज्ञानिक, महान् शिल्पार्च, महान अन्वेषक, अनेकानेक पुरियों को बसाने वाले, अस्त्रों-शस्त्रों-विमानों आदि के निर्माता, शिल्पशास्त्री, युग प्रणेता, उत्कृष्ट आचार्य आदि के रूप में जाने-पहचाने गये। इन चारों अवतारों में पूजन अर्चन हेतु रूप से प्रायः प्रथम अवतार को ही स्वीकार किया गया है।

दिवि भुव्युदरे काष्ठपाषाणादौ च यो विभुः।

चतुर्धा व्यभजज्ज्योतिश्चतु विधफलाप्तये ॥8॥

उस शक्तिशाली विश्वकर्मा ने आकाश, भूमि, काण्ठ और पाषाण आदि में व्यापक ज्योति को चार भागों में बांटकर अर्थ, धर्म, काम और मोक्ष इन चारों फलों की प्राप्ति के लिए रचा है।॥8॥

3. महर्षि विश्वकर्मा एवं शिल्प कर्म का महत्व

वस्तु एवं शिल्प की भारतीय परम्परा विश्वकर्मा को शिल्प के देवता तथा शिल्पाचार्य के रूप में प्रस्थापित करती है। शिल्प देवता एवं शिल्प के श्रेष्ठ ज्ञाता की अवधारणा आज भी भारतीय सामाजिक तथा धार्मिक जीवन में प्रचलित है। शिल्प की शास्त्रीय परम्परा में मुख्यतः दो आदि देवों का महत्व स्वीकार किया गया है। वे दो आदि देव शिल्पाचार्य थे : विश्वकर्मा और शिल्पाचार्य। शिल्प शास्त्रों में विश्वकर्मा के देव तथा आचार्य दोनों ही रूपों की प्रतिष्ठा रखी गई है क्योंकि शिल्पाचार्य दैवीगुणों से युक्त होता था।

विश्वकर्मा की देव-परंपरा की ही तरह उसकी ऋषि परंपरा भी है। वास्तु एवं शिल्पग्रंथों में विश्वकर्मा के देवत्व तथा आचार्यत्व की नमूना करते हुए ही शास्त्र कथन या रचना का कार्य प्रारम्भ किया जाता है। इसका प्रत्यक्ष प्रमाण वास्तु एवं शिल्प गूथों में दिखाई देता है।

वर्तमान भारतीय विज्ञान-परंपरा में "भृगु" शब्द एक प्रकार में प्राचीन कारीगरों के लिए बतलाया गया है। जिनसे शिल्पियों के कुल का क्रम चला। इसलिये भृगु वास्तुशास्त्रोंपदेशको में भी परिगणित है। शिल्पशास्त्रों की विश्वक्रम वंश-परंपरा आचार्य परम्परा भी है। जिसका वर्णन महर्षि विश्वकर्मा जी एवं शिल्प कर्म का महत्व में उद्धृत है।

शिल्प शब्द शील, समाधौ धातु से इस शब्द की उत्पत्ति हुई है। चारों वेदों के वैदिक ज्ञान का विभक्तिकरण ज्ञान, कर्म, उपासना और विज्ञान, इस

प्रकार करते हैं। ऋग्वेद, यर्जुवेद, सामवेद और अथर्ववेद का ज्ञान क्रमशः इसी प्रकार विभाजित हुआ है। इसके अनुसार अथर्ववेद विज्ञान का स्रोत है।

एक और भ्रमात्मक स्थिति शिक्षितों और विद्वानों के सम्मुख आती है। वैदिक साहित्य में चारों वेदों को भयी विद्या के रूप में वर्णन किया गया है। ऐसी स्थिति में वेदों को तीन ही मानते हैं ऋग्वेद, यर्जुवेद और सामवेद। यद्यपि, यह विषय बहुत ही गहन है, फिर भी उत्पन्न भ्राँतियों के कारण इसका निवारण आवश्यक है। ऋग्वेद की ऋचायें छंदोबद्ध है। यर्जुवेद मध्यात्मक है। सामवेद गायन विद्या के रूप में वर्णित किया जाता है। अब रहा चौथा अथर्ववेद–इसमें पहले तीनों वेदों का स्वरूप सम्मिलित है इसलिए चारों वेदों को ही भयी विद्या के रूप में वर्णित किया जाता है। इतिहासकारों की उदासीनता के कारण मुझे यह व्याख्या करनी पड़ रही है।

शोधपरक तथ्यों से स्पष्ट है कि गांधर्ववेद–सामवेद का उपवेद है तथा विश्वकर्मा द्वारा शिल्पशास्त्रों का समुच्चय अर्थवेद का उपवेद है जिसे शिल्पशास्त्र कहते हैं। उर्फवेदों (स्थापत्य वेदों विश्वकर्मादि शिल्पशास्त्र) फजुर्वेद-यर्जुवेद का उपवेद है जो स्वयं में स्पष्ट है। शिल्प विद्या के इस गहन विषय को साधारणजन कैसे समझ सकते हैं। लेखक इतिहास एवं संस्कृति का ज्ञाता अवश्य है, परन्तु वेद का विद्वान नहीं है, फिर भी यथा साध्य इन विषयों की जानकारी प्राप्त कर आमजन हेतु इस पुस्तक द्वारा शुलभ कराने का प्रयास किया है।

वेद-भाष्यकर्त्ताओं में अनेको वैदिक विद्वानों के नाम आते हैं। महर्षि दयानंद ने अपने वेद भाष्य में बहुलशः यन्त्र शब्द का अर्थ शिल्प विद्या किया है। उन्होंने शिल्प विद्या के ज्ञाता को ब्राह्मण देव पित्तर आदि शब्दों से सम्मानित किया है। उन्होंने ''ऋग्वेदादि भाष्य भूमिका'' में लिखा है कि इस गम्भीर शिल्प विद्या को साधारण लोग नहीं जान सकते किन्तु जो महाविद्वान् हस्तक्रिया में चतुर और पुरुषार्थी लोग हैं वे ही सिद्ध कर सकते हैं।

भारत के 'इतिहास और संस्कृति' को तोड़-मरोड़कर पेश करने वाले तथा कथित स्वार्थी लेखकों ने यह भी नहीं सोचा कि सबसे बड़ा शिल्पी कारीगर तो परमात्मा है, जिसकी रचना में चप्पे-चप्पे पर बेमिसाल कारीगरी दिखाई देती है जिसने सूर्य और चन्द्रमा को प्रतिष्ठित किया है जिसकी कृतियाँ साक्षात् दृष्टिगोचर है।

भारत एक धर्म परायण देश है। यहाँ नाना प्रकार के देवी देवताओं का पूजन-अर्जन किया जाता है। यही नहीं भारत की यह भी विचित्रता है कि यहाँ कि विभिन्न क्षेत्रों के लिये भी विभिन्न देवताओं व देवियों की अभ्यर्थना की जाती है। यथा धर्म ऐश्वर्य के लिए धन की देवी लक्ष्मी, वर्षा के लिए देवराज इन्द्र, शक्ति के लिये माता दुर्गा, विद्या के लिये वीणा वादिनी सरस्वती आदि। इसी प्रकार ज्ञान विज्ञान की साधना के लिये भगवान विश्वकर्मा की स्तुति की जाती है।

विश्वकर्मा जयन्ती के दिन लोग शिल्पाधिपत्य निर्माण के देवता भगवान विश्वकर्मा की पूजा अभ्यर्थना करते हैं।

पद्म पुराण विश्वकर्मा महात्म भूखण्ड के 25वें अध्याय के 16वें श्लोक में भगवान विश्वकर्मा को विश्व में शिल्प विज्ञान के आदि-प्रर्वतक कहकर सम्बोधित किया गया है। स्थापत्य विश्वकर्मास्मिन-इस वाक्य का प्रयोग श्रीधर-टीका में मिलता है। ऋग्वेद में धरती तथा स्वर्ग के निर्माता के नाम से विश्वकर्मा का सम्बोधन है।

वासुदेवशरण अग्रवाल ने भी एक स्थान पर कहा है कि "समस्त विश्व जिसका कर्म है वह विराट जिसकी रचना है, उस देवाचार्य के लिये वेदों में विश्वकर्मा कहा गया है" शिल्प विद्या, वास्तु-विद्या, चित्र, नृत्य, संगीत उद्यान, यंत्र, विमान, दुर्ग कुँए सड़के, अस्त्र-शस्त्र, वाहन, अलंकार, प्रतिमा, मूर्ति, वस्त्र, समुद्री जहाज आदि में सभी विश्वकर्मा के निर्माण से विद्यानान्तर्गत हैं। इस प्रकार विश्वकर्मा का बड़ा व्यापक अर्थ हमारे सामने है। शिल्प के आदि देवता को अनेक नामों से पुकारा गया है। यथा प्रजापति, देवशिल्पी, त्रिदशाचार्य भौवन, देवाचार्य, भृगु, अँगिरामय आदि। भारतीय साहित्य में विश्वकर्मा का वर्णन प्रचुर मात्रा में मिलता है। सभी प्रमुख ग्रंथों व वेदों पुराणों में किसी रूप में विश्वकर्मा का उल्लेख है यथा ऋग्वेद, अथर्ववेद, पद्म पुराण, हरिवंश पुराण, लिंग पुराण, ऐतरेय ब्राम्हण एवं विश्वकर्मा उप पुराणा आदि।

वैदिक काल में भी विश्वकर्मा के लिये यज्ञ किये जाने का उल्लेख मिलता है। उन्हें सूत्र दृष्टा भी माना गया है। ऋग्वेद के अनेक सूत्रों का आपने साक्षात्कार किया है। इन सूत्रों को "ऋग्वेदीय विश्वकर्मा सूक्तम्" कहा गया है। उन्होंने अथवेद के उपवेद अथर्ववेद की रचना की। चरण-व्यूह खण्ड-4 में बताया गया है-अथर्ववेद जिसमें स्थापत्य कला भी सम्मिलत है जो विश्वकर्माकृत शिल्प शास्त्र कहलाता है वही अथर्ववेद का उपवेद है।

ऐसा वर्णन मिलता है कि विश्वकर्मा ने ही सभी देवों का नामकरण किया–(ऋग 10-8-85-3)। पद्मपुराण सृष्टि खण्ड 16 में ब्रह्म के यज्ञ में उनके द्वारा मुण्डन संस्कार सम्पन्न होने का उल्लेख है। मतस्य पुराण 252 के अनुसार इन्होंने ही वास्तु-शास्त्र एवं विज्ञान पर प्रामाणिक ग्रन्थ लिखा।

इसके अतिरिक्त ऐसा भी उल्लेख मिलता है जिसके अनुसार भगवान शंकर की आज्ञानुसार ऋषियों के निवास के लिए एक सुन्दर नगरी का निर्माण किया। इसके अतिरिक्त उन्होंने विष्णु के लिए सुदर्शन चक्र, शंकर के लिए त्रिशूल एवं इन्द्र के लिए बज्र का निर्माण किया।

विमान की कल्पना एवं निर्माण करने वाले सृष्टि एवं विश्व के प्रथम पुरुष विश्वकर्मा ही हैं। कल्कि पुराण तृतीयांश अध्याय 4 में विश्वकर्मा द्वारा निर्मित युद्ध एवं बम वर्षक विमानों का उल्लेख है। वाल्मीकि रामायण में भी वर्णन है कि विश्वकर्मा ने ब्रम्हदेव के लिए अति सुन्दर दीप्तमान एवं सर्वरत्नाभूषित पुष्पक नामक विमान का निर्माण किया।

इसके अतिरिक्त शिल्प संहिता के अध्याय 18 में वर्णित है कि विश्वकर्मा भाव की ताकत से चलने वाले जिस विमान का निर्माण किया, उसकी गति सदैव एक सी रहती थी। यही नहीं, वह वायु के समान इच्छा गमन हो सकता था तथा विमान नाना विधि यंत्र सामग्रियों से सज्जित था।

महाराजा भोज ने विश्वकर्मा को सभी देवताओं का गुरू, आचार्य और सम्पूर्ण रिद्धि-सिद्धियों का दाता माना है।

भगवान विश्वकर्मा का राष्ट्र की समृद्धि एवं उत्थान में विशेष योगदान रहा है। विज्ञान के देवता होते हुए उन्होंने राष्ट्र के शत्रुओं को पराजित करने के लिए शस्त्र धारण किया। यही नहीं, उन्होंने अपने वृत्तासुर पुत्र को भी देश के विरूद्ध कार्य करने के लिए प्राण दण्ड दिया।

वृत्तासुर विश्वकर्मा का कनिष्ट पुत्र था। वह श्रेष्ठ योद्धा था। उससे देवता भी डरते थे। परम् पराक्रमी होने से वह निरंकुश होता गया और अत्याचारी बन गया। जब उसका आतंक सीमा लांघने लगा तो इन्द्र को उसके अत्याचारों को समाप्त करने की चिन्ता हुई। इन्द्र ने वृत्तासुर का वध करने का निश्चय किया। इस कार्य हेतु महर्षि दधीचि की अस्थि से बज्र बनाने की बात आई। महर्षि दधीचि ने सहर्ष प्राण-त्याग कर अपनी अस्थि प्रस्तुत कर दी।

अब समस्या हुई कि बज्र कैसे बनाया जाए, क्योंकि यदि बज्र-निर्माण मं इंच-मात्र भी कमी रह जाती, तो युद्ध में इन्द्र को वृत्तासुर के हाथों हार का सामना करना पड़ता ऐसे समय में सबका ध्यान विश्वकर्मा की ओर गया, क्योंकि वही सर्वोत्तम निर्माणकर्ता थे। उनकी बराबरी कोई नहीं कर सकता था। अतः बज्र बनाने के लिए विनय की गई।

राष्ट्र-प्रेम के लिए भगवान विश्वकर्मा इस कार्य के लिए तुरन्त तैयार हो गए और उन्होंने महर्षि दधीचि की हड्डियों से इन्द्र के लिए बज्र निर्माण किया। इसी बज्र से इन्द्र ने वृत्तासुर का वध किया और राष्ट्र को उसके आतंक से मुक्ति दिलाई।

राष्ट्र प्रेम के लिए अपने ही पुत्र का वध करने हेतु साधन निर्मित करने का यह एक अनोखा उदाहरण है। इस प्रसंग में भगवान विश्वकर्मा की प्रतिष्ठा और बढ़ी तथा वह सर्वत्र पूज्य हो गए। आज मशीन, औजार, यंत्र से संबंधित प्रत्येक मनुष्य उनकी पूजा करता है।

महर्षि विश्वकर्मा जी के संबंध में जनसाधारण को विशेष जानकारी न होने के कारण यही समझा जाता है कि विश्वकर्मा भगवान केवल शिल्पकर्म करने वालों के ही भगवान हैं, दूसरे लोग इनकी पूजा अर्चना क्यों करते हैं।

यहाँ तक कि जो पौरूषेय ब्राह्मण (विश्वकर्मा ब्राह्मण) हैं उन्हें भी शिक्षित होने के बाद विश्वकर्मा ब्राह्मण कहलाने में शर्म महसूस होती है तथा अपने आपको अन्य ब्राह्मण कहलाने पर गर्व का अनुभव करते हैं। हमारे संरक्षकों की यह अज्ञानता ही कही जाएगी कि उन्होंने अपने बच्चों को केवल यह बताया कि हम लोग ब्राह्मण हैं परन्तु कौन से या कैसे हैं? इसकी जानकारी नहीं दी। उन्हें स्वयं जानकारी नहीं थी, इसी कारण हमारे समाज का नवयुवक भ्रमित होकर अपने ही समाज से घृणा करने लगा है। अपने ही भाइयों को जो ज्यादा शिक्षा ग्रहण नहीं कर सके शिल्पकर्म करके अपना जीवन निर्वाह करते हैं, उन्हें अपना बन्धु कहने में हिचकिचाहट होती है। हमें गर्व होना चाहिए अपने समाज पर क्योंकि विश्वकर्मा समाज का कोई व्यक्ति भीख मांगता हुआ नहीं मिलेगा। ऐसे कर्मयोगी समाज में जन्म लेना गौरव की बात है।

नवयुवकों के मन में समाज के प्रति पनप रही घृणा एवं हीन भावना को दूर करने के लिए यहाँ संक्षिप्त में जानकारी देने का प्रयास किया गया है।

ब्राह्मण दो प्रकार के होते हैं–1. आर्षेय 2. पौरूषेय।

आर्षेय ब्राह्मण–आर्षेय ब्राह्मण वैदिक क्रियाओं को करते हुए पठन-पाठन करते हैं तथा देशान्तरी नामों से जाने जाते हैं जैसे–सरयूपारी, कनौजिया ब्राह्मण आदि।

पौरूषेय ब्राह्मण–पौरूषेय ब्राह्मण विश्वकर्मा वंशीय होते हैं तथा गुणवाचक नामों से जाने जाते हैं जैसे–लौहकार, काष्ठकार, ताम्रकार, शिल्पकार, एवं स्वर्णकार आदि (यथा मनु, मय, त्वष्टा, शिल्पी एवं दैवज्ञ)।

विश्वकर्मा वंशीय पौरूषेय ब्राह्मणों की नामावली जिन्हें विभिन्न प्रदेशों में अलग-अलग नामों से जाना जाता है।

धीमान, जांगिड़, उपाध्याय–ओझा/झा, टांक, लाहौरी, मथुरिया, सूत्रधार, ककुहास, रामगढ़िया, मैथिल, त्रिवेदी, पिप्पला, लौष्टा/लोटा, महूलिया, रावत, कान्यकुब्ज, मालवीय, मागध, पंचालर, सरवरिया, गौड़, देव कमलार, आचार्य, विश्वब्राह्मण, कंशाली, विश्वकर्मा, नवन्दन तरंच्छ, पांचाल, जगत गुरू।

शास्त्रों में शिल्पकर्म की बहुत महिमा बताई गई है। देवादि देव स्वयम् विश्वकर्मा जी इसके प्रवर्तक एवं अधिष्ठाता है। शिल्प के बिना समस्त संसार व्यर्थ एवं निरर्थक है।

ऋषि मुनियों ने शिल्प के ज्ञान द्वारा कुशलता, मानसिक शान्ति, आध्यात्मिक शुद्धता, शारीरिक पवित्रता प्राप्त की है। शिल्प विद्या दो प्रकार की है–एक रचनात्मक दूसरी रूपात्मक।

रचनात्मक शिल्प को देवकर्म, देवशिल्प और यज्ञकर्म तथा यज्ञशिल्प की संज्ञा दी गई है जो इस प्रकार है–

शिल्पं बहु विधं प्रोक्त मुच्चा वचनृपुंगवैः।
नरास्तदुप जीवन्ति नाना वर्ण समुद्भवाः॥
द्विविधं तत्पुनः प्रोक्तं नाना विधमपिरितम्।
प्रति रूपात्मकम् शिल्पं तथैव रचनात्मकम्॥

अर्थात्–शिल्प अनेक प्रकार के हैं उनमें से कुछ तो उत्तम हैं और कुछ निन्दित हैं। अनेक वर्णों में उत्पन्न हुए मनुष्य उनके सहारे से अपनी जीविका लाभ करते हैं। अतः शिल्प के अनेक रूप हैं।

शिल्पंद्विविधं दैव मानुश्चेति॥

अर्थात–शिल्प दो प्रकार के हैं। जिनमें से एक तो देवशिल्प (जिसे

रचनात्मक शिल्प भी कहा गया है) है और दूसरा मनुष्य शिल्प है इसी को प्रति रूपात्मक भी कहते हैं इसे सर्वसाधारण मनुष्य भी कर लेते हैं।

देव शिल्प क्या है?

इस देवशिल्प को करने वाला प्रथम तो सब जगत का कर्ता विश्वकर्मा परमेश्वर है जो कि देव कहलाता है। उसी की संतान जगत में करती चली आती है। शिल्प वेद जानने वाले पंडितों के मत में यह रचनात्मक श्रेष्ठ शिल्प पाँच प्रकार का है अर्थात् पत्थर, लकड़ी, लोहा, तांबा, सोने का काम।

मनु महाराज ने जीवन के दस हेतु माने हैं जिनमें शिल्प भी एक हेतु हैं–

विद्या शिल्पं भृतिः सेवा गोरक्ष्यं विपणिः कृषिः
धृतिभैंक्ष्य कुसी दं च दश जीवन हेतवः॥

अर्थ–(1) विद्या पढ़ाना (2) शिल्प (कारीगरी के काम करना) (3) भृत्तिः (नौकरी करना) (4) उत्तम जनों की सेवा करना (5) गौ आदि पशुओं को पालना (6) व्यापार करना (7) खेती करना (8) धैर्य रखना (9) भिक्षावृत्ति (10) ब्याज शिल्पमय रचना द्वारा यह सारा जगत प्रकाशित हुआ है और दूसरे देव शिल्प को करने वाले ऋषि मुनि हुए।

शिल्प पुण्य रूप कर्म हैं–

श्रृणुं सुब्रत वक्षयामि शिल्पं लोकोपकार कम्।
पुण्यं तद्वयति, रिक्तंतु पाप गित्य विधीयते॥

अर्थ–मुनि काल हस्ती जी सुब्रत से कहते हैं कि हे राजन पुण्य और पाप कर्म को सुनो–शिल्प कर्म तो लोगों का उपकार करने वाला पुण्य रूप कर्म है और इससे अतिरिक्त तो पाप ही है यह सामान्य नियम जानना चाहिए।

इसलिए जीविकार्थ शिल्प कर्म के शिवा अन्य कोई भी वृत्ति पाप रहित नहीं है। इतना ही नहीं बल्कि मनु तो ब्राह्मणी आदि स्त्रियों के लिए भी आनन्दित शिल्पकर्म को करने की आज्ञा देते हैं–

विधाय प्रोषिते वृत्तं जीवेनिय ममास्थिता।
प्रोषिते तु विधायैवं जीवे च्छिल्पैर गहितेः॥

अर्थ–जिस स्त्री का पति परदेस गया हो वह नियम से घर में रहकर अपना समय व्यतीत करे और शिल्प कर्म से अपने भोजन वस्त्र का खर्च चलाये।

शिल्प योग हैं–

शिल्प साधना में साधक की स्थिति एक समाधिस्त योगी के समान हो जाती है, मन की एकाग्रता इस सीमा तक पहुँच जाती है कि उसे तन-मन की सुध नहीं रहती। इसका विवरण इस प्रकार है–

अनवद्यन्तु शिल्यंयत् शिल्प वेदे बुधेरितम्।
परम्पर्य्येण सेवन्ते विश्वकर्म सुताभुवि॥
शिलादारू हिरण्याय स्ताम्र कर्म विशेषितम।
पंच बिधंतु सच्छिल्पं शिल्प वेदविदानये॥

अर्थ–रचनात्मक श्रेष्ठ शिल्प का उपदेश ऋषियों ने शिल्प वेद में किया है और उसको परम्परा से विश्वकर्मा की लेकर काम चलाना।

यह आपत्तिकाल में ब्राह्मण के जीवन निर्वाह सम्बन्धी दस साधन मनु जी ने बताए हैं।

इनमें से दूसरा स्थान शिल्प का है जिसको उपरोक्त श्लोक में स्पष्ट दर्शाया गया है। अतः इसमें संदेह नहीं है कि शिल्प का हमारे जीवन में महत्वपूर्ण स्थान है। यह लोकोपकारक कर्म है इसीलिए इसे देवकर्म, पुण्यकर्म, यज्ञकर्म, ब्राह्मण कर्म कहा गया है।

4. प्रजापति विश्वकर्मा (त्वष्ठा) का सर्जक रूप

विश्वकर्मा मानव समाज का निर्माता है। सभी प्रजा उसकी निर्मित है। इसीलिए आदिम संचरणशील जीवन से लेकर स्थायी आवास, जनपदों एवं नगरों के विकास, शासन व्यवस्था, कर्म पर आधारित समाज व्यवस्था के चिरकालिक रचना, जो विभिन्न जातियों और कुलों के रूप में आज भी उसके मौलिक बिन्दू की ओर संकेत करती है, अन्नोत्पादन, शस्योपादन से लेकर अर्थ व्यवस्था एक ऋषि कर्म में पूरी कर्षण संस्कृति के सर्जक के रूप में, इस देवता के कार्यो, अवधारणाओं तथा वैचारिक पृष्ठभूमि शोधात्मक विवेचन है।

विशिष्ट दैवी सृजनात्मक कार्य विश्वकर्मा के उस परमदैवी सर्जक रूप को अभिव्यक्त करते हैं जिसमें वह सृष्टि से लेकर समस्त जागतिक दैवी उपादानों का सृजन करता है। इसमें सम्पूर्ण ब्रह्मण्ड, लोक, दैवी शक्तियाँ तथा इस लोक के सभी जड़ चेतन तत्व सम्मिलित है।

परवर्ती ग्रंथों में सृष्टि के निर्माण, लोकों की स्थापना तथा उसमें जीवादि को उत्पन्न करने की कथा ब्रह्मा एवं प्रजापति से जोड़ दी गई किन्तु विश्वकर्मा-सूक्त में यह स्पष्ट रूप से विवेचित है कि उस विश्वकर्मा ने ही इन्द्रियादि शरीर के उत्पादक जल को उत्पन्न करने वाले जल में विचरने वाली धावा-पृथ्वी का निर्माण किया। विश्वकर्मा ही पृथ्वी पर प्रजाओं को उत्पन्न करने वाला है।

इस अध्याय में हम विशेष रूप से मौलिक बिन्दुओं पर संदर्भ सहित प्रकाश डालेंगे जो शोधात्मक होगी।

विश्वकर्मन् नमस्तेऽस्तु विश्वात्मन् विश्वसम्भव।
अपवर्गोऽसि भूतानां पञ्चानां परतमः स्थितः।।

(महा., शांति. 47185)

'हे विश्वकर्मन्! यह सम्पूर्ण विश्व आपकी रचना है, आप समस्त विश्व के आत्मा और उत्पत्तिस्थान हैं। तथा पाँचों भूतों से अतीत होने के कारण नित्यमुक्त हैं। आपको मेरा नमस्कार है।

प्रजापति विश्वकर्मा वैदिक देवता हैं। वेदों में इनके महनीय एवं उदात्त चरित्र का वर्णन हुआ है। विश्वकर्मा शब्द की व्युत्पत्ति में निरूक्ताचार्यों ने बतलाया है कि संसार के सभी कार्यों को करने वाला एवं विश्व का रचयिता ही विश्वकर्मा नाम से निर्दिष्ट है। आचार्य स्कन्दस्वामी के अनुसार विश्वकर्मा अन्तरिक्ष स्थानीय या मध्य-स्थानीय देवता हैं, जो वायु एवं वृष्टि के संचालक तथा समस्त प्राणियों की चेष्टाओं के प्रेरक हैं।

ऋग्वेद के दशम मण्डल के दो सूक्त (81-82) विश्वकर्मा के सूक्त हैं, जो अत्यन्त महत्वपूर्ण हैं। इन सूक्तों के द्रष्टा तथा स्तोतव्य देवता भी विश्वकर्मा ही हैं। इस प्रकार की स्थिति वैदिक सूक्तों में बहुत कम देखने को मिलती है। ऋग्वेद के भाष्यकर्ता आचार्य सायण तथा वेंकट माधव आदि ने इन सूक्तों के आध्यात्मिक एवं आधिभौतिक दो-दो अर्थ किये हैं। एक अर्थ में उन्हें सर्वस्रष्टा देवता दिखाया गया है और दूसरे भाव में सम्पूर्ण विश्व में व्याप्त, सर्वद्रष्टा, सर्वकर्ता, अनेक मुख, बाहु आदि के द्वारा घावापृथिवी को उत्पन्न करने वाला परमात्मा ही बताया गया है। वे ही सम्पूर्ण विश्व के पति, नियामक, पालक, सभी यज्ञों के भोक्ता एवं स्वामी कहे गये हैं। वे समस्त विद्याओं के स्वामी वाचस्पति तथा कलाओं के आचार्य कहे गये हैं। इनके सभी कर्मो को अत्यन्त प्रशंसनीय, आश्चर्ययुक्त एवं अलौकिक कहा

गया है। इन्हें धाता, विधाता की संज्ञा दी गयी है। ऋग्वेद (10/82/3) में उनकी प्रशंसा एवं महिमा के बारे में कहा गया है कि विश्वकर्मा सम्पूर्ण प्राणियों के उत्पादक, पालक, समस्त देवताओं के निवास-स्थान तथा विश्व के सभी भुवनों को ठीक-ठीक जानने वाले एवं उनकी न्यूनता और अधिकता के अनुसार व्यवस्था करने वाले, सभी देवताओं के नाम, धाम और स्वरूप के निर्माता, एक मात्र सबके स्वामी तथा सभी प्राणियों के एक मात्र प्राप्तव्य हैं–

यो नः पिता जनिता यो विधाता
धामानि वेद भुवनानि विश्वा।
यो देवानां नामधा एक एव
तं संप्रश्नं भुवना यन्त्यन्या।।

इसी सूक्त में पुनः आगे कहा गया है कि जिसके निर्गुण और सगुण दोनों रूप हैं, जिसमें सारे गुण पर्यवसित होते हैं, जो स्वर्ग से भी ऊपर हैं, पृथ्वी से परे हैं तथा देवता और असुरों द्वारा दुर्विज्ञेय है, जिसके शरीर में देवता लोग सभी लोकों को स्थित देखते हैं और जिसे कोई ठीक प्रकार से जान नहीं पाता, वह विश्वकर्मा सभी प्रकार स्तुत्य है। वाजसनेसियसंहिता (29/9) के अनुसार, इन्हें समस्त संसार तथा ब्रह्माण्डों का उत्पादक पिता कहा गया हैं 'त्वष्टेदं विश्व भुवनं जजान।'

वेदों में जहाँ एक ओर उन्हें परब्रह्म परमात्मा अव्यक्त तत्व बताया गया है, वहीं दूसरी ओर उन्हें सम्पूर्ण ब्रह्माण्ड की रचना करने वाले उपास्य तथा आराध्यदेव के रूप में भी चित्रित किया गया है। कहीं विश्वकर्मा नाम से तथा कहीं त्वष्टा नाम से अभिहित करते हुए उनके दिव्य स्वरूप का चित्रण किया गया है। इनका शरीर दिव्य बताया गया है और इनके हाथ में सदा ही एक लोहे की तेज धारवाली कुल्हाड़ी (वसूली) विद्यमान रहती है–

'वाशीमेको बिभर्ति हस्त आयसीमन्तर्देवेषु निध्रुविः।

(ऋग्वेद 8/29/3)

इसी अयोमयवाशी अथवा कुल्हाड़ी से भगवान् विश्वकर्मा शत्रुओं का संहार करते हैं तथा तक्षण आदि क्रिया–कलाओं का समस्त कार्य करते हैं।

ऋग्वेद (6/47/19) में भगवान् विश्वकर्मा को दो घोड़ों से युक्त एक दिव्य रथ पर वेग से चलते हुए दिखाया गया है और उनके स्वरूप को सूर्य

के समान तेजस्वी बताया गया है। विश्वकर्मा के हाथ तथा उनका ऊपरी भाग अर्थात् बाहु भी अत्यन्त तेजस्वी है, इसलिए उनका सुपाणि भी एक नाम है–

ऋग्वेद (1/85/9) में उन्हें अत्यन्त दक्ष कुशाग्रबुद्धि तथा कुशल शिल्पी कहा गया है, जो क्षणमात्र में अनेक दिव्य अस्त्र-शस्त्रों तथा आभूषण आदि का निर्माण करने में दक्ष है। वे चित्रकला, भित्तिकला तथा वास्तुकला में अत्यन्त निपुण तथा इन कलाओं और विद्याओं के प्रवर्तक आचार्य हैं। वे रूपों के निर्माता अथवा रूप (आकार-प्रकार) के निष्पादक हैं। उन्होंने ही अशेष प्राणियों को रूप सम्पन्न बनाया है। और वे ही गर्भाशय में गर्भ के विकासक और मानवीय तथा पाशविक सभी रूपों के विधायक हैं। उन्होंने सभी प्रकार के प्राणियों का सर्जन किया है और वे ही उन सबका पालन-पोषण करने वाले हैं–'देवस्त्वष्टा सविता विश्वरूपः पुपोष प्रजाः पुरूधा जजान' (ऋ. 3/44/19)

वाल्मीकीय रामायण, महाभारत तथा प्रायः सभी पुराणों में विश्वकर्मा को अष्टम वसु प्रभास का पुत्र बताया गया है, जो प्रासाद, भवन, उद्यान, प्रतिमा, आभूषण, तालाब, उद्यान, कूप आदि के निर्माता हैं तथा देवताओं के शिल्पी और वंर्धकि (बढ़ई) के रूप में प्रसिद्ध हैं। शिल्प विद्या में प्रासादशिल्प, आभूषण-घट्टाशिल्प, धातु एवं रंगों के मिश्रण-संबंधी शिल्प, काष्ठशिल्प, उद्यान-रचना-शिल्प, पात्र-शिल्प, शास्त्र निर्माण-शिल्प, वायुयान-निर्माण-शिल्प, भित्ति-शिल्प, आदि सभी शिल्पों, चित्रकलाओं, स्थापत्यकलाओं तथा वास्तुविद्याओं का समावेश होता है। भगवान् विश्वकर्मा ही सम्पूर्ण सृष्टि की रचना करने वाले तथा सभी शिल्पों के आचार्य हैं, इसीलिए ये प्रजापति कहलाते हैं। मत्स्यपुराण (अ. 252) में वास्तुविद्या के भृगु, अत्रि, वसिष्ठ, नारद, भगवान शंकर आदि अट्ठारह आचार्य बताए गए हैं, किन्तु उनमें से देवताओं के शिल्पी के रूप में विश्वकर्मा की तथा दानवों की शिल्पी के रूप में मयकी विशेष प्रसिद्धि है। भगवान् विश्वकर्मा का 'विश्वकर्मशिल्पम्' नामक ग्रन्थ शिल्पशास्त्र का आर्ष ग्रन्थ माना गया है।

विश्वकर्मा का अविर्भाव

प्रायः सभी पुराणेतिहासादि ग्रन्थों में विश्वकर्मा की उत्पत्ति के सम्बन्ध में यह आख्यान प्राप्त होता है कि देवगुरू बृहस्पति की बहन अत्यन्त विदुषी एवं योगविद्या में निपुण थीं। वे प्रायः तीनों लोकों में अनासक्त भाव से

विचरण करती हुई विशुद्ध ब्रह्मचर्यपूर्वक जीवन व्यतीत कर रही थी। कालान्तर में उन्होंने वसुओं में अष्टम वसु प्रभास से विवाह कर लिया। प्रजापति विश्वकर्मा की उन्हीं से उत्पत्ति हुई।

विश्वकर्मा आरम्भ से ही बहुत तीक्ष्ण बुद्धि के थे और शिल्प-कला के प्रति इनकी विशेष अभिरूचि थी। माता-पिता के ज्ञान के प्रभाव से ये शिल्पविद्या में अग्रणी हो गए और सभी प्रकार की कलाओं में पारंगत, सभी विमानों तथा श्रेष्ठ प्रासादों के निर्माता हो गए। आचार्य विश्वकर्मा द्वारा प्रदत्त शिल्पविद्या का ही आश्रय ग्रहण कर बहुत-से मनुष्य अपना जीवन-निर्वाह करते हैं।

बृहस्पतेस्तु भगिनी वरस्त्री ब्रह्मचारिणी।
योगसिद्धा जगत्कृत्स्नमसक्ता विचरत्युत।।
प्रभासस्य तु सा भार्या वसूनामष्टमस्य तु।
विश्वकर्मा महाभागस्तस्यां जज्ञे प्रजापतिः।।
कर्ता शिल्पसहस्राणां त्रिदशानां च वर्धकी।
भूषणानां च सर्वेषां कर्ता शिल्पवतां वरः।।
यः सर्वेषां विमानानि देवतानां चकार ह।
मनुष्याश्रापजीवन्ति यस्य शिल्पं महात्मनः।।

(विष्णु. 1/15/118-21)

प्रजापति विश्वकर्मा का परिवार

दैत्यों की बहन रचना नामक दिव्य कन्या को विश्वकर्मा की पत्नी कहा गया है, जिससे सनिवेश तथा विश्वरूप नामक दो पराक्रमी पुत्र उत्पन्न हुए। भगवान् विश्वकर्मा की जिन संततियों का उल्लेख मिलता है, उनमें सर्वाधिक प्रसिद्ध भगवान् सूर्य की पत्नी संज्ञा हैं, जिन्हें सुरेणु, द्यौ, त्वाष्ट्री एवं प्रभा आदि नामों से अभिहित किया जाता है। विश्वकर्मा की बर्हिष्मती, चित्राङ्गदा तथा कशेरू-ये तीन पुत्रियाँ और थी। विश्वकर्मा के चार पुत्रों का विशेष उल्लेख प्राप्त होता है-नल, सनिवेश, विश्वरूप (त्रिशिरा) तथा वृत्रासुर। नल श्रीराम का सेनापति था, जिसने अपने शिल्प-नैपुण्य से समुद्र पर सेतु बाँधकर मार्ग प्रशस्त कर दिया। इनका द्वितीय पुत्र विश्वरूप था, जिसने देवराज इन्द्र को 'नारायण-कवच (भाग 6/8) का उपदेश किया था।

इस प्रकार प्रजापति विश्वकर्मा की रचना आदि स्त्रियों से सनिवेश, विश्वरूप (त्रिशिरा), नल वानर एवं वृत्रासुर नामक चार पुत्र तथा संज्ञा

(भगवान् सूर्य की पत्नी), बर्हिष्मती, चित्राङ्गदा और कशेरू—ये चार कन्याएँ थीं।

प्रजापति विश्वकर्मा की अद्वितीय कृति-पुष्पक विमान

देवताओं के विशिष्ट उपकरणों में विमानों का प्रमुख स्थान है और उन दिव्य विमानों में भी पुष्पक का स्थान सर्वोपरि है। उसकी रचना को सौन्दर्य आदि की दृष्टि से मापा नहीं जा सकता था, उसका निर्माण अनुपम रीति से किया गया था। स्वयं अद्भुत शिल्पी प्रजापति विश्वकर्मा ने ही उसे बनाया था और बहुत उत्तम कहकर उसकी प्रशंसा की थी।

महर्षि वाल्मीकि ने अपने आदिकाव्य श्रीमद्रामायण में अनेक स्थानों पर बड़ी भव्य भाषा में पुष्पक विमान का आकर्षक वर्णन किया है किन्तु सुन्दरकाण्ड के आरम्भ में जहाँ हनुमान्जी लंका में प्रवेश कर रात्रि में सीता माता का अनुसंधान प्रारम्भ करते हैं और रावण के गृह में एक ओर स्थित इस पुष्पक विमान को प्रथम बार देखते हैं, वहाँ का वर्णन विशेष विस्तृत और उल्लेखनीय है।

पारिजात आदि दिव्य पुष्पों के चूर्णो से अनेक प्रकार की कलाकृतियों तथा भव्य दृश्यों से सुशोभित होने के कारण ही यह पुष्पक विमान कहलाता है। उसमें पुष्पों के चूर्णो से पुष्पाकृतियाँ बनी थीं, किन्तु पूरे पुष्प नहीं थे और इसी प्रकार निर्मित पुण्यकृतियों से बड़े-बड़े वृक्षों की भी आकृति बनी थी और अनेक वृक्षों की अनूठी चित्रण-कला से पर्वत, समुद्र और पृथ्वी का दिग्दर्शन होता था, किन्तु वास्तव में वहाँ न वृक्ष थे, न पर्वत थे और न समुद्र। अनेक रत्नों से जटित उस पुष्पक विमान का ऊपरी भाग अनेक ताराओं तथा चन्द्रमाओं से मण्डित आकाश के समान सुशोभित हो रहा था। विमानों में कोई भी लौकिक वस्तु नहीं थी, सभी उपकरण दिव्य एवं लोकोत्तर थे। बैठने का स्थान, शयनागार आदि अलग-अलग स्वतन्त्र रूप से निर्मित थे, जो अत्यन्त सुखद तथा सभी सामग्रियों से सम्पन्न थे। वह विमान मन से भी तीव्र गति से चलने वाला, किसी प्रकार भी नष्ट न होने वाला, दुर्धर्ष तथा विशेष पुण्यशील, यशःपूर्ण, सौभाग्यशाली व्यक्तियों के द्वारा ही अधिष्ठित होने योग्य था।

इस विमान की अन्य विशेषता यह थी कि वह चेतन एवं दिव्य होने के कारण एक ही साथ असंख्य मनुष्य, देवता या अन्य प्राणियों को अपने में स्थान दे सकता था, फिर भी इसमें स्थान अवशिष्ट रह जाता था। भगवान्

श्रीराम की अधिकांश सेना लंका से अयोध्या इसी विमान से आयी थी, फिर भी उसमें स्थान शेष था। यह प्रजापति विश्वकर्मा की कला-कुशलता की ही विशेषता है।

इस प्रकार विश्वकर्मा द्वारा निर्मित पदार्थों में चेतनता का अनुसयूत होना भी कम आश्चर्यजनक नहीं है।

पुष्पक विमान का इतिहास

यह पुष्पक विमान ब्रह्माजी की प्रेरणा से विश्वकर्मा द्वारा निर्मित हुआ। इसे कुबेर की तपस्या से प्रसन्न होकर ब्रह्माजी ने उन्हें प्रदान कर दिया और वह बहुत दिनों तक कुबेर के पास ही रहा। कुबेर पर आक्रमण कर लंकापति रावण ने उसे अपने विजय चिह्न के रूप में उनसे छीनकर स्वहस्तगत कर लिया। लंका पर श्रीराम की विजय होने पर वह विमान उनके अधिकार में आ गया। अन्त में भगवान् श्रीराम ने उस विमान के स्वामी यक्षाधिपति कुबेर के पास भेज दिया और वह विमान उन्हीं के पास रह गया।

भगवान् विश्वकर्मा की अन्य विशिष्ट कृतियाँ

शिल्पकला, वास्तुकला, स्थापत्य तथा चित्रकला आदि के आद्य आचार्य होने के कारण देवलोक की प्रासाद, उद्यान आदि सभी रचनाएँ उन्हीं की हैं और उन्हीं की कृपा से लोक में प्रसृत हुई हैं तथा उन्हीं से काष्ठकला, तक्षण-कला, मूर्तिकला, कांस्यकला, धातु कला एवं मृदाण्डनिर्माण, वस्त्रनिर्माण, प्रासाद निर्माण आदि अनेकों कलाओं का जन्म हुआ। अतः सभी कलाओं के प्रवर्त्तक के रूप में इनकी प्रसिद्धि सर्वविश्रुत है।

इनकी विशिष्ट कृतियों में भगवान् श्रीकृष्ण की द्वारका नगरी, इन्द्र की अमरावती, धर्मराज युधिष्ठिर का राजभवन तथा इन्द्रप्रस्थनगरी, वृन्दावन, यमसभा, वरूणसभा, अर्जुन के रथकी ध्वजा-पताका, इन्द्र की सुधर्मा सभा, विजय नामक ध्वज और वज्र, शिव का दिव्य रथ एवं देव-मुनियों के भव्य प्रासाद आदि मुख्य हैं। त्रिकूट में स्थित कुबेर की राजधानी लंका भी इनके द्वारा निर्मित कही गयी है। इन्होंने एक ऐसे दिव्य पात्र का निर्माण किया था, जिसमें सदा अन्नादि दिव्य भोज्य पदार्थ भरे रहते थे और प्रयोग करने पर भी रिक्त नहीं होते थे। देवताओं के अलंकरणों आदि का ये क्षण भर में निर्माण कर देते थे। भगवती दुर्गा देवी के समस्त आभूषणों, चूड़ामणि, कटक केयूर,

हार, वस्त्र उपवस्त्र, नूपुर, कमल तथा समस्त अस्त्र आदि का निर्माण कर विश्वकर्मा ने ही इन्हें प्रदान किया था।

विश्वकर्मा की पूजा-उपासना

भगवान् विश्वकर्मा (त्वष्टा) की पूजा-उपासना, हवन आदि का वेदों में उल्लेख प्राप्त होता है। वाजसनेयिसंहिता (29/9) के अनुसार अनेक लोगों ने इनकी उपासना से अनेक दिव्य अस्त्र-शस्त्रों तथा शीघ्रगामी अश्वों को प्राप्त किया। ये संतति को भी प्रदान करने वाले हैं, अतः पुत्रकामी भी इनकी उपासना से यथेष्ट लाभ प्राप्त कर सकते हैं। इनका विशेष पूजन सूर्य की कन्या-संक्रान्ति पर किया जाता है, जो विश्वकर्मा-जयन्ती भी कही जाती है। वास्तुपूजन तथा गृहनिर्माणादि में भी इनका पूजन किया जाता है। समस्त विश्व की संरचना करने वाले तथा पोषक देवता के रूप में, काष्ठ एवं यन्त्रनिर्माण और प्रासादकलादि के अधिष्ठाता देव के रूप में भक्त, साधक तथा शिल्पी लोग आज भी श्रद्धा-भाव से इनकी आराधना करते हैं।

असुरशिल्पी 'मय'

'मयशिल्पम्' नामक शिल्पशास्त्रीय ग्रन्थ अत्यन्त प्राचीनकाल से भारत में समादृत होता चला आ रहा है। वेदों से लेकर सभी इतिहास-पुराणों एवं शिल्पशास्त्रों में मय द्वारा निर्मित प्रथम कोटि की एवं अत्यन्त आश्चर्यकारी शिल्पकलापूर्ण प्रासाद, नगर आदि निर्माणों की रोचक कथाएँ भरी पड़ी हैं। संत-महात्माजन एवं ऋषि-मुनियों ने भी उसके कला-कौशल की भूरि-भूरि प्रशंसा की है। महर्षि वाल्मीकि ने सुन्दरकाण्ड, युद्धकाण्ड और उत्तरकाण्ड के तीन प्रकरणों में प्रायः पचास अध्यायों के अन्तर्गत मय द्वारा निर्मित लंकापुरी के वर्णन में विचित्र काव्य-कौशल का सनिवेश किया है, जिसका संक्षिप्त सार गोस्वामी तुलसीदास जी ने अपनी मधुर एवं रम्य वाणी में जहाँ-तहाँ बाल काण्ड, सुन्दर-काण्ड एवं लंका काण्ड में वर्णित किया है। बाल काण्ड में वे लंकापुरी की शोभा का अति संक्षिप्त परिचय देते हुए कहते हैं।

गिरि त्रिकूट एक सिंध मझारी। बिधी निर्मित दुर्गत अति भारी।।
सोइ मय दानवे बहुरि सँवारा। कनक रचित मनि भवन अपारा।।
भोगावति जसि अहिकुल बासा। अमरावति जसि सक्रनिवासा।।
तिन्ह ते अधिक रम्य अति बंका। जग विख्यात नाम तेहि लंका।।
खाई सिंधु गभीर अति चारिहु दिसि फिरि आव।
कनक कोट मनिखचित दृढ़ बरनि न जाइ बनाव।।

वस्तुतः मयकी शिल्पकला अवर्णनीय है। इसलिए कविकुल/चूडामणि गोस्वामी ने भी **'बरनि न जाई बनाव॥'** कहा है। महर्षि बाल्मीकि भी लंका के वर्णन में पूर्णतया समर्थ नहीं हो पाए हैं। इसका मूल कारण मयकी अद्‌भुत शिल्प-कला रही है।

सभी इतिहास-पुराणों से यह सिद्ध है कि लंकापुरी के पूर्व में परिनिर्दिष्ट भोगावतीपुरी भी मय की ही रचना थी। वह तालवासियों की राजधानी मानी जाती हैं। वहाँ असुर तथा नाग निवास करते हैं। भोगावती का विस्तृत विवरण विभिन्न पुराणों के अतिरिक्त कथा सरित्सागर में भी एक स्थान पर अत्यन्त विस्तार के साथ के साथ आया है। वहाँ बतलाया गया है कि उस नगर में उद्यान-सरोवर, वापी इतने दिव्य थे कि उसमें स्नान-विहार करने वाले कहीं प्रविष्ट होकर कहीं अन्यत्र सुदूर पहुँच जाते थे। मय के अनेक पुत्र तथा पुत्रियों की अनेक रोचक, आकर्षक, भव्य एवं दिव्य कथाएँ भी इन कथा-ग्रन्थों में अंकित है। कथा सरित्सागर प्रायः मय के शिल्प का उल्लेख हुआ है।

मय दैत्यों का ही नहीं, प्रत्युत देवताओं, मनुष्यों और यहाँ तक के भगवान् श्रीकृष्ण और युधिष्ठिर के साथ रहकर उनकी सेवा के लिए इन्द्रप्रस्थ-नगरी एवं दिव्य सभा-भवन आदि का निर्माण करता है, जिसमें जल स्थल एवं स्थल जल की भाँति प्रतीत होता है। दुर्योधन-जैसा शूर एवं बुद्धिमान् भी उसमें बार-बार धोखा खाकर गिर पड़ता है।

पुराणों के अनुसार मय को कश्यप-पत्नी दनु का पुत्र माना गया है। हेमा नामक अप्सरा इसकी पत्नी कही गयी है। कथा सरित्सागर के मदन मंचुकालम्बक के अनुसार हिमालय के पूर्वोत्तर पार्श्वस्थित अगम्य स्थल में हैमपुर नामक स्वनिर्मित दिव्य नगर इसका निवास-स्थान था। इसके पुत्र अनेक थे, जिनमें मायावी और दुन्दुभि अधिक विख्यात थे तथा इसके मन्दोदरी नाम की एक कन्या थी जो अत्यन्त रूपवती और जगत् प्रसिद्ध थी।

वाल्मीकीय रामायण के किष्किन्धाकाण्ड में सीतान्वेपण में निरत वानरों को एक भीषण दुर्गम वन में पथभ्रष्ट होने एवं उसमें से निकलने का मार्ग न प्राप्त होने का उल्लेख मिलता है। वहाँ कुछ आगे बढ़ने पर हनुमानजी को ऋक्षविल नामक एक दिव्य स्थान मिला, जहाँ स्वयंप्रभा नाम की अप्सरा सुदीर्घकाल से तपस्या में रत थी। उसने वानरों के प्रश्न करने पर यह बताया था कि वह पत्नी हेमा की सखी थी। हेमा ने प्रसन्न होकर उसे वह वन और स्थान प्रदान कर दिया था। स्वयं प्रश्न में भी मय के समान ही दिव्य

शक्ति थी। उसने वानरों से आँखें बंद करने को कहा और आँख बंद करते ही उन्होंने अपने को दक्षिण उदधि के तट पर प्रकट होकर समुद्र के किनारे ही खड़े देखा। गोस्वामीजी ने भी इस प्रसंग को उल्लेख किया है–

नयन मूदि पुनि देखहि बीरा। ठाढ़े सकल सिधु के तीरा।।

(रा.च.मा. 4/24/6)

और पुनः वह स्वयंप्रभा वहाँ से दिव्य शक्ति के द्वारा चलकर तत्काल बद्रीनारायण पहुँच गयी।

सभी पुराणों में कमलाक्ष आदि तीन भाइयों के क्रमशः सुवर्ण, रजत और आयस निर्मित तीन पुरों के समस्त दिव्य उपकरणों के साथ निर्माण और गगनगामित्व बनाने के संदर्भ में मय के बुद्धि-प्राखर्य को ही प्रधान हेतु के रूप में प्रदर्शित किया गया है। ये तीनों पुर सूर्य-चन्द्रमा की भाँति आकाश में सदा चलते रहते थे। ये कभी न एक साथ एकत्र होते थे और न इनका भेदन किया जा सकता था। इनके भेद का एक मात्र यही छिद्र दृष्ट था कि ये तीनों पुर यदि एक साथ कदाचित् एक ही जगह एकत्र हो जाय और कोई शक्तिशाली पुरूष एक ही बाण द्वारा इनका भेदन कर सके तो इनका विनाश हो सकता है। भगवान् शंकर ने सूर्य-चंद्रमा को रथचक्र, ब्रह्मा को सारथि और विष्णु भगवान् को बाण बनाकर इन त्रिपुरों को ध्वस्त किया था। त्रिपुर-दाह के उपरान्त भी मय बच गया था। उसे अमर माना जाता है।

वाल्मीकीय रामायण के उत्तरकाण्ड में एक कथा विस्तार से आती है, जिसके अनुसार मय की पत्नी हेमा किसी कार्य से देवलोक में कुछ समय के लिए गयी थी। इधर मय मन्दोदरी को साथ लेकर जब उसके लिए उपयुक्त पति की तलाश में निकला तो मार्ग में ही उसकी भेंट लंकाधिपति रावण से हो गयी। मय ने रावण के बल-विक्रम-ऐश्वर्यादि से प्रभावित होकर और यह अनुमान कर कि यह समस्त विश्व का एकाधिपति शासक होगा और विशेष कर दैत्य, दानव एवं राक्षसों का नेतृत्व करेगा, उसका विवाह रावण से ही कर दिया। रावण की मृत्यु के पश्चात् भी मन्दोदरी विभीषण के निरीक्षण में सुखपूर्वक राम-उपासना में रत रहती हुई लंका की शासन-व्यवस्था में पर्याप्त सहयोग देती रही।

शिल्पिशिरोमणि मय अब भी जीवित है। उसके पुत्र मायावी एवं दुन्दुभि को बालि ने मार डाला तथा पुराणों एवं कथा सरित्सागर आदि में निर्दिष्ट उसकी अन्य संततियों का भी कालक्रम से उच्छेद हो गया। शिल्पकर्म के

शिक्षार्थी एवं गवेषक मयकी अब भी आराधना कर अभीष्ट-सिद्धि-लाभ करते हैं, विशेषकर दैत्य-दानवकुल के एवं पाताल तथा नागलोक के निवासी उसके शिल्पों का उपभोग करते हुए अब भी उसकी अनुकृति से लाभ उठाते हैं। शिल्पमण्डन, शिल्प-रत्न, काश्यपशिल्पम् प्रासादमण्डन, समराङ्गणसूत्रधार, मत्स्यपुराणदि, वास्तुराजवल्लभ, वास्तुरत्नावली तथा वास्तु/चिन्तामणि आदि में भी मय के शिल्प-कौशल की प्रशंसा करते हुए उसकी वन्दना की गयी है। दैत्य-दानवों के अतिरिक्त देवगण भी मय की शिल्पकला से आकृष्ट होकर उसका सहयोग प्राप्त करते थे। इसमें संदेह नहीं कि आज भी जितनी वैमानिक शिल्प, वास्तु, रासायनिक अस्त्र-शस्त्रों, चित्रकला, उद्यानकला तथा जल-वायु-विद्युत आदि के आविष्कार एवं प्रोन्नति हुई है, उन सबके मूल में असुरशिल्पी मय की प्रेरणा प्रत्यक्ष लक्षीभूत होती है।

विश्वकर्मा का संबंध किसी जाति विशेष से न होकर शिल्प के समग्र परिवेश से है, इसलिए विभिन्न रूपों में शिल्प, उद्योग, प्रौद्योगिकी तथा कृषि कार्यों से जुड़े वर्ग के लोग विश्वकर्मा है।

5. विश्वकर्मा पुत्र नल और नील

लंका पर चढ़ाई करने का समय आ गया था। एक ओर भगवान राम की 19 पद्म सेना दूसरी ओर उछलती कूदती ठाठे मारती अथाह समुद्र की लहरें। भगवान भी चिंतित थे।

आराधना अर्चना और स्तुति करने पर भी जब समुद्र का वेग कम नहीं हुआ, समुद्र ने कोई रास्ता न दिया तो भगवान ने अग्नि बाण चलाने की सोची। समुद्र की आत्मा भय से कांप गई। समुद्र में विचरने वाले जीव जन्तु त्राहि-त्राहि करने लगे। स्वयं समुद्र देवता हस्त बद्ध होकर श्री राम के सामने आ गये और नत मस्तक होकर कहने लगे-

अयं सौभ्य न लो नाम तनयों विश्व कर्मण।
पित्रा दत्तः वरः श्रीमान प्रीतिमान विश्वकर्मण।।

(वा.रा. युद्ध कांड सर्ग 22 श्लोक 41)

हे प्रभु! आप चिंतित क्यों हैं। आप की सेना में विलक्षण कान्ति वाला विश्वकर्मा नन्दन महात्मा नल है वे समस्त ज्ञान विज्ञान में प्रवीण है वे आपकी आज्ञा की प्रतीक्षा कर रहे हैं वे सहज ही सेना को उस पार उतारने की व्यवस्था कर सकते हैं। और ये मेरी उछलती कूदती मस्त लहरें तो

आपके श्री चरणों का स्पर्श करने को लालायित हो रही हैं। प्रभु मैं आपका अत्यन्त कृतज्ञ हूँ। वाल्मीकि रामायण में आगे कहा गया है कि–

दस योजन विस्तीणं सत योजन मायतम्।।

(युद्ध कांड सर्ग 22)

नलक्ष्चक्रे महा सेतू मध्यनन्दन दीपते।।

(वा.रा. युद्ध कांड सर्ग 22)

अर्थात् नल न केवल पाँच ही दिनों में दश योजन चौड़े और सौ योजन लम्बे महान सेतु का निर्माण किया। महाकवि तुलसीदास ने भी इस तथ्य की पुष्टि की है जो इस प्रकार है–

बांधि सेतु अति सुहृढ़ बनावा।
देख कृपानिधि के मन भावा।।
यही पुल देखकर श्रीराम ने विश्वकर्मा पुत्रों

नल और नील की इस प्रकार प्रशंसा की–

विश्व के सुत अभिमानी।
इन परशे एय शिला उतरानी।।
वसहीं ताम्रगिरी कन्दर माही।
गोदावरी विमल जल पांव ही।।

विश्वकर्मा तनय नल और नील केवल ज्ञान विज्ञान और शिल्प कला में ही इतने पहुँचे हुए नहीं थे बल्कि बल और शौर्य में भी किसी से कम नहीं थे। महाकवि तुलसी दास लिखते हैं–

अत्ति बल आगे धावहिं चारी।
इन पर कृपा करहिं रघुबीरा।।
करहिं यमहू कर संगर ढीला।
कज्जल वरण नाम नल नीला।।

अर्थात् ये अति बलवान वीर थे और सेना के आगे चलते थे। इनमें संग्राम में यमराज को भी ढीला करने की शक्ति थी। ऐसे सांवले सलोने कज्जल वर्ण वाले ये दोनों विश्वकर्मा पुत्र नल और नील नाम से प्रसिद्ध थे। रामचरित्रमानस में भी तुलसी ने आगे लिखा कि–

पद्म अठारह कपि कटक, चल इनकी भूज छाह।
निज कर सुर भी सुमन ले रघुपति पूजी वाह।।

अर्थात् वानरों की अठारह पद्म सेना नल और नील महारथियों की बाहों की छाया के नीचे चलती थी। और स्वयं भगवान अपने वरद हस्तों से इन महान योद्धाओं अथवा नल और नील पर पुष्प वर्षा करते थे। ऐसे थे विश्वकर्मा नन्दन नल और नील।

श्रीरामचरितमानस में लंका काण्ड का वर्णन पढ़ने में काफी आनन्द आता है। इस लंका काण्ड में श्री विश्वकर्मा के पुत्र नल और नील का नाम सेतु रचना में आदर के साथ लिया जाता है। रामायण के प्रेमी सज्जन जो पढ़ते हैं वे भलीभाँति बता देंगे कि नल, नील कौन थे। वे महान इंजीनियर कलाकार भगवान विश्वकर्मा के पुत्र थे।

वायुपुराण के गहन अध्ययन से मिलता है कि धृताची के गर्भ से श्री विश्वकर्मा को नल, नील नामक पुत्र की प्राप्ति हुई थी। महर्षि बाल्मीकि कृत रामायण के युद्ध काण्ड में 22वें सर्ग में 45वें श्लोक से नल, नील का श्री विश्वकर्मा पुत्र होना सर्वथा सिद्ध है। विश्वकर्मा के दो पुत्र सौम्य एवं क्रान्तिमान थे इनके पिता ने वर दिया था कि ये पुत्र मेरे ही जैसा वैज्ञानिक समस्त कलाओं में निपुण होंगे। श्री नल, नील जी ने भी 51 से 52 श्लोक में स्वीकारते हुए अपने को विश्वकर्मा का औरस पुत्र स्वीकारा है। मन्दरगिरि पर पिता जी विश्वकर्मा ने मेरी माता को वर दिया था कि हे देवी तुम्हारे गर्भ से मेरे जैसा ही पुत्र होगा, मैं शिल्पकारिता ज्ञान-विज्ञान में उन्हीं के समान हूँ।

सृष्टि शिल्प सम्राट महाशिल्पी परमात्मा विश्वकर्मा नल-नील त्रेतायुग के अद्वितीय वैज्ञानिक इन्जीनियर थे। उन्होंने अथाह अगम समुद्र पर पुल का निर्माण किया था।

महर्षि बाल्मीकि कृत रामायण युद्ध काण्ड श्लोक 49/1 सर्ग में वर्णन है कि जिस समय श्री रामचन्द्र समुद्र के किनारे रामेश्वरम् में अपनी दैवीशक्ति से उत्पन्न 18 पदुम बन्दर, भालुओं की सेना लेकर जमा हुए थे। लंका पर

जाने एवं राजा-रावण पर विजय प्राप्त कर माता जानकी को वापस लाने की घोर चिन्ता में डूबे हुए थे। ऋषि विश्वकर्मा के पुत्र नल, नील जो त्रेतायुग के एक अति कुशल वास्तु शिल्पी एवं परमवीर योद्धा थे, के बारे में प्रथम लिखित आदि कवि बाल्मीकि द्वारा देवभाषा संस्कृत में विरचित है। कालान्तर में लगभग 400 वर्ष पूर्व अकबर के समकालीन गोस्वामी तुलसीदास ने अपने 'रामचरितमानस' जिसका मूलाधार (बाल्मीकि कृत रामायण ही था) में इसका उल्लेख किया है। चूँकि तुलसी के चरित्र मर्यादा पुरुषोत्तम भगवान राम थे। अतः अन्य पात्रों का चरित्र-चित्रण तोड़-मरोड़ कर गौण बना दिया, फिर भी वे इन कुशल शिल्पी एवं वीर योद्धा का सर्वथा उपेक्षा भी नहीं कर सके। तुलसीकृत रामायण लोकभाषा और सरल भाषा में होने के कारण जनमानस में सहजतापूर्वक घर कर लिया।

स्वामी तुलसीदास ने रामायण में लिखा है कि नल, नील बाल्यावस्था में बड़े चंचल थे। वे तपस्वी ऋषि, मुनियों के आश्रम में जाकर उनके पूजा के सामान और मूर्तियों को कुएँ और नदी में फेंक देते थे। यह उनका प्रिय मनोरंजन था। बालको को दण्डित करना उनकी चंचलता के कारण उचित नहीं था, तो उन्होंने एक रास्ता बनाया कि उनके द्वारा फेंकी हुई पूजा सामग्री और मूर्तियाँ पानी में नहीं डूबे तो उन्हें पुनः उठा लिया जायेगा। तब श्राप दिया कि पुत्र तुम्हारे द्वारा स्पर्श की गयी वस्तुएं पानी में नहीं डूबेगीं। तुलसीदास ने सेतु निर्माण के प्रकरण में समुद्र के मुख से कहलवाया है। समुद्र को उन्होंने समुद्र देवता से मानव बना दिया है। समुद्र देवता मानव का रूप बनाकर प्रकट हुए और भगवान राम के सामने उपस्थित होकर बोले कि नल, नील, भगवान विश्वकर्मा के पुत्र जो सुग्रीव के राज्य में रहते हैं। वे शिल्प विद्या के प्रकाण्ड विद्वान और योद्धा हैं वे चाहें तो मेरे ऊपर पुल बाँध सकते हैं। इतनी बातें सुन श्री रामचन्द्र जी ने नल-नील को बुलाया और उनसे अपनी सारी व्यग्रता बताई तथा समुद्र पर पुल बाँधने की नम्रतापूर्वक याचना की। वैज्ञानिकों ने भगवान राम की व्यथा देखकर दु:खी और प्रभावित हुए और पुल बाँधने की व्यवस्था में लीन हो गये। अंगद, हनुमान तथा उनकी सारी वानरी सेना तमाम छोटे बड़े पत्थरों को लाकर देने लगे तब वे दोनों शिल्पी वैज्ञानिकों ने वैज्ञानिक मसालों से पुल का निर्माण करने लगे। 100 योजन लम्बे और 10 योजन चौड़े पुल का जिसकी सीमा लंका तक लगी थी 5 दिन में बनाकर तैयार कर दिया।

पुल की सुन्दरता को देखकर भगवान राम अति प्रसन्न हुए। पुल बनकर तैयार हो जाने के बाद भी राम के किसी योद्धा की हिम्मत नहीं थी कि वह लंकापुरी में जाकर रावण से लड़ाई लड़े। तब भगवान ने नल से प्रार्थना की कि हे वैज्ञानिकों आप योद्धा हैं आपके समान कोई वीर सेनापति बनने लायक नहीं है। अतः आप लोग सम्पूर्ण सेना के सेनापति का कार्यभार संभालें तथा लंका पर विजय प्राप्त करावें। श्री राम की प्रार्थना पर ध्यान देकर दोनों वैज्ञानिक योद्धाओं ने सेनापति का कार्यभार संभालकर लंका पर चढ़ाई कर उस पर विजय प्राप्त की। तब रामचन्द्र जी ने नल की बाहों की पूजा की और वहाँ पर मन्दिर का निर्माण किया। निम्न दोहे और चौपाई से विदित होता है–

विश्वकर्मा के सुत गुण खानी, जिन परसे पर सलि उतरानी।
शिल्प कर्म जानहि नल नीला, शिल्पाचार्य अमित बलशाली।।
अति उतंग गिरपावय लीलहि लेई उठाई।
आनिदेहि नल नील सो विचरहि सेतु कराहि।।

दोहा–

पदुम अठारह कपिकटक चल इनके भुज छाह।
निजकर सुरभि सुमन ले रघुपति पूजी बाँह।।

इस प्रकार वैज्ञानिक देव नल–नील का विश्वकर्मा पुत्र होना निश्चित है।

1. बाल्मीकि रामाण 1/16/12–2, 6/22/44–73, 6/3/38, 6/3/84, 6/25 से 29 तक
2. नरसिंह पुराण अध्यान 52 श्लोक 16–18
3. आध्यात्म रामायण 6/16/36 देखिये।

4

विश्वकर्मा वंश गोत्र सूत्र-शासन

विश्वकर्मा की कुल-परम्परा के गोत्रों तथा जातियों में प्राचीन भारत की वैदिक एवं पौराणिक ऋषि परम्परा की अनुगुंज है। इससे यह तो स्पष्ट है कि विश्वकर्मा पुराण की रचना के समय (लगभग 19वीं-20वीं शदी है) तक समाज में उक्त गोत्रों तथा उसके नामों का प्रचलन था और वर्तमान युग में भी उसकी परम्परा जीवित है।

वर्तमान समय में विश्वकर्मा की वंश एवं गोत्र परंपरा की जातियों एवं उपजातियों का पिछड़े तथा शूद्र जातीय वर्ग में गणना की जाती है जिसका जात्युकर्ष एवं जात्यपकर्ष का सामाजिक सिद्धान्त प्रतीत होता है। सामाजिक जीवन में इनकी सृजनात्मकता का अब भी समाहर है। कई क्षेत्रों में इनकी ''यजमान'' संज्ञा है। इसका आर्थिक आधार दुर्बल है, किन्तु सामाजिक शिल्प आधार समृद्ध एवं सम्मान्य है। अभी भी मांगलिक पर्वों, दीपावली, विश्वकर्मा पूजा आदि अवसरों पर समाज के सभी वर्ग उनके उपकरणों की पूजा करते हैं।

सर्जक देवता के रूप में विश्वकर्मा की समाज-व्यवस्था की धारणा में भारतीय समाज के मौलिक तत्वों का समावेश दिखाई देता है जो आरम्भिक समाज की संरचना प्रक्रिया में दैवी कारक के रूप में माना है। पौराणिक युग में आकर उसमें अनेक अर्न्तकथायें जुड़ती गई। ये सभी अर्न्तकथायें उस देवता की सृजन शक्ति, कौशल तथा दैवीय रूपों से महिमा मण्डित तो है किन्तु ये इतनी परवर्ती है कि सहजता इनकी वास्तविकता संदिग्ध रहती है। जहाँ वैदिक वाङ्मय में एक सर्वोच्च देन के रूप में सम्पूर्ण विश्व की रचना-व्यवस्था से संबंधित है, वहीं पुराणों में उनका देवता, राजा, शिल्पाचार्य तथा आचार्य (ऋषि) रूप में उनकी एक वंशावली वेन एवं पृथु से प्रारम्भ होती है तो दूसरी भुवन पुत्र के रूप में शिल्प विद्या के प्रर्वतक आचार्य के रूप में उनकी प्रतिष्ठा पुराणों में विख्यात हुई और प्रभासवसु के पुत्र के रूप

में सभी शिल्प कार्यों में दक्ष माने गये। साथ ही मत्स्य पुराण की सूची में वे एक आचार्य निरुपित किये गये।

ऋषि, बहमर्षि के रूप में विश्वकर्मा की आचार्य परम्परा अंगिरा भृगु, सधन्वा, सान्ना आदि आचार्यों के साथ सम्बद्ध हुई। सभी रूपों में समाज की व्यवस्था, सामाजिक चिंतन तथा उनकी समृद्धि की चिन्ता ही प्रतिबिम्बित होती है। कालान्तर में थे। सृजनात्मक कार्यों के लिए "विश्वकर्मा" उपाधि का प्रचलन समाज के प्रत्येक क्षेत्र में मान्य हुआ, "सूत्रधार", स्थ "रूपकार" आदि पदनामों से संबंधित शिल्पी वर्ग शूद्र वर्ण के अन्तर्गत परिगणित था किन्तु विशिष्ट कार्य कुशलता एवं सामाजिक तथा धार्मिक उपादेयता के कारण शूद्रों में भी इसकी स्थिति बड़ी उच्च थी। "कुलीनों' से शिल्पी का निरन्तर कार्य संबंध उनकी उच्च सामाजिक प्रतिष्ठा में सहायक सिद्ध रहा होगा।

सामाजिक व्यवस्था की संरचना के प्रसंग में वर्ग, जाति, आश्रम, सामाजिक मर्यादा एवं मूल्य तथा धार्मिक परम्पराओं के निर्धारण में किसी दैवीय शक्ति की संकल्पना का विचार करते समय यह ध्यान में रखा जाना चाहिए कि किसी देवता की कोई जाति या वर्ग नही होता है जैसा कि वर्तमान समाज में देवताओं, ऋषियों तथा महात्माओं को समुदाय या जाति विशेष से सम्बद्ध कर देखा जाता है। समाज की रचना, व्यवस्था और वृद्धि में प्रत्येक देवता की शक्तियाँ सन्निहित होती है।

भारतीय समाज जीवन में अन्य देवताओं यथा ब्रह्मा, विष्णु, शिव, सूर्य आदि की तरह विश्वकर्मा का देव-परिवार समाज जीवन के लिए एक उच्च आदर्श है। जिस प्रकार उन्होंने अपने पाँच पुत्रों मनु, मय, त्वष्टा, शिल्पी तथा दैवेज्ञ को बाल्यावस्था में हीं विभिन्न शिल्प विद्याओं की शिक्षा प्रदान कर उन्हें देवताओं तथा मनुष्यों सभी के लिए विभिन्न व्यवस्थाओं को शास्त्र सम्मत रीति से पूर्ण करने सम्बन्धी आदेश दिया था। उसी प्रकार अपनी पुत्री संज्ञा के सुखद दाम्पत्य जीवन के लिए जब वह अपने पति सूर्य के तेज को सहन नहीं कर पा रही थी और छायारूप में अपनी प्रतिकृति छोड़कर स्वयं अश्वी बनकर दुःखित जीवन व्यतीत कर रही थी तो पिता विश्वकर्मा के विनम्र भाव से जमाता सूर्य से उनके अतिशय तेज की बात कहकर पुत्री की कथा निवेदन किया और उनकी सहमति से अपने यंत्र पर रखकर तेज का उतरमांश काटा तथा कटे हुए अंश से देवताओं के शस्त्रास्त्र बनाए। विश्वकर्मा के इस कार्य का परिणाम यह हुआ कि सूर्य का पारिवारिक जीवन भी सुख और समृद्धि से पूर्ण हो गया।

भगवान विश्वकर्मा (सृष्टिकर्ता) ने पूरे विश्व का निर्माण कर सभी प्रकार के प्राणियों को रहने-खाने पानी रोजमर्रा की जिन्दगी में उपयोग वाली समस्त वस्तुओं का निर्माण कर इस विश्व में अद्वितीय इतिहास कायम किया। परन्तु उनके वंशजों की सामाजिक स्थिति एवं राजनैतिकता का इतना पतन हुआ कि विश्वकर्मा समाज जो कभी सर्वश्रेष्ठ विज्ञान सम्राट, ऋषि, महर्षि, राजा महाराजा कहा जाने वाला समाज था, आज प्रजा की तरह जीवन यापन करने पर मजबूर है। विश्वकर्मा समाज का सामाजिक स्तर व वंशावली का संक्षिप्त विवरण इस प्रकार है-

1. विश्वकर्मा वंशावली

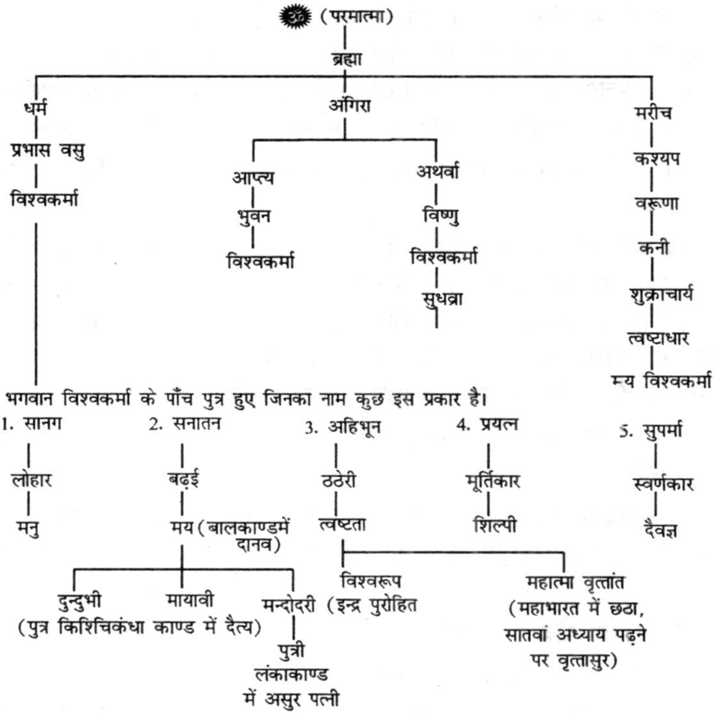

इनके गोत्र इस प्रकार हैं-भरद्वाज, वशिष्ठ, गौतम, अत्री, कश्यप, वत्स, शौनक, भार्गव गर्ग, वामदेव, कण्व, कुहस, शांडिल्य, उपमन्यु, मुद्धगल,

अधमर्षण, वात्स्य, गविष्ठर, ऋतु, लौगक्षि, जातुकर्ष्य भृगु, जमदग्नि, अंगिरा, अगस्त, आभ्रव दीर्घतमा, कौशिक, विश्वमित्र, विद।

इनके राजाओं में राजा विजय, राजा काष्ठवाहन, महाराजा महासेन ने श्रीलंका में पाँच पुश्त तक शासन किया। चोल व चालुक्य वंश कर्नाटक महाराजा नरेन्द्र देव शर्मा केरल, राजा लालबहादुर 17वीं सदी, महाराज जस्सा सिंह रामगढ़िया, राजा शिवमोहन विश्वकर्मा बड़हर।

संतों में–स्वामी रामसुख दास, स्वामी कल्याण देव जी पं. श्रीराम शर्मा, स्वामी तुकानन्द, जगतगुरू शंकराचार्य आज तक 73 हुए जिसमें 59 जगतगुरू शंकराचार्य विश्वकर्मा परिवार से।

वैज्ञानिकों में–डॉ. होमि जहांगीर भाभा, जेम्सवाट, राकेश शर्मा, यूरी गागरीन, एम. विश्वसरैया आदि।

नेताओं में–विनायक आचार्य उड़ीसा के पूर्व मुख्यमंत्री, छेदीलाल शर्मा पाण्डिचेरी के उपराज्यपाल, ज्ञानी जैल सिंह पूर्व राष्ट्रपति, राधाकृष्णन, आचार्य कृपलानी, सुचेता कृपलानी, पूर्व मुख्य मंत्री उत्तर प्रदेश, गुलजारी लालनन्दा, डॉ. राम मनोहर लोहिया, भागवत झा, रामेश्वर भाई, रामचन्द्र शर्मा आदि।

भारत से बाहर–मोहम्मद साहब, ईसा मसीह, जरथुष्ट, लेनिन, एडोल्फ हिटलर आदि।

उपनाम–उत्तर प्रदेश– शर्मा, पांचाल, धीमान्, जांगिड़, भारद्वाज, अग्निहोत्री, झा, ओझा, मालवीय, पाराशर, मैथिल, मलिक, रामगढ़िया, कका, चढ़ता, सोखी, सोहल, भोगल देव, गुन, सोंध, सब्बर वाल, वत्स, स्वर्णकार, मण्डल, विश्वकर्मा, मिश्र, कान्यकुब्ज, गौड़, उपाध्याय, पाठक, अवस्थी, चौबे, ककुहास, अटभू, रावत, गौतम, कोकास, दीक्षित, पाण्डेय आदि।

बिहार–झा, ओझा, मैथिल, मलिक, शर्मा, वैरवान, राना, विश्वकर्मा, ठाकुर आदि।

मध्य प्रदेश–मालवीय, सूत्रधार, स्वर्णकार, माहुले, दीक्षित, सरैया आदि। प्रान्तों के उपनाम अगले अंक में तथा वंशावली का पूर्ण विवरण दिया जायेगा।

2. मनुवंश के गोत्र शासन

1. करेड़ा, 2. डांगी, 3. गोरधनिया, 4. गुलसतिया, 5. कठोरिया, 6. कंथू, 7. खानपुरवा, 8. कामड़े, 9. खाखरे, 10. नाडावत, 11. हद्द धाया, 12. डांगरा, 13. ढाबर, 14. तोहनगरा, 15. नरेला, 16. तल-पटिया, 17. कसवाणों, 18. वेश्य, 19. स्खुटाजा, 20. खुंतड़ा, 21. खेंजड़िया, 22. कौशिक।

भारद्वाज गोत्र के शासन

23. सांगलिया, 24. सांगला, 25. सुजानपुरिया, 26. सरगला 27. सुराठिया, 28. हासरिया, 29. हरसैरिया, 30. सुई, 31. भफोरिया, 32. भमोरिया, 33. बुबला, 34. भाटभवाल, 35. पठियार, 36. हिसोला, 37. तालचिड़ा, 38. करूसस, 39. भकरिया, 40. भाटोरिया, 41. तवानीया।

अत्रि गोत्र के शासन

42. बालाण, 43. भीमड़ा, 44. मोहार, 45. भोटिया, 46. मैथुलाण, 47. मगोला, 48. रामला, 49. सीमला, 50. अंघरेलिया, 51. असनौडिया, 52. लहकर्ण, 53. शिसोधिया, 54. गौड़, 55. सिडाण, 56. सुलपुरिया, 57. सोरन्खी, 58. मोथल, 59. नरडिया, 60. गौला।

वत्स गोत्र के शासन

61. सम्मलियावाल, 62. जायल, 63. जसपालपुरिया, 34. चचे रेला, 65. चड, 66. खेचड़िया, 67. गोलवल 68. गोग, 69. जुणी, 70. घुघराये, 71. कालड़े, 72. डावी, 73. ढलवाल, 74. तुवखाल, तायड़ा, 75. दहिय के, 76. क्यारे के. 77. समरीये. 79. तालखोरे, 80. धुला, 81. दायमा, 82. वेदवाल, 83. बालेला, 84. पीतरहेला, 85. पापड़िया, 86. बरखिया, 88. छुरिय बाबरे, 89. चुरगल, 90. चितौड़िया, 91. बरड़ा।

कौंडिन्य गोत्र के शासन

92. पटवा, 93. पटरावल, 94. धरू, 95. पुवारवाल, 96. बागौरया, 97. धरा, 98. वेसकसा, 99. वरणवत, 100. मोधावाल, 101. भोंड, 102. बरसावत, 103. भादा, 104. रिठोरिया, 105. लकराणिया, 106. भैसवाल, 107. नीरवाणिया, 108. बोरा, 109. मैथुलया, 110. चैलान, 111. वैद, 112. बगड़ा, 113. पचेलिया।

वशिष्ठ गोत्र के शासन

114. भैंडीवाल, 115. जाटूवाल।

सांडिल्य गोत्र के शासन

116. टाटेडीया, 117. मछसगिरीया।

अंगिरस गोत्र के शासन

117. तेबथिया।

कत्यायन गोत्र के शासन

119. चगेल, गुंदवाल, जसोंत।

गोत्र का महत्त्व

प्रत्येक व्यक्ति के लिए अपने जतीय ज्ञान या गोत्र ज्ञान का होना परमावश्यक है। गोत्र ज्ञान होने से जो लाभ हैं वे इस प्रकार हैं–

1. गोत्र ज्ञान से लाभ

1. इससे अपने वंश, कुल परंपरा, शाखा सूत्र, मन्त्र, कुल देवता, शासन, प्रवर और पूर्वजों का ज्ञान होता है।
2. हमारे पठनीय कौन-से वेद शास्त्र और धार्मिक ग्रन्थ है उनका पता चलता है।
3. समाज में अपने कुल की और अपनी पहचान बनती है।
4. व्यक्ति अपने परिवार और पूर्वजों की महान परम्पराओं से जुड़ा रहता है।
5. जब व्यक्ति अपने कुल की महान उपलब्धियों की चर्चा करता है या सुनता है वह गौरवान्वित महसूस करता है।
6. व्यक्ति अपने कुल की, समाज एवं जाति की मर्यादाओं में रहकर आचरण करता है।
7. शास्त्रों के अनुसार जो व्यक्ति अपना गोत्र, कुल प्रवर का ज्ञान नहीं रखता वह यज्ञ अनुष्ठान करने और कराने का अधिकारी नहीं है।
8. गोत्र ज्ञान से वैवाहिक सम्बन्ध स्थापित करने में सहायता मिलती है। गोत्र का उचित मिलान किए बगैर वैवाहिक सम्बन्ध करना उचित नहीं। एक ही गोत्र में वैवाहिक सम्बन्ध जोड़ना अस्वाभाविक एवं अप्राकृतिक है। ("It amounts to Incest to have marital relations in the same Gotra")

   गोत्र के उचित ज्ञान न होने तथा इस संबंध में शास्त्रोक्त नियमों का पालन न करने से या उनकी उपेक्षा करने से जो हानि होती है वह इस प्रकार है–

2. गोत्र ज्ञान के अभाव से हानि

1. कुल परम्परा नष्ट होती है, वंश में संकरता आती है।

2. पैदा होने वाली सन्तान में कुसंस्कार पैदा होते हैं, कहा गया है कि चाण्डाल मलेच्छ और चरित्रहीनता के संस्कार संतान में पैदा होते हैं।
3. जातीय या गोत्र ज्ञान के अभाव में मनुष्य को समाज में लज्जित एवं अपमानित होना पड़ता है।
4. जातीय ज्ञान या गोत्र ज्ञान के अभाव में व्यक्ति ठीक वैसे ही महसूस करता है जैसे कोई व्यक्ति अपने पिता या पूर्वज का ब्योरा देने में असमर्थ हो।

गोत्र का अर्थ

महर्षि पाणिनि के अनुसार गोत्र का अर्थ इस प्रकार है–

1. "अपत्यं पौत्र प्रमृति गोत्रम"

इसका अर्थ है कि सन्तान अथवा सन्तान परम्परा का नाम गोत्र है। अमर कोष में गोत्र की व्याख्या इस प्रकार की गई है–

2. "संततिगोत्र जनन कुलान्यभिजनान्वयौ वंशान्ववाय सन्तानोवर्णाः स्युर्ब्राह्मधादयः"

आर्थत संतति, गोत्र, जनन, कुल प्रभिजन, अन्वय, वंश, अन्ववाय और सन्तान यह नौ शब्द वंश के वाचक है। गोत्रकार ऋषि को ही गोत्र या गोत्र प्रर्वतक ऋषि कहते हैं।

प्रवर का अर्थ

गोत्रकार ऋषि के पिता पितामह प्रपितामह आदि को प्रवर कहते हैं। जैसे भारद्वारज गोत्र के तीन प्रवर हैं–अंगिरा, बृहस्पति भारद्वाज अर्थात अंगिरा का पुत्र बृहस्पति और बृहस्पति का पुत्र भारद्वाज।

पुज्य गुरुदेव जय कृष्ण भणिठिया जी के मतानुसार जब शिल्पज्ञ ब्राह्मणों में जाति भेद नहीं था तो कुल मिलाकर 125 गोत्र थे। जब ये अलग-अलग हो गए तो प्रत्येक समुदाय के गोत्र भी अलग हो गए। यही कारण है कि आज जांगिड ब्राह्मणों के 18 धीमान ब्राह्मणों के 47 गोत्र हैं, कान्यकुब्ज ब्राह्मणों के 16 ककुहास ब्राह्मणों के 16 और गौड ब्राह्मणों के 24 गोत्र माने जाते हैं। टांक और मैथुल ब्राह्मणों के भी 16 या 24 गोत्र देखने में आए हैं जो गोत्र धीमान ब्राह्मणों के हैं प्रायः वहीं रामगढ़ियों के है। वास्तव में धीमान ब्राह्मण जो गुरु के सिख बन गए वे रामगढ़िए कहलाए इनमें केशधारी और सहजधारी दोनों ही शामिल है। इसी प्रकार जागिड़ ब्राहमण केशधारी एवं सहजधारी।

कान्यकुब्ज विश्वकर्मा ब्राह्मणों के गोत्र

कान्यकुब्ज ब्राह्मण जो कि विश्वकर्मा वंशी है अपने 16 गोत्र मानते हैं। जिनमें से 14 गोत्र इस प्रकार हैं–

कश्यप, शांडिल्य, कात्यायन, भारद्वाज, उपमन्यु, सांकृत, गर्ग, गौतम, धंनज्य, वत्स, वशिष्ठ, कौशिक, कविस्त पराशर।

ककुहास विश्वकर्मा ब्राह्मणों के गोत्र

पं. भन्नुलाल शर्मा कृत पुस्तक विश्वब्रह्म वंश मालिका में ककुहास ब्राह्मणों के 16 गोत्रों का उल्लेख किया गया है जो इस प्रकार है–

वत्स, शुनक, भार्गव, भारद्वाज, गर्ग, गौतम, वामदेव, कण्व, कुहस, आध्रव, दीर्घतमा, अगि, वशिष्ठ, उपमन्यु, कश्यप, तथा शांडिल्य।

टांक विश्वकर्मा ब्राह्मणों के गोत्र

टांक विश्वकर्मा ब्राह्मणों में सात मुख्य गोत्र हैं इनमें तीन और मिलाकर 10 बताए गए हैं। कहीं 24 और कहीं 41 कहीं 105 भी गिने हैं। मुख्य प्रचलित गोत्र इस प्रकार हैं–

अज, वशिष्ठ, कश्यप, अत्रि, भारद्वाज, गौतम, जगदग्नि, अगस्त्य, कौशिक, दीक्षित, पराशर वत्स आदि।

उत्तर भारत में प्रचलित पांचाल विश्वकर्मा ब्राह्मणों के गोत्र, शासन आदि

अत्रि, कश्यप, अतरी, आत्रेय, अत्रिबलाने, अन्धरेले, अहीभूण्ड, अली चौहान, अन्धरेल चौहान।

कश्यप, कनौजिया, कदियान, कठ, कदमबावरी, कलवांजिया, करणा, करहेड़ा, करैडा, कर्राणया, करहड़ा, कुटेड, कच्छवाहा, कुशवाहा, कदियाण, कौशिक, कोयला, कालिया, कोकाश, खोकर, खाकरा, खाखरा, खण्डवाल, खंडेलवाल। गौउ, गुलसतिया, गौउसाडयान, गौउ, गौउसाडयन गढवाल गौतम, गोगल।

चौहान, चौधरी, चौधरिया, चन्देहडिया, चन्हेडिया, चन्दावल, छिल्लर, छीलर, छीब्बर।

जसपाल, जसकल्याण, जरुकल्याण, जयवाल, जूनी, जुन, जून, जांगिड़, जसवन्ती, जिसपाल, जातूधान, जसवीर, ठाकुर।

टांक विधुर, टडरिया, डांगी, डागर, डबरधन, ढलवाल, ढालीवाल, टण्ठारिया, टण्डेड़ी, ठिलवाड़।

परत, पतलौडा, परवा, परव, पवार, पटरावला, पित्रौदा, पातजली, पाताजंली, पंवार, पांवर, पडका, पितरेंले।

बन्दहडिया, बढ़, बड़, बक्शी, बौहर, बड़गुज्जर, बवीड़े, बालायन, बावरा, बिस्ट, बिश्ट, बिनोरिया, विनोरय, बालान, बावरा, वत्स, बड़किया, बावरे, विश्वकर्मा, वैश्ले।

भारद्वाज, भौंरा, भूण्ड, भनोट, भावरा, भवरा, भीमड़ा, भेड़िया, भटेर भीरा,. भीमरा।

मुकाशा, मथुरबावरा, मुस्ती, मत्स्य, मतस, मुतस, मैथुल, मादूत, मोहालिया।

तोमर, तौमर, तोकडिया, तावड़ा, तल, तंवर। दक्ष, दलार, दिलावर, दिलवाड़।

धरा, ध्रुव, धारा, धामयाम धलवाल, धीमान, धासी, धरमा, धरु, धरुकौडिल, धनेरवाल, धरक, धारक, धाय, धूप।

3. विश्वकर्मा जाति बोधक विभिन्न नामों (गोत्र, शासन, अल्ल आदि) की सूची

अः अव्याकशत, अत्री, अहन्दी, अतलस, अचलस, अंचलस, अरघोटे, असी, अस्सी, आचार्य, अंगिरस, अनूत, अशलायन, आयस्कायन, अजीत पूनिया, अनिरया, अदवी, अतिलस, अजमल, अजीमील, अभा पुरिया, अलवास, अतर, अतरैया, अम्बेल्यिा, अरोलिया, अड, अपुल अंगोलकर।

आः आलवास, आडे, आडी, आवत्सार, अटेरिया, आसौया, आल, आश्वालयन, आचार्य, अचार्युल्लु, आचारी।

इः इन्दौरिये, इन्धन, इषुन, इषभुत, इकड़ीवाल, इन्दरान, इमला।

उः उंजन, उछाहण, उट, वारिया, उजन, उभि, उपल, उनसैसा, उकोरिया, उजल उकेया, उपरानिये।

एः एदीजस, एदी, एकड़ीवाल, एधान।

ओः ओड़े, ओथी, ओझा, औसाहन, आंगलेश।

कः कर्माकर, करमारा, कमारा, कमरिलन, (दक्षिण भारत) कलसी, काटेहोडे, काडे, कोटोडे, कलातिये, कंगन, कंगी, कुंडी, कौशिक, कश्यप,

कलेर, कंगप, कागी, कर्मकार, कैची, काहने, कैम, कासोटिये, करालिये, करेल, कुंडल, केशरे, क्रेडिए, करियवहितिहा लंका कड़ीवाल, केवाइवाल, कटियाणी, करियावाह, कलौन, कलसिये, कपडयान, कद्दवाल, कास्यान, कलयाण, कुन्दी, कुन्छराल, कन्नर, कन्नड़, कोन्मल, कारसी, कारषी, करथलया, काश्यप, कौथुली, कुतवालिया, कारोनिया, काहलून, काहला, कालासिये, कौत्साय, कारीन, कटोडेवाल, कालकायन, काकोदिया, कुलार।

खः खुराल, खडवाल, खडियाल, खट्टेवाल, खेडीवाल, खुड, खुल खाजपुरिया, खुटर खंदरवाल, खोइया, खरल, खट्टे, खरे, खंड, खैरपुरया, खरदल, खाइया, खैरारिया, खरखादेवाला, खरदड, खुन्नवाल, खोखर, खिडकी वाल।

गः गोले, गोलेवाल, गहीर, गारेचोडे, गुणदेव, गाढे, गढवाल, गटावडे, गरौड़े, गालन, गाढल, गट्टवाल, गिवाल, गहेवाड़ गजैन, गजानन, गाहलान, गठोला, गठोरे, गोलायन, गाडवान, गंगिरोला, गागले, गागीलस, गिलहड़े गुहेले, गोभिलीयान, गेली, गोविलीयान, गांडे, गाडे, गिहीर, गुलसारिया, गुल्ल सैय्या, गुल, गन्ध, गणपत, गाले स्मिथ, गन्दे, गुवारिया, गोत्र, गोवच्छल, गज्जर, गजधर, गिल।

घः घरावड़े, घटेवाल, घाटे, घडियाल घणदु, घिहीर, घट्टाघोड़े, घोटरे, घट्टेहौडे।

चः चंदवादकर (महाराष्ट्र) चन्न, चैने, चन्नी, चग्गर, चहल, चूण्डम, चिट्ट, चुहडकाण, चड्डे, चारी, चने, चाने, चब्वन, चावन, चौहान, चिरथावलिया, चिड़ी, चांडक, चेतक, चतौड़, चूड़े, चुण्ड, खाने, चायै, चीचे, चोहरेवाल, चौहराणी, चांह, चांखा, चलोवे, चोहडखानये, चांस चान्दीवाल, चिताड़िया।

छः छिन्दे, छिन्दरे, छीवरे, छए, छिन्दर।

जः जसकल्याण, जगदेव, जसस्ल, जसल, ज्वाल, जैवाल, जांगिड, जांगरा, जटवारिया, जस्कलायन, जण्डू, जेवरलाल, जेवरीलाल, जैवराम, जैविडिवाला, जैधना, जुंरुडेवाल, जंडू, जाड़, जांघ, जति पुरिया, जासल, जड़तोलिया, जोनी, जानउए, जरिलिया, जव्वल, जबल, जंजोह, जुतले, जीते जेजंल, जटोल, जासा, जित्योड़िया, जोलयान, जोनयान।

झः झंडू, झब्बे, झब्बा, झा, झावा, झहिन, झुहिन, झण्डेवाल, झणडवाल, झीते।

टः टाटर, टल्ले, टडन, टांक, टीटवाल, टोटेवाल, टडेरिया, टांडेवाल, टट्टल, टाडावाल, टट्टर, टवस्टर, टट्टर।

ठः ठिने, ठोका, ठठारिया ठाकुर।

डः डफ्फू, डडवाल, डोगडे, डिढोरिया, डरोलिया डोगरा।

ढः ढाढवाल, ढावन, ढिलो, ढावन।

पः पांचालन, पेडे, पानेसर, पतंलियान, पिंगल, पंगल, पसियान, पालियाण, पिलानिया, पिकलिए, पर्ठा, पाहन्दा, पान्दे, पदम, पराशर, पिंगले, पांचाल, पोपलीवाल, पुरोज, पुरिया, परानिया, पतलिह्माण पानस्य, पत्थरचटा पान्धे, पटेरिया, पंडोलिया, पादम, पापरिये, पाटक, पदन, पाहड़ीवाल, पुरिया, पीपलीवाल पैंगे, पिल्हे परसारिया पांवर।

फः फडीयल, फडयल, फण-फणे, फलपुरया, फरनया, फलोरा।

बः बुइस्कर (महाराष्ट्र) ब्याण, बिम्बरा, बिम्बराउ, बिंभराउ बलिये, बासन, बलिचे, बाड़े, बौंडे, बलदुए, बलइए, बंसल, बांसल, बागड़े, बागले, ब्रड़े, बनातू, बिरदी, बैरवाल, बर्मी बिपाल, बोहड़े बाहवड़ा, बिल्खू, बरमी, बच्चक, बशेसर, बोहड़े, बच्चस, बलइचे, बन्दरस, बीजबीया, बालोतिया, बौधिये, बिश्बासिये, ब्यारगी, बाहड़े, बहाड़ा।

भः भिडे, भोडे, भिम्बरा, भिम्बराउ, भुल्लर, भडोलिया, भुल्याण, भेदे, भारद्वाज, भेटे, भैंरे, भटौअरिया, भक्त, भक्तबच्चे, भाले, भल्ले, भटी, भरमी, भिंडर, भाणे, भागारिया, भारज, भोगल, भरतपुरिया, भले, भेलश्वर, भूरयान, भदावलया, भुंडे, भारतवाल, भुसावारिया, भाही, भागड़े, भलयाण, भोलयाण, भोपेवाल, भमरा, भौकी, भलोतड़े, भवनपरिया, भुवने भास्कर।

मः मिस्त्री, मखे, मणकू, मठाडू, मैले, मैनको, मादड़े, मल्हांण, मुमाण, माल्ले, महिला, मल्ही, मंगलोरी, माहोली, मीरपुरिया, माटोलिया, मरवाहे, मठाडू, मठारू, मांकू, मुगं, मरसानिया, मंगलोरी, मालक, महरे, मलमारिया, मान, मंडे, मोराकिय, मल्हवार मुंडे।

तः तैपण, तिलक, तन्ठारिया, तापुरिया, तीरे, तरे तनुपुरिया, तेजपुरिया, तेजपाल, तन्नी, तागी, तिलख, तमनगढ़िया, तत्तर, तुन्तु, तरा, तंजल, तेदण, तनवारिया, तराचा (श्री लंका) तीरवे।

थः थुली।

दः दूधवाल, दफल, दाउद परिया, दिलवरया, दडू, देसी, देवले, देवलये, देवनीवाल, दलाल, दौलत पुरिया, दांड, द्रोण, देवराण, दइपल, दरयाल, दरकली, देवगण, देवगुण, देव, दयालू, देवगन दामड़ा, दरियाल, दयोड़ा, द्रेड़े, दिघोटिया, दौरन, दौतानिया।

धः धांजल, धईयन, धानड, धानड़, धामडे धामरे, धातवाल, धडूज धूलाये, धुम्मीनवाल, धनवारिया, धनवन्ते, धनियार, धूपड़, धनजखनज, धट्ठेवाल धट्ठेवाड़े, धीमान।

नः नानरे, नानड़े, नारू, निमरी, निपानिये, निया, नन्हेडिया, नट्टे नैपाल, नामोरिया, निवसया, नामारिया, निवसेया, निटोरिया, नौहय्या, नहरोरिया, नेतनया। नागर, नीथु नवन्दान्नोस (लंका) नमल, निर्माण, निर्मल।

रः रुपराय, रुपड़े, रुपाल, रीहान, रियात, रायत, रैयतू, राठी, रोड़े, रिहाल, रपाल, रापल, रमण, रायबटोरे, राजोतिया, रापिथोड़ा, राहत, रसोतेवाला, राठोरिया, रोपाल, रहिमपारिया, राजड़, रसूलपुरिया, रनपुरिय, रयायत, राजपाल, रतनपाल, रामनगया, रवजान, राजोरिया।

लः लालरे, लालड़े, लोटे, लौन, लाल, लायल, लान, लवानिया, ल्याल, ल्यान, लखनपाल, लदैया, लहभारत, लोहरेवाल, लदोइया, लोहिडेवाल।

वः विरधी, वहेड़ीवाल, विरहा, विसपुरया, विभुरया, विसातिये, वनलिया, वांगोवाल, वाहड़े, विरादी, विर्दी, वहर्मी, विशादे, वशिष्ठ, विलखू, वत्स, वागडीवाल, वरैया, विलोरिया, वागले, विच्छू, विलख, वरैचा, वास्तव्य, वाच्छलय, विडोतिय, वदन जरीला, वदनसरिया, विरख, वादलीवाल, वरसोलिया, वझोरिया, वाकोरिया, वडौलिया, वडोरिया, वातापुरिया, विशालु, वचनावालिया, वाईपुरा।

सः सगरिया, सगराया, सहोता, सतपथ–ब्राह्मण, सग्गु, सल, सलहोत्रा, सोहल, सोई, सलबागले, सूर, सम्भी, सांडल, सादल, सोडल, सोहदल, सोगर, सौन्ध, सउन्ध, सोन्ध, साउंड, सवन्नाकार, (लंका) साभ्बी, सैंहडल, सम्बी, सोहनपाल, सुत्थार, सुथार, सूत्रधार, सोहल, समसपुरिया, सनेर, सिद्पुरिया, सिद्धवान, सुरसनया, सन्नल, सिमट, सैवारिया, सडल, सग्गु, सग्गी, सरसैच्या, संतोरिये, सालपुरिया, सलोनिया, सराइवाल, साहरया, सोहनपाल सिन्दुरिया, साहपुरिया, सम्भूरया, स्यान, सहदेई, सहनसाल, साके, सिगी, सौपानिया, सिसोलीवाल, सुरवी, सेकपुरिया, सेरगढिया, सोल्लिया, सीकरीवाल, सामरीवाल, सोखी, संगतपुरी, सिसोदिया।

शः शिल्पकार, शूंगर शिंगारी, शोले, शल्य शोरे, शोंग, शौन्ध, शउन्ध, सैम्भी, शायण, शग्गू, शर्मा शुन्नेवाल शोहल, शिगिल, श्रोतेवाल, शिमी, शौकी, शिकरोदिया।

हः हरपाल, हंसपाल, हितकारी, हैटवाल, हंजरा, हुंजन, हरुदारिया, हलदौरिया, हिन्डोनिया हटवाल, हरित, हरितवाल, होतेवाल, होडवालया, हडिलिया, हरकारय, हिन्नाटिया, हिरत।

नोट—उपरोक्त शब्द गोत्र है या शासन, अल्ल है या उपाधि के द्योतक है तथा इनका मूल क्या है, इनके मुख्य गोत्र क्या है, और इनके गोत्र प्रवर्तक ऋषि कौन थे, इनकी शाख, शिखा सूत्र और प्रवर आदि क्या है विषय पर अनुसन्धान किया जा रहा है। कुछ के विषय में जो पता चला है उसका ब्योरा यथा स्थान दे दिया गया है।

4. जाति, गोत्र, शासन की समीक्षा

अतीत के मनीषियों द्वारा विनिर्मित अनेकों ऐसी विधायें हैं जो रीति-रिवाजों द्वारा, परम्परागत मान्यताओं द्वारा अथवा रूढ़ियों के माध्यम से हमारी जीवन शैली में रच बस गई है और किन्हीं तर्कों, तथ्यों प्रमाणों की आश्रित नहीं है। समय के अबाध प्रवाह में, प्रगतिशील, विकासक्रम और वैज्ञानिक शोधों द्वारा निरन्तरर उद्‌घाटित होते रहने वाले नवीन तथ्यों के प्रति हमारी उदासीनता हमारे सामाजिक जीवन में सामयिक विकृतियाँ निर्माण कर उसको सतत् ह्रास की ओर अग्रसर करने की कारक रही है। निदान स्वरूप समय-समय पर हमको हमारी आज की यथार्थ अवस्था का बोध कराने के लिए नवीन वैज्ञानिक तथ्यों का हमारी शास्त्रीय तथा रूढ़िगत मान्यताओं के साथ समायोजन करते रहने के प्रति चिंतन मनन करते रहना अत्यंत आवश्यक है।

ज्ञान, विज्ञान, शिल्प तथा कला के जन्मजात उपासकों को वैज्ञानिक उपलब्धियों के प्रति अरूचि तथा उपेक्षा का व्यवहार योग्य नहीं है। हमारे समाज कल्याण के कार्यक्रम, समाज सुधार के कार्यक्रम तथा समाज विकास के कार्यक्रम जब तक वे हमारी मौलिक प्रकृति के अनुकूल, हमारी विशिष्टता सम्पन्न विशेषताओं के अनुकूल तथा हमारी परम्पराओं की महत्ता के अनुकूल नहीं होंगे, समाज उत्कर्ष की कल्पनायें शक्य नहीं हो पायेंगी।

विचार मंथन के इस उपक्रम में ''वर्ण, जाति, गोत्र तथा शासन'' के प्रति प्रस्थापित प्रचलित धारणाओं का एक वैज्ञानिक पृष्ठभूमि पर समायोजन करना इनके, प्रति समाज के प्रबुद्धों के चिंतन को प्रेरित करना यही उद्‌देश्य है।

'वर्ण' का अर्थ वर्ग विशेष है, वैदिक वर्ण व्यवस्था का वर्गीकरण जिसके अन्तर्गत हमारी समाज व्यवस्था भी समाहित है, मानव वंश के दो मूलभूत तथ्यों पर आधारित है। एक है पिंडगत घटक (Primary Breeding Unit) तथा दूसरा संस्कारगत घटक (Cultural Unit) पिंडगत घटक तथा संस्कारगत घटकों की गुण विशेषताओं को समझने के लिए हमारे चारों ओर विद्यमान मानवेत्तर प्राणी जगत के घटकों का एक संक्षिप्त विवेचन आवश्यक प्रतीत होता है।

पिंडगत गुण सूत्र मानव पिंड के वे प्रकृति प्रदत्त जन्मजात गुणसूत्र है जो वंशानुगत क्रम की कुल परम्परा में अपरिवर्तित रूप से अवतीर्ण होते रहते हैं। प्राणी विज्ञान तथा मानव रक्त कोशिकाओं के वैज्ञानिक अध्ययन प्रामाणित करते हैं कि ये गुणसूत्र जैवकीय (Genetic) हैं और प्रजनन से संबंधित है। ये गुणसूत्र परिवर्तनशील नहीं है। पिण्ड विशेष की नस्लों में नैसर्गिक रूप से विद्यमान रहते हैं। इनकी शक्ति और स्थायित्व इनकी शुद्धता बनाये रखने पर आश्रित है।

किसी व्यक्ति विशेष में पायी जाने वाली अथवा वर्ग विशेष में पाई जाने वाली जन्मजात विशिष्टतायें उनके पिंड की जिनेटिक (Genetic) संरचना, उनकी सबलता तथा शुद्धता के कारण होती है। पिंडगत गुणसूत्रों की संरचना मानव की इच्छा पर आश्रित नहीं है, नैसर्गिक है। हाथ पैर कट जाने पर भी किसी व्यक्ति विशेष की संताने हाथ पैर वाली ही जन्म लेती है। अंधे हो गये किसी व्यक्ति की संताने दृष्टिहीन जन्म नहीं लेती। पिंड संरचना के साथ मानव की छेड़-छाड़ उसकी शुद्धता के साथ छेड़-छाड़ का परिणाम भावी वंश परंपरा पर पड़ता है जिसमें कारण अनुवंश शनैःशनैः क्षीण होता जाता है और अंत में विलुप्त (Extinct) हो जाता है किन्तु परिवर्तन स्वीकार नहीं करता।

'संस्कारगत गुणसूत्र' मानव पिंड के नैसर्गिक स्वभावानुकूल अर्जित (Acquired) गुण है। कर्मक्षेत्र अत्यन्त विस्तृत है, शिक्षा, ज्ञान, विज्ञान, शिल्प, कला, श्रम, पुरूषार्थ, चिंतन, मनन, ध्यान, साहित्य, राजनीति आदि सब कर्मक्षेत्र से संबंधित है। जीवन विकास के लिए पिंड के नैसर्गिक स्वभावानुकूल संस्कारगत गुणसूत्र (Cultural Qualities) संचित होते हैं। ये गुणसूत्र परिवर्तनशील हैं और देश, काल, परिस्थिति वातावरण से प्रभावित होते हैं। मानव पिंड संरचना पर खान-पान, पौष्टिक भोजन आदि का प्रभाव नगण्य रहता है किन्तु

संस्कारगत गुणसूत्र इन से भी प्रभावित होते हैं। ये गुण नैसर्गिक रूप से अनुवंश में अवतीर्ण नहीं होते, अनुवंश के घटकों को अर्जित करने पड़ते हैं। पिता के संस्कारगत गुण सूत्र पुत्र में स्वतः ही विकसित नहीं होते, अर्जित करने पड़ते हैं। महाराणा प्रताप के संस्कारगत गण उनके पुत्र में विकसित नहीं हुए और न महात्मा गांधी के उनकी वंश परम्परा के घटकों में ही दिखाई देते हैं।

वर्ण व्यवस्था एक युक्ति संगत, सकारात्मक वैज्ञानिक समाज व्यवस्था थी जो आधुनिक युग में अपनी प्रासंगिकता खो चुकी है। वर्ण व्यवस्था पर यह आक्षेप कि इस व्यवस्था के गर्भ से जाति तत्व पैदा हुआ, छूआ-छूत की हीन ग्रंथि तथा समाज में विद्वेष फैला, सर्वथा निराधार और अवैज्ञानिक धारणा है। इन विकृतियों के कारण व्यवसायगत, मानवकृत, जातियाँ हैं, पिंडगत नैसर्गिक जातियां नहीं। विकृतियां वर्णों की कारक हैं। वर्ण जाति की इकाई नहीं है अपितु जाति वर्ण की इकाई है। यदि हम किसी प्रकार जातियों के उन्मूलन में सफल हो जाये तो वर्णों का उन्मूलन स्वतः ही हो जायेगा, किन्तु यदि हम वर्णों का उन्मूलन कर दें तो नैसर्गिक जातियाँ समाप्त नहीं होंगी, वे अपने नैसर्गिक गुणसूत्रों के कारण किसी न किसी नाम से अस्तित्व में रहेंगी हीं।

उपलब्ध जांगिड़ समाज की वंशावलियों, गोत्रावलियों में वर्ण, कुल, गोष्ठी, शाखा, सूत्र वेद, बीज, गोत्र, शासन, प्रवर आदि का विवरण तो मिलता है किन्तु जातियों का नहीं। यदि जातियाँ वर्ण व्यवस्था की उत्पत्ति है तो उनका कोई उल्लेख, विवरण, उनकी पहचान की कोई शास्त्रीय मान्यता, व्यवस्था अवश्य होनी चाहिए। गौतम, वामदेव, मुद्‌गल, वशिष्ठ आदि ऋषि गोत्र हैं और धीमान्, जांगिड़, पांचाल, कुकुहास, कनौजिया आदि वंश परम्परा है। फिर ये जातियां क्या है? सोनी, लुहार, नाई, माली, बढ़ई, दर्जी, तेली आदि इस प्रकार की लगभग 4000 पेशेवर जातियां जो भारतवर्ष में फैली हुई हैं, क्या जातियां हैं? भारत के बाहर ऐसी कोई जातियां नहीं है। (GOLDSMITH, BLACKSMITH, BARBER, GARDNER, TAILOR, CARPENTER) आदि पेशे हैं, धंधे हैं, उद्योग हैं जिनको जीवन निर्वाह के लिए समाज का कोई भी व्यक्ति अपना सकता है। निरंतर एक ही प्रकार का उद्योग करते रहने के कारण हमने इनको जातियों की संज्ञा दी है। ये जातियां मानव जनित हैं, उद्योग जनित हैं नैसर्गिक नहीं हैं। वस्तुतः जिनको हमने वंश

अथवा कुल परंपराओं की पहचान दी हुई है वे जन्मजात (Biological) जातियां हैं जिनका वर्गीकरण वर्ण व्यवस्था में है।

मानव रक्त कोशिकाओं के अध्ययन से कोशिकाओं में पाये गए एक गुणसूत्र ने पैत्रिकता सुनिश्चित करने में वैज्ञानिकों को एक क्रांतिकारी साधन उपलब्ध करा दिया है। इस गुणसूत्र को डि-ओक्सी-राइबो-न्यूक्लिक-अम्ल (Deoxy-Ribo-Nuecleic-Acid) कहते हैं। संक्षिप्त में यह डी.एन.ए. (D.N.A.) नाम से जाना जाता है। यह प्रकृति प्रदत्त गुणसूत्र समस्त जैविक पिंडों में उपलब्ध है और प्राणी जगत की अनन्त प्रजातियों की विशेषताओं का कारक है। डी.एन.ए. गुणसूत्र व्यक्ति को अपने माता-पिता से उत्तराधिकार, स्वरूप वंश परंपरा में निरंतर मिलता रहता है और वर्षों-वर्षों तक उसकी रक्त कोशिकाओं, बालों, हड्डियों, शुक्र, दाँतों तथा शरीर के अन्य तंतुओं में बना रहता है, नष्ट नहीं होता। पैतृकता संबंधों की अनिश्चितता के कारण उपजे विवादों के समाधान के लिए न्यायालय भी डी.एन.ए. परीक्षण को मान्यता देते हैं। वंश अथवा कुल निश्चित करने, पैतृकता निर्धारित करने में अब डी.एन.ए. परीक्षण का उपयोग व्यापक हो गया है।

मिश्रवासियों की भांति यदि हमने भी हमारे वंश प्रेरक ऋषियों की ममियां बनाकर रखली होती अथवा आज भी हमको उनके शरीर का कोई तंतु उपलब्ध हो सका होता तो सहज ही हमको अपने वंश के उद्‌गम का पता लग गया होता। व्यर्थ ही शास्त्रों, कुशास्त्रों के अर्थ तथा अनर्थों के साथ माथा-पच्ची न करनी पड़ती।

'चातुर्वण्य मया सृष्टं' गुणकर्म विभागशः' (गीता 4/13) गीता के इस पद की व्याख्या की संगति डी.एन.ए. तत्व के संदर्भ में ही सही और उचित बैठती है। "चारों वर्ण, उनके पिंडगुण तथा पिंड स्वभाव प्रेरित कर्म, इनके विभाग पूर्वक मेरे द्वारा रचे गए हैं।" अर्थात् नैसर्गिक है, प्रकृति प्रदत्त है, जन्मजात है।

विडम्बना है कि एक ओर तो हम जन्म से जाति निर्धारण का विरोध करते हैं और जाति निर्धारण के लिए केवल कर्म को ही प्रधानता देते हैं और दूसरी ओर हमारा सारा प्रयास हमारी वंश परम्परा को ऋषि परम्परा से सिद्ध करने का रहा है। इसमें हमारा मूल हेतु क्या है? अपेक्षा क्या है? अपना कुल ऊँचा बताने मात्र से समाज में हमारी प्रतिष्ठा ऊँची हो जायेगी

क्या? अथवा केवल कर्म को श्रेष्ठ सिद्ध करने मात्र से हम श्रेष्ठ बन जायेंगे क्या? लखनऊ के तांगे वाले भी अपने को नवाबों के वंशज प्रचारित करते हैं किन्तु समाज में उनकी प्रतिष्ठा तोंगो वालो जैसी ही है और शिल्प कर्म करने वाले गाडूल्हा लुहारों की गाडूल्या लुहारों जैसी। हमारे प्रबुद्ध वर्ग का चिंतन स्पष्ट नहीं है। 'गुणकर्म विभागशः' की संगत व्याख्या "नैसर्गिक पिंडगुण तथा उसके अनुकूल संस्कार गत कर्म गुण है" जाति निर्धारण के लिए जन्म और कर्म दोनों आवश्यक हैं। जाति सुनिश्चितता के लिए ये दोनों पूरक तत्व हैं, केवल एक नहीं। इनमें प्रधानता पिंड की है। हमारे पिंडों का उद्‌गम ऋषियों से है और हमारे कर्म भी उन्नत पिंडों के अनुरूप हैं इस कारण हमारा वर्ग ब्राह्मण है। डी.एन.ए. की वैज्ञानिक उपलब्धि ने प्रबुद्ध वर्ग के सम्मुख जो प्रश्न खड़ा किया है उसकी संगति बैठानी है। "क्या हमारे शास्त्र गलत है, या उनकी व्याख्या गलत है, या ये वैज्ञानिक उपलब्धियां गलत हैं?

भारतवर्ष में हिन्दू समाज की जीवन पद्धति में सोलह संस्कारों का विशेष महत्व है, विवाह-संस्कार उनमें से एक प्रमुख संस्कार है। इस संस्कार को सम्पन्न करने के लिए ज्योतिर्विद अनेकों दोषों, महादोषों आदि का विचार कर शुभ-मुहूर्त का निर्धारण करते हैं।

विवाह-संस्कार का मुहूर्त निर्धारण के पूर्व, विवाह योग्य युगल का दो दृष्टियों से विचार किया जाता है। 1. उनका सपिंड दोष तथा 2. उनकी जन्म पत्रियों की मिलान। व्यक्ति की सूक्ष्म जीन संरचना की गतिविधियां, वर्तमान पीढ़ी तथा भावी पीढ़ियों के गुणदोषों की क्रियाशीलता की संवाहक तथा संचालक होती है। यही स्वस्थ मानव विकास का मूल आधार है। 'भावी संतति' को अंतः प्रजनन के दोषों से मुक्त रखने के लिए विवाह योग्य युगल का सपिंड दोष, पिण्ड गुण सूत्रों की दृष्टि से अयोग्य होता है। 'जन्म-पत्री' व्यक्ति विशेष के जन्म के समय पृथ्वी के उस खण्ड विशेष पर आकाशीय गतिशील पिंडों की सापेक्ष स्थिति का एक मानचित्र होता है, जिसके द्वारा व्यक्ति विशेष की नैसर्गिक पिंड संरचना पर आकाशीय पिंडों की ज्योति रश्मियों के अनुकूल तथा प्रतिकूल पड़ने वाले प्रभाव का अध्ययन किया जाता है।

प्राणीशास्त्र तथा समाजशास्त्र की दृष्टि से अति निकट और अति दूर के रक्त संबंधों में विवाह योग्य नहीं माने जाते। अति निकट से तात्पर्य है सपिंड

होना तथा अति दूर से तात्पर्य है, समाज जीन संरचना वाले वंशों (जातियों) के बाहर विवाह संबंध। गणितागत पद्धति से सपिंड के दो भाग होते हैं। 1. ''गोत्रज सपिंड'' अर्थात् चली आ रही वंश परम्परा से आने वाली पुरूष संतति तथा ''भिन्न गोत्रज सपिंड'' अर्थात् वंश परम्परा में बाहर से आने वाली स्त्री संतति।

संसार के प्रायः सभी जन्तुआलयों में कुत्ते, गाय, घोड़े, सिंह आदि जानवरों के प्रजनन पर अध्ययन और शोध होती रहती है। इन अध्ययनों के आंकड़े, चार्ट और निष्कर्ष भी उपलब्ध है किन्तु मानव के प्रजनन पर कोई शोध अध्ययन नहीं होता। इस संदर्भ में भारतवर्ष के जन्तुआलयों में सफेद शेरों के प्रजनन पर हुए अध्ययन की चर्चा समाज बन्धुओं के ज्ञानवर्धन के लिए उपयुक्त होगी।

अध्ययन के निष्कर्ष स्वरूप यह स्थापित हुआ कि यह एक अनुवांशिक लक्षण है जो जीन उत्परिवर्तन (जीन की टूट-फूट) के कारण उपजता है। सफेद शेर का सफेद होना वस्तुतः उसकी जीन संरचना में म्यूटेशन (Mutation) का प्रभाव है। उसकी जीन संरचना दुहरी दबी हुई (Double Receisive) होती है।

5

लोकव्यवस्था और कर्मबंधन

1. सृष्टिकर्त्ता एवं कर्मबंधन

सृष्टि की रचना में पांच का अंक अति विशिष्ट है। पंच महाभूतों का पंचीकरण करके विश्वकर्मा ने ही सृष्टि का शिल्पन् किया और शिल्प की अर्थवत्ता और सत्ता को विश्व में स्थापित किया। इसीलिए शिल्प कर्म को यज्ञ कर्म निरूपित किया गया। शिल्पकर्म के प्रत्येक सिद्धांत प्रथमतः विश्वकर्मा के ही माध्यम से उद्भूत होते हैं। शिल्पाधिपति के रूप में जिस विश्वकर्मा की सत्ता को स्वीकार किया गया है, वह पंचमुखी है। प्रथम मुख सद्योजात् पूर्व दिशा में, द्वितीय मुख वामदेव दक्षिण दिशा में तृतीय मुख अघोर पश्चिम दिशा में, चतुर्थ मुख तत्पुरुष उत्तर दिशा में और पंचम् मुख ईशान उर्ध्वस्थ, ऊपर की ओर स्थित बताए गए हैं। इन पाँच मुखों से पाँच शैव पांचाल ब्राह्मण क्रमशः मनु, मय, त्वष्टा, शिल्पी एवं दैवज्ञ उत्पन्न हुए। इन पंच-ऋषियों से पाँच शिल्प लौह, काष्ठ, ताम्र, पाषाण और स्वर्ण उद्भूत हुए। इस प्रकार, पाँच विश्वकर्मा पुत्र, पंच शिल्प के उद्भावक पिता कहे गये। इन पाँचों शिल्पों के माध्यम से इस जगत को अलंकृत या विभूषित करने के कारण इन्हें पांचाल कहा जाता है–

'पंञ्चभिः, शिल्पै, अलन्ति, भूषयन्ति जगत् इति पाञ्चालाः।

विश्वकर्मा के इन्हीं पाँच पुत्रों मनु से लौहाकार, मय से काष्ठकार, त्वष्टा से ताम्रकार, शिल्पी से शिल्पकार और दैवज्ञ से स्वर्णकार वंश प्रवर्द्धमान हुए। जन्मदिक् के अनुकूल मनु ने लौह शिल्प यज्ञशाला देश के पूर्व दिक्भाग में, मय ने काष्ठ शिल्प यज्ञशाला दक्षिण दिक् भाग में, त्वष्टा ने ताम्र शिल्प यज्ञशाला पश्चिम दिक्भाग में, शिल्पी ने पाषाण शिल्प यज्ञशाला उत्तरी दिक्भाग में और दैवज्ञ ने स्वर्ण शिल्प यज्ञशाला मध्य भाग में स्थापित की। इस योजनाबद्ध रीति से समाज के विकास एवं निर्माण से संबंधित पांचों शिल्प यज्ञशालाएं देश की प्रत्येक दिशाओं में पृथक-पृथक स्थापित

कर राष्ट्र और समाज को एकता के सूत्र में बाँधने का अनूठा उदाहरण विश्वकर्मा ने प्रस्तुत किया। इसलिए इसी उदाहरण को आत्मसात् करते हुए वी-5 को विश्वकर्मा एकीकरण के प्रतीक चिन्ह के रूप में अंगीकृत किया गया है। इस प्रकार विश्वकर्मा के पाँच मुख, पाँच दिशाएँ, पाँच पुत्र, पाँच वंश एवं पाँच शिल्प का उद्बोधक है–विश्वकर्मा एकीकरण अभियान का प्रतीक वी-5

भौतिकता के साथ-साथ वी-5 का आध्यात्मिक पक्ष अत्यन्त रोचक और श्लाघनीय है। विश्वकर्मा ऋग्वैदिक युग की सर्वोच्च दैवीशक्ति का प्रतिनिधि है। ऋग्वेद के 10वें मण्डल के सूक्त 81 व 82 में विश्वकर्मा ही इस दृष्टि का निर्माता देव है। बाजसनेयी संहिता (26/9) के अनुसार विश्वकर्मा ही को समस्त संसार तथा ब्रह्माण्डों का उत्पादक पिता कहा गया है–'त्वष्टेदं विश्वं भुवनं जजान्।'

विश्वकर्मा के पाँच मुख पंचब्रह्म हैं–(1) तारकाकार ब्रह्म, (2) दण्डाकार ब्रह्म, (3) कुण्डलाकार ब्रह्म, (4) अर्द्धचन्द्राकार ब्रह्म (5) बिन्दु ब्रह्म। पाँचों ब्रह्म मिलकर एकाक्षर 'ॐ' (प्रणव) बनाते हैं। यही 'ॐ' परब्रह्म विश्वकर्मा का प्रतीक है। वी-5 'ॐ' का लौकिक स्वरूप है जिसमें पाँचों शिल्पों के उद्भावकों के वंशजों का एकीकरण गुंफित स्वरूप में प्रकाशित है। यह पाँच शिल्प-लौह, काष्ठ, ताम्र, पाषाण और स्वर्ण पंचमहाभूत क्रमशः पृथ्वी, जल, तेज (अग्नि), वायु और आकाश के रूपक हैं।

विश्वकर्मा का उत्पादक पिता विश्वकर्मा ने विश्व के प्राणियों की रचना के लिए निर्माण सामग्री का सर्वप्रथम सृजन किया। यह सामग्री पंच महाभूत (तत्व)–आकाश, वायु, अग्नि, जल और पृथ्वी है। यही तत्व जगत की रचना के आधार हैं। इन तत्वों के पृथक-पृथक गुण हैं–आकाश का गुण शब्द, वायु का गुण स्पर्श, अग्नि का गुण, रूप, जल का गुण रस और पृथ्वी का गुण गंध है। सृष्टि-रचना की प्रक्रिया में आकाश तत्व से शब्द श्रवण हेतु कर्ण, वायु से स्पर्श की अनुभूति के लिए त्वचा, अग्नि (तेजस) तत्व से रूप को समझने वाले नेत्र, जल से रस का स्वाद बताने वाली जिह्वा और पृथ्वी से गंध (धाण) लेने वाली नासिका सृजित किए गए। पुनः वाक् (वाणी), हाथ, पैर, गुदा और लिंग पाँच कमेन्द्रियाँ जनित की गयी। इनमें सामञ्जस्य स्थापित करने के लिए पाँच महाभूतो के सूक्ष्मांश से अंतःकरण बना और अंतःकरण से उपजे पाँच विषय-मन, बुद्धि, अहंकार, प्रकृति और

पुरुष। इस प्रकार पाँच महाभूत, उनके पाँच गुण, पाँच ज्ञानेन्द्रियों, पाँच कर्मोन्द्रियाँ एवं पाँच विषयों सहित कुल 25 तत्वों से सम्पन्न यह शरीर ही परमात्मा (आत्मा) का निवास है। विश्वकर्मा एकीकरण का प्रतीक वी-V इस गूढ़ तत्व का प्रकाशक है।

विश्वकर्मा से शिल्प की संज्ञा का प्रादुर्भाव हुआ और विश्वकर्मा शिल्प का पर्याय बन गया। विश्वकर्मा में देव तत्व है इसलिए उसके शिल्प में सौंदर्य है, पवित्रता है जीवन की स्थिरता, सुख और शान्ति है, ऋत् और सत्य है। विश्वकर्मा ब्रह्म, तेज और ज्ञान के प्रतिनिधि है जो किसी भी समाज की व्यवस्था तथा उसकी गतिशीलता के लिए आवश्यक है। इसी उदात्त उद्देश्य की अभिव्यक्ति है–विश्वकर्मा एकीकरण अभियान का प्रकाश पुंज वी-V।

विश्वकर्मा विजयतेतराम्

मानव समाज का निर्माता विश्वकर्मा है, सारी प्रजा उसकी कृति है। शश्योत्पादन से लेकर सम्पूर्ण आर्थिक व्यवस्था के सर्जक के रूप में विश्वकर्मा इस सृष्टि और ब्रह्माण्ड के रचनाकार के नाम से निर्दिष्ट हैं। मानव जीवनदाता के रूप में प्रतिष्ठित विश्वकर्मा से मानव संस्कृति विकसित हुई है इसलिए विश्वकर्मा संस्कृति के प्रथम प्रवर्त्तक हैं।

'स प्रथमः संकृर्तिविश्वकर्मा............

(तै.सं. 6/4/10/2)

या प्रथमा संस्कृतिर्यज्ञेऽस्मिन्।

मैत्रायणी संहिता। 1/3/12

संस्कृति के प्रथम आविष्कारक होने के कारण विश्वकर्मा 'संस्कृति' के नाम से भी विख्यात हैं। सामाजिक व्यवस्था को सुसंस्कृति बनाने के लिए विनिमयन एक अनिवार्य कार्य हैं जिससे राज्य नामक संस्था का प्रादुर्भाव संभाव्य हुआ। 'ऐतरेय ब्राह्मण' में भुवन-पुत्र विश्वकर्मा के राज्याभिषेक का एक रोचक कथानक आता है। विश्वकर्मा ने कश्यप नामक धर्मात्मा एवं योग्य पुरुष को राजा बनाने का निश्चय किया जिसका कश्यप सहित अन्य प्रजाजनों ने प्रतिरोध किया और विश्वकर्मा से अनुरोध किया कि जब तक राज्य व्यवस्था के सभी साधन न बनें, तब तक पृथ्वी को यथावत नहीं जीता जा सकता। अतः विश्वकर्मा से ही राज्य संचालन की प्रार्थना की गयी किन्तु विश्वकर्मा इस प्रस्ताव से असहमति जताते हुए कहते हैं कि **'मेरे**

द्वारा जनित ऐश्वर्य का भोग अन्य लोग करें, यही उनके जीवन का उद्देश्य है।' पुनः प्रजाजनों ने विनम्रतापूर्वक यह प्रार्थना की कि 'भगवन, इस समय यथार्थ में आप ही राजा बनने योग्य हैं और यदि आप ऐसा नहीं करते तो हम सारी प्रजा जल मग्न होते हैं। तब विश्वकर्मा ने जन कल्याण के लिए राजा बनना स्वीकार किया और कश्यप ने राजा के रूप में विश्वकर्मा का अभिषेक किया।

'एतेन ह वा ऐन्द्रेण महाभिषेकेण कश्यपो,

विश्वकर्माणं भौवनमभिषिषेच।

तस्मादु विश्वकर्मा भौवनः समस्तां पृथिवीं जयन्।।

तत्पश्चात् राज्य पदारूढ़ विश्वकर्मा ने सम्पूर्ण संसार को विजित किया।

इस प्रकार विश्वकर्मा **संस्कृति के प्रथम प्रवर्तक** के रूप में मानव समाज के निर्माता हैं और **राज्य प्रणाली के प्रथम संस्थापक** और **राजा** के रूप में समस्त पृथ्वी के विजेता हैं। इसलिए अभियान के प्रतीक चिन्ह में हमारा जयघोष है—**विश्वकर्मा विजयतेतराम्।**

ऋग्वैदिक काल से ही विश्वकर्मा शिल्प के अधिपति के रूप में स्तुत्य एवं समादृत हैं। ब्राह्मण ग्रंथी में विश्वकर्मा प्रजापति के रूप में निरुपित हैं। विश्वकर्मा ही संवत्सर है, कालचक्र है। इसलिए समय के प्रवाह के साथ जितने भी सृजनात्मक कार्य एवं शिल्प-रचनाएँ हुई वे इसी देव विश्वकर्मा की शक्ति से सम्भव हो सकी। यही कारण है कि **आज भी शिल्प, उद्योग, प्रविधि एवं कृषि व्यवसाय** में लगा हुआ प्रत्येक वर्ग अपने उत्कृष्ट कार्यों का श्रेय विश्वकर्मा देव को देता है और उसकी पूजा करता है।

आज भी विश्वकर्मा का देव तत्व, तमाम प्रयासों के पराभूत नहीं हो सका है। सामाजिक संरचना में 'शिल्प कर्म' का सम्मान नहीं है और में शिल्पी अनादर के पात्र बन गए हैं। चूँकि वर्तमान प्रजातांत्रिक व्यवस्था में उन्हीं की पूछ है जो संगठित हैं, एक स्थान पर केन्द्रित है और जो वोट की राजनीति में सत्ता का संतुलन बिगाड़ सकते हैं। इसलिए विश्वकर्मा के पाँचों वर्गों को एकीकृत कर सत्ता में भागीदारी के माध्यम से उन्हें पुनः उनका पुराना गौरव दिलाना अभियान का उद्देश्य है, जहाँ उन्हें राजत्व प्राप्त था।

आज विजयी वह वर्ग है जिसे राजत्व प्राप्त है और यह स्थिति तब तक सम्भव नहीं है जब तक हम अपने अहं, स्वार्थ, अविश्वास और मतभेदों पर

विजय नहीं प्राप्त कर लेते इसीलिए अभियान का जयघोष है–विश्वकर्मा विजयतेतराम्!

सृष्टि के प्रारम्भ से प्रत्येक युग में "श्री विश्वकर्मा" और कर्मबन्धन के मध्य एक वाद (मुकदमा) सदैव से विचाराधीन है जिसके विचारण और निर्णय हेतु ईश्वर आज तक सम्पूर्ण मनुष्य जाति पर ही निर्भर है। उक्त वाद के संदर्भ में ईश्वर मार्गदर्शक की भूमिका निभाने को बाध्य है क्योंकि अंततः मानव जाति को अन्तिम निर्णय (जजमेंट) करना है किन्तु निर्णय करने से पूर्व मानव जाति को तत्व से ईश्वर को जानना होगा।

स्वामी विवेकानन्द जी ने कहा है–"ईश्वर क्या है? जानना चाहते हो। ईश्वर वह है जो सबको उनके कर्मों की सजा देता है। ईश्वर एक है किन्तु उसके स्वरूप अनन्त हैं।

ईश्वर का एक स्वरूप श्री विश्वकर्मा जी के रूप में हम सभी को सृष्टिकर्ता का हेतु बनकर प्राप्त हुआ। "श्री विश्वकर्मा" यानि शास्त्र विहित कर्त्तव्य कर्मो, निस्स्वार्थ कर्मों से विश्वलोक (इहलोक) परलोक, देवलोक, इन्द्रलोक, त्रिलोक इत्यादि की रचना व सृजन करने वाले सृजनहार श्री विश्वकर्मा भगवान।

यह सम्पूर्ण विश्वकर्म भूमि है यहाँ किसी का भी कर्म व्यर्थ नहीं जाता है। सबके कर्मों के अनुसार ही फल प्राप्त होता है तभी तो श्री तुलसी दास जी कहते हैं।

कर्म प्रधान विस्व करि राखा।
जो जस करइ तो तस फल चाखा॥

(मानस अयोध्याकाण्ड 218-2)

साधारण व्यक्तियों का जीवन कर्मबन्धन के वशीभूत दुःख-सुख की थपेड़े खाते व्यतीत होता है। जबकि भगवान श्री विश्वकर्मा अथवा कारक पुरुषों का जन्म वासना के वेग से नहीं होता ईश्वरीय, प्राकृति, करुणा कृपा से होता है। परहित से भरे अंतःकरण से होता है।

कारक पुरुष श्री विश्वकर्मा का जन्म दिव्य है अर्थात् वे देह को "मैं" नहीं मानते, स्वयं को कर्मों का कर्ता-भोक्ता नहीं मानते, कर्म के फल की इच्छा भी नहीं रखते फलतः इनके कर्म भी दिव्यता, भव्यता और सार्वभौमिकता युक्त हो जाते हैं।

बन्धुओं, हमारे श्री विश्वकर्मा ममतामयी माँ के वात्सल्य की भांति हैं जैसे गौमाता अपने बछड़े को अपना दुग्धपान कराती है तो दुग्ध यहाँ वात्सल्य का प्रतीक हो जाता है ठीक वैसे ही सृष्टिकर्ता, शास्त्र विहित किये जाने योग्य कर्मों के जनक दिव्य विराट श्री विश्वकर्मा भगवान हमारे गुरु, जननी सदृश्य हैं जिनसे स्वास्थ्य, सुकर्म की प्रेरणा प्राप्त होती है।

मातृ तुल्य श्री विश्वकर्मा भगवान की रचित सृष्टि को हम मनुष्य जाति की अग्रिम पंक्ति में खड़े युवा लोग आज से अपने पवित्र संकल्पों, शुभ दिव्य कर्त्तव्य-कर्मों की महाशक्ति से सुसज्जित, सुसंगठित स्वरूप दें और श्री विश्वकर्मा भगवान और कर्मबन्धन रूपी पुष्प के मध्य विचाराधीन वाद (मुकदमें) को सदियों से अनुपस्थित रहने वाले कर्मबन्धन, ईश्वरीय, मानवीय न्यायालयों का सम्मान न करने वाले कर्मबन्धन, की आने की राह न देखनी चाहिए क्योंकि वह आज भी ईश्वरीय मानवीय न्यायालय में नहीं आयेगा वाद को एकपक्षीय सुनकर खारिज करने के आदेश पारित किये जायें सदियों से अनुपस्थित रहने वाला कर्मबन्धन अब कभी नहीं आयेगा।

उठो! शाबाश! वीर बन्धुओं उठो।

श्री विश्वकर्मा जी के तत्व दर्शन करो, आत्म साक्षात्कार करो श्री विश्वकर्मा भगवान धीरे-धीरे अपना विराट रूप सम्पूर्ण विश्व के समक्ष प्रकट कर रहे हैं। देखो! विश्व समाज भविष्य में विश्वकर्मा साम्राज्य का प्रभुत्व जमाने जा रहा है। हमें आज ही संकल्प लेना है कि हमारी वृत्तियां, प्रवृत्तियां, मनोवृत्तियां शुभकर्मों से ही प्रेरित होंगी। मस्तिष्क वही निर्णय लेगा जो मानव जाति के हित में होगा। आत्मा श्री विश्वकर्मा भगवान का साक्षात्कार करेगी। आंखें वात्सल्य रूप का दर्शन करेंगी। हाथ सृष्टि सृजन हेतु उठेंगे, मन विश्व कल्याण की कामना करेगा।

प्राचीन काल में भारत यज्ञीय देश कहलाता था। विश्वकर्मा द्वारा निर्मित चारों धामों, मंदिरों, शिवलिंगों, देवी-देवताओं की मूर्तियों की प्राणप्रतिका उल्लेख वेद, पुराण, उपनिषद, वैदिक ग्रंथों में है जिसकी परम्परा युगों-युगों से चली आ रही है। यज्ञ में जो आहूति दी जाती है उसे बादल बनता है। बादल से वर्षा, वर्षा से अन्न, अन्न से ही मानव को भोजन मिलता है। भारत में विशाल शिव मंदिर-निर्माण की प्रक्रिया चल रही है। लेखक द्वारा भारतवर्षीय सर्वेक्षण के अनुसार ऐसे पाँच लाख से अधिक मंदिर है जो आस्था विश्वास के केन्द्र हैं। जीव इस धरा धाम पर क्यों आया, क्या कर

रहा है। मानव जीवन बड़े भाग्य से मिला है, जो देवताओं को भी दुर्लभ है। यज्ञ न होने से ही जहाँ एक तरफ पर्यावरण प्रदूषण बढ़ रहा है, वहीं दूसरी तरफ प्राकृतिक संतुलन बिगड़ने से अकाल की स्थिति बनी हुई हैं।

भगवान विश्वकर्मा के प्रति आम लोगों का दृष्टिकोण व्यापक व उदार होना चाहिए। लोगों को अपने दिल-दिमाग से यह भावना निकाल देनी चाहिए कि भगवान विश्वकर्मा सिर्फ लोहारों, बढ़इयों के भगवान हैं।

परमात्मा के अनंत गुणों के कारण उसे अनंत नामों से जाना जाता है; जैसे–रोम-रोम में रमने के कारण 'राम', जरा यानी बुढ़ापा और मृत्यु से परे होने के कारण 'अजर-अमर', संपूर्ण संसार में व्याप्त होने के कारण 'सर्वव्यापी', जगत यानी संसार का नियामक होने के कारण 'जगन्नियता', तीनों लोकों का स्वामी होने के कारण 'त्रिलोकीनाथ' आदि। विश्व यानी संसार का कर्तार होने के कारण उसे 'विश्वकर्ता' और 'विश्वकर्मा' कहा गया है। इस प्रकार 'विश्वकर्मा' गुणानुरूप परमात्मा का नाम है। उस स्रष्टा के रचना-कौशल को जिन्होंने अपनाया और लोक-कल्याण के लिए सक्षम सिद्ध हुए है, वे अनुयायी विश्वकर्मा' कहलाए।

भगवान विश्वकर्मा किसी एक भू-भाग के नहीं बल्कि पूरे विश्व-पूरे ब्रह्माण्ड के स्रष्टा होने के कारण लोकपूज्य हैं। वे सबके स्वामी और सबके पालनकर्ता हैं। ऐसे विराट परमेश्वर की किसी जाति और संप्रदाय की सीमा में बाँधना अल्पज्ञता है। राम और कृष्ण ने भी यदि क्षत्रियों और यदुवंशियों के कल्याण के लिए ही जन्म लिया होता तो आज जन-जन की जिह्वा पर उनका नाम नहीं होता।

न भूमिर्न न चैत न तेजो न वायत:
न आकाशो चित च बुद्धयान घ्राण गोचरा:
न च ब्रह्मा न विष्णुश्च न च रूद्रश्च तारक:
एवं शून्य निरालम्ब स्वय विश्वकर्मण:।

शिल्प के अधिष्ठाता विश्वकर्मा ने शस्त्र एवं शास्त्र और तकनीकी विधाओं के नवीन अविष्कारों से सारे संसार को सुखी और समृद्ध बनाया। भाद्रमास की कन्या सक्रांन्ति के दिन विज्ञान के प्रथम (आदि शिल्प परवर्तक) आचार्य विश्वकर्मा की पूजा होती है। (अर्थात दिनांक 17 सितम्बर को प्रत्येक वर्ष में) विश्व के प्रत्येक कल-कारखाने के समस्त श्रमिक, शिल्पों तथा तकनीशियन अपने उपकरण, कार्य-स्थल को साफ स्वच्छ करके आदर भाव से भगवान विश्वकर्मा की पूजा-अर्चना में व्यस्त रहते हैं।

"विश्व सर्व क्रियामाणस्य स विश्वकर्मा"

अर्थात सृष्टि का सम्यक रूप से सृजन और कर्म जिसकी क्रिया है उसी का नाम भगवान विश्वकर्मा है। विश्वकर्मा ही सृष्टि के आदि शिल्प प्र्वतक है। जिसके श्रम से इस पृथ्वी और प्रकृति की रचना हो सकी है। भगवान विश्वकर्मा जी ने ही वेदमंत्रों के समाधिस्थ होकर ईश्वर के मान को समझा था। इसलिए उन्हें मंतदृष्टा भी कहते हैं। पौराणिक साक्ष्यों के आधार पर ब्रह्मा के मानस पुत्र अक्षि की वंश परपरा में विश्वकर्मा जी का जन्म हुआ था। विश्वकर्मा जी के पाँच पुत्र मनु, मय, त्वष्ठा, शिल्पी और देवज्ञ हुए। जो क्रमशः लोहकार, काष्टकार, ताम्रकार, शिल्पकार तथा स्वर्णकार हुए। भगवान विश्वकर्मा जी अर्थव्यवस्था के प्रवर्तक की दृष्टि से भारतीय समाज में व्यवस्था में विशिष्ट स्थान प्राप्त है। अपने आवास पर निर्माण कार्य करने वाला लौहकार, काष्टकार, ताम्रकार, शिल्पकार तथा स्वर्णकार आदि शिल्पी समाज किसी का नौकर नहीं, कोई पूंजीपति इसका मालिक नहीं, वह स्वस्थ समाज का अंग है एवं आज की श्रम शब्दावली में वह स्वयं का मालिक, स्वयं अपना सेवक है इस पद्धति में श्रमिक और नियोजक का कोई संघर्ष नहीं है।

शिल्पाचार्य के अनुसार निर्माण के तीन मौलिक तत्व होते हैं। निर्माता (निर्माण करने वाला) दूसरा साधन, जिससे निर्माण में यंत्र हो अर्थात मशीन तथा तीसरा तत्व है। विश्वकर्मा जी ने इन तीनों तत्वों को व्यक्ति-व्यक्ति में निहित कर दिया। अर्थात एक ही व्यक्ति अपने औजारों या मशीनों का स्वयं निर्माता हैं अतः इसके शोषण का भय निर्मूल हो जाता है। भगवान विश्वकर्मा जी ने अर्थव्यवस्था को स्पष्ट करने के लिए शिल्प-शास्त्र में परतंत्र स्वतंत्र और सर्वधर्म स्वतंत्र शब्दों न्यूनतम परतंत्र को ग्रह्या करे। संस्कृति के प्रथम आविष्कार का श्रेय भगवान विश्वकर्मा जी को ही जाता है। जिस समय आदि मानव सभ्यता से कोसो दूर था खाने के लिए कन्दमूल फल और पहनने के लिए पेड़ों की छालों और पत्तियों का प्रयोग करता था। लोग गुफाओं में और पेड़ों के नीचे जाड़ा, गर्मी और बरसात सभी मौसम झेल लेते थे। अर्थात इस समय की समुननत व्यवस्था का नामोनिशान तक नहीं था। समाज को इस उन्नतिशील व्यवस्था तक लाने का श्रेय विश्वकर्मा भगवान को ही जाता है।

शिल्प विज्ञान की रचना द्वारा विभिन्न स्वाद, व्यंजन, सुविधापूर्ण निवास स्थान एवं वस्त द्रुतगामी साधन, समाचार, दूरदर्शन इस सबमें विश्वकर्मा द्वारा

किया गया योगदान ही है। महाभारत काल के पूर्व ही टेलीविजन, वेतार का तार, राकेट आदि सभी बन चुके थे। महासागर के समय इन्द्रप्रस्थ के एक महल में एक कक्ष के बैठे धृतराष्ट्र को संजय द्वारा युद्धस्थल की सूक्ष्म घटनाओं, पाण्डवों-कौरवों और कृष्ण-अर्जुन वार्तालाप, चलने, फिरने, दौड़ने, गिरने, उड़ने इत्यादि की पूरी जानकारी देने का वर्णन यह बताता है कि ये घटनाएं टेलीविजन पर देखकर बतलायी जा रही थी पौराणिक आख्यानों के अनुसार विश्वकर्मा जी ने देवों के लिए अनेक भव्य नगरों का निर्माण करवाया। एवं उनमें विभिन्न कलात्मक कार्यों युक्त नमूने पेश किए। जैसे द्वारिकापुरी, लंका, गरूण भवन, शिवलोक, पार्वती मंडप, श्रीपुरस्वना, यज्ञशाला का निर्माण एवं कुबेर की अलकापुरी आदि कई भव्य भवनों का निर्माण हमें पुराणों के वर्णन से प्राप्त होते हैं। सभी देवताओं को आत्मरक्षार्थ विभिन्न आयुधो का निर्माण भी भगवान विश्वकर्मा जी ने किया था। ब्रह्मा को दण्डिका, विष्णु को चक्र, शिव को त्रिशूल और इन्द्र को वज्र, अग्नि को परशु, धर्मराज को दण्ड विश्वकर्मा जी ने ही दिये थे। विश्वकर्मा जी ने ही विमानों की रचना की थी। जिसमें वरूण, मयूर, पुष्पक, कांमग, शालकुम्भ, बेहायस, सोभायान आदि विमान प्रमुख है। भगवान विश्वकर्मा जी ने कुल 32 प्रकार के विमानों का निर्माण किया था।

सारांश

शिल्प विज्ञान की रचना द्वारा विभिन्न स्वाद व्यंजन, सुविधापूर्ण निवास स्थान एवं वस्त्र, द्रुतगामी साधन, समाचार, दूरदर्शन इन सब में भगवान विश्वकर्मा द्वारा किया गया योगदान ही है। महाभारत काल के पूर्व ही टेलीविजन, वेतार का तार, राकेट आदि सभी बन चुके थे।

2. विश्वकर्मा पूजा-जयन्ती

भगवान विश्वकर्मा पूजा एवं जयन्ती भारत में चार प्रमुख तिथियों को मनाई जाती हैं जो इस प्रकार हैं–

1. भाद्रपद शुक्ला प्रतिपदा

इस तिथि की महिमा का पूर्ण वर्णन महाभारत में विशेष रूप से मिलता है। इस दिन भगवान विश्वकर्मा की पूजा, अराधना बड़ी धूम-धाम से की जाती है रथ यात्राएं, हवन, यज्ञ, और सांस्कृतिक कार्यक्रमों का आयोजन किया जाता है। शिलांग और पूर्वी बंगाल में इस दिन को बहुत निष्ठापूर्वक मनाया जाता है। यह दिन पूजा दिवस है न कि जन्म दिवस।

2. 17 सितम्बर-कथा की संक्रान्ति को

पंजाब, बिहार, आसाम, पश्चिमी उत्तर प्रदेश, हरियाणा, दिल्ली मेघालय, नेपाल, लंदन आदि स्थानों में इस दिवस को श्रम दिवस के रूप में मनाया

जाता है। इस दिन भी रथ यात्राएँ, जलसे, समारोह, पूजा, हवन भगवान विश्वकर्मा जी की कथा का आयोजन किया जाता है। समरण रहे यह भी जयन्ती दिवस न होकर श्रम दिवस है। श्रम का महत्त्व इस दिन के माध्यम से उजागर किया जाता है।

3. कार्तिक शुक्ला प्रतिपदा

वास्तव में यह दिवस पंजाब, उत्तर प्रदेश, राजस्थान में महर्षि त्वष्टा विश्वकर्मा के सम्मान में मनाया जाता है। इस दिन विश्वकर्मा वंशी अपने औजारों की पूजा करते हैं। अतः यह भी पूजा दिवस ही है।

4. माघ शुक्ला त्रयोदशी

इस दिन राजस्थान, गुजरात तथा मध्य प्रदेश, दक्षिण भारत, उत्तर प्रदेश में बड़ी श्रद्धा विश्वास और निष्ठापूर्वक भगवान विश्वकर्मा के अवतरण एवं जन्मदिवस को मनाते हैं। हवन, कीर्तन, यज्ञ एवं शुद्ध सात्विक प्रसाद तथा भोज का आयोजन किया जाता है। इस दिन के महत्त्व का विस्तृत वर्णन वृद्ध वशिष्ठ पुराण में मिलता है।

भारत देश पर्वों का देश है। यहाँ विभिन्न धर्मों के नागरिक हर महीने कोई न कोई उत्सव मनाते रहते हैं। धार्मिक पर्वों के अलावा गणतंत्र दिवस, स्वतंत्रता दिवस, और गांधी जयन्ती यहाँ के राष्ट्रीय पर्व हैं। वहीं विश्वकर्मा पूजा एक अन्तर्राष्ट्रीय पर्व है जिसे भारत सहित विश्व के कई देशों में हर्षोल्लास के साथ मनाया जाता है। विश्वकर्मा पूजा एक ऐसी पूजा है जिसमें सभी धर्मों के इंसानी प्रेम का अनूठा रूप देखने को मिलता है।

यह सच है कि भगवान विश्वकर्मा ने जब धरती, आकाश आदि की रचना की और उसके बाद इन्सानी सृष्टि की शुरूआत की तब यहाँ न कोई जाति थी न कोई धर्म। सबका एक ही धर्म था–इन्सानी प्रेम। लेकिन संसार का विस्तार होने के साथ ही जातियों और धर्मों का महाजाल फैलता गया और इन्सानी प्रेम, जाति–मजहब की संकीर्णताओं में बँटता गया किन्तु विश्वकर्मा पूजा आज भी प्रतिवर्ष इस संकीर्णता से बाहर निकलने का संदेश देती है।

भगवान विश्वकर्मा ने संसार के सभी प्राणियों को अपनी शिल्पकला से सुखमय बनाया है चाहे वह हिन्दू, मुस्लिम, सिक्ख अथवा ईसाई हों। संसार को बनाने वाला भगवान भला अपनी ही बनाई हुई सृष्टि के साथ अन्याय करेगा? गरीबों–अमीरों और सुख–दुख तो अपनी ही कर्म–कमाई का फल है।

इसमें ईश्वर क्या करे जो जैसा बीज बोयेगा, उसको वैसा ही फल मिलेगा। उस परमपिता ने संसार को कर्म का संदेश दिया और जिसके बल पर संसार में नित्य नये-नये अजूबे देखने को मिल रहे हैं। इसके विपरीत भाग्य के भरोसे बैठने वाले अपनी स्वर्णिम कल की मिट्टी-पलीद कर रहे हैं।

इतिहास इस बात का साक्षी है कि आदि मानव निरा जंगली था। वृक्षों के नीचे नग्नावस्था में रहने वाले पशुओं के कच्चे मांस से पेट भरने वाले से लेकर आज के सभ्य और सुसंस्कृत कहे जाने वाले मानव की काया पलट भगवान विश्वकर्मा की देन है।

भगवान विश्वकर्मा के सम्बन्ध में विद्वानों के दो मत प्रचलित है– (1) भगवान विश्वकर्मा का विराट रूप, जिसने अखिल ब्राह्मण्ड की रचना की और (2) भगवान विश्वकर्मा का अवतारी रूप, जिसने अपनी शिल्पकला से सार को सुखमय बनाया।

श्रीमद्‌भागवत (स्कन्ध-6, अध्याय-6) के अनुसार भगवान विश्वकर्मा के पिता प्रभास तथा माता आंगिरसी थी। बाबा धर्म ऋषि तथा दासी वसु थीं। विद्वानों का यह भी मत है कि भगवान विश्वकर्मा की माता का वास्तविक नाम भुवना था किन्तु अंगिरा कुल में जन्म लेने के कारण उनका आंगिरसी नाम भी प्रसिद्ध है। इस प्रकार विश्वकर्मा जी ने नाना महर्षि अंगिरा तथा मामा देवगुरू बृहस्पति थे। श्रीमद्‌भागवत (स्कन्ध-6, अध्याय-6) के ही अनुसार शिल्पकलाधिपति विश्वकर्मा का विवाह कृती के साथ हुआ जिनसे चाक्षुष मनु (चौदह मनुओं में से एक) का जन्म हुआ। विश्वकर्मा जी की संज्ञा नाम वाली पुत्री भगवान सूर्य को विवाही थी जिनसे वैवस्वत मनु (चौदह मनुओं में से एक) यमराज, यमुना, और दोनों अश्वनी कुमारों का जन्म हुआ। विश्वकर्मा महापुराण के अनुसार भगवान विश्वकर्मा की दो अन्य पुत्रियां रिद्धि और सिद्धि भगवान गणेश को विवाही थीं। जिसे क्षेम और लाभ नाम के दो पुत्रों का जन्म हुआ।

सभी शिल्पकलाओं में निपुण भगवान विश्वकर्मा के पंचपुत्रों के वंशज आज भी सारे संसार में फैले हुए हैं और भारतवर्ष में विश्वकर्मा, पंचाल, जांगिड़, धीमम् आदि विभिन्न उपाधियों से जाने जाते हैं।

17 सितम्बर पर्व प्रत्येक घर में धूमधाम से मनाया जाए तथा भगवान विश्वकर्मा के आदर्शों पर चलकर एक महान सृष्टि रूपी समाज का निर्माण हो ऐसा संकल्प लें तभी एक महान राष्ट्र का सपना साकार होगा।

विश्व की प्राचीनतम संस्कृति का यह देश सदा से ही ऋषियों और दार्शनिकों का देश रहा है। "सर्वे भवन्तु सुखिनः, सर्वे सन्तु निरामयाः अर्थात् सब सुखी रहें और सभी कष्टों और रोगों से दूर रहें।

यह सर्व हितकारी संदेश यहीं से विश्व को प्राप्त हुआ। "बहुजन हिताय, बहुजन सुखाय" की उदात्त भावना से उद्‌भूत त्याग, प्रेम और परोपकार ही हमारे जीवन मूल्यों का सार और हमारी संस्कृति का केन्द्र-बिन्दु रहा है। उदार-चेता और युग दृष्टा ऋषियों और संतों की यह परम्परा आज तक यहाँ अनवरत रूप से चली आ रही है।

देवोपासना, देवपूजन अर्थात देवता को अपने सान्निध्य में विराजमान कर उसे देखने-जानने की सरल एवं सहज पद्धति ही उपासना है। देवपूजा एक नैत्यक कर्मनिष्ठा है और प्रत्येक प्राणी को विधिपूर्वक यह संस्कार करना चाहिए। परन्तु आज के आणविक और वैज्ञानिक युग में शास्त्रोक्त पूजन कैसे करें इसे ठीक से विधि-विधान से कैसे करना चाहिए उसका ज्ञान लोगों को बहुत कम है। विधि-विधान मालूम न होने से मन शंकित रहता है और पूजन मनोयोग से नहीं हो पाता। परम्परा निर्वहन में शंकालु मानव जो भी पूजन करता है उसमें उसका मन भ्रमित रहता है तथा उक्त पूजन कार्य स्वार्थ तथा सकाम की कोटि में आ जाता है।

इस पूजन पद्धति तथा लोक परलोक की पुनीत भावना को ध्यान में रखते हुए कि देव पूजा वैज्ञानिक विधि से कैसे की जाए, जिससे लोगों में पूजन कार्य में रूचि, लगन, प्रेम व अनुराग बढ़े तथा इस कार्य में किस बात पर ध्यान दें क्या न करें-इन सबको यहाँ सरल भाषा में स्पष्ट करने का प्रयास किया गया है। आशा है कि उपासनानिष्ठ व्यक्ति मेरे विचारों से सहमत हो शास्त्रोक्त पूजा द्वारा अपना मानसिक एवं आत्मिक समाधान प्राप्त कर सकेंगे।

आज के इस त्वरित परिवर्तनीय युग में अधिकतर लोगों को शास्त्रोक्त पूजा कैसे सम्पन्न करें इसका पूर्ण ज्ञान नहीं है। किसी प्रकार विग्रह पर जल चढ़ाकर, सुवास लगाकर, फल चढ़ाकर आरती कर लेते हैं और थोड़ा-सा भोग चढ़ा देते हैं और यही सब पूजा का समापन मान लेते हैं। आज लोगों के पास समय का नितान्त अभाव है कि वे कुछ क्षण अपने आराध्य के सान्निध्य का लाभ उठाकर चिन्तन एवं मनन करें तथा मंत्र आदि का जाप, स्रोत-पाठ अथवा होम-यज्ञ करें और अंततः भगवान विश्वकर्मा को "त्वदीयं वस्तु गोविंद तुम्यमेव समर्पये" के उदात्त चिंतन से अपने को मुक्त मानें।

वस्तुतः आज की व्यस्तता ने मनुष्य को इतना विवश कर दिया है कि वह मूर्ति पूजा के प्रति एक उपहासात्मक दृष्टिकोण ही रखता है तथा पूजन-क्रिया विडम्बना मात्र ही हो गयी है। भगवान का भोग लगाने में भी कृपणता ही आड़े हाथों आती है। परन्तु यदि भक्त मूर्ति को ईश्वर मानकर चैतन्य रूप में देखे तो ऐसा कदापि नहीं होगा।

अध्यात्म की प्राप्ति भगवान को इष्ट मानकर की जाती है। सच्चे अर्थों में यदि सोचा जाए तो भगवान शब्द का मूल अर्थ है आदर्शों का समुच्चय अर्थात उदारता, व्यापकता सुव्यवस्था, शालीनता, श्रमशीलता, ममता, समता, करूणा, दया, क्षमा, वात्सल्य। ये ही दैवी गुण प्राप्त कर आत्मा-परमात्मा का मिलन सुखद और सात्विक होता है। अध्यात्मिक विधान ही गोचर होता है अगोचर शक्तियों को आकर्षित करने और अपने प्रयोजन में नियोजित करने की अनूठी सामर्थ्य रखता है। अध्यात्मिक दृष्टि मिलते ही मानव जीवन धन्य हो जाता है

पूजा के समय या चिंतन क्षणों में चित्र, मूर्ति या यंत्र को जड़ न समझ कर यह विचार करें कि "भगवान हैं।" यदि भगवान को चेतन मानते हैं तो निस्संदेह व्यवहार में भी अपनत्व की भावना स्वतः आ जाती है। भक्त के अन्दर जड़ता की धारणा यदि समाप्त नहीं होती और विश्वकर्मा भगवान को मात्र मूर्ति ही मानते हैं तो चाहे पंचोपचार से या षोडशोपचार विधि पूजन करें तो भी कोई अन्तर नहीं पड़ता। इससे भक्त अपने को तो ठगता ही है और विश्वकर्मा भगवान का भी अनादर करता है। अतः विश्वकर्मा भगवान की मूर्ति को जड़ रूप में न देखकर चैतन्य रूप में भगवान समझकर ही पूजन करें तभी पूजा सफल होगी।

यह दुर्भाग्य ही है कि आज जो लोग देव पूजा करते हैं उन्हें उसका मूल आशय भी ज्ञात नहीं है। देवपूजा मात्र मूर्ति पूजा नहीं है। मूर्ति तो एक प्रतीक मात्र ही है। मूर्ति के माध्यम से हमें उस मूर्ति परे, देवता-ईश्वर इस असार संसार के नियन्ता पर शोध कार्य करना चाहिए। सिर्फ शोध ही नहीं परन्तु उसकी अनुभूति भी करें तथा इसी प्रकार मूर्ति के माध्यम से सगुण से निर्गुण की ओर जाने का मार्ग बनायें। निष्कर्ष यह है कि समस्त कार्य शास्त्रोक्त प्रमाणिक पद्वति से ही करें। हमारे त्रिकालदर्शी ऋषि, मुनि, संत महात्माओं ने जो नियम पूजन विधि के लिए बनाये हैं उसी को नियमपूर्वक पालन करके ही पूजन करें—परमानन्द शान्ति और सुख प्राप्त होता है।

शास्त्रोक्त देव पूजा करें–पूजन करते समय किन बातों का ध्यान रखें, किन बातों को न करें और देव पूजा एक यांत्रिक पद्धति की ही तरह न करके उसमें तन्मय होकर ही अपने को देवता से जोड़ें तथा जो ब्रह्माण्ड में है वहीं अपनी पिण्डों में हैं इसका आभास करें।

परमात्मा के अनंत गुणों के कारण उसे अनंत नामों से जाना जाता है; जैसे–रोम-रोम में रमने के कारण 'राम', जरा (बुढ़ापा) और मृत्यु से परे होने के कारण 'अजर-अमर' संपूर्ण संसार में व्याप्त होने के कारण 'सर्वव्यापी' जगत (संसार) का नियामक होने के कारण जगन्नियंता' तीनों लोकों का स्वामी होने के कारण 'त्रिलोकी नाथ' आदि। विश्व संसार का कर्तार होने के कारण उसे विश्वकर्ता' और विश्वकर्मा' कहा गया है। इस प्रकार 'विश्वकर्मा गुणानुरूप परमात्मा का नाम है। उस स्रष्टा के रचना कौशल को जिन्होंने अपनाया और लोक-कल्याण के लिए सक्षम सिद्ध हुए, वे अनुयायी विश्वकर्मा कहलाए। भगवान विश्वकर्मा किसी एक भू-भाग के नहीं बल्कि पूरे विश्व पूरे विश्व ब्रह्माण्ड के स्रष्टा होने के कारण लोक पूज्य हैं। वे सबके स्वामी और सबके पालनकर्ता हैं। ऐसे विराट परमेश्वर को किसी जाति और संप्रदाय की सीमा में बाँधना अल्पज्ञता है। राम और कृष्ण ने भी यदि क्षत्रियों और यदुवंशियों के कल्याण के लिए ही जन्म लिया होता तो आज जन-जन की जिहवा पर उनका नाम नहीं होता।

देवी-देवताओं में आस्था रखने वाले प्रत्येक प्राणी को मनचाहे ईष्ट की उपासना आराधना व साधना की छूट है। धन के इच्छुक लक्ष्मी जी की; विद्या व संगीतप्रेमी सरस्वती जी की तो शिल्पकला, तकनीकी व विज्ञान के साधक प्रभु विश्वकर्मा की पूजा करते हैं। यह स्वाभाविक भी है। हम नीरोगता के लिए डॉ. के पास जाते हैं; शिक्षा ग्रहण करने के लिए शिक्षक के पास जाते हैं और कानूनी सलाह के लिए वकील के पास जाते हैं, जो जिसका मालिक है, वही उसका सही निदान कर सकता है।

अलग-अलग मान्यताओं को लेकर पूरे भारत में 'विश्वकर्मा पूजोत्सव वर्ष में तीन बार देखने को मिलता है–

1. माघ सुदौ तेरस–विश्वकर्मा जयंती के रूप में,
2. कन्या संक्रांति–विश्वकर्मा पूजा के रूप में,
3. अग्नकूट–विश्वकर्मा दिवस के रूप में।

विश्व के इतिहास में ऐसा अद्वितीय उदाहरण शायद ही हो कि कोई उत्सव सार्वजनिक रूप से वर्ष में तीन बार मनाया जाता हो–

भगवान विश्वकर्मा की महिमा अपरंपार है प्रभु विश्वकर्मा की कला सृष्टि के कण-कण में व्याप्त है। कोई भी द्रष्टा उस स्रष्टा की कला को अनदेखा कैसे कर सकता है। उसकी अनोखी दुनिया को देखकर मन बार-बार उस पर न्योछावर होना चाहता है और सृष्टिकर्ता के हाथों को चूम लेना चाहता है।

हमारा सम्पूर्ण दृष्टिकोण समाजोत्थान के लिए सक्रिय है।

1. आर्थिक, 2. शैक्षिक, 3. मानसिक और 4. सामाजिक क्षेत्रों में विश्वकर्मा समुदाय कैसे समर्थ बने यह ध्यान रखते हुए योजनाएं चलायी जाए और जो भी कार्यक्रम सोचें-विचारें उनके अन्तर्गत यह भावना भी अवश्य रहे कि हम अपने उपर्युक्त चार लक्ष्यों में किस की पूर्ति हेतु कार्य कर रहे हैं।

विश्वकर्मा पूजा का असली ध्येय तो यही है कि जिस आदि शिल्पाचार्य ने विश्व में तकनीकी ज्ञान की प्रयोगात्मक शिक्षा दी उसके प्रति कृतज्ञता प्रकट की जाय, उसके महत्व को जन-जन तक फैलाया जाय। इस प्रकार के प्रचार-प्रसार से लोग विश्वकर्मा की महत्ता को समझेंगे एवं भारतीय संस्कृति वैदिक कालीन वैभव की जानकारी प्राप्त कर हम अपने पूर्वजों पर गर्व कर सकेंगे।

ईश्वर या उनके अवतार को किसी जाति में बाँधना मूढ़ता होगी। भगवान तो मानव मात्र का ही होता है सीमाओं में बँधा हुआ ईश्वर-ईश्वर नहीं हो सकता।

इस दृष्टिकोण से विश्वकर्मा भगवान सभ्यता सुविधा एवं वैज्ञानिक ज्ञान के एकमात्र प्रथम ऋषि हुए हैं उनकी शिल्प कला को जिसने सीखा वहीं विश्वकर्मा का शिष्य बन गया। उन्हीं शिष्यों को पुत्रवत स्नेह मिला एवं मूखो जात ज्ञानज या मानस पुत्र कहा गया और उन्हीं की वंश परम्परा में विश्वकर्मा समुदाय का आविर्भाव हुआ। इस प्रकार विश्वकर्मा कोई जाति नहीं है। विश्वकल्याणकारी परम पिता विश्वकर्मा भगवान के अनुगामी है विश्वकर्मा लोग। यह भावना सभी के हृदय में ठीक-ठीक बिठायी जा सके तो कहना होगा कि विश्वकर्मा समस्त विश्व का परम उपकारी एवं उपयोगी तकनीकी समाज है। जो भी वैज्ञानिक शोध करते हैं ये विश्वकर्मा हैं जो

इंजीनियरिंग का कार्य करते हैं वे विश्वकर्मा है जो सभ्यता के सम्बर्द्धन में मानवोचित योगदान करते हैं, वे विश्वकर्मा हैं। कहने का तात्पर्य यह है कि विश्वकर्मा से रहित होकर कोई समाज न तो जी सकता है और न प्रगति ही कर सकता है यह तो ईश्वरीय व्यवस्था का महत्वपूर्ण अंग हो गया। उसकी पूजा आराधना का तात्पर्य इतना ही नहीं है कि कुछ अगरबत्ती, दीप, हवन आदि कर दिया जाय तो पूजा हो गई, स्तुति गान कर लेने से काम चल जायेगा। पूजा का तात्पर्य होता है सत्कार करना, 'पूजा नाम सत्कार।'' सत्कार कहते हैं जो वस्तु जिस महत्वपूर्ण स्तर पर उपयोग करने योग्य है, वह व्यवहार अपनाया जाय।

जिससे रोटी, कपड़ा, मकान, चिकित्सा, मनोरंजन आदि के सभी आयाम पूर्ण होते हैं उस कार्य को सर्वोपरि सम्मान मिलना चाहिए। उसके कर्ताओं को भी परिपूर्ण सम्मान मिलना चाहिए। यहाँ हम यह नहीं कहते हैं कि किसी जाति विशेष को सम्मानित किया जाय, परन्तु सबके दिल में इस राष्ट्रीय विकास के मूल तत्व के प्रति न्यायोचित दृष्टिकोण न होने से राष्ट्रीय प्रगति में बाधा पहुँचेगी।

कहना न होगा कि भारत देश का स्वर्णिम काल विश्व में सर्वोपरि सम्माननीय संस्कृति का काल तब तक बना रहा जब तक विश्वकर्मा समाज को उसका उचित सम्मान व संबर्द्धन में राजकीय योगदान बराबर मिलता रहा।

जापान, जर्मनी, इंग्लैण्ड, अमरीका, रूस, चीन आदि जो भी देश प्रगति करते नजर आ रहे हैं वे वास्वत में शिल्प कर्म के प्रति सही दृष्टिकोण रखने का सत्वपरिणाम है।

आज विश्वकर्मा लोग ही अपने बच्चों को शिल्पकला नहीं सिखाना चाहते हैं। यह दृष्टिकोण इस कारण बना कि शायद कारीगर को समाज में सम्मान नहीं मिलता। हाथ काले हो जाते हैं और कोई कद्र नहीं रह जाती परंतु वास्तविकता यही है कि इस बेरोजगारी के युग में कितने क्लर्क, मास्टर, डॉक्टर, जज, वकील बन पायेंगे? जैसे रोटी दाल के साथ फल, दूध, पकवान सब शोभायमान है। बिना रोटी खाये किसी का गुजारा नहीं, उसी प्रकार तकनीकी कर्म किसी राष्ट्र का मूल कर्म होता है। उसी के सहारे छोटे बड़े सभी लोग जीविका चलाते हैं–जैसे प्रजातन्त्र में प्रजा के लिए राजा। राजा ही बुरा हो तो राज्य कभी नहीं चल सकता। उसी प्रकार विश्वकर्मा के कर्न से समाज का पालन पोषण होता है कृषि कार्य के लिए

समस्त अनुदान यन्त्र किसके हैं? विश्वकर्मा के। डॉक्टर, इंजीनियर के यन्त्र जीवनोपयोगी समस्त साजो-समान किसका है? विश्वकर्मा की देन है। कहना न होगा कि यह तो सबसे ज्यादा बेरोजगारी की समस्या का समाधान करने वाला क्षेत्र है। सबको कार्य दे सकने की क्षमता वाला क्षेत्र विश्वकर्मा का तकनीकी कार्य ही है। चाहे राष्ट्र की बात हो या ज़ाति की बात, गरीब अमीर सबको भरण-पोषण में माँ का जैसा प्यार देने वाली विंधा को छोड़ना या ठुकराना महामूर्खता होगी। यही है विश्वकर्मा पूजा का वास्तविक स्वरूप और उसका सर्वतोभावेन ग्रहण करने योग्य मंगलमय दर्शन।

3. विश्वकर्मा वंशजों का पतन, कारण और निवारण

शास्त्रों और पुराणों में विश्वकर्मा की महत्ता को सर्वोच्च स्थान प्राप्त है। उनके द्वारा अद्‌भुत अस्त्र-शस्त्रों, भवनों एवं नगरों के निर्माण का बहुतायत से वर्णन मिलता है। वे समाज के पूज्य अंग माने जाते थे, परन्तु समय का चक्र घूमा ऐतिहासिक साक्ष्यों से पता चलता है कि विश्वकर्मा वंशजों ने अपने कौशल को लेकर काफी दम्भ और मद का आर्विभाव हुआ। जिससे वे समाज से दूर होने लगे और समाज ने भी उन्हें अलग-थलग छोड़कर अपने विकास हेतु शिक्षा की ओर ध्यान दिया और प्रगति के पथ पर आगे बढ़ गये। कालान्तर में विश्वकर्मा समाज शिक्षा से वंचित रह गया और अपने पेट-पालन हेतु अपनी कलाओं को बेचने के लिए लाचार हो गया। समाज के लोगों ने इसका भरपूर लाभ उठाया और मुट्‌ठी भर अन्न के बदले इनसे अपने कार्य कराने लगे। इस प्रकार विश्वकर्मा वंशजों में हीन भावना आई और समाज में दास की भांति पराधीनता की बेड़ी में कसते गये। इन्हें जो कुछ विरासत में कला-कौशल प्राप्त हुआ था उसमें प्रगति नहीं कर सके, और उसे आधा-अधूरा सीखकर अपने परिवार का भरण-पोषण करने लगे। और यही अपनी नियति एवं धर्म समझने लगे। यह परम्परा सैकड़ों वर्ष तक चलती रही।

इस दासंता भरी जिन्दगी से ऊब कर कुछ लोगों ने अपने संतानों को शिक्षित करने और अन्य व्यवसायों में अपने को लगाने का निर्णय लिया, लेकिन उस समय यह निर्णय बड़ा कठिन था। एक ओर रोजी-रोटी की समस्या थी, तो दूसरी ओर शिक्षा ग्रहण करने हेतु समय एवं अर्थव्यवस्था करना, लोहे के चने चबाने के समान था। कुछ साहसी एवं दृढ़ इच्छा शक्ति वाले व्यक्तियों ने शिक्षा ग्रहण कर समाज में अपना स्थान बनाया और

स्वाभिमान की रक्षा की। कुछ समय पश्चात् अन्य लोगों ने भी अपने व्यवसाय में परिवर्तन करके इस दासता भरी जिन्दगी से अपने को मुक्त किया। लेकिन इन वंशजों के अधिकांश परिवार उसी परम्परा में रोजी-रोटी कमाते रहे। कृषकों के हल बनाना, उसे गृहस्थी के आवश्यक वस्तुओं की मरम्मत एवं निर्माण में लगे रहे और इसके बदले अपर्याप्त अपने भरण-पोषण हेतु अन्न प्राप्त करते रहे। इस समुदाय के पास खेती बारी करने, अथवा शिक्षा ग्रहण करने के लिए न समय था न वित्त व्यवस्था, परिणाम स्वरूप इन्हें प्रजा की संज्ञा मिली और समाज के लोग इनसे दलितों की भाँति व्यवहार करने लगे। गुलामों की तरह जीने को मजबूर कर दिया गया।

समय अबाधि गति व्यतीत होता रहा फिर और कुछ लोगों ने अपने व्यवसाय में परिवर्तन करके इस दासता सें मुक्ति तो पायी परन्तु कुछ लोग शराब, अफीम आदि नशों के आदी बन गयें जिनसे उनकी प्रगति रूक गयी। आज विश्वकर्मा समुदाय में लगभग 60 प्रतिशत अपने व्यवसाय में परिवर्तन कर एवं शिक्षा ग्रहण करके सम्मान की जिन्दगी जीना सीख पाये हैं। अभी भी 30-40 प्रतिशत परिवार उसी परम्परा में बंधे हुए हैं जिसके कारण इस समुदाय को समाज में वह स्थान एवं सम्मान नहीं प्राप्त हो सका है जो उनका मौलिक अधिकार है।

अतः विश्वकर्मा बन्धुओं से अनुरोध है कि यदि वे अपने पैतृक कला-कौशल द्वारा अपनी जीविका कमाना चाहते हैं तो उन्हें चाहिए कि वे अपना स्वतंत्र व्यवसाय करके अपनी रोजी-रोटी अर्जित करें, मन से दासता की हीन भावना को त्याग दें, और समाज में अपने व्यक्तित्व का परिचय दें। शिक्षा की ओर ध्यान देकर अपने संतानों को उच्च शिक्षा दिलाकर समाज में अपना स्थान बनाएं।

विश्वकर्मा समाज के कुछ लोग काफी सम्पन्न भी हैं, और उन्हें व्यक्तिगतरूप से सम्मान भी प्राप्त हैं परन्तु सामूहिक रूप से उन्हें भी समाज में प्रजा की दृष्टि से ही देखा जाता है। इसे दूर करने में उन सम्पन्न परिवारों की भी एक अहं भूमिका होनी चाहिए। वे अपने समुदाय के उन्नति हेतु विद्यालयों में धन लगा अपने समाज को शिक्षित करने में योगदान कर सकते हैं। और यदि सभी ओर से अपने समुदाय की प्रगति के लिए चेष्टा की गयी तो वह दिन दूर नहीं है, जब विश्वकर्मा समुदाय को समाज में सम्मान प्राप्त हो सकेगा। इति शुभम्।

वर्तमान सामाजिक परिवेश अतयन्त ही विषाक्त हो गयी है। लोगों को एक-दूसरे पर विश्वास नहीं रह गया है। लोग सामाजिक हित को दरकिनार कर स्वहित को प्राथमिकता देने लगे हैं। सारे संबंध व्यवसायिक हो गये हैं। इन्हें भी लाभ-हानि की सीमा में रखकर महत्व एवं उपेक्षा की दृष्टि से देखा जा रहा है। ऐसी स्थिति में भावी पीढ़ी का भविष्य अन्धकारमय प्रतीत होता है। जिस समाज का भविष्य अन्धकारमय है, उससे राष्ट्रीय चेतना की उपेक्षा करना व्यर्थ है। प्रबुद्धजनों को चाहिए कि वे जनसामान्य में नयी चेतना जागृत करने के लिए नया जागरण अभियान चलाए, जिससे समाज एवं राष्ट्र का कल्याण हो सके। सामाजिक सुधार के लिए आवश्यक है कि समाज के जागरूक नागरिक स्वयंसेवी संगठन बनाकर पहले स्वयं को संस्कारिक बनाए इसके बाद अपने आस-पास के लोगों को संस्कारिक बनाने की प्रेरणा प्रदान करें, तभी समाज एवं राष्ट्र के प्रति लोगों में सच्चे मन से निष्ठा पैदा हो सकती है।

संकीर्ण स्वार्थपरता एवं पाश्चात्य संस्कृति का प्रभाव हमारे सामाजिक एवं राष्ट्रीय परिवेश को विद्रूप कर दिये हैं। लोगों की संवेदना कुंठित हो चली है। पूर्व में जिस आत्मीयता के साथ लोग एक-दूसरे के साथ मिलते थे, अब वैसी स्थिति नहीं रह गयी है। जहाँ पूरा समाज एक साथ मिल-बैठकर एक-दूसरे की समस्याओं को हल करता था, वहाँ समाज क्या परिवार के लोग भी एक साथ मिल-बैठकर अपनी समस्याओं को हल करने की स्थिति में नहीं रह गये हैं। यह स्थिति बुद्धिजीवियों के समाज से कटा-कटा-सा रहने के कारण उत्पन्न हुई है। इन्हें चाहिए कि समाज से स्वयं तो जुड़े ही और जनसामान्य को जोड़कर उनमें स्वस्थ चेतना जगाने का काम करें। समाज व्यक्ति से ऊपर है और राष्ट्र समाज से ऊपर। व्यक्ति में राष्ट्रीय चेतना के लिए सामाजिक चेतना का होना आवश्यक है। स्वस्थ समाज एवं राष्ट्र से ही स्वस्थ व्यक्ति का निर्माण किया जा सकता है।

वैदिक, पौराणिक तथा पाश्चात्य दर्शन के अनुसार व्यक्ति के समग्र विकास के लिए स्वस्थ समाज का होना निरन्तर आवश्यक है। जिस राष्ट्र का व्यक्ति एवं समाज शारीरिक तथा मानसिक दोनों दृष्टि से स्वस्थ होगा, वह राष्ट्र शक्ति सम्पन्न एक समृद्धशाली देश के रूप में जाना-पहचाना जायेगा इसलिए आवश्यक है कि हम पहले अपने अन्दर की चेतना को तो जगाये ही, साथ ही समाज की चेतना को भी। इन दोनों चेतना के जागृत हो जाने से राष्ट्रीय चेतना स्वतः जागृत हो उठेगी।

राष्ट्र सर्वोपरि है। राष्ट्र ही नहीं रहेगा तो व्यक्ति कहाँ रहेगा? इसलिए अति-आवश्यक है कि राष्ट्रहित को प्राथमिकता देते हुए हम अपने तथा अपने समाज के कल्याण के लिए सकारात्मक भूमिका निभाएं। जो आगे चलकर निवारण का मार्ग प्रशस्त करेगा।

इतिहास में गौरवपूर्ण स्थान रखने वाला विश्वकर्मा समाज आज के परिप्रेक्ष्य में कहाँ है? क्या है? इससे कोई अनभिज्ञ नहीं है। इसे मेहनती बुद्धिजीवी तथा असामाजिक गतिविधियों से दूर रहने वाले समाज की ऐसी दशा क्यों हुई? यह एक हृदय को झकझोरने वाला चिन्तनीय प्रश्न है। समाज को गतिशील एवं उसकी चहुमुखी प्रगति हेतु देश भर में अधिकांश संगठन बने हैं तथा बिगड़े हैं। इसका कारण भी तुच्छ मानसिकता, स्वार्थपरता, विश्वास की कमी तथा सहयोग एवं समीक्षा का अभाव ही रहा। प्रायः विश्वकर्मा समाज के बहुमुखी विकास पर वर्ष में एक दो बार सम्मेलन होते रहे हैं जिनमें समाज के तथाकथित कर्णधार भाषणों के माध्यम से विश्वकर्मा समाज के लिए जमीन आसमान एक कर देते हैं लेकिन सम्मेलन के उपरान्त उनकी गतिविधियाँ प्रायः शून्यता के आगोश में समा जाती है। वास्तव में हमारे पिछड़ेपन का मुख्य कारण सबल संगठन का अभाव सहयोग की कमी तथा कागजी संगठन ही है। हमारे समाज में प्रायः जब बैठकें होती हैं तो उनमें आम सुधार की बात श्री विश्वकर्मा मन्दिर अथवा धर्मशाला के निर्माण तक सीमित रह जाती है। जबकि हमें मन्दिरों तथा धर्मशालाओं के नव निर्माणों से ध्यान हटाकर प्राचीन जर्जर भवनों की मरम्मत कराने के साथ ही साथ गरीब विद्यार्थियों के कोचिंग क्लास का प्रबन्ध एवं उनकी शिक्षा सम्बन्धी आवश्यकताओं को पूरा करने का प्रयास करना है। विश्वकर्मा समाज से एकल धन से शिक्षण संस्थाएं स्थापित करनी हैं। श्री विश्वकर्मा जी के नाम पर मेडिकल कॉलेज, इंजीनियरिंग कॉलेज खुलवाने चाहिए जिनमें विश्वकर्मा समाज के मेधावी छात्र शिक्षा ग्रहण कर समाज को गौरवशाली स्थान दिलायें। यह कटु सत्य है कि सबल संगठन तथा शिक्षा पर ही किसी भी समाज के विकास का आधार बिन्दु है।

आज की जातिवादी व्यार में हर एक समाज वह रहा है अधिकांश राजनेताओं अधिकारियों एवं कर्मचारियों में अपनों के लिए एक दर्द है। उत्तर प्रदेश में ही नहीं अपितु जातिवादी व्यवस्था से भारतवर्ष के साथ ही साथ अन्तर्राष्ट्रीय जगत प्रभावित हो रहा है। लेकिन बड़ा ही दुखद पहलू है कि

अपने अधिकांश विश्वकर्मा बन्धु अपनों की यथोचित सहायता से भी किनारा करते हैं तथा अपने को अनेक उपनामों के लिवादें में लपेटकर जाति भी छिपाने का भरसक प्रयास करते हैं। अपनो के प्रति जवाबदेही यादव समाज मुस्लिम जाट, गुर्जर पाल समाज से सीखी जा सकती है। दशकों से फैली वर्गवाद, उपजातिवाद की खाई से हमें काफी धक्का लग चुका है। यदि हमने समय की नजाकतता को पहचानने में देरी की तो हमारे समाज का स्वरूप कैसा बनेगा? यह एक चिन्तनशील पहलू है। समाज के चहुंमुखी विकास के लिए सवल पक्ष को तत्काल यथासम्भव कदम उठाने होंगे।

विश्वकर्मा समाज ने संपूर्ण जगत की प्रत्येक आवश्यकता की पूर्ति हेतु नित नई खोज की है तथा मानव कल्याण में अपना महत्वपूर्ण योगदान दिया है। लेकिन बड़ा दुखद पहलू है कि भारतवर्ष में लगभग 5 करोड़ की विराट जनसंख्या वाला यह शांतिप्रिय, कर्मशील एवं असामाजिक गतिविधियों से दूर रहने वाले इस विश्वकर्मा समाज की प्रत्येक क्षेत्र में उपेक्षा होती रही है। प्रत्येक राजनीतिक दल ने हमें जाति, धर्म तथा अन्य हथकण्डे अपनाकर हमारा कीमती मत तो लुटा है लेकिन आज तक हमारा वाजिब हिस्सा नहीं दिया। देश के विकास में ज्ञानी जैलसिंह, स्वामी कल्याण देव जी महाराज, बाबू भाई मिस्त्री, मेजर ध्यानचन्द, स्वामी भीष्म धसोडा वाले, उपराष्ट्रपति राजगोपालाचार्य, टी. टी. कृष्णनचारी, वित्त मंत्री मनमोहम सिंह, उड़ीसा की पूर्व मुख्यमंत्री सतपन्थी नंदनी जैसी अनेकों प्रतिभान हस्तियों ने सराहनीय योगदान दिया है। लेकिन भारत सरकार को अनेकों बार मांगपत्र देकर विश्वकल्याण करने वाले श्री विश्वकर्मा जी भगवान के नाम पर राजकीय अवकाश एवं डाक टिकटें जारी करने की अपीलें की गयी। जिस पर आज तक कोई ध्यान नहीं दिया गया। विश्वकर्मा समाज के साथ यह क्रूर मजाक आज तक जारी है।

विश्वकर्मा समाज में प्रत्येक घटक की आज के परिप्रेक्ष्य में एक अहम जिम्मेदारी बन गयी है कि हम सभी धीमान, पांचाल, टांक, मैथिल, जांगिड़े लिकर सुदृढ़ संगठन बनाकर अपनी माँगों की पूर्ति हेतु सड़कों पर उतरकर अपना शक्ति परीक्षण करें। वर्तमान में माँगने से कुछ मिलने वाला नहीं है हमें अपना हक छीनना पड़ेगा तथा उन राजनीतिक दलों, नेताओं को मत न देकर सबक सिखाना है जो 50 वर्ष से हमारा अधिकार दबाये बैठे हैं। विशाल धरने, आंदोलन तथा विधानसभाओं/संसद के घेराव करने होंगे।

अधिकार प्राप्ति हेतु कुछ कुर्बानी भी देनी होगी। लाठी, गोली खाये बिना हमें कोई कुछ दिलाने वाला नहीं है। आज का युग शक्ति परीक्षण का युग है जिसके पास जिसकी शक्ति है उसे उसी के अनुसार हिस्सा मिल रहा है।

आज की राजनीति में पाल समाज, यादव, सैनी, जाट, मुस्लिम, गुर्जर में सक्रिय एवं एक मजबूत आयाम पैदा कर चुके हैं लेकिन इस 12 करोड़ जनसंख्या वाले समाज का राजनीति में कितना प्रतिशत है? वास्तव में विकास का रथ राजनीतिक गलियारे से होकर ही गुजरता है जिस समाज के पास यह सुलभ है उसकी प्रगति को कोई शक्ति रोक नहीं सकती राजनीतिक हस्तक्षेप ही सर्वोच्च शक्ति है जिसके सामने योग्यता।

4. चिंतन एवं विचार

आज 17 सितंबर को हम लोग भगवान विश्वकर्मा जी की जयंती मना रहे हैं। यह पूजा अर्चना अपने भविष्य को मंगलमय बनाने हेतु हम कर रहे हैं। हम का तात्पर्य उन पंच तत्वों से है जिनसे हमारी रचना हुई है। हम में ही सारा विश्व है। विश्व की रचना में हमारे त्रिदेव ब्रह्मा, विष्णु और महेश की व्याख्या के उपनिषदों एवं पुराणों में पाई जाती है। हमारे उपदेय भी तन ही थे गौतम, गर्ग और सांडिल्य। हम सांडिल्य गोत्र के वंशज है। हमारे पितामह विश्वकर्मा जी भी ब्रह्मा के ही पुत्र थे। चारों वर्णों का वर्गीकरण भी कर्मो के आधार पर ही हुआ था। किन्तु अतीत को भूलकर हम आज कुल-जाति जन्म को ही प्रधानता देते हैं।

पंच तत्वों से निर्मित इस शरीर में ही हमें उन चारों वर्णो का साक्षात्कार होता है। मस्तिष्क यानि ब्रह्मा उचित अनुचित ज्ञान का मार्गदर्शन कराता है। ब्रह्मा के आदेश पर ही हमारी दसों इन्द्रियाएं कार्य करती हैं। हम जरा नीचे उतरें तो छाती यानि सीना आता है। हम बड़े गर्व से छाती ठोक कर कहते हैं यदि अपनी माँ का दूध पिया है तो सामने आ। यहाँ पर हमें क्षत्रित्व का बोध होता है पेट यानि वैश्य का काम करता है। शूद्र हमसे अलग नहीं है अतः वह भी हमारी ही शरीर का चौथा भाग (वर्ण) जंघों के ऊपर है। पैर इन सबका स्तंभ है। नींव को हिलाने के बाद कंगूरा कभी भी ऊपर नहीं टिक सकता। इसीलिए हम हमेशा पॉलागी कहते है।

इन सबका तात्पर्य है हमारी ''वर्ण-व्यवस्था'' का सम्बन्ध ''हम'' से है। अतः हममें सहयोग की भावना पनपनी चाहिए यदि ये चारों वर्ण आपस

में सहयोग न करें तो किसी भी कार्य की सिद्धी में हमें सफलता नहीं मिलेगी। अतः हममें सहयोग का होना उतना ही अनिवार्य है जितना शारीरिक कार्य में इन्द्रियों का होना है।

एक छोटी-सी कहानी है कि एक किसान के चार बेटे थे वे चारों आपस में ही लड़ते झगड़ते रहते थे बच्चों में असहयोग देखकर किसान को चिंता तो खूब सताने लगी। परिणामस्वरूप वह धीरे-धीरे शैय्या पकड़ लिया। अंत में उसे एक युक्ति सूझी। वह शैय्या पर पड़े-पड़े अपने चारों बेटों को बुलाया और चार धागों को मिलाकर हर एक को बारी-बारी से तोड़ने को कहा। उस मोटे सहयोगी धागे को वे न तोड़ सकें। फिर उसने उन्हें अलग-अलग करके दिया और कहा अब तोड़ो। धागे टूट गये। बच्चों को 'संघशक्ति' का बोध हुआ।

संघशक्ति का निर्माण आत्म परिवर्तन से होगा। यह आत्म परिवर्तन आत्म मंथन से होगा। आत्म के विचार का मार्ग केवल कुछ चुने हुए लोगों के लिए नहीं बल्कि सभी के लिए खुला होना चाहिए क्योंकि यह किसी की बपौती नहीं है। जिस प्रकार सूर्य चन्द्रमा को प्रकाश देता है उसी प्रकार सह आत्म मनन शरीर को स्वस्थ बनायेगा और स्वस्थ मन का वास होगा।

सहयोग एकता संघ शक्ति कहना तो आसान है किन्तु इसे सफल बनाने के लिए कुछ महापुरुषों की जरुरत है। महापुरुषों का जीवन तो गाय, वृक्ष, नदी की तरह है। जो परोपकार्याथ कार्य करते हैं अतः केवल दूसरे के लिए व निःस्वार्थ भाव से कार्य करते हैं।

अतः 'स्व' को त्यागकर हमें 'हम' को व्यापक रूप में अपनाना होगा। जहाँ हम की भावना है वहाँ 'स्व' यानि स्वार्थ क्यों? स्वस्थ शरीर में ही स्वस्थ मन रहता है वैसे ही स्वस्थ समाज से ही स्वस्थ परिवेश का निर्माण हो सकेगा।

विज्ञान और आध्यात्म को लोग परस्पर विरोधी समझते हैं, जबकि दोनों का लक्ष्य 'सत्य की खोज' है। विज्ञान के प्रति आम धारणा है कि वह 'नास्तिक' वक्ता है। लेकिन ऐसा नहीं है। सूर्य और चन्द्रग्रहण के कारणों को उद्घाटित करने वाला 'आर्यभट्ट' तो महान खगोलशास्त्री होकर भी आस्तिक था। दरअसल अध्यात्म जब पाखण्ड का रूप लेता है तो वह अवैज्ञानिक बन जाता है। तब हम विज्ञान को नास्तिक कहने लगते हैं। किन्तु विश्व के

अनेक महान वैज्ञानिक अपने व्यक्तिगत जीवन में अध्यात्म को बड़े व्यापक अर्थों में स्वीकार करते रहे हैं और उनका चिंतन भी विज्ञान की तरह अन्वेषक रहा है।

महान वैज्ञानिकों एवं दार्शनिकों द्वारा प्रतिपादित अवधारणाओं के अध्ययन एवं परिशीलन से स्पष्ट है कि जो व्यक्ति अपने तथा समग्र मानव समाज के जीवन को तुच्छ समझता है वह अभागा ही नहीं, वरन् जीवित रहने के भी अयोग्य है। गम्भीरता से इस बिन्दु पर यदि विचार न भी करें तो भी कम से कम व्यवहारिक दृष्टि से मुझे ऐसा लगता है कि हमारा जीवन मानव जाति के लिए है, जिन आदर्शों ने मेरे जीवन पथ को आलोकित किया है, जो निरन्तर मेरे जीवन को आगे बढ़ाने में सहायक हुए हैं, जिन्होंने मुझे साहस और प्रेरणा दी है–वे हैं, सत्, सौंदर्य और महानता।

मैं मानता हूँ कि ईश्वरास्था की अनुभूति ही मनुष्य की श्रेष्ठतम अनुभूति है। इस अनुभूति में ही शिल्प-कला और विज्ञान का बीज निहित है। जो इस रहस्यानुभूति द्वारा अभिभूत नहीं होते, वे मृतप्राय: हैं। मैं उस ईश्वर की कल्पना नहीं कर सकता, जो स्वनिर्मित जीवों को दण्ड देता है, अथवा उन्हें पुरस्कृत करता है। कर्महीन ज्ञान अनुपयोगी और अप्रासंगिक है। क्रियाशील ज्ञान, कर्त्तव्य परायणता एवं कर्म ही दुर्भाग्य को सौभाग्य में बदल सकता है। कर्म की प्रधानता से ही मानव जीवन में सकारात्मक बदलाव आता है जो सर्वत्र दिखाई देता है। इसका एक मात्र श्रेय निर्माणकर्त्ता शिल्पियों को ही है जिनकी अमर कृतियाँ सर्वत्र विद्यमान है।

द्वितीय खण्ड

प्रारम्भिक विश्वकर्मा समाज एवं द्रविण-आर्य-अनार्य

6

प्रारम्भिक विश्वकर्मा समाज

भारत में विश्वकर्मा जाति का अस्तित्व काफी पुराना है। जाति उत्पत्ति का व्यावसायिक सिद्धान्त इस बात की काफी सशक्त पुष्टि करता है। प्रारम्भ में मनुष्य आखेट यानी शिकार पर निर्भर था। धीरे-धीरे तत्कालीन समाज का यह शिकारी जीवन कुछ लोगों का पेशा बन गया। समाज का स्वरूप विकसित होने पर कुछ लोगों ने शिकार करना, मांस काटना, उसे बेचना अपना पेशा बना लिया। ज्यों-ज्यों समाज का विकास हुआ त्यों-त्यों इस पेशे से में भी बदलाव आया। लोग जंगलों से जानवर पकड़ने या उसे मारने के बजाय पालने लगे। इस प्रकार पशु-पालन का माहौल बना।

यदि हम ध्यानपूर्वक देखे और विचार करें तो पूरे देश में विश्वकर्मा जाति का पैतृक पेशा मानव के आधारभूत सभी सामग्रियों का निर्माण सृजन उत्पादन रहा है। स्मिथ के अनुसार शिल्पी जातियों ने रहने के लिए आश्रय गृहों आखेट के लिए तीर-धनुष, बाण, कृषि के लिये हल, फावड़ा, कुदाल, अन्न तथा भोज्य पदार्थ रखने के लिये भण्डा, कोठरी, भोजन बनाने के लिए जोगा, कढ़ाई, पाप्स वर्तन, दो वस्तुओं के घर्षण से आग उत्पन्न करने वाला पत्थर घर्षण, वेलन, सोने-बैठने के लिए चौकी, चारपाई, पीढ़ा, कुर्सी, बच्चों के लिये झूला, झुनझुना, शरीर ढकने के लिए सन के रेशे से कपड़ा, चटाई, जानवरों के लिए चरनी, नाद, सामान-ढोने, आने-जाने के लिए बैलगाड़ी, सुरक्षा, जंगली जानवरों से बचने के लिए तीर, धनुष-बाण, कृपाण आदि बनाया। पानी के लिए बावली, कुंआ बनाया। सृष्टि निर्माण व जगत नियन्ता विश्वकर्मा ने मानव जीवन के लिए सर्व प्रथम सूरज-चाँद, तारों का निर्माण किया और उसकी प्राण-प्रतिष्ठा की। इससे अन्य जातियाँ-उपजातियाँ

उत्पन्न होती गयी और अपने-अपने पेशे के अनुसार सृजन, निर्माण, कार्य करती गयी। इस प्रकार शुरू हुआ आदि मानव का अग्रिम विकास। कालान्तर में घुमक्कड़ जीवन त्याग कर एक स्थान पर बस गये। उत्पादन करने लगे और बेचने लगे। उक्त वाक्यों से स्पष्ट है कि विश्वकर्मा हिन्दुस्तान की अत्यन्त पुरानी जाति रही है। भारत में जाति प्रथा के उदय के पूर्व इस समूह के लोग विभिन्न स्थानों पर बसे तथा लोगों के साथ बसने लगे। निर्माण तथा उत्पादन कार्य करने लगे। सभी पंचाल बन्धुओं का अन्तिम गुण (छठवां गुण) उनका महापुरुष होना है। जीविकोपार्जन में किसी से दान दक्षिणा न लेना, भीख न माँगना, स्वाभिमान से जीवन बिताना, श्रेष्ठता के अहंकार से रहित होना, अपने से छोटे या कनिष्ठ लोगों से मिलकर रहना ये ही महापुरुषत्व के लक्षण हैं। जिन्हें वे अपने जीवन काल में ही प्राप्त कर लेते हैं। इसीलिये उनका सर्वोच्च गुण महापुरुष होना है। देवता गण ऐसे विश्वकर्मा वंशजों को यज्ञ स्वरूपाय ते नमः करके बन्दना करते हैं। सृष्टि के आरम्भ में एक ही वर्ण था। संसार में किसी प्रकार का वर्ग भेद नहीं था तो उस समय किसने मनुष्यों को अपना जीवन स्थिर रखने की सामग्री बनायी थी। स्पष्ट है कि उस समय वेद विद्या के जानने वाले पंडितों ने सूर्य के उजाले के बदले रात्रि को उजाला करने की मिट्टी का चिराग बनाने की विधि निकाली, खेती करने को हल बनाने की विधि भी उक्त शिल्पकार पण्डितों ने ही निकाली। हवन कुण्ड के पात्र भी उन्हीं के द्वारा विधि विधान से बनाये गये। अस्तु यह स्पष्ट है कि बिना शिल्प ज्ञान के संसार का कोई भी काम प्रारम्भ हो ही नहीं सकता रहने के लिए घर, पहनने के लिए आभूषण, वस्त्रादि कौन बना कर देता है? स्पष्ट है कि शिल्पकार ही बना कर देता है। जैसे ईश्वर महान शिल्पी है, जिसने अपने शिल्प द्वारा पहाड़, दरिया, सागर, वृक्ष, पक्षी आदि अनेक जीवों को उत्पन्न किया है, ठीक उसी प्रकार विश्वकर्मा वंशज शिल्पियों ने लोगों के मनोरंजन के लिये पशु, पक्षी, पहाड़, समुद्र आदि सब कुछ बना कर दिये हैं। अनेक प्रकार की देवी देवताओं की भव्य मूर्तियाँ (पत्थर, लोहे, ताँबे, मिट्टी की बनी हुयी) बनाकर कौन देता हैं? स्पष्ट है कि विश्वकर्मा वंशज शिल्पकार ही बना कर देते रहते हैं। इसीलिये हम चारो (ब्रह्मा, विष्णु, महेश, इन्द्र) लोग विश्वकर्मा के सबसे छोटे पुत्र देवज्ञ अथवा विश्वरूप के पास चलें और उन्हें ही पुरोहित बनायें इसी में सभी देवताओं की भलाई है।

इनके सामानों के खरीददार वे ही लोग थे, जो घुमक्कड़ी जीवन त्यागकर एक जगह बसे। विभिन्न व्यवसाय जैसे मिट्टी का बर्तन बनाना, लोहे के औजार का निर्माण करना, चर्मकारी, शिल्पकारी, खेती आदि करना जिन्होंने प्रारम्भ किया वे ही समाज के निर्माता हुए। इतिहास के विश्लेषक इस काल को विकसति काल मानते हैं। यह वह युग था जब मनुष्य समूहों में रहना प्रारम्भ किया और उसने अपना एकाकी जीवन छोड़कर कबीलाई रूप धारण किया।

इतिहासकार मानव सभ्यता के विकास का कई चरण मानते है। इन चरणें या कालों का विभाजन निम्नलिखित पाँच खण्डों में किया गया है।

1. पुरा पाषाण युग

इस युग का समय 150,000 ई. पूर्व माना गया है। इस युग में शीत अधिक थी, तूफानी हवाएँ चलती थीं, वर्षा अधिक होती थी, जीवन का निर्वाह काफी कठिन था। मनुष्य झीलों और नदियों के किनारे कन्दराओं, गुफाओं में छुपकर जीवन व्यतीत कर रहा था। पत्तों ओर वृक्षों की छालों से अपना शरीर ढँककर जीवन रक्षा करता था। उसे समूह का ज्ञान नहीं था। वह अकेला था। उसकी जिन्दगी भटकाव की जिन्दगी थी। पत्थर की नुकीली कुदाली, धारदार औजार, गंड़ासे इत्यादि ही उसके मुख्य यंत्र थे। जाति और धर्म का उस समय नाम नहीं था। यदि जाति की उत्पत्ति का सिद्धान्त पेशा माना जाय और यह निश्चय मान लिया जाय कि लोहा, लकड़ी, पत्थर, ताम्बा, सोना का धंधा करने वाले लौहकार, काण्ढकार, शिल्पकार, ताम्रकार, स्वर्णकार हैं। तो पूरा पाषाण युग के हर व्यक्ति विश्वकर्मा था और उसके सभी पूर्वज विश्वकर्मा रहे।

पश्चिम जर्मनी की एक अनुसंधानकर्ता डा. गणसाकार्विनस, तथा भारतीय इतिहास वेत्ता डा. उपेन्द्र ठाकुर ने 1967 में बम्बई के नेवासा नामक स्थान पर 180 वर्ग मीटर क्षेत्र की खुदाई करवाई। वहीं उन्हें 700 पाषाण कालीन पात्र-बोरर, स्केयर्स मिले। भारी मात्रा में वर्तनों के अवशेष, हवन-पूजन गृह, पत्थरों पर खुदी लिपियां, गोलाकार सिक्का चार हाथों वाला पुरुष की मूर्ति, एक ऐसी मूर्ति जिसमें सूर्य, चन्द्र, तारों के आकार के चिन्ह, शिलालेख सहित एक ऐसी दुर्लभ मूर्ति जिसमें एक बैठे शिल्पकार द्वारा अंकित कला कृतियीं के चिन्ह मिले हैं। इसके अलावा आदमियों और पशुओं के जबड़े व दात मिले हैं। उनका मत है कि यह बस्ती डेढ़ लाख वर्ष पुरानी रही है। यहाँ का आदमी पशुओं का दूध, अन्न, जड़ी-बूटी, पेड़-पत्तों का रस पीकर जिन्दा था। प्राचीन इतिहासकारों से पूछा जाय कि आज के विश्वकर्मा जाति

के लोग उस मूल में थे या नहीं तो उपरोक्त साक्ष्यों को देखते हुए वे क्या कहेंगे? उनका क्या उत्तर होगा? यह एक अत्यन्त सीधा प्रश्न है– वह बस्ती विश्वकर्मा बस्ती थी!

2. मध्य पाषाण युग

इस युग का काल 25,000 ई. पू. से 10,000 ई. पू. माना जाता है। इतिहासकारों ने इस युग को परिवर्तन युग की संज्ञा दी है। भू-गर्भ वैज्ञानिकों का मत है कि इस युग में जलवायु अधिक शुष्क तथा उष्ण हो गई थी। इस युग का मनुष्य अधिक साफ-सुथरा और नुकीला औजार प्रयुक्त करने लगा था। वह पत्थर के औजारों में लकड़ी का हत्था भी लगाना सीख गया था। खुदाई में इन औजारों की कई किस्में भी प्राप्त हुई हैं, जैसे-फलूक, (Blades), प्वाइण्ड (Points), खुरचने के काम में आने वाला स्क्रेपर्स (Scrapers), उत्कीर्णक (Trapoges), छेद करने वाले बोरर (Borer), सूबा (Owl), आदि। जानवरों या अपने शिकार या दुश्मन को दूर से मारने के लिए इस काल का मानव पत्थरों या हड्डियों के छोटे-बड़े गोले-गोलियाँ, अस्त्र-शस्त्र भी बनाया सीख गया था।

भारत में यह मध्य पाषाण युगीन सभ्यता पेशावर से लेकर तिनेवली जिले तक और करांची (पाकिस्तान) से लेकर बिहार तक फैली हुई थी। पंजाब में ऊँचाली, गुजरात में लघनज, मैसूर में ब्रह्मगिरी, कर्नूल, महेश्वर, होशंगाबाद, नेवासा और काले गाँव की खुदाइयों में मध्य पाषण युग के अनेक रोचक अवशेष तथा भारी मात्रा में उक्त औजार पाये गये हैं।

इस काल का मनुष्य गाय, भैंस, बैल, नीलगाय, सूअर, कुत्ता, हिरन, गैंडा, नेवला, गिलहरी, चूहे, कछुवे, मछली, भेड़ और बकरी से परिचित हो चुका था। मर जाने पर आदमियों के शव मिट्‌टी में गाड़े जाते थे। हाँ, इस काल तक वर्ण या जाति का कोई ज्ञान लोगों को नहीं था। मात्र स्थायी तौर से समूह बनाकर कबीले में लोग रहने लगे थे। अब हम इस काल की समीक्षा करें तो इसमें रंचमात्र भी संदेह की गुंजाइश नहीं रहती कि आज के भारत का समाज उस काल में नहीं था। लोग मध्य पाषाण काल में थे। इतना ही नहीं आज के भारत के निर्माण में विश्वकर्मा जाति के लोगों की प्रबल भूमिका रही।

3. नव पाषाण युग

इस युग का समय निर्धारण 10,000 ई. पू. से 1000 ई. पू. किया गया है। इस काल की, जलवायु पहले की अपेक्षा मनुष्य के जीवन यापन के

लिए काफी उपयुक्त थी। यह न अधिक गर्मी, न अधिक शीत वाला काल था। इस काल में तरकुल, घास-फूस, बाँस और विभिन्न वृक्षों के पत्तों से सुन्दर झोपड़ियाँ बनने लगी थी। इस काल की कुछ झोपड़ियाँ नेवासा व महाराष्ट्र के नासिक में मिली हैं। इस काल तक पहुँचते-पहुँचते मनुष्य को अग्नि का ज्ञान हो चुका थां लोग जानवर का मांस पकाकर या आग पर सेंक कर खाने लगे थे। ट्रप नाम के पत्थर से चिकने, चमकदार हथियार बनने लगे थे।

कश्मीर, सिन्ध, उत्तर प्रदेश, बिहार, बंगाल, आसाम, मध्य प्रदेश, हैदराबाद, मैसूर, ब्रह्मगिरी, लघनज और बेलारी आदि में पाये गये इस काल के अवशेषों के अध्ययन से पता चलता है कि इस काल के अन्तिम दिनों में इन्सान काफी तरक्की कर गया था। कपास से कपड़े बनने लगे थे। जानवरों की खाल व उनके बालों से ऊनी कपड़े बनाये जाने लगे थे। जंगलों से जानवरों को मुर्दा या जिन्दा पकड़कर ले आने के लिए पहिए वाली गाड़ी या घिसटने वाली गाड़ी का प्रयोग होने लगा था। लोगों को बहुमूल्य पत्थर की मणियों का ज्ञान हो चुका था। स्त्रियाँ सुन्दर गहना पहनने लगी थीं। इस काल में भी वर्ण और जाति का कोई चिन्ह नहीं प्राप्त होता। कार्य विभाजन के अवशेष तो मिल जाते हैं पर जाति आदि का कहीं कोई स्वरूप नहीं मिलता।

4. ताम्र युग

प्रसिद्ध इतिहासकार डा. हसमुख साखलिया ने नेवासा नामक स्थान पर प्राप्त ताम्र पाषण युग के अवशेषों का अध्ययन कर यह निष्कर्ष निकाला कि इस काल का समय ईसा से लगभग 2500 ई. पू. था। राजस्थान, मध्य भारत सौराष्ट्र और दक्षिण की खुदाइयों में प्राप्त अवशेषों से ऐसा लगता है कि 2500 वर्ष ई. पूर्. से 2000 ई. पू. का यह काल सभ्यता में काफी आगे था। मनुष्य ने तांबे की खोज कर ली थी। कुल्हाड़ी, कटार, तलवार, हार्पून, रिंग आदि तांबे के औजारों के साथ-साथ तत्कालीन मनुष्य सुन्दर पत्थर के औजारों का भी इस्तेमाल करता था। मिट्टी के बर्तन बनाने वाले चाक का भी आविष्कार हो चुका था। सुन्दर मिट्टी के बर्तन बनने लगे थे।

इस काल के गहन अध्ययन से पता चलता है कि काम का बँटवारा तो हो चुका था पर इस काल का इन्सान जाति और वर्ण की कल्पना से अभी भी काफी दूर था। एक ही परिवार के लोग भिन्न-भिन्न काम कर सकते थे। खुदाइयों और अवशेषों से पता चलता है कि आज विश्वकर्मा जाति का

जो पेशा निर्माण व कारीगरी, उत्पादन का है उस पेशे के लोग उस समय भी काफी संख्या में थे।

5. धातु काल

इतिहास और मानव की सभ्यता के अध्ययन की दृष्टि से इस काल का काफी महत्व है। इतिहासकार इस काल को कई भागों में विभक्त करते हैं। मेरा मकसद इतिहास लिखना नहीं है बल्कि विश्वकर्मा जाति की खोज है। अतः हम संक्षिप्त में यही कहेंगे कि इस काल में भी शिल्पी विश्वकर्मा जातियों का अवशेष रहा है। इस काल में लोहा ताम्बा, सोना, चाँदी का व्यापक स्तर पर प्रयोग होता रहा है। लोहार, बढ़ई, सोनार, कसेरा, ठठेरा आदि शिल्पी जातियों के लोगों के पेशे समाज में विद्यमान थे।

इस काल के लोग भूतों की पूजा करते थे। मृतक संस्कार प्रचलित था। शव को जलाने, गाड़ने या यूँ ही चील कौवों को खाने के लिए छोड़ देने की प्रथा थी। शिश्न या लिंग की पूजा के भी प्रमाण मिलते हैं। ताबीजों, मालाओं, देवी-मूर्तियों की पूजा आदि को भी महत्व दिया जाता रहा है। जानवरों, मुर्गों की बलि भी देवता को खुश करने के लिए दी जाती थी। यह प्रथा लुहार, कुम्हार, खटिक, पासी, कोइरी, कुर्मी, अहीर आदि जातियों में आज भी पाई जाती है।

6. पुरोहित काल

पुरोहिती कार्यकाल में राजतंत्र के लिये विद्वानों और पुरोहितों की एक समिति बनायी। उस समिति में अपने चारों भाइयों को भी सदस्य बनाया। धीरे-धीरे गणतंत्र की व्यवस्था की नींव डाली जिसके अंतर्गत राजा का चुनाव प्रजा से होने का प्रावधान बनाया गया। तद्नुसार राजा को प्रजापति कहने की परम्परा डाली गई। छोटे-छोटे गाँवों को मिलाकर पंचायती राज्य की स्थापना की गई। गांवों में भी जनता द्वारा पंचायती राज्यों का चुनाव होने लगा। इस प्रकार जनतांत्रिक दृष्टि से सुदृढ़ राजनैतिक व्यवस्था चलने लगी।

सामाजिक व्यवस्था–सामाजिक व्यवस्था में जाति विहीन अथवा वर्ग विहीन सामाजिक रचना का मापदण्ड रखा गया। कर्म गुण और योग्यतानुसार जीविकोपार्जन के शुअवसर प्रदान किये गये। अधिकारों और कर्तव्यों के सम्बन्धों का यथोचित निरूपण किया गया। यद्यपि समाज में विवाह के विषय में स्वयंबर की प्रथा प्रचलित थी किन्तु उक्त प्रथा के साथ-साथ विवाह के कर्मकाण्ड और दिव्य अनुष्ठान की एक विशेष प्रकार की पद्धति डाली गई।

विवाह पद्धति—स्वयंबर के पश्चात् सात भावरों का श्री गणेश किया गया जो आज भी चल रहा है। उक्त विवाह में विश्वकर्मा पंचाल बन्धुओं द्वारा निर्मित एवं वेद मंत्र द्वारा अभिमंत्रित अनिष्ट की संभावना को दूर करने के लिये पाँच प्रकार के उपकरणों का सात भावरों के समय होना शुभ माना गया। जो विवाह की रोचक एवं महत्वपूर्ण पद्धति थी। इस पद्धति के अंतर्गत विश्वकर्मा पंचाल बन्धुओं के आदरपूर्वक बुलाया जाता था। दूल्हा, दुल्हन सहित पूरा परिवार उनके चरण स्पर्श करता था। इसके बाद लौहकार वेद मंत्रों से अभिमंत्रित छल्ला और वरैना उन्हें पहनाता था। काष्ठकार वैदिक मंत्रों से मण्डप को अभिमंत्रित कर पाटा और पीढ़ा आदि उपकरण देता था। ताम्रकार गणेश पूजा हेतु वैदकिमंत्रों से अभिमंत्रित तांबें का निर्मित कलश प्रदान करता था। इसी प्रकार वैदिक मंत्रों से अभिमंत्रित शिल्पकार पत्थर के बने हुये शिल बट्आ और स्वर्णकार सोने चाँदी के बने हुये आभूषण प्रदान करता था। उक्त पद्धति की मान्यता धीरे-धीरे बढ़ती गई जो आज भी विकृत रूप में चालू है। आजकल के विकृत स्वरूप के प्रचलन को देखकर भी लगता कि प्रारम्भ में उक्त पद्धति का भव्य रूप समाज में प्रचलित रहा होगा।

न्यायिक व्यवस्था—न्यायिक व्यवस्था भी प्रजातांत्रिक ढंग से स्थापित की गई। इसके अंतर्गत गांव के लोगों ने पक्षपात रहित न्याय देने के लिये पंचाल विश्वकर्मा बन्धुओं को ही सर्वसम्मित से चुनाव करने लगे। निष्पक्ष न्याय देने के कारण उन्हें पंच परमेश्वर की उपाधि से विभूषित किया गया। इस प्रकार उनका न्याय ईश्वर के न्याय के समान माना गया।

सांस्कृतिक एवं शिक्षा व्यवस्था—यद्यपि वनाञ्चलों में ऋषि मुनियों के आश्रमों से स्वतंत्र रूप से अध्ययन और अध्यापन का कार्य चल रहा था तो भी उनकी सुरक्षा का दायितव राजतंत्र का था ताकि ऋषि मुनियों एवं शिष्यों को हिंसक पशुओं आदि से हानि न हो सके। उनकी शिक्षा और उनके सांस्कृतिक कार्यक्रम ठीक से होते रहें।

विश्वरूप की लोकप्रियता और इन्द्र का भयभीत होना—उक्त सुदृढ़ शासन तंत्र की व्यवस्था से विश्वरूप की लोकप्रियता धीरे-धीरे समाज में बढ़ने लगी। देश में अमनचैन बनी रहे इस हेतु विश्वरूप यज्ञ का प्रसाद देवताओं और असुरों दोनों को ही देते थे। जिसके कारण विश्वरूप देवताओं और असुरों दोनों के ही अतिप्रिय होने लगे थे। इस लोकप्रियता को देख कर

इन्द्र भयभीत हो उठे और उन्हें पुरोहिती कार्य से मुक्त करने का षणयंत्र रचने लगे। भोग विलासिता का जीवन इन्द्र को प्रिय था जिसमें धीरे-धीरे विश्वरूप उनके लिये बाधक बनते जा रहे थे। देश में ही नहीं बल्कि विश्व में विश्वरूप का प्रभाव बढ़ रहा था अन्य देशों के विद्यार्थी यहाँ अध्ययन करने आते थे और यहाँ की शासन व्यवस्था को अपने यहाँ भी लागू करने की सलाह देते थे। उनकी सलाह मानी जाती थी। यही कारण था कि इन्द्र और विश्वरूप में मनमुटाव होने लगा और इन्द्र उन्हें अतिशीघ्र शासन से मुक्ति का उपाय सोचने लगा।

इन्द्र द्वारा अनहोनी घटना—इसी बीच में एक अनहोनी घटना घटी। इन्द्र भोग विलासी और कामी स्वभाव का था। उस समय गौतम ऋषि की पत्नी अहिल्या की सुन्दरता विश्व सृष्टिकर्ता भगवान विश्वकर्मा का वर्णन है। यह सम्पूर्ण दृश्यमान जगत मेरा ही स्वरूप है। ब्रहमा, विष्णु, महेश मेरी ही विभूतियाँ है। मेरी ही प्रेरणा शक्ति से उक्त विभूतियाँ स्वतंत्र होकर सृष्टि संचालन कर रही है। जड़ और चेतन में मेरी ही छाया विद्यमान है। यह समस्त ब्रह्मांड मेरी ही माया का विस्तार है।

सभी जीवों में मनुष्य सर्वश्रेष्ठ है। यह जीव मुझ परमात्मा का ही अंश है। जब तक जीवात्मा इन्द्रियों को आगे करके विषय भोग में आनन्द लेती है, तब तक उसकी सत्ता एक साधारण जीव की होती है। किन्तु जब वह शारीरिक विषय भोग की वासना में आशक्त न होकर मूर्छित अवस्था में ऊपर उठकर चैतन्य अवस्था को प्राप्त करती है, तब उसे दिव्य दृष्टि का बोध होता है।

हे प्रभो आप त्रिकालदर्शी (भुत, वर्तमान, भविष्य), हैं। इसलिए मैं अपने विचार व्यक्त करने साहस कर रही हूँ। कटु बचन और ऋषियों के लिए अन्य के द्वारा अवश्य क्षमा के योग्य है।

7

द्रविड़ और सैन्धव सभ्यता

आर्यों के आगमन के पूर्व भारत में दो और सभ्यताओं का वजूद मिलता है। इसमें एक सभ्यता को हम 'द्रविड़ सभ्यता' तथा दूसरी सभ्यता को हम 'सैन्धव सभ्यता' के नाम से जानते हैं। विश्वकर्मा ही नहीं 'हिन्दुस्तान की किसी भी जाति के अध्ययन के पूर्व इन दोनों सभ्यता के बारे में जानना आवश्यक है।

द्रविड़ सभ्यता

विद्वानों का मत है कि द्रविड़ लोग पूर्वी भूमध्य सागर खण्ड की ओर से भारत में आये। इनकी तीन शाखाएँ थीं। सभी द्रविड़ भाषा बोलते थे। ये सब लम्बे सिर वाले थे। भारत में प्रवेश करते समय ये काफी सभ्य हो चुके थे। कुछ इतिहासकारों का मत है कि ये लोग समस्त उत्तरी, मध्य, पश्चिमी और सम्भवतः पूर्वी भारत में बसकर अपनी सभ्यता फैला चुके थे। इस बात को भी इतिहासकारों ने स्वीकार किया है कि किसी समय द्रविड़ जाति के लोग पंजाब यानी सिन्ध तथा गंगा घाटी के उत्तर में भी रहे होंगे।

हिन्दू धर्म, रीति-रिवाजों, विचारों, किम्बदन्तियों, रूढ़ियों तथा पौराणिक गाथाओं का यदि गंभीरता से अध्ययन किया जाय तो इसमें द्रविड़ों का काफी प्रभाव देखने को मिलेगा। वैसे उत्तरी भारत में द्रविड़ों की सभ्यता का कोई एक केन्द्र देखने को नहीं मिलता। सैन्धव घाटी की भी सभ्यता का कोई गहन स्वरूप इधर नहीं दिखता। यही कारण था कि आर्य सभ्यता यहाँ ज्यादा विकसित हुई। हम आगे के अध्ययनों में इस पर प्रकाश डालेंगे।

तमिल अथवा द्रविड़ शब्द सम्भवतः 'द्रूमिल' या 'द्रमिज' शब्द से निकला है। एशिया माइनर की लायसियन जाति ने अपने आपको शिलालेखों में 'तृम्मिलि' कहा है। लायसियन जाति के लोग 'क्रीट' नामक द्वीप से भारत में आये। इस द्वीप में यूनानी संस्कृति के पूर्व के एशियाई (Pre-

Hellenie) लोगों का नाम यूनानी ऐतिहासिक पुस्तकों में 'तर मिलाई' कहा गया है। अतः यह संभव है कि आने वाले द्रविड़ अपना जातीय या राष्ट्रीय नाम 'तरमिलाई' ही लाये थे, जो बाद में 'तमिल' रूप में परिवर्तित हो गया। अतः कुछ विद्वानों का यह कहना कि द्रविड़ लोग सैन्धव सभ्यता के पूर्व भारत के ही मूल वासी थे, पूर्णतः गलत है। द्रविड़ भी आर्यों की भाँति भारत में बाहर से आये। हाँ, बाद में सिन्धु घाटी में रहने वाले शिल्पी (विश्वकर्मा), पशुपालक (अहीर, गड़ेरिया), लुहार, सुनार, कुम्हार आदि की सभ्यता पर उन्होंने अपना गहरा प्रभाव छोड़ा।

विशप काल्डवेल (Bishop Calodwell) ने लिखा है–द्रविड़ों में राजा थे। उनके सुदृढ़ तथा पक्के मकान थे। उनके दरबारों में चारण या भाट थे। वे खजूर के पत्तों पर लिखते थे। वे भगवान के लिए मन्दिर भी बनाते थे। विवाह प्रथा उनमें विद्यमान थी। रांगा, सीसा, जस्ता का उन्हें ज्ञान नहीं था। सोना, चाँदी, पीतल आदि धातु वे अच्छी तरह जानते थे। वे कृषि से परिचित थे। बरछी, तलवार तथा तीर-कमान उनके प्रमुख हथियार थे। कपड़ा बुनना, सूत कातना, रँगना वे जानते थे। बर्तन बनाने में वे निपुण थे। मूर्तिकला का उन्हें वखूबी ज्ञान था।

'Peoples of India, 1913 लेखक J.D. Anderson तथा 'Pre-Aryan and Pre-Dravidian in India, 1929' लेखक P.C. Bagchi एवं S. Piggot तथा P. Mitra द्वारा लिखित 'Pre-Historic India' के अध्ययन से यह पता चलता है कि द्रविड़ पत्रों, पुष्पों, फलों तथा जल के साथ देवता की पूजा करते थे। वे हवन तथा अग्निपूजा से परिचित थे। होम में पशु-बलि भी दी जाती थी। 'शिव' नाम के बारे में कहा जाता है कि यह द्रविड़ों की देन है। शम्बु (शम्भू) चेम्पू (शम्भू) नीललोहित या नीलकण्ठ, मुरुकन (शिव का पुत्र स्कन्द या कुमार) उकाब (गरुण), बन्दर, सर्प, नौ नाग की पूजा द्रविड़ करते थे। आज वही हिन्दू भी करते हैं। द्रविड़ियन लम्बे सिर वाले होते थे। चेहरा हल्के भूरे से लेकर काले रंग तक का था, नाक मध्यम प्रकार से लेकर चौड़े प्रकार की, मुख पर अधिक बाल, इनका कद मध्य कोटि का था। सिन्धु सभ्यता तथा आर्य सभ्यता पर द्रविड़ों का काफी प्रभाव पड़ा। यह प्रभाव आज भी हिन्दू जीवन-शैली में विद्यमान है। वैसे सिन्धु लिपि अभी पढ़ी नहीं जा सकी है। प्रयास हो रहे हैं। सिन्धु लिपि अधिकारपूर्वक पढ़े जाने पर इस सम्बन्ध में बहुत-सी महत्वपूर्ण बातों पर

प्रकाश पड़ेगा। इस सम्बन्ध में एक महत्वपूर्ण बात और भी ज्ञात हुई है कि सिन्धु घाटी में प्राप्त कुछ मुहरों पर पुरानी तमिल भाषा के शब्द पाये गये है, जो इस बात का प्रमाण है कि सैन्धव सभ्यता के पूर्व भारतभूमि पर द्रविड़ सभ्यता वर्तमान थी।

1. सैंधव सभ्यता

सिन्धु सभ्यता भारत की अत्यन्त प्राचीन सभ्यता है। भारत की शूद्र जातियों जैसे–खटिक, पासी, कोल, किरार, अहीर, गड़ेरिया, कुर्मी, काछी, भंगी, लुहार, कुम्हार, सुनार, मल्लाह, कोइरी, दुसाध, धरकार आदि की उत्पत्ति का अध्ययन करना हो तो हमें सिन्धु सभ्यता का अध्ययन अत्यन्त गहराई और गम्भीरता से करना होगा।

सिन्धु सभ्यता का ज्ञान जब भारत के इतिहासकारों को नहीं था तो मानव सभ्यता के विकास का काल ऋग्वैदिक काल माना जाता था। वर्ष 1921 में भारतीय प्रागैतिहासिक जिन्दगी में एक बड़ा मोड़ आया। इतिहास की समस्त मान्यताएँ और स्थितियाँ बदल गईं। शूद्र कही जाने वाली सैकड़ों जातियों की सभ्यता का पता उस समय चला जब पुरातत्ववेत्ता श्री राखाल दास बनर्जी व श्री दयाराम साहनी ने पंजाब के 'मांटगुमरी' जिले में स्थित 'हड़प्पा' तथा सिन्ध के लरकाना जिले में स्थित 'मोहनजोदड़ों' की खुदाई कराई। इन खुदाइयों में पाषाण तथा कांसे के अनेक उपकरण, मानव के अस्थिपंजर, मिट्टी के बर्तन, पशु तथा नारी मूर्तियाँ, हाथी दाँत, चमकीले पत्थरों के आभूषण, मृदभाण्ड, मुहरें, खिलौने आदि भारी मात्रा में पाये गये। इन सामग्रियों के अध्ययन से यह भली-भाँति स्पष्ट हुआ कि यह सभ्यता वैदिक आर्यों से अत्यन्त पुरानी व्यवस्थित तथा पूर्ण विकसित सभ्यता रही। इतिहासकारों ने इसे सिन्धु सभ्यता का नाम दिया है।

वर्ष 1921 में की गई उक्त खुदाई के बाद सर जॉन मार्शल एवं श्री माधव स्वरूप वत्स ने मोहनजोदड़ों तथा हड़प्पा में कई वर्षों तक उत्खनन (जमीन की खुदाई) का कार्य कराया। इनमें इनके महत्वपूर्ण सामग्रियाँ प्राप्त हुई। जमीन के अन्दर छिपे एक गौरवशाली इतिहास से पर्दा उठा। लोगों को यह पता चला कि सिन्धु सभ्यता के लोग भारत के प्राचीन मूल निवासी थे। ये काफी सभ्य तथा सुव्यवस्थित थे। खुदाई में प्राप्त इन अवशेषों के गहन अध्ययन से पता चला कि आदिमानव, पुरा पाषाण, मध्य पाषाण, नव पाषाण, ताम्र युग, धातु काल से गुजरता हुआ सिन्धु सभ्यता तक काफी विकसित हो चुका था।

2. सिन्धु सभ्यता की विशेषताएँ

सैन्धव सभ्यता मुख्य रूप से नगरीय सभ्यता थी। यह काफी समुन्नत तथा विकसित थी। नगर के बीच में दुर्ग था। दुर्ग में द्वार, अट्टालक, बुर्ज, राजमार्ग, प्रासाद, कोष्ठागार, सभागार, जलाशय आदि मौजूद थे। दुर्ग ऊँची तथा चौड़ी प्राचीरों से घिरे थे। मोहनजोदड़ों की प्रमुख विशेषता नगर में प्राप्त सड़कें थी। मोहनजोदड़ों की मुख्य सड़क 33 फीट से लेकर 12 फीट तक थी। गलियाँ 4 फीट चौड़ी पाई गई। सफाई पर गहरा ध्यान था, कूड़ा के लिए कूड़ा पात्र या गड्डे थे। मोहनजोदड़ो की एक सड़क के दोनों ओर ऊँचे चबूतरे पाये गये हैं। सम्भवतः इन चबूतरों पर दुकान लगाया जाता रहा होगा। गंदे पानी के निकास के लिए गलियाँ भी थीं, अधिकांश भवनों में कुएँ तथा स्नानागार भी पाये गये हैं।

हड़प्पा का नगर मोहनजोदड़ो से बड़ा रहा होगा। अन्न रखने के लिए यहाँ बड़े अन्नागार भी पाये जाते हैं मोहनजोदड़ो में सामूहिक स्नान हेतु एक बड़ा स्नानगार पाया गया है। यह 39 फीट लम्बी, 23 फीट चौड़ी तथा 8 फीट गहरी फर्श पक्की ईंटों से बनी है। इसके उत्तर में अनेक छोटे स्नानागार बने हैं। इंच भर मोटे प्लास्टर के स्नानागारों के चारों ओर बरामदे हैं। सामने 90-90 फीट आकार का सभा-भवन है।

सिन्धु सभ्यता के लोगों को अपने आवास हेतु सुन्दर मकान बनाने का ज्ञान था। इनके मकानों के दरवाजे गलियों अथवा सड़कों की ओर खुलते थे। दरवाजे लकड़ी के तथा नींव आदि पक्की ईंटों के मिले हैं। खुदाइयों के अध्ययन से पता चलता है कि सैन्धव सभ्यता के लोग काफी सुखी थे। इनका परिवार मातृसत्तात्मक था। इनमें कई वर्ग के लोग, जैसे-योद्धा, व्यापारी, पुजारी, शिल्पकार, ज्योतिषी, जादूगर, संगतराश, बुनकर, सोनार, लोहार, शिकारी, चर्मकार आदि थे। किन्तु जातिप्रथा का कोई चिन्ह इस काल में भी नहीं मिलता। भेड़, बकरी, सूअर, बत्तख, बटेर, घड़ियाल और मछली मुख्य भोजन था। इस सभ्यता के लोग सूती तथा ऊनी दोनों प्रकार के वस्त्र पहनते थे। स्त्रियों को सुन्दर ढंग से जूड़ा गूँथने तथा कंघी करने का ज्ञान था। पुरुष लम्बे बाल तथा दाढ़ी-मूँछ रखते थे। विविध प्रकार के आभूषण जैसे-कण्ठहार, कर्णफूल, हसुली, भुजवन्द, कड़ा, अंगूठी, करधनी आदि पहने जाते थे। चहुँदड़ों की खुदाइयों और उसके विश्लेषण से पता चलता है कि इस काल की औरतें एक विशेष प्रकार की लिपस्टिक प्रयोग करना सीख गई थीं।

चेहरा देखने के लिए दर्पण का प्रयोग होने लगा था। बहुमूल्य पत्थरों, हाथी दाँत, शंख और सीपी के आभूषण बनते थे। तांबा, काँसा, सोना, पीतल और चाँदी का ज्ञान हो चुका था। खुदाई में सुन्दर मृदभाण्ड, घड़े, थालियाँ, कटोरे, तस्तरियाँ, गिलास, चम्मच और अन्य बर्तन भारी मात्रा में पाये गये हैं। इस सभ्यता के अवशेषों में बैठने का सामान स्टूल, पीढ़ा, चटाई भी प्राप्त हुई है।

मछली फँसाना, उसे दीर्घकाल तक जिन्दा रखने के लिए गड्डे आदि बनाकर पालने के भी चिन्ह पाये गये है। कुछ लोग पशुओं को भी पालते थे। पशुओं को पालने का आशय दूध व मांस व्यवसाय रहा होगा। खुदाई में पाई गयी जानवारों की हड्डियाँ, अस्थि-पंजर तथा हथियारों से इस बात के साक्ष्य मिलते हैं कि मांस विक्रय एक व्यवसाय रहा है। जाति व्यवस्था का कोई अवशेष अथवा साक्ष्य न मिलने से यह कहना कठिन है कि मांस बेचने वाले या इसका व्यवसाय करने वाले कौन लोग अथवा किस वर्ग के थे? सैन्धव सभ्यता के अध्ययन से हम यह दावे के साथ कह सकते हैं कि आखेट युग या पाषाण अथवा ताम्र युग के वे शिकारी भारी संख्या में इस सभ्यता में मौजूद थे। मोहनजोदड़ों, हड़प्पा, कालीबंगा, लोथल और रोपड़ की खुदाइयों में तराजू और बाट भी पाये गये है। युद्ध और शिकार में तीर-धनुष, फावड़ा, भाला, कटार, बरछी, कुल्हाड़ी आरा और छुरी का भी प्रयोग होता रहा है।

खाद्यान्नों में गेहूँ, मटर, जौ, बाजरा तथा तिल की खेती, कपड़ा बुनने के लिए कपास, फलों केला, नारियल, खजूर, अनार, नीबू तथा तरबूज आदि का ज्ञान भी सैन्धववासियों को था। पशुओं में बैल, गाय, भैंस, कुत्ते, सुअर, भेड़, बकरी, हिरन, खरगोश तथा पक्षियों में मुर्गा, बत्तख, तोता, हंस पाले जाते थे। हाथी से भी परिचय था किन्तु घोड़े का ज्ञान इन्हें बिल्कुल नहीं था।

सिन्धु सभ्यता के लोग धार्मिक थे। मातृदेवी तथा शिव की पूजा के अतिरिक्त पशुओं, पक्षियों, वृक्षों की भी पूजा की जाती थी। कुछ पशुओं तथा देवताओं में घनिष्ठ सम्बन्ध था जैसे-बैल, शिव का वाहन था। फाख्ता पक्षी और पीपल वृक्ष पवित्र थे। चक्र, जल, स्वास्तिक भी पवित्र माना जाता था। नाग पूजा भी होती थी। ताबीज पहना जाता था। मोहनजोदड़ो में एक स्त्री की मूर्ति मिली है, इसमें ऊपर की ओर पैर तथा नीचे की ओर सिर

किए हुए एक नग्न नारी का चित्र है। देवी के पैर फैले हुए हैं। उसके गर्भ से एक पौधा निकल रहा है। पृष्ठ भाग के ऊपर हाथ उठाये स्त्री तथा दूसरी तरफ हंसिया की तरह एक छुरा लिए खड़े आदमी का चित्र है। स्पष्टत: यह मानव बलि का चित्र है। एक दूसरी मुद्राओं पर पीपल के वृक्ष की दो शाखाओं के बीच एक स्त्री है। पेड़ के नीचे बकरा लिए मनुष्य है। सामने मनुष्यों की भीड़ है। इससे पता चलता है कि सैन्धव घाटी के लोग नरबलि तथा पशुबलि देवी को प्रसन्न करने के लिए देते थे।

मोहनजोदड़ो से प्राप्त एक मुद्रा के ऊपर पद्मासन के साथ एक योगी है। इसके दाईं ओर चीता और हाथी तथा बाईं ओर गैंडा और भैंसा चित्रित है। सिर पर एक त्रिशुल है। मार्शल का कहना है कि यह 'रूद्र शिव' हैं। इनके तीन मुख हैं। पशुपति, योगेश्वर और महायोगी का भी चित्र मुहरों और मुद्राओं पर पाया गया है। चार भुजावाली मिली मूर्ति में एक हाथ में कमल का फूल दूसरे हाथ में हथौड़ी, तीसरे हाथ में छेनी, चौथे हाथ में गोलाकार को छेदते हुए सिर पर मुकुटधारी देवता की आसन पर बैठी आकृति है जो इतिहासकारों के अनुसार सृष्टि निर्माता विश्वकर्मा की है।

खुदाई में सूच्चाकार तथा वर्तुलाकार लिंग की मूर्तियाँ पाई गयी है। सैन्धव घाटी के लोग एक विशेष प्रकार की काचली मिट्टी को गूँथकर, उसमें क्वार्ट्ज नामक पत्थर का चूर्ण, काँच का चूर्ण मिलाकर आग में पकाते थे। इस प्रकार के मिट्टी से बनी अनाज के दाने को कुतरती हुई गिलहरी, दुबका हुआ मेढ़क, आपस में लिपटकर बैठा हुआ बन्दर का चित्र अत्यन्त मनोहारी है। विभिन्न धातुओं की मुहरें, मृद्भाण्ड, अन्य मिट्टी के बर्तन, मातृदेवी की मूर्तियाँ, सांड़ के चित्र, भट्टों के अवशेष, बर्तन, अनाज रखने के कोठिले, भवन, नगर स्पष्ट करते हैं कि सिन्धु घाटी के लोग सभ्यता में काफी आगे थे।

हड़प्पा में तीन कक्षों वाला एक विस्तृत कब्रिस्तान मिला है। इससे यह पता चलता है कि मृतकों को दफनाया जाता था। कभी-कभी शव खुले मैदान में जानवरों के खाने के लिए भी रख दिये जाते थे। इसके बाद बची हुई अस्थियाँ समाधिस्थ की जाती रहीं। तीसरी प्रथा 'दाह कर्म' भी प्रचलित थी। इसमें शवों को जलाकर भस्मों को घड़े! में रखकर गाड़ा जाता था। घड़ों के भीतर भौतिक जीवन में काम आने वाली अनेक वस्तुएँ-अन्न, बर्तन, आभूषण आदि रक्खा जाता था। इन पंक्तियों के लेखक ने 'रोपड़'

की खुदाई को स्वयं जाकर देखा। यहाँ मिट्टी के घड़े मनुष्यों के अस्थिपंजर और कब्रिस्तान को देखने से ऐसा प्रतीत होता था कि तत्कालीन मानव समझदारी में कभी पीछे नहीं था। कपड़ा रंगने की भी कला इन्हें मालूम थी।

सिन्धु सभ्यता के लोगों में गणतंत्रात्मक प्रणाली रही होगी। खुदाइयों में प्राप्त अवशेषों, मुहरों, मूर्तियों के अध्ययन से पता चलता है। कि इनका गण या चौधरी, माते, मुखिया, सरदार जो भी हो, मुख्य होता रहा होगा। ऊँचे चबूतरे पर एक आदमी के बैठने की व्यवस्था से यह अन्दाजा लगता है कि सिन्धु सभ्यता के लोग पंचायत व्यवस्था से परिचित थे।

3. सिन्धु सभ्यता में जातियाँ

सिन्धु सभ्यता के अवशेषों के अध्ययन से पता चलता है कि इस काल तक जातिप्रथा का प्रादुर्भाव नहीं हुआ था। जाति की उत्पत्ति के व्यावसायिक, परम्परागत तथा उद्‌विकासीय सिद्धान्तों को यदि हम आधार माने तो यह निःसंकोच कह सकते हैं कि सोनार, लोहार, बढ़ई, शिकारी, जुलाहा, चमार, कृषक, शिक्षक, कुम्हार, पशुपालक, शिकारी आदि पेशे के लोग अपने-अपने झुण्ड बनाकर एक साथ रहने लगे थे। वैसे यह सभ्यता ईसा के 5000 वर्ष पूर्व यानी आज से 7000 वर्ष पूर्व मानी गई है। पुराणों के अध्ययन से यह सभ्यता लगभग 10 से 12 हजार वर्ष पूर्व मानी जाती है। कुछ इतिहासकार इसे आज से चार हजार वर्ष पुराना मानते हैं।

सर मार्टिमर ह्वीलर ने हड़प्पा का अध्ययन करने के बाद इसका काल ईसा 2500 से 1500 वर्ष पूर्व माना है। क्वेटा से लगभग दो मील दूर 'कीली गुल मुहम्मद का टीला' है। इसे पुरातत्वेत्ता ईसा से 3500 वर्ष पूर्व बताते है। यहीं से 10 मील दूर 'छम्ब सादात' है। डम्ब सादात की खुदाई में प्राप्त लघु मूर्तियाँ, सांड़, मांस काटने के लिए ताँबे से बना फलक क्रमशः 2625, 2528, 2220 ई. पू. माना जाता है। कोटदीजी में मिले नगर, मीनार, मृद्‌भाण्ड और जली हुई भष्म इस काल का निर्धारण ईसा से 2400 वर्ष पूर्व ठहराती है। 'अमरी' से प्राप्त अवशेष ईसा पूर्व 3000 के बताए गए हैं। पीगट नामक पुरावेत्ता ने मोहनजोदड़ो तथा हड़प्पा के अवशेषों को ईसा पूर्व 4500 माना है।

मोहनजोदड़ों की खुदाई से इस शहर के निर्माण एवं पुनर्निर्माण के सात स्तर प्रकाश में आये हैं। ऐसा लगता है कि इस शहर का अस्तित्व लगभग

1500 वर्ष रहा होगा और यह सात बार बिगड़ा और बसा होगा। मार्शल, अर्नेस्ट मैके, माधवस्वरूप वत्स आदि विद्वान पुरावेत्ताओं का भी कमोवेश लगभग यही मत है। इस पुस्तक के लेखक ने स्वयं 980 से 1984 के बीच 'कीली गुल मुहम्मद का टीला' गुजरात में मोरवी से 30 किमी. दूर कुनूतासी की खुदाई 'धौलाबीरा' क्वेटा की घाटी में 'डम्बसादात' मेरठ के 'आलमगीर' वाराणसी के सारनाथ के अवशेषों को देखा। पुरातत्व अधिकारियों से इन सम्बन्ध में बात की तो यह नतीजा निकला कि यह सभ्यता आज यानी सन् 2000 में लगभग 6 से 8 हजार वर्ष पुराना है। इस काल में जातिप्रथा एकदम नहीं थी। अनेक पेशों का प्रादुर्भाव हो चुका था। पुरा पाषाणकाल, मध्य पाषाण, नव-पाषाण, ताम्र पाषाण व धातु युग के आखेटक, कृषक, बुनकर, शिक्षक, वणिक आदि के रूप में लोग गुजर कर रहे थे। विश्वकर्मा जाति भी उस काल में थी। इनका पेशा कारीगरी, निर्माण, उत्पादन उस समय पूर्णरूप से निर्धारित हो चुका था।

हमारे स्वजातीय समाज के इतिहास के विद्यार्थियों को सैन्धव सभ्यता का अत्यन्त गंभीरता से अध्ययन करना चाहिए। राजस्थान में घघ्घर नदी (पूर्व काल की सरस्वती) के किनारे बसे काली बंगान, यहाँ से 180 किमी. उत्तर-पश्चिम की ओर (अब पाकिस्तान) मुल्तान जिले का हड़प्पा, यहाँ से 350 किमी. की दूरी पर बसे मोहनजोदड़ो ओर यहाँ से 120 किमी. दक्षिण-पश्चिम में बसे चन्हूदड़ो (चाँददडों), जुड़ीदड़ो, डेरा इस्माइल खाँ, रहमान ढेरी, सरायख्वाजा, जलीलपुर, पंजाब के कोटला, रोपड़, बांड़, निहांग तथा संघोल, हरियाणा के बनावली, राखीगढ़ी, गुजरात के रंगपुर, लोथल, देवलपुर तथा भोगभार, जम्मू कश्मीर में माड़ा, उत्तर प्रदेश में मेरठ के आलमगीरपुर तथा इसके पश्चिम में स्थित सुत्कागेनडोर तथा बिहार प्रान्त के नालन्दा व अन्य बौद्ध विहारों की खुदाइयों का अध्ययन करना चाहिए। मुझे विश्वास है कि इन खुदाइयों में प्राप्त अवशेषों का अध्ययन हिन्दुस्तान की सबसे प्राचीन जाति विश्वकर्मा और अन्य उपजातियों को एक अच्छा आश्चर्यजनक इतिहास प्राप्त करायेगी। आज अनुसूचित जाति, जनजाति, पिछड़ी जाति के नाम से परिचित लगभग 3500 जातियों को एक विशेष गौरवशाली क्रमागत इतिहास प्राप्त होगा। प्राग् कालीन सिन्धु सभ्यता का यह इतिहास इस बात का साक्षी है कि आज वर्ण-व्यवस्था की एक सख्त फौलादी चक्की में पीसकर जो लोग रख दिये गये हैं। यह हिन्दुस्तान वास्तव में उन्हीं का अपना हिन्दुस्तान है और वे अपने ही देश में अजनवी हैं।

4. सिन्धु सभ्यता का पतन

भारत में आर्यों के आगमन के साथ ही साथ सिन्धु सभ्यता का पतन हुआ। कुछ लोग सिन्धु सभ्यता के विनाश का कारण बाढ़ मानते हैं। सिन्धु नगर प्रायः नदियों के तट पर बसे हुए थे। नदियों में प्रति वर्ष बाढ़ आती थी। गहरी वर्षा, बाढ़ और जल प्लावन से ये नगर बाढ़ की गर्त में विलीन हो गये, किन्तु यहाँ एक प्रश्न यह भी उठता है कि जो सैन्धव नगर नदियों के किनारे नहीं थे: उनका केसे विनाश हुआ?

पुरातत्ववेत्ता गार्डेन चाइल्ड, माटीमर, स्टुअर्ड पिगट आदि विद्वानों का मत है कि सैन्धव सभ्यता के विनाश का कारण वाह्म आक्रमण रहा है। पुरातत्व अवशेषों से यह पता चलता है कि मोहनजोदड़ो नगर को लूटा गया था। वहाँ के लोगों की निर्दयतापूर्वक हत्या की गई थी। इसका एक प्रमाण यह भी है कि यहाँ एक ही कमरे में 13 लोगों के कटे अस्थिपंजर प्राप्त हुए है। मोहनजोदड़ों की एक गली में बहुत से स्त्री पुरुषों और बच्चों के ढ़ेर के ढ़ेर अस्थिपंजर पाये गये हैं। पुरातत्व के प्रसिद्ध विद्वान 'ह्वीलर' का मत है कि ई. पू. 2500 के लगभग अचानक आक्रमण करके सैन्धव नगरों को लूटा गया। बेशुमार हत्याएँ की गईं। मकानों, सार्वजनिक आवासों, स्थानों को ध्वस्त किया गया। कुछ लोगों का मानना है कि 1750 ई. पू. में हड़प्पा संस्कृति का पतन हो गया। इसका पतन किसी विदेशी असभ्य जाति के भयानक आक्रमण के कारण हुआ, जिसके अवेशष सिन्ध के चंहुँदड़ो नामक स्थान में मिले हैं। उत्तरी बलूचिस्तान में आग से 'राना गुण्डाई' के नष्ट होने के चिन्ह प्राप्त होते हैं। ऐसा प्रतीत होता है कि बर्बर आक्रमणकारियों ने लोगों की हत्या कर नगर में आग लगा दिया हो। ऋग्वेद में इन्द्र को नगरों को नष्ट करने वाला पुरन्दर कहा गया है। 'इन्द्र ने दासों के 100 नगरों पर घेरा डाला। अनार्य सैकड़ों खम्भों वाले किले में रहते थे। उनकी सभ्यता बहुत विकसित थी। आर्य लोग बड़ी कठिनाई से इन्हें हरा सके।'–ऋग्वेद के इस वाक्यांश को सैन्धव 'सभ्यता के लोगों के परिप्रेक्ष्य में देखा जा सकता है।

"इसमें कोई संदेह नहीं कि ये दुर्ग और किले, नगर आदि सभी सिन्धुघाटी के लोगों के थे। मूलवासियों या सैन्धववासियों के ये नगर, दुर्ग सब तहस-नहस कर दिये गये। भारी संख्या में भागकर लोगों ने जंगलों, कंदराओं, गुफाओं में शरण लिया। हजारों वर्षों तक युद्ध-दर-युद्ध चलता रहा।

वेदों और पुराणों में वर्णित दास राज्ञ युद्ध, शंकर का ताण्डव, देवासुर संग्राम इन्हीं आक्रमणकारी आर्यों तथा सिन्धु सभ्यता के लोगों का युद्ध है, जिसे पौराणिक ग्रन्थों में दासों, अनार्यों, दैत्यों, असुरों से युद्ध कहकर घृणा-नफरत का माहौल खड़ा किया गया।

इतिहासकार के.सी. श्रीवास्तव ने अपनी पुस्तक 'प्राचीन भारत का इतिहास तथा संस्कृति' नामक अपने ग्रन्थ में लिखा है कि-'जिन विदेशी आक्रान्ताओं ने सैन्धव नगर को ध्वस्त किया था, वे आर्य ही थे। स्वयं ऋग्वेद में इस संघर्ष का अप्रत्यक्ष रूप से उल्लेख मिलता है।' इसमें कोइ शक नहीं कि ऋग्वेद में इन्द्र को दास-दस्युओं का विनाश करने वाला 'दस्युहन', नगरों को विनष्ट करने वाला 'पुरन्दर' इसी कारण कहा गया। सैन्धव वासियों के नगरों को ऋग्वेद में चौड़े अर्थात् 'उर्वी', पाषाण-निर्मित अर्थातृ 'अश्ममयी' धातु निर्मित यानी 'आयसी', कच्ची ईंटों के बने हुए 'आमा' और सौ दीवारों वाले अर्थात् शतभुजी कहा गया है।

दास-दस्युओं की जो विशेषताएँ ऋग्वेद में वर्णित हैं वे सब सैन्धव निवासियों में देखी जा सकती हैं। इतिहासकारों का मानना है कि दास और दस्यु हड़प्पा में अधिक संख्या में थे। ऋग्वेद में दास-दस्युओं को अकर्मण्य, अदेवयु:, अयज्वन, अन्यन्त, मृदुवाक, अब्रहन, अव्रत कहा गया है। यह सब सिन्धु घाटी के मानव के लिए ही प्रयुक्त हो सकता है क्योंकि सैन्धव सभ्यता के लोग ही वैदिक क्रिया न करने वाले, वैदिक देवता न मानने वाले, यज्ञ न करने वाले, वैदिक व्रतों का अनुसरण न करने वाले, अपरिचित भाषा बोलने वाले, वैदिक जीवन की श्रद्धा और विश्वास से रहित, वैदिक रीति के व्रतों से दूर 'शिशन देवा' अर्थात् लिंग पूजक थे। अत: हम दावे के साथ कह सकते हैं कि सैन्धव नगरों का विनाश आर्यों के आक्रमण से हुआ।

5. नैसर्गिक विचार

कई बार जीवन में कुछ ऐसा घटित हो जाता है कि मन बार-बार पूछने लगता है, ईश्वर तो सब जानते है, फिर न्याय क्यों नहीं किया? ईसामसीह को मृत्यु दण्ड मिला सूली पर गाड़कर लटका दिया गया। किन्तु ईसा ने कहा, हे ईश्वर इन्हें क्षमा करना स्वामीदयानन्द समाज सुधारक अन्याय करने वाले को मिटाने के लिए कटिबद्ध थे, किन्तु उन्हें क्या मिला? जहर? उन्हें काँच पीसकर पिला दिया गया जो मृत्यु का कारण बना। मरते समय वेद

मंत्रों का उच्चारण करते हुए, ईश्वर कि प्रार्थना की है दयामय, हे सर्वशक्तिमान मैं आत्मा के सुख से प्राण त्याग रहा हूँ, मैंने सदा आपकी अमरत्व की आवाज सुनी। हे प्रभु इन व्यक्तियों को क्षमा करना। इनका उल्लेख इसलिए प्रारम्भिक है कि यही स्थिति उन महान् शिल्पियों की भी रही जिन्होंने अद्‌भुत अद्वितीय निर्माण किये जिनके हाथ काट लिए गए। उनकी कलाकृतियाँ या तो विलुप्त हो गयी या जीर्ण-शीर्ण हालत में आँसू बहा रही है। वही स्थिति विश्वकर्मा वंशज शिल्पियों की रही है। जिनके साथ इतिहासकारों ने न्याय नहीं किया है।

विश्वकर्मा उत्पत्ति एक विकास का इतिहास लिखे सफल प्रेरणा मुझे वह याद आ रहा है जब स्वामी दयानन्द ने 1856 में हरिद्वार के नील पर्वत के चण्डी मंदिर में डेरा डाला। वहा स्वामी रूद्रसेन ने उल्लेख किया है कि भारत की जनता को जगाने के लिए आजादी के आन्दोलन के नारे चंडी पर चर्चा की। उन पाँच लोगों के कहने पर स्वामी जी ने साधु-संगठनों को एकजूट करने का काम खुद अपने हाथों में लिया। उन्होंने स्वामी जी से कहा महाराज, पेशावर से कलकत्ता और दक्षिण से कर्नाटक तक हाथों भर लिया है मगर पर साधु समाज का काम अभी पूरा नहीं हुआ है। इन पाँच लोगों के साथ दो और क्रातिकारियों ने स्वामी जी से सम्पर्क साधा। वे दोनों थे राजा गोविन्द और रानी रूपसी थी। इसी दौरान झाँसी की रानी लक्ष्मीबाई और उनके तीन अंगरक्षक स्वामी जी से मिलते हैं। रानी ने आँखों में आँसू भर कर अपनी कहानी कही। महाराज मैं विधवा हूँ। अंग्रेजों ने एलान किया है कि वे उनकी वह जमीन राज्य हड़प लेंगे। वे झाँसी में बड़ी सेना के साथ आक्रमण करने की तैयारी की है। जब तक मैं जिन्दा हूँ तब तक मैं उन्हें अपना खानदानी साम्राज्य हड़पने नहीं दूँगी। उस बहादुर महिला से यह उनके स्वामी जी ने कहा देवी यह शरीर शमश्वर नदी है। वे लोग भाग्यशाली है-जिनकी शरीर किसी कर्त्तव्य के लिए बलिदान हो जाता है वे अमर रहते हैं। अपनी तलवार उठाओं और विदेशियों से साहस के साथ लड़ो। स्वामी जी का कहना था जनता का नेतृत्व करना और आग से खेलना एक जैसा ही खतरनाक है।

सर्व कल्याणकारी शिल्पकारों द्वारा निर्मित मंदिर मस्जिद, गुरूद्वारा, गिरजाघर वे अमरत्व एवं विश्वास के केन्द्र हैं। इन पवित्र तीर्थ स्थलों पर भक्तगत सर्व में सभी कर दर्शन हेतु आते है। ऐतिहासिक एवं सांस्कृतिक दृष्टि से

मानव कल्याण हेतु ये सभी महत्वपूर्ण है। इसका निर्माण कब, कौन किसने किया, ये प्रश्न सदैव अनुत्तरित है। इस जिज्ञासा की खोज प्राचीन ग्रंथों से करके लोग इसकी ऐतिहासकता का ठोस प्रमाण प्रस्तुत करने का प्रयास किया है। शिवधाम से लेकर शिवलिंग का निर्माण आदि देव विश्वकर्मा की संरचना है जहाँ आज भी घंटे –घड़ियाल गुजते हैं। गगन भेदी जय-जयकारों के बीच जलाभिषेक और अपने कुशल मंगल की कामना की जाती है। श्रद्धालु शिवलिंग पर दूध व जल के साथ, चंदन, हल्दी, कुमकुम, धूपबत्ती, सफेद-गुलाबी-कमल के फूल, नारियल, फल, बेल, बिल्वपत्र, आक, धतूरा भाँग, ठंढई, मक्खन, शहद, दही आदि से पूजन करते हैं। हजारों लोग कतारबद्ध होकर मंदिर के पट खुलने की प्रतीक्षा करते हैं। क्षेत्रीय एवं बाहय लोगों के लिए ये ऐतिहासिक मंदिर काफी मायने रखता है।

मनुष्य को जहाँ संतुष्टि मिल जाय वहीं परमात्मा है। चरित्रवान व्यक्ति को संतुष्टि मिलने में समय नहीं लगता। मनुष्य का शरीर संसार के लिए ही होता है। संसार में रहकर दुखियों की सेवा करने से बड़ा कोई कर्म नहीं है। मृत्यु के बाद आत्मा परमात्मा में विलीन हो जाती है। इस मायारूपी संसार को छोड़ने के बाद मनुष्य द्वारा किये गये कार्यों का ही गुणवान किया जाता है। मनुष्य को सदैव नेक कर्मों में आगे रहना चाहिए। अपयश व लालच को छोड़कर ही मनुष्य संत की श्रेणी में आ सकता है।

भारत के लोग केवल अपने हित के बारे में सोचते हैं इसलिए हमारा देश अभी तक विकसित नहीं हो पाया। हमारा देश लगातार विकास कर रहा है और यहाँ की संस्कृति पूरे विश्व में प्रसिद्ध है। देश को आगे लाने और विश्व पटल पर अलग पहचान बनाने में भारतीय शिल्पियों ने महत्वपूर्ण योगदान किया है। यदि उन्हें उचित शिक्षा और सही मार्ग दर्शन मिले तो अपनी खुशबू चारों ओर फैला सकते हैं।

8

भारतीय समाज में विश्वकर्मा

1. भारतीय जाति व्यवस्था

भारतीय जाति व्यवस्था एक ऐसी सामाजिक व्यवस्था है, जो समस्त विश्व के लिए आज भी एक आश्चर्यपूर्ण कौतूहल बनी हुई है। दुनिया के अन्य देशों के लिए अपनी तरह की यह एक अलग, अकेली, विचित्र और अत्यन्त रोचक भारतीय सामाजिक व्यवस्था है। इस भारत भूमि में धर्म की सीमा के बाहर हिन्दुओं का जो भी अपनापन है, उसकी अनोखी अभिव्यक्ति यह भारतीय जाति प्रथा है। भारत में जाति प्रथा की जड़ इतनी गहरी और मजबूत है कि इसने भारतीय मुसलमानों, ईसाइयों, सिक्खों तथा अन्य धर्मावलम्बियों तक को प्रभावित किया है। हिन्दू जाति प्रथा की ही देन है कि मुसलमानों में भी अब 94 जातीय समूह बन गये हैं। इस समय हमारे धर्म तथा जाति निरपेक्ष भारत में 3765 (तीन हजार सात सौ पैंसठ) जातियाँ-उपजातियाँ हैं। इन्हीं पौने चार हजार जातियों में विश्वकर्मा जातियाँ-उपजातियाँ भी हैं।

वैसे देश के विभिन्न हिस्सों में इस जाति को विभिन्न नामों से पुकारा जाता है। इसका उल्लेख इस पुस्तक के अध्याय-2 विश्वकर्मा वंश के मुख्य वर्ग एवं उपवर्गीय गोत्र सूत्र शासन में किया गया है। ये जातियाँ वंशानुगत है। इससे अपने वंश, कुल परंपरा शास्त्र सूत्र अन्य, कुल देवता, शासन, प्रवर और पूर्वजों का ज्ञान होता है तथा व्यक्ति अपने कुल की समाज एवं जाति की मर्यादाओं में रहकर आचरण करता है।

हिन्दू जाति व्यवस्था वर्ण, वर्ण के बाद जाति, जाति के बाद उपजाति, उपजाति के बाद गोत्र, गोत्र के बाद प्रवर और प्रवर के बाद पिण्ड में विभक्त है। किसी जाति के सटीक अध्ययन के पूर्व हमें नस्ल पर भी

विचार करना चाहिए। विश्वकर्मा जाति भारत की अत्यन्त प्राचीन जाति है। इसका सम्बन्ध पाषाणकालीन तथा धातुकालीन मानव के साथ-साथ सैन्धव सभ्यता ही नहीं बल्कि ऋग्वैदिक सभ्यता से भी है। अतः ऐसी परिस्थिति में हम नस्ल पर एक संक्षिप्त अध्ययन आवश्यक समझते हैं।

भारतीय नस्लें

नस्ल से हमारा तात्पर्य मनुष्य की शरीर रचना के आकार-प्रकार से है। दुनिया के विभिन्न देशों के लोगों की शारीरिक बनावट प्रायः अलग-अलग है। कोई गोरा है तो कोई काला। कोई सफेद है तो कोई पीला। कोई लाल है तो कोई गेहुआँ। किसी का सिर गोल है तो किसी का लम्बा, किसी की नाक चपटी है तो किसी की लम्बी और नुकीली, किसी की आँखें बड़ी है तो किसी की छोटी। शारीरिक बनावट की इसी अवस्था को हम नस्ल कहते हैं। भारत में प्रायः निग्रोलायड, मंगोलायड, आस्ट्रोलायड तीन नस्ल के लोग पाये जाते हैं।

निग्रोलायड

निग्रोलायड काले रंग के होते हैं। इन्हें द्रविण या निग्रेटो भी कहा जाता है। इस प्रजाति के लोगों को मूलवासी अथवा सिन्धु सभ्यता वासी, हड़प्पियन या अनार्य कहा जाता है। इतिहास के कुछ विद्वानों का मत है कि मोहनजोदड़ो और हड़प्पा कालीन इन्सान जब आर्यों से पराजित हुआ तो दक्षिण भारत की ओर चला गया। बाद में इस नस्ल के लोग उत्तर भारत, फिर आगे चलकर मलाया और इण्डोनेशिया के द्वीपों में जाकर बस गये। वहीं से इस नस्ल के लोग फीलीपाइन्स और न्यूगिनी तक पहुँच गये। इन लोगों का चेहरा गोल, कुछ उभरा हुआ और रंग काला होता है। इन्हें निग्रायड भी कहा जाता है। भारत में द्रविण आदिम जाति के नाम से इस नस्ल के लोगों को जाना जाता है।

मंगोलायड

इस नस्ल के लोगों का रंग पीला, कद छोटा, चेहरा चपटा, और सिर पीछे से गोल होता है। इन्हें साइनोटिवेसन के नाम से भी जाना जाता है। इनका मूल निवास स्थल मंगोलिया माना गया है। कुछ इतिहासकारों का कहना है कि तत्कालीन निग्रेटो नस्ल के लोगों से मिलकर इस नस्ल के लोग मंगोलायड नागा के रूप में बदल गये। बाद में आर्यों द्वारा इन्हें

'किरात' की संज्ञा दी गयी। आज मंगोलायड नस्ल के लोग आसाम, भूटान, नेपाल, उत्तरी बिहार, उत्तरी बंगाल, दक्षिण की ओर उड़ीसा और मध्य प्रदेश के कुछ हिस्से में पाये जाते हैं।

आस्ट्रोलायड

यह मनुष्यों की तीसरी नस्ल या श्रेणी है। इसकी आगे चलकर दो शाखाएँ हो जाती हैं। पहला 'आस्ट्रोएशियाटिक' और दूसरा 'आस्ट्रोनिशियन' में इसे विभक्त किया गया है। इनका कद मझोला, सर लम्बा, नाक चपटी तथा त्वचा का रंग लाल होता है। इस नस्ल के बारे में इतिहासकारों का मत है कि ये लोग हिन्दुस्तान से फिलिस्तान होते हुए जावा, सुमात्रा और बोर्नियो से आस्ट्रेलिया तक गये। वैसे इनका मूल स्थान भारतवर्ष ही रहा है।

विद्वानों का मत है कि इस नस्ल के लोगों की भाषा और संस्कृति का यहीं विकास हुआ। काल कालान्तर में धीरे-धीरे आस्ट्रोलायड नस्ल के लोग भारत भू-भाग में चारों तरफ फैल गये। इस नस्ल के लोगों को 'कोल' तथा 'मुंडा' भी कहते हैं। बर्मा में 'मोन' और कम्बोडिया में 'रूमेर' नामक जातियाँ इसी नस्ल में आती हैं।

इनकी दूसरी शाखा 'आस्ट्रोनिशियन' है। वियतनामी इसी शाखा के हैं। निकोबार तथा बर्मा में भी इस शाखा के लोग पाये जाते हैं। भारत के सभी स्थानों पर यही 'निग्रोलायड' तथा 'आस्ट्रोलायड', 'आस्ट्रिक' पाये जाते हैं। इन्हें द्रविड़, और नाग की भी संज्ञा दी जाती है। इस नस्ल के लोग मुन्दरी, कुर्क, सन्थाली, गदवा, सबर, खासी, मोन, रुमेर और सेलगी भाषाएँ बोलते हैं। उपर्युक्त तीनों श्रेणियाँ भारत की निवासी थीं।

अध्ययन से पता चलता है कि एक चौथी नस्ल 'इण्डोयूरोपियन' भाषा बोलने वालों की भी थी। इन्हें 'इन्डोइटालियन' भी कहा जाता है। ये भारत-भूमि के नहीं थे। यही इन्डोयूरोपियन भाषा वैदिक संस्कृति और प्राचीन इरानी तथा यूनानी भाषाओं की जननी थी। इनके कुछ समुदाय पूरब की ओर गये, बाद में कुछ लोग पश्चिम की ओर गमन किये। पश्चिमी मुल्कों में यही शाखा इन्डोयूरोपियन सभ्यता और हित्ती, वाल्ट, स्लाव, फेल्ट, जर्मन, इटालियन, इलारियन और हेलीनाज तथा तुलेरियन लोगों की दूसरी संस्कृति में परिवर्तित हो गयी।

भारतीय जाति प्रणाली में हर जाति की अलग-अलग अपनी कुछ निश्चित मान्यताएँ हैं। शादी-ब्याह, खान-पान, भोज-भात, जन्म-मरण संस्कार

में अलग-अलग कुछ निश्चित रिवाज तथा रीतियाँ हैं। इन रीति-रिवाजों को तोड़ने या इनका उल्लंघन करने पर उस व्यक्ति को जाति से अलग या जाति की अनुशासनात्मक अन्य कार्यवाहियाँ या निन्दा की जाती है। इसमें जाति निष्कासन तथा हुक्का-पानी बन्द आदि बातें शामिल हैं। एक बार बिरादरी से निष्कासित होने के बाद भी निष्कासित व्यक्ति दूसरी बिरादरी का साधारणतया सदस्य नहीं हो सकता। हाँ बिरादरी के लोग उसकी अपनी भूल या उसके गुनाहों को माफ कर उसको अपनी उसी बिरादरी में वापस ले सकते हैं या उसका बन्द हुक्का-पानी खोला जा सकता है।

जाति प्रथा में 'अन्तर-विवाह' पद्धति लागू होती है। एक जाति का व्यक्ति दूसरी जाति में बिरादरी के आधार पर अपना वैवाहिक सम्बन्ध नहीं स्थापित कर सकता। विश्वकर्मा की शादी विश्वकर्मा में, अहीर की शादी अहीर में, ब्राह्मण की शादी ब्राह्मण में ही होगी। हिन्दू विवाह तथा तलाक अधिनियम 1955 ने इन वैवाहिक कठिनाइयों एवं प्रतिबन्धों को हटा लिया है, किन्तु जातीय संस्थाएँ इसे मुक्त रूप से अभी तक स्वीकार नहीं की हैं।

जाति की चौथी विशेषता उसके निश्चित पेशे की है। जाति विशेष का हजारों वर्षों से एक निश्चित पेशा है। ब्राह्मण पढ़ने या वेद पठन-पाठन का काम, चमार चमड़े का काम, खटिक फल या मांस बेचने का काम, लोहार लोहे का काम, बढ़ई लकड़ी का काम, धोबी कपड़ा धोने का काम करता रहा है, वह यही करेगा। यद्यपि स्वतंत्र भारत के सातवें दशक से हिन्दू समाज ने इस मान्यता को काफी हद तक तोड़ा है। जातिगत पेशे के रूप बदले हैं, पढ़ाई-लिखाई या तकनीकी ज्ञान ने अपनी सीमाएँ बढ़ाई हैं, विवाह-शादी अन्तर्जातीय होने लगे हैं, पर जाति कर्म की भावना से अभी समाज पूरी तरह मुक्त नहीं हुआ है। दशकों से चल रहा 'जाति तोड़ो अभियान' भी इस मामले में सफल नहीं हो सका है।

भारतीय जाति समूह में प्रत्येक जाति की अपनी एक विभिन्न सामाजिक स्थिति (Social Status) है। इसी कारण आज छूआछूत, ऊँच-नीच जैसा भयंकर रोग हिन्दू समाज की जड़ें खोखली करता जा रहा है। परम्परानुसार इसी रोग की सीमा में ब्राह्मण की स्थिति सबसे ऊपर और मेहतर या भंगी की स्थिति सबसे नीचे है। उपरोक्त विशेषताओं के अतिरिक्त जाति प्रथा में बहुत-सी निर्योग्यताएँ भी हैं। प्रायः हिन्दू मींमासा के अनुसार-'भगवान सबका है'-का प्रचार-प्रसार किया जाता है किन्तु भगवान के मन्दिर या गर्भगृह में

जाकर पूजा-अर्चना कुछ जाति के लिए आज भी प्रतिबिंबित है। ईश्वर अल्ला एक ही है पर आज भी काशी विश्वनाथ मन्दिर में विधर्मियों, मुसलमानों, अंग्रेजों और आर्येत्तर लोगों का प्रवेश वर्जित है।

मन्दिर प्रवेश, भगवान की पूजा में स्तरीकरण आदि जाति प्रथा की एक ऐसी निर्मम कहानी है, जो भारत की कुत्सित जाति व्यवस्था को स्वतः प्रकट करती है। खाने-पीने, कपड़े-लत्ते, पहनने पर भी तमाम जातीय प्रतिबन्ध है। यद्यपि वर्तमान काल की शिक्षा प्रणाली, आधुनिकता का प्रचार, सरकारी कानून आदि ने जातीय व्यवस्था की कुछ विशेषताओं पर गहरा आक्रमण जरूर किया है किन्तु मोटे तौर पर भावनाएँ अभी भी ज्यों-की-त्यों हैं।

उपजातियाँ

जाति को जान लेने के बाद हम उपजाति और गोत्र का समाजशास्त्रीय अर्थ जानने का प्रयास करेंगे। हिन्दू समाज में यह आम धारणा है कि एक जाति में लगभग सात उपजातियाँ होती हैं। वैसे ब्राह्मणों में सारस्वत, कान्यकुब्ज, उत्कल, मैथिल, गौड़, सरयूपारीण, बंगाल के राढ़ीय तथा वारेन्द्र। क्षत्रियों में भी सात उपजातियाँ बताई गई हैं। वैश्यों में भी कई उपजातियाँ गुप्तकाल में हो गई जैसे—मनु, मय, त्वष्टा, शिल्पी, देवज्ञ, प्राग्वाट, उपकेश, घर्कट, पल्लिवाल, मोढ़, गुर्जर, नागर, दिशावाल, दुम्बद, स्थपति। शूद्र वर्ण की भी जाति में कई उपजातियों की कल्पना की गई।

विश्वकर्मा वंश में उत्पन्न शिल्पी ब्राह्मणों के 30 नाम इस प्रकार हैं—

धीमान, जागिण, उपाध्याय, (ओझा) टॉक (तक्षा), लोहारी, मथुरिया, सूभधार, कुब्हास, रामगढिया, मैथिल, त्रिवेदी, पिप्पला (पलोटा), लौष्ठा (लोट), महूलिया, राक्त, कान्यकुंज, मालवीय, मागध, पंचालर, सरबरिया, गौड, देवकमलाकर, विश्व ब्राह्मण, वंशाली, विश्वकर्मा नन्दन, तएच, पंचाल, आचार्य जगतगुरु यह शिल्पी ब्राह्मणों के 30 नाम हैं। इसका उल्लेख प्रथम खण्ड अध्याय 2 में यथास्थान वर्णित है।

वैसे उपजातियों के इस अध्ययन से यह बात प्रामाणित नहीं होती कि प्रत्येक जाति में सात ही उपजातियाँ होती हैं। प्रसिद्ध चीनीयात्री 'ह्वेन सांग' (चीनी नाम—युवान च्वांग) 630 ई. में भारत आया था। सन् 636 ई. के मध्य उसने अयोध्या, प्रयाग, कौशाम्बी, कपिलवस्तु, कुशीनगर, वाराणसी, वैशाली, पाटलिपुत्र आदि स्थानों में घूमकर यहाँ की संस्कृति, सामाजिक

व्यवस्था का अध्ययन किया। सन् 639 ई. में उसने बंगाल, उड़ीसा, कटक और कांची आदि की यात्रा की। ह्वेन सांग ने हर्षकाल का वर्णन करते हुए लिखा है कि–हर्षकालीन समाज में चार वर्ण–ब्राह्मण, क्षत्रिय, वैश्य, शूद्र थे। इनमें कई जातियाँ तथा उपजातियाँ रहीं। ह्वेन सांग के अनुसार इस काल में सबसे बड़ी संख्या शूद्रों की थी, जिसका हम आगे वर्णन करेंगे।

राष्ट्रकूट शासक इन्द्र तृतीय के 926 ई. के एक शिलालेख के अनुसार ब्राह्मणों की पाँच, उपजातियों का पता चलता है। परवर्ती मध्यकाल में राठीय ब्राह्मणों में 56 उपजातियाँ बन गई थी। 'सभा शृंगार' नामक पुस्तक में 34 प्रकार के ब्राह्मणों का उल्लेख मिलता है। भूमिदानों की अधिकता के कारण ब्राह्मणों में स्थानीयता की भावना काफी विकसित हुई। अपने समूह को स्थान के नाम पर चिह्नित किया जाने लगा। आठवीं शदी में समाज पर इस्लाम धर्म का प्रभाव पड़ने लगा। समाज में शुद्धता बनाए रखने की वजह से विवाह, खान-पान पर प्रतिबन्ध लगाये गये। विभिन्न पेशे के लोग एक समूह में जुड़े। समूह को एक जाति का रूप दिया गया, किन्तु एक जाति में विभिन्न पेशा करने वालों को विभिन्न उपजाति में विभाजित किया गया। ये उपजातियाँ आगे चलकर जातियों का स्वरूप स्वत: ग्रहण कर लीं।

गुप्तकाल के अन्तिम चरण लगभग सन् 900 ई. से सन् 1000 ई. तक समाज में जातीय व्यवस्था काफी उग्र रूप धारण कर ली थी। शैव, वैष्णव, बौद्ध, जैन, इस्लाम, शक, हूण और कुषाण आदि धर्मों और शासकों के बीच से गुजरे भारत के लोग अनेक उपजातियों में बँट गये। जाति के अन्दर उपजाति का प्रचलन हो चुका था। समाज की जातीय व्यवस्था को और भी परिष्कृत करने के लिए गोत्र का निर्माण बहुत पहले हो चुका था। हम 'गोत्र' का अध्ययन भी कर लें तो अच्छा होगा।

2. भारतीय वर्णाश्रम जातीय संकीर्णता

वर्ण एवं जाति

वर्ण शब्द के कई अर्थ या अभिप्राय होते हैं। यथा:–

1. वर्ण का एक अर्थ 'अक्षर' होता है यथा–अ, ई, उ, क, ख, ग।
   (प्रमाण: अमरकोष अष्टाध्यायी 3/3/54)
2. वर्ण का दूसरा अर्थ 'रंग' होता है यथा–श्वेत, लाल, पीत, श्याम जो क्रमश:, ब्राह्मण, क्षत्रिय, वैश्य और शूद्र के रंग माने गये हैं।

(प्रमाणः महाभारत शान्तिपर्व 188/5, 10-13, 188/10-13

ऋग्वेद 2/12/4 एवं 1/176/6

3. वर्ण का तीसरा अर्थ गुण कर्म स्वभाव के अनुसार जनसेवा का जिसने वरण किया हो या जिसका वरण किया गया हो अर्थात् जो चुना गया हो।

यथा—ब्राह्मण, क्षत्रिय, वैश्य एवं शूद्र।

(प्रमाणः महाभारत शान्तिपर्व 186/1-7, ब्राह्माण्ड पुराण—अ 7/151-158)

(क) जिसने विद्वान बनकर संसार से अज्ञान दूर करना वरण किया हो (चुना हो) वही ब्राह्मण है।

(प्रमाणः गीता 18/42, मनुस्मृति 1/88)

(ख) जिसने विद्या व शक्ति सम्पादन करके संसार से अन्याय दूर करना वरण किया हो (चुना हो) वही क्षत्रिय है।

(प्रमाणः गीता 18/43, मनुस्मृति 1/86)

(ग) जिसने विद्या व धन अर्जित करके संसार से अभाव दूर करना वरण किया हो (चुना हो) वही वैश्व है।

(प्रमाणः गीता 188/44 एवं मनुस्मृति 1/60)

(घ) जो विद्या शक्ति व धन अर्जित न कर सके और शारीरिक सेवा द्वारा ही संसार के दुःख दूर करना वरण किया हो (चुना हो) वही शूद्र है।

(प्रमाणः गीता 18/44 मनुस्मृति 1/61)

ये चारों वर्ण मनुष्य-समाज के मुख बाहु उरू और पैरों के समान स्थापित हैं तथा गुण कर्म स्वभावानुसार चारों वर्ण परिवर्तनीय है।

(प्रमाणः मनुस्मृति 10/65)

किन्तु संकीर्ण स्वार्थी लोगों द्वारा जन्माधारित वर्ण व्यवहृत होने से सम्पूर्ण हिन्दू-समाज भयंकर अर्न्तकलह से संत्रस्त है।

(ऋग्वेद 10/60/12, यजुर्वेद 31/11, मनुस्मृति 2/168, 10/65, 10/62-10/63 गीता 4/13, 18/41) 'निरूक्त' 2/10 तथा

ब्राह्मणोत्पत्ति मार्तण्ड पृ. 361 महाभारत शान्तिपर्व 63/4, 76/4-6, 186/8।

4. वर्ण व्यवस्था के साथ ही कर्म का आरक्षण एवं जाति व्यवस्था भी हो गयी जो कि जन्म आधारित होकर रूढ़ हो गयी और अवास्तविक रूप से जन्माधारित आज वर्ण हो गया।

   (प्रमाण: मनुस्मृति 1/86-1/61, गीता 18/43)

5. इस वर्ण व्यवस्था एवं आरक्षण से अनेकानेक जातियाँ एवं उपजातियाँ उत्पन्न हो गयीं। जिनकी संख्या आज भारत में लगभग 7 हजार है।

   (प्रमाण: मनुस्मृति 10/66, मनु 1/86, धर्मशाला का इतिहास पृष्ठ 141)

अतीत एवं स्वाधीनता पूर्व

1. स्मृतियों पुराणों आदि के रूढ़िवादी अव्यावहारिक प्रविधि से कर्मकाण्डी ब्राह्मणों द्वारा शूद्रो तथा स्त्रियों को शिक्षा से पूर्ववत् वंचित किया गया। विशेषत: दक्षिण भारत में।
2. भारतीय सनातन वैदिक धर्म का अनर्थ कर संकीर्ण एवं स्वार्थी ब्राह्मणों द्वारा ऋषियों के नाम से अनार्ष ग्रन्थों की रचना कर ब्राह्मण धर्म की स्थापना की गयी।
3. वाह्य संस्कृतियों, भाषाओं को मलेच्छ संस्कृति भाषा मानकर उनके अनवरत विरोध एवं बहिष्कार के कारण रूढ़िवादी कर्मकाण्डी ब्राह्मणों में शिक्षा की उत्तरोत्तर कमी होती गयी।
4. विदेशी शासकों (प्रधानत: अंग्रेजों) द्वारा निम्न वर्ण के अधिकांश लोगों को अपने बाह्य-भारतेतर कर्म एवं भाषा (अंग्रेजी) की शिक्षा देकर उनका उन्नयन करते रहने से शूद्रों को भी प्रशासन आदि में स्थान मिला। फलत: ब्राह्मणवाद का विरोध मुखरित हुआ।

ब्राह्मण शब्द

1. चारों वर्णों में से प्रथम वर्ण "ब्राह्मण" कहलाता है। जिसने गुण, कर्म, स्वभावानुसार मानव समाज से अविद्या दूर करने तथा जनसेवा का वरण किया या चयनित किया है जो इस व्यवसाय को संसार की सेवा हेतु आचार-विचार संस्कार सहित समर्पित है।

   (प्रमाण: गीता 18/42, मनुस्मृति 1/88)

2. जन्म के अनुसार (विकृत व्यवस्था से उत्पन्न) ब्राह्मण जाति में उत्पन्न व्यक्ति

(प्रमाण: ऐतरेय ब्राह्मण 3/5, मनुस्मृति 1/31, शतपथ ब्राह्मण 5/4/6/6, अत्रेय 373-383, धर्मशास्त्र का इतिहास 153)

ब्राह्मण कहलाता है। जो मूलत: अनियमित अनार्ष होते हुए भी सामान्य व्यवहार में स्वार्थपरता, अल्पज्ञता, सामन्तीयता के कारण अधिकतम है। इसी कारण सम्पूर्ण भारत या वृहत्तर भारत में जातीय विद्वेष चरम सीमा पर है।

यह देश सदियों दूसरों का गुलाम रहा है। यह देश गरीब है क्योंकि यहाँ अपने ही अपनों को गरीब रख रहे हैं। देश में भ्रष्टाचार है क्योंकि यहाँ सबसे बड़ी भ्रष्टाचार की घुटटी वर्ण व्यवस्था के नाम पर बड़े गुणगान के साथ जन्म से पहले ही पिला दी जाती है।

स्वतंत्रता उपरान्त की स्थिति

इस्लाम एवं इसाई धर्मावलम्बी शासनकाल में निम्न एवं मध्य स्तरीय जातियों में अपने उत्थान की विशेष चेतना उत्पन्न होने पर भारतीय संविधान में भी उनके सर्व विधि उत्थान हेतु धारा 335 (अनुसूचित जनजाति तथा 340 पिछड़ी जातियां) आदि का प्रावधान का आरक्षण दिया गया जो कि स्मृति काल में वर्ण जाति व्यवस्था-जन्य आरक्षण के कारण ही हुआ।

भारतीय संविधान की धारा 335 में शूद्र/अछूत (अनुसूचित जाति) एवं अनुसूचित जनजाति को आरक्षण द्वारा विशेष सुविधाएं विधिवत् प्रदान की गयी। जिसे सम्पूर्ण भारत में लागू किया गया। जिसमें कई सुविधाएं 1636 एवं 1944 से ही एवं कुछ प्रान्तीय सरकारों में ही लागू होती चली आयी हैं।

सन् 1955 से भारत के 13 राज्यों एवं 3 केन्द्र प्रशासित राज्यों में (केन्द्र सरकार को छोड़कर) पिछड़े वर्ग हेतु काका कालेलकर पिछड़ा वर्ग प्रथम आयोग के प्रतिवेदन पर आरक्षण लागू हुआ।

अगड़ा-पिछड़ा सम्वर्ग एवं आयोग

भारतीय संविधान के अनुच्छेद 340 के अन्तर्गत महामहिम राष्ट्रपति भारत ने 28 जनवरी 1953 को काका कालेलकर सांसद (महाराष्ट्रीय ब्राह्मण) की अध्यक्षता में 10 सदस्यों का प्रथम पिछड़ा वर्ग आयोग नियुक्त किया, जिसने 31 अगस्त 1955 को अपनी रिपोर्ट भारत सरकार को प्रस्तुत किया। काका कालेलकर आयोग ने मापदण्ड मूल्यांकन में शैक्षिक, आर्थिक एवं

सामाजिक बिन्दु लेने के स्थान पर निहित उद्देश्य सुविधा प्रमाणिकता के दृष्टिकोण से मात्र शैक्षिक आधार ही मूल्यांकन में लिया।

इस आयोग द्वारा मूल्यांकन-निर्धारण का माप-दण्ड 10 प्रतिशत तक शैक्षिक ही रहा अर्थात् भारत के जिन राज्यों, क्षेत्रों में (अछूतों जनजातियों के अतिरिक्त) सवर्ण और अन्यान्य धर्मावलम्बी 10 प्रतिशत तक शिक्षित मिले वे समस्त पिछड़ी जाति के तथा 10 प्रतिशत से अधिक शिक्षित अगड़ी जाति के माने गये। अर्थात् शैक्षिक आधार पर ही मूलतः हिन्दू सवर्ण एवं अन्यान्य धर्मावलम्बियों में ही पिछड़े व अगड़े सम्वर्ग बने।

अन्य पिछड़ा वर्ग तथा आरक्षण

इस काका कालेलकर प्रथम पिछड़ा वर्ग आयोग के अनुसार भारत के 27 राज्यों (22 राज्य + 5 केन्द्र शासित राज्य) में पिछड़ी जातियों-उपजातियों की संख्या 2366 अगणित है।

आरक्षण की मांग और दबाव पर निम्नांकित राज्य सरकारों ने पिछड़े वर्ग का आरक्षण तत्काल 1955 से ही निम्नवत् लागू किया गया जो अब तक लागू है। यथा-तमिलनाडु 50 प्रतिशत, कर्नाटक 48 प्रतिशत, केरल 48 प्रतिशत, आन्ध्र प्रदेश 38 प्रतिशत, जम्मू कश्मीर 42 प्रतिशत, मध्य प्रदेश 25 प्रतिशत, बिहार 20 प्रतिशत, उतर प्रदेश 15 प्रतिशत के अतिरिक्त पंजाब, महाराष्ट्र हरियाणा, गुजरात, हिमाचल प्रदेश, गोवा दमनडीव और पाण्डीचेरी राज्यों में न्यूनतम लागू कर दिया गया है। यह आरक्षण अनु.जा. एवं ज.जा. के अतिरिक्त है।

कई राज्यों ने उस समय केन्द्र की भांति पिछड़े वर्ग के लिए कोई आरक्षण नहीं किया यथाः- दिल्ली, राजस्थान, उड़ीसा, पश्चिम बंगाल, मेघालय, अरूणाचल, नागालैण्ड, मिजोरम, मणिपुर, त्रिपुरा, सिक्किम, अण्डमान निकोबार, लक्ष्यद्वीप राज्यों में इन पिछड़े वर्ग के लिये कोई आरक्षण नहीं हुआ।

उत्तर वैदिक काल की भी, उपरोक्त 2399 जातिवों में से, 62 जातियां आज भी भारत में विद्यमान है। मा. कालेलकर आयोग की रिपोर्ट का तत्कालीन केन्द्रीय गृहमंत्री पण्डित गोविन्द बल्लभ पन्थ ने प्रभावी विरोध कर 7 आपत्तियां लगाकर केन्द्रीय सरकार एवं केन्द्रीय प्रतिष्ठानों में निष्प्रभावी बना दिया। आरक्षण परिणामतः लागू नहीं हो सका।

कुचक्रयुक्त अल्प प्रभावी एवं रोष पूर्ण कालेलकर रिपोर्ट पर जब विपक्ष का संसद में दबाव पड़ा तो पुनः दूसरा पिछड़ा वर्ग आयोग, मण्डल कमीशन

के नाम से 1978 में गठित हुआ।

मण्डल आयोग के अनुसार भारत के पिछड़े वर्ग में 3743 जातियां उपजातियां है तथा ये देश की जनसंख्या के 52 प्रतिशत है। अनुसूचित जाति की जनसंख्या 22.5 प्रतिशत इस आयोग ने मानी है। मण्डल आयोग के 52 प्रतिशत पुनश्च 27.5 प्रतिशत आरक्षण संस्तुत करने पर केन्द्र एवं उत्तर प्रदेश सरकार ने पिछड़े वर्ग हेतु 27 प्रतिशत आरक्षण पूर्व प्रधानमंत्री मा. वी.पी.सिंह में समय उद्घोषित होकर बाद में लागू किया। जिस पर उत्तरी भारत में आत्मदाह जैसी भयंकर प्रतिक्रियायें हुई किन्तु दक्षिण भारत में ब्राह्मण आदि सवर्णो द्वारा आरक्षण से लाभान्वित होते रहने के कारण कोई प्रतिक्रिया नहीं दिखी।

आश्चर्यजनक स्थिति

पिछड़े वर्ग आयोग के अनुसार कुल आरक्षण (अर्थात अनुसूचित जाति + अनु. जन जाति + स्व. संग्राम सेनानी + विकलांग आदि सहित अन्य पिछड़ा वर्ग तमिलनाडु में 69 प्रतिशत, कर्नाटक में 68 प्रतिशत, केरल में 70 प्रतिशत, आन्ध्र प्रदेश में 67 प्रतिशत (लगभग) घोषित और लागू आज तक है। तमिलनाडु के पूर्व मुख्यमंत्री जयललिता ने संसद एवं राष्ट्रपति से अपने समय (में 69 प्रतिशत आरक्षण पारित कराकर यथावत लागू) ही नहीं रखा, अपितु 85 प्रतिशत आरक्षण लागू करने तक मांग भी कर डाली, जिस पर उत्तर भारतीय ब्राह्मण जाति को अज्ञानता-वश महान आश्चर्य हुआ। किन्तु तमिलनाडु एवं दक्षिण भारत में कहीं कोई विद्रोह नहीं हुआ। इस कारण आरक्षण से वहां दक्षिण भारत में ब्राह्मण लाभान्वित होता रहा है।

स्मरणीय है कि मा. सर्वोच्च न्यायालय के निर्णयानुसार 50 प्रतिशत से अधिक आरक्षण नहीं होने चाहिए।

उत्तर भारत के विशेषतः उत्तर प्रदेश में आयोग एवं सरकार के अनुसार लगभग समस्त शैव ब्राह्मण यथाः- गिरी, गोसाईं, योगी, ज्योतिषी, यति, गोस्वामी, नायक, वैरागी आदि 10 प्रतिशत से कम शिक्षित होने के कारण अन्यान्य वैश्यों की भांति पिछड़े वर्गो में ही आते हैं। प्रमाण स्वरूप आयोग की रिपोर्ट एवं उत्तर प्रदेश सरकार के शासनादेश संख्या वर्ष 1958 दृष्टव्य है, जिसमें 37 हिन्दू एवं 21 मुस्लिम जातियां है।

पिछड़े वर्ग आयोगों की रिपोर्ट लागू होने की केन्द्र सरकार द्वारा घोषणा होते ही मात्र 27 प्रतिशत आरक्षण (पिछड़े वर्ग हेतु) पर उत्तर भारत में भयंकर आत्मदाह प्रारम्भ हो गया, जो अत्यन्त दुखद है किन्तु दक्षिण भारत में

सन् 1950 एवं 1955 से ही लागू 48 प्रतिशत एवं 50 प्रतिशत आरक्षण (मात्र पिछड़े वर्ग हेतु) पर किसी प्रकार का तनिक भी विरोध या आन्दोलन सुनने को नहीं मिला।

उपरोक्त बिन्दुओं से प्रमाणित है कि ब्राह्मणवादी कुचक्र पिछड़े सम्वर्ग में विशेषतः दक्षिण भारत में प्रविष्ट होकर सम्पूर्ण लाभान्वित हो रहा है। जिसमें पूर्व प्रधानमंत्री मा. नरसिंह राव जी का भी परोक्ष समर्थन एवं सहयोग तथा पुर्व मुख्यमंत्री तमिलनाडु मा. जयललिता जी का प्रत्यक्ष एवं प्रभावी भूमिका से स्पष्टतः परिलक्षित है।

ज्ञातव्य है कि अंग्रेजी राज्य अन्तर्गत सन् 1935 में जन्माधारित ब्राह्मण राजकीय सेवा में (प्रथम, द्वितीय श्रेणी) मात्र 3 प्रतिशत था और पिछड़े सम्वर्ग आरक्षण तथा अन्यान्य कुचक्रों से लाभान्वित होते 1980 ई. में 64 प्रतिशत तथा 1990 में लगभग 70 प्रतिशत हो गया।

भारत की जनसंख्या का सम्वर्गवत् विभाजन प्रतिशत में निम्नवत् रहा है।

ब्राह्मण	क्षत्रिय	वैश्व	पिछड़ा वर्ग	अनु.जाति	अनु.जन.जाति	अल्प सं.	योग
3.50%	5.50%	6%	52%	15%	7.5%	10.5%	100%

उपरोक्त समस्त वर्णित बिन्दुओं से स्पष्ट है, कि जगत्गुरु भारत को "वसुधैव कुटुम्बकम" "सर्वजन हिताय" "सर्वजन सुखाय" एवं "निष्काम कर्मयोग" के उच्चतम आदर्श और कर्त्तव्य से परिव्य था। आज देश के अल्पज्ञ स्वार्थी प्रहरियों अध्येताओं द्वारा सत्यासत्य तथ्यातथ्य के कुतर्क एवं भ्रमित व्यामोह में जकड़ रहा है। अस्तु मनसा वाचा कर्मणा इसका सत्य एवं निष्पक्ष निराकरण जनहित, राष्ट्रहित एवं सृष्टि हित में अपरिहार्य है।

जाति-भेद हिन्दुओं की देन नहीं है। विदेशी आक्रांताओं ने हिन्दू समाज को अगड़ी-पिछड़ी और दलित जातियों में बाँटा ताकि इस धरती पर राज करने में कठिनाई न हो। आज के पिछड़े दलित कभी समाज के अग्रणी और योद्धा रहे है। इन्हें पुनः वही सम्मान देने की आवश्यकता है। दलित जातियों को शेष समाज के सम्मन अछूत बना दिया।

इतिहास साक्षी है कि पहले मुस्लिम और उसके बाद अंग्रेज शासकों ने हिन्दू समाज की उन जातियों का क्रूरता के साथ मान-मर्दन किया जो उनका प्रबल प्रतिकार कर रही थी। अपनी सुविधा के लिए अंग्रेजों ने भारतीय इतिहास को तोड़ा-मरोड़ा। शिल्पी जातियों का कला कौशल विनष्ट

किया उनको जबरन ले जाकर अन्यय आबाद कराया। इनमें अस्त्र-शस्त्र, युद्ध उपकरणों को बनाने वाली लोहार जाति के लोगों को टापूओं और यूरोप के देश में ले जाकर अपनी आवश्यकतानुसार शस्त्रों का निर्माण कराया और इनका उपयोग युद्धों में किया। जिसका विकसित स्वरूप आज हमें प्रेक्षपास्त्रों में देखने को मिलता है।

हिन्दू धर्म ग्रन्थों में जातियों के आधार पर अस्पृश्यता का कोई उल्लेख नहीं मिलता। सामाजिक समरसत्ता के आधार पर नये भारतीय समाज की स्थापना होनी चाहिए तथा देश के इतिहास का पुर्न लेखन किया जाना चाहिए ताकि देश और समाज का विघटन रोका जा सके।

3. भारत में सामाजिक न्याय

जैसे-जैसे हमारे देश में महत्वपूर्ण चुनाव, विशेषकर आम चुनाव निकट आते जाते हैं, सार्वजनिक नौकरियों में विभिन्न आधारों पर आरक्षण की मांग बलवती हो उठती है राजनैतिक सभाओं और प्रिन्ट मीडिया तथा इलेक्ट्रॉनिक मीडिया में आये दिन इस पर भाषण, वाद-विवाद और अनेकानेक अन्य माध्यमों से तर्क-वितर्क प्रस्तुत होते रहते हैं। अभी हाल में ही राजस्थान में आर्थिक पिछड़ेपन के आधार पर 14 प्रतिशत आरक्षण की घोषणा हुई तो राजनैतिक दलों में भाजपा के शीर्ष नेतृत्व ने भी इसका अपनी हरी झंडी देने में कोताही नहीं बरती। चाहे भले ही कुछ दिन पहले प्रधानमंत्री ने अपने भाषण में दो टूक शब्दों में स्पष्ट कर दिया था कि बेरोजगारों को सरकारी रोजगारी पर से भरोसा छोड़ना होगा। कितनी विचित्र बात है कि एक ओर विभिन्न क्षेत्रों में सरकार के पास केन्द्र और राज्य स्तर पर वेतन की अदायगी के लिए राशि निरन्तर कम पड़ती जा रही है, सरकारी नौकरियों में अत्यधिक धनराशि येन - केन प्रकारेण जुटाकर अधिक से अधिक छंटनी को प्रोत्साहित किया जा रहा है, सरकारी उपक्रमों में लाभ कमाने वाले उपक्रमों में घोर विरोध के बावजूद भी विनियोग की प्रक्रिया निरन्तर चल रही है और दूसरी ओर इन घटती हुई रोजगार की परिस्थितियों में हम सरकारी और सार्वजनिक क्षेत्रों में विभिन्न आधारों पर नौकरियों में अधिक आरक्षण का राग अलाप रहे हैं।

स्वतंत्रता प्राप्ति के पश्चात् आधी सदी से अधिक बीत जाने के परिप्रेक्ष्य में हम इतना तो कह सकने लायक हैं कि सामाजिक न्याय के क्षेत्र में हमारे देश की कुछ उपलब्धियाँ है। नागरिक क्षेत्रों में बड़े पैमाने पर और ग्रामीण क्षेत्रों में भी काफी हद तक छुआछूत के प्रदूषण से मुक्ति मिली है।

उल्लेखनीय है कि वर्तमान पीढ़ी को संविधान में उल्लिखित और देश के विभिन्न ग्रामीण अंचलो की नस-नस में व्याप्त छुआछूत के उदाहरण अब अविश्वसनीय कहानियों का रूप लेते जा रहे हैं। भारत में जाति प्रथा के दो प्रबल सम्बल रोटी और बेटी में से पहला रोटी के सम्बल की कड़ियां अब ढीली पड़ती जा रही है, परन्तु बेटी का सम्बल अब भी मजबूत है। सामाजिक संरचना की आधारशिला में परिवर्तन की यह गति बहुत धीमी नहीं कही जा सकती विशेषकर ऐसी परिस्थितियों में जब प्रजातांत्रिक प्रणाली में वोट बैंक की राजनीति उसे और अधिक जटिल बनाती जा रही है।

सामाजिक न्याय की परिकल्पना, यदि हम मानवाधिकार का आधार बनाकर चलें, तो सैद्धांतिक रूप से कोई बड़ी उलझन नहीं उत्पन्न होगी। जहां-जहां मानवाधिकार का जिस सीमा तक हनन हुआ है उसी के अनुपात में सामाजिक न्याय के साथ अन्याय हुआ है या हो रहा है। इस प्रकार मानवाधिकारों के अतिक्रमण की यह खाई कम नहीं हो रहीं है।

परन्तु व्यावहारिक दृष्टि से मानवाधिकारों का संरक्षण बुरी तरह उलझ जाता है। विभिन्न देशों ने अपनी-अपनी परिस्थियों के अनुसार संविधान बनाकर या परम्पराओं के आधार पर, जहां तक तर्कसंगत और व्यावहारिक हो सकता है, नागरिकों के मौलिक अधिकारों के संरक्षण को कानून के दायरे में लाने का प्रयास किया है। हमारे देश में भी संविधान निर्माताओं ने 'कानून के समक्ष समानता' (धारा 14) के रूप में सबसे मूल्यवान प्रजातांत्रिक अधिकार के रूप में प्रदत्त किया है। धारा 15, 16, और 29 में इसी अधिकार को और विस्तार दिया है। इन धाराओं के द्वारा देश के किसी नागरिक के विरूद्ध केवल धर्म, वर्ण, जाति, लिंग, भाषा या जन्मस्थान के आधार पर रोजगार पाने, शिक्षण संस्थानों में प्रवेश पाने, सार्वजनिक स्थानों पर पहुंच आदि में भेदभाव करना वर्जित किया है।

समानता का यह सिद्धान्त अपने आप में प्रशंसनीय है, परन्तु 'समानता किनके बीच?' क्या हमारे समाज की सुविधा सम्पन्न, उच्च कुलीन, सदियों से सुविधाभोगी वर्गो के कुछ थोड़े से लोग और उसके विपरीत सदियों से अपवंचित, उत्पीड़ित, दलित, प्रताड़ित एवं इन्हीं कारणों से हीन भावना से ग्रसित बहुसंख्य वर्ग के बीच? 'क्या न्यायसंगत है कि हम समानता के सिद्धान्त को असमान वर्गो के बीच प्रतिस्पर्धी बनायें? सामाजिक न्याय का यह स्पष्ट सिद्धान्त है कि समानता का सिद्धान्त केवल समान लोगों के

बीच की प्रतिस्पर्धा को ही न्यायसंगत ठहराता है (असमान के बीच नहीं)। असमान लोगों को समान मानकर चलने का तात्पर्य है असमानता के स्तर को निरन्तर बनाये रखना। यदि ऐसे लोगों के बीच प्रतिस्पर्धा होती है तो 'Survival of the fittest' के आधार पर तो यह भले जायज ठहरा दिया जाये लेकिन Rule of law के आधार पर यह उचित नहीं है। सभ्य समाज में समाज के महत्वाकांक्षी और परिग्रही लोगों की अतिसंचयी प्रवृत्ति पर अंकुश लगाने की व्यवस्था ही सर्वोचित होती है और ठीक इसके विपरीत समाज की निर्बल, कमजोर, शोषित, उपेक्षित तथा शारीरिक व बौद्धिक रूप से अपंग व निराश्रित वर्गो के हितों की रक्षा के लिए विशेष व्यवस्था करना है जो सामाजिक न्याय के मानवता के पक्ष का आधार होता है। जस्टिस के. सुब्बाराव ने इस संदर्भ में सामाजिक न्याय निम्नवत परिभाषित किया है:

"In a limited sense, the right to social justice may be defined as the right of the weak, aged, destitute, poor, women, children and other underprivileged persons to the protection of the State against ruthless competition of life. It seeks to give necessary adventitious aids to the underpriviledged so that they may have the equal opportunity with the more advanced the race of life. It is a bubdle of rights, in one sense it is carved out of other rights, in another sense it is a proserver of the rights. It is the balancing wheel between haves and havenots."

इसी संदर्भ में जस्टिस सुब्बाराव ने स्पष्ट किया है कि जब तक अपवंचित लोगों को आकस्मिक सहायता नहीं उपलब्ध हो जाती, यह कहना किसी भी दशा में उचित नहीं होगा कि उन्हें आगे बढ़े हुए लोगों के समान अवसर उपलब्ध है। जस्टिस सुब्बाराव के ही शब्दो में:

"This is the reason and justification for demand of social justice that the underpriviledged citizens of the country should be given a preferential treatment in order to give them an equal opportunity with other more advanced sections of the community."

देश के अपवंचित वर्ग को सामाजिक न्याय उपलब्ध कराने के उद्देश्य से संविधान में जो धाराएं है, उनके उद्देश्य को लागू करने और उन्हें व्यावहारिक बनाने में अनेक कठिनाइयों का सामना करना पड़ा है। फिर भी मोटे रूप में आर्थिक, सामाजिक और शैक्षिक पिछड़ेपन को आधार बनाकर सामाजिक न्याय उपलब्ध कराने का प्रयास किया गया है। इनमें आर्थिक आधार को इसलिए

छोड़ने की बात कटी हुई है कि कुल मिलाकर आर्थिक आधार को परिभाषित करने में तथा इसके प्रमाणीकरण में अभिलक्षित उद्देश्य की प्राप्ति कठिन होगी क्योंकि अन्य बातों के अलावा प्रमाणिकरण की शक्ति समाज के उन्हीं लोगों के हाथ में सर्वाधिक है जो अपवंचित वर्ग की श्रेणी में नहीं है। इसलिए अच्छा यही समझा गया कि सामाजिक और शैक्षिक विपन्नता को ही आधार बनाने में अन्याय होने की समस्या न्यूनतम है। आजादी के तुरन्त बाद के दिनों में संसद में, राज्य विधान सभाओं में और कतिपय अन्य क्षेत्रों में भी इसका मुखर विरोध नहीं हुआ और निर्धन एवं विपन्न छात्रों को छात्रवृत्ति तथा अन्य आर्थिक सहायता उपलब्ध कराई जाने लगी । अनुसूचित जाति और जनजाति के वर्गो को दी जाने वाली सुविधाएं और आरक्षण को भी धीरे-धीरे सहजता से स्वीकार कर लिया गया यद्यपि दक्षता (मेरिट) के मापदण्ड की तुलना को आधार बनाकर निरन्तर इसका उपहास होता रहा। इस सम्बंध में अगड़े वर्गो का दुराग्रह तो यहां तक रहा कि जहां तक सम्भव हुआ तमाम कानूनी और नियमसंगत प्रावधानों के होते हुए भी आरक्षित जगहों पर लगातार या तो योग्य अभ्यर्थी न मिलने की स्थिति दिखाकर जगहों को अन्य अगड़ी जाति के अभ्यर्थियों से भर देने और यदि अधिक दबाव बढ़ा तो उन्हें निरन्तर खाली रखने को ही श्रेयष्कर समझा गया। संभवत: इसके पीछे भी यही उद्देश्य बना रहा कि जैसे ही सुविधाजनक राजनैतिक परिवेश प्राप्त हो, इन्हें अगड़ी जातियों से भर दिया जायेगा।

पिछड़ी जातियों के आरक्षण के लिए नियुक्त मण्डल आयोग ने 31 दिसम्बर, 1980 को अपनी रिपोर्ट और सुझाव राष्ट्रपति महोदय को पेश कर दिये। तब से लेकर 1990 तक इस रिपोर्ट पर कोई कार्यवाही नहीं हुई। 1990 में तत्कालीन प्रधानमंत्री माननीय विश्वनाथ प्रसाद सिंह ने इसे लागू करने का निर्णय लिया। यह निर्णय लेना ही था कि पूरे देश के कोने-कोने में एक सामाजिक और राजनैतिक भूचाल आ गया। देखते ही देखते पूरे देश के छात्रनेता, राजनेता विशेषकर अगड़े वर्गो के निहित स्वार्थ वाले नेताओं, प्रिन्ट मीडिया (जिस पर लगभग पूर्णतया अगड़े और धनाढ़्य वर्गो का स्वामित्व है) और यहां तक कि इलेक्ट्रॉनिक मीडिया सभी ने एकजुट होकर ऐसा वातावरण प्रस्तुत किया मानों देश को पिछड़ों के हाथ में गिरवी रख दिया गया हो। माननीय विश्वनाथ प्रताप सिंह को तरह-तरह से अपमानित करने की निरन्तर चेष्टा और प्रयास होने लगे। ऐसा लगने लगा कि देश की अगड़ी जातियों का युवा वर्ग इतना आक्रोशित हो गया है कि आत्मदाह एक

सामान्य प्रवृत्ति बन गई है और पिछड़े वर्गों के आरक्षण को लेकर सारा समाज इतना उद्वेलित है कि वह इस आरक्षण को किसी भी कीमत पर लागू नहीं होने देगा।

वैसे उक्त सभी सिद्धान्तों का अध्ययन करने के बाद हम इसी निष्कर्ष पर पहुँचते हैं कि जातिप्रथा की उत्पत्ति किसी एक सिद्धान्त के आधार पर नहीं हुई। समय-समय पर स्थानीय परिस्थितियों, धार्मिक सोच-विचारों, व्यवसाय व पेशों के बीच भावनात्मक विचार या प्रेरणा से स्थान, राजनीति, पेशा, धर्म, देवता परम्परा के आधार पर जातियों का निर्माण होता गया। हिन्दुस्तान की ये पौने चार हजार जातियाँ एक दिन नहीं, एक समय और एक व्यक्ति द्वारा नहीं, बल्कि धीरे-धीरे समय की रफ्तार के साथ विकसित हुई। हजारों वर्ष की यही प्रक्रिया इनकी उत्पत्ति और विकास का कारण है।

भारत एक प्राचीन राष्ट्र है क्योंकि वैदिक ऋषियों ने अपने तप और बल से इस तत्त्व को प्राप्त किया था। इसलिए राष्ट्र के साथ तप, ताप, ऊर्जा, गति, ज्ञान और विज्ञान का भावार्थ जुड़ा हुआ है। अथर्ववेद(16/41/1) में स्पष्ट रूप से कहा गया है कि आत्मज्ञानी ऋषियों जगत का कल्याण करने की इच्छा से सृष्टि के प्रारम्भ में जो दीक्षा लेकर तप किया, उससे राष्ट्र का निर्माण हुआ, राष्ट्रीय बल और ओज भी प्रकट हुआ। इसलिए सब विबुध इस राष्ट्र के सामने नम्र होकर इसकी सेवा करें। राष्ट्र की जीवितता का आधार उसकी ऊर्जा है। भारत की संज्ञा भाव और अर्थ में उर्जा, ज्ञान-विज्ञान, गति-प्रगति तथा प्रकाश और अग्नि का ही बोध करता है।

इस भारत राष्ट्र की वैज्ञानिक और तकनीकी प्रगति में जिस ज्ञान, कर्म और योग के सम्मिलित भाव की आवश्यकता का चिंतन किया गया उसे सर्जक देवता 'विश्वकर्मा' कहा गया। इसलिए भारत के वैज्ञानिक और तकनीकी प्रगति में मूलरूप से विश्वकर्मा के देवत्य की विद्यमानता है। इस चिंतन का संकेत ऋग्वेद, यजुर्वेद, सामवेद और अथर्ववेद के विश्वकर्मा सम्बन्धी विशेषणों के उल्लेख से मिलता है। यही कारण था कि इन्द्र, अग्नि, विष्णु, आदित्य, प्रजापति, वायु एवं शिव के रूप में विश्वकर्मा की कल्पना मिलती है। कालान्तर में समाज की व्यवस्था के अनुरूप प्रकृति के विभिन्न तत्त्वों और रूपों का अलग-अलग विकास हुआ और शिल्प के नवीन क्षेत्र सृजित हुए। इसीलिए सभी शिल्पों के मूल में एक ही देव भावना विद्यमान रही है-विश्वकर्मा। इस प्रकार यदि प्राचीन काल से लेकर

आज तक भारत के वैज्ञानिक और तकनीकी प्रगति के विविध सोपानों का अवलोकन किया जाय तो निश्चित रूप से शिल्पों के विकास में लगे हुए विश्वकर्मा वर्ग की महत्तम भूमिका दिखाई देती है। यही कारण था कि प्राचीन काल में सम्पूर्ण रचनात्मक-विद्या को शिल्प कर्मा के अन्तर्गत रचनात्मक-विद्या को शिल्प कर्म के अन्तर्गत परिगणित कर लिया गया था और सामाजिक, सांस्कृतिक, आर्थिक और राजकीय स्तर पर इस विद्या की श्रेष्ठता मान्य की गयी थी।

विश्व का चिंतन इस बात का साक्षी है कि केवल भारत के ही ऋषियों की वैज्ञानिक दृष्टि का परिणाम रहा है कि विश्व एक इकाई है और इसकी आत्मा विश्वात्मा हैं साथ ही इसके निर्माता व भाव रूप विश्वकर्मा विश्व के कल्याणार्थ देव और मानुषी दोनों ही संकल्पनाओं के साथ प्रत्येक कालों में भारतीय समाज में विद्यमान रहा है। मनुष्य लोक में विश्वकर्मा की वंश-परम्परा, कुल-परम्परा, शास्त्र-परम्परा एवं ज्ञान-विज्ञान की विविध शास्त्र-परम्परा एवं ज्ञान-विज्ञान की विविध प्रक्रियाओं की परम्परा का प्रचलन ही भारत की विज्ञान और प्रौद्योगिकी के प्रगति का इतिहास है।

पुराणों तथा शिल्पशास्त्रो में भारत की विज्ञान-परम्परा को वंशानुगत रूप मिला। भारतीय चिंतकों की यह सोच कितनी वैज्ञानिक रही है कि प्रत्येक शिल्प को वंशानुगत आधार पर जोड़ दिया जाय जिससे समाज में विविध शिल्पों के ज्ञानी, परमज्ञानी तथा विज्ञानी विद्यमान रहें और स्वतः स्फूर्त समाज निर्मित हो। समाज की आर्थिक समृद्धि, धार्मिक चेतना तथा राष्ट्रीय प्रगति में शिल्पों के वंशानुगत विकास ने महत्वपूर्ण भूमिका का निर्वाह किया। यही कारण था कि प्रत्येक उद्योग-धंधे, व्यवसाय, व्यापार, वाणिज्य, कृषि, पशुपालन आदि के विकास में शिल्प की वैज्ञानिक और तकनीकी प्रगति रही है।

वस्तुतः शिल्प-कर्म सामान्य ज्ञान न होकर एक वैज्ञानिक विधा है। तकनीक (अंग्रेजी टेक्निक) स्वयं ही संस्कृत के 'तक्ष' से बना है और इसी मूल भाव के साथ विश्व की भाषाओं में शब्द मिलते हैं। यह 'तक्ष' क्रिया ही तक्षण क्रिया, तक्षा और वैदिक त्वष्ट्रा तथा विश्वकर्मा का परवर्ती रूप है। इसलिए तकनीकी प्रगति के मूल में भी शिल्प है। कालान्तर में मनु, मय, त्वष्ट्रा, शिल्पी और दैवज्ञ नामक पंचपुत्रों के रूप में लौहकर्म, काष्ठकर्म, पाषाणकर्म, कांस्यकर्म एवं सुवर्णकर्म के क्षेत्रों में विशिष्ट तकनीकी प्रगति

हुई। इसके मूल में एक ही भाव था तथा धीरे-धीरे जातीय श्रेष्ठता और कर्मशीलता के आधार पर समाज के विशिष्ट वर्ग का उदय हुआ। सही वर्ग राष्ट्र के विकास में योग भाव के साथ आरंभ से ही समर्पित और संकल्पित रहा है।

परवर्ती कालों में शिल्पकर्म में लगे विविध वर्गो ने समाज के आर्थिक विकास के सोपान तैयार किये। इस प्रगति में पुरूषार्थ को ध्यान में रखा गया। धर्म, अर्थ, काम और मोक्ष चारों पुरूषार्थों एक साथ शिल्पकर्म में प्राप्त होते हैं। इसीलिए शिल्प विद्या को श्रेष्ठतम और सब प्रकार के मोक्ष और सिद्धियों को प्रदान करने वाली कहा गया है।

'अग्नि' एवं 'चक्र' दोनो मानव की प्राविधिक एवं वैज्ञानिक प्रगति के आधार। पाँचो वर्गो उदय प्रकृति के पंचभूतों (पृथ्वी, जल, अग्नि, आकाश, एवं वायु) के आधार पर हुआ। लौह, काष्ठ, पाषाण, धातु एवं सुवर्ण से जुड़े सभी शिल्प, प्रकृति के तत्वों पर निर्भर है। इसीलिए भारतीय शिल्पी प्रकृति का सच्चा उपासक माना जाता रहा है। यही उसके समाज मे श्रेष्ठ होने का कारण रहा है। उसने अग्नि की उपासना की और जीवन में स्थिरता और सामाजिक प्रगति का सूत्रपात किया। अग्नि की नित्य साधना करने वाला वर्ग ही लौहकार, सुवर्णकार, ताम्रकार, कांस्यकार हुआ। ऊर्जा और उष्मा की बारीकियों को ये शिल्पी जानते हैं। कालान्तर में इसी के आधार पर विज्ञान की नींव पड़ी। नगरों और ग्रामों के विकास में मूल मे मानव का शिल्प ज्ञान ही प्रमुख कारक रहा है।

'चक्र' अर्थात् पहिये के आविष्कार ने मानव को सभ्य बनाया। उसमें गति का संचार हुआ और चक्के पर आधारित रथ, वाहन और चक्रीय सिद्धान्त पर विज्ञान और प्रौद्योगिकी सामने आयी। कहीं न कहीं इस चक्र के मूल में तक्षा और रथकार थे। इसीलिए वेदों और सूत्रग्रंथों में इन्हें दो वर्गों में वर्णित किया गया है। अश्वमेघ यज्ञ के अवसर पर 'तक्षा' को लकड़ी के आधार, पोत, गाड़ी, आसन आदि निर्मित करना होता था। रथकार रथ निर्मित करता था। इसीलिए महत्व के कारण रथकार को श्रौतयज्ञ सम्पन्न करने के अनुज्ञा प्रदान की गयी थी। यज्ञ के साथ-साथ वह अपना उपनयन भी करा सकता था और उसके द्वारा सहज ही 'द्विज' की श्रेणी में आ सकता था। बौधायन श्रौतसूत्र (15/13/14) में इस पक्ष पर पर्याप्त प्रकाश डाला गया है। इसलिए मानव प्रगति की कहानी में मूलरूप से विश्वकर्मा वर्ग की भूमिका रही है।

वर्तमान विज्ञान सूर्य एवं अन्य ग्रहों की गति तथा ऊर्जा पर केन्द्रित है। इसीलिए उनका मानव प्रगति के लिए उपयोग को ध्यान में रखकर सभी यंत्र, आयुध, विमान, वाहन, शस्त्रास्त्र आदि निर्मित किये जा रहे हैं। देश के समस्त उद्योग, कारखाने, यांत्रिक कार्यशालाएँ आदि विश्वकर्मा वर्ग में सम्मिलित है। इसीलिए सर्वत्र विश्वकर्मा की पूजा तथा उपासना, यज्ञ-आहुतियाँ प्रचालित है। इनके क्षेत्रीय रूप अलग-अलग हैं।

आज की वैज्ञानिक और प्रौद्योगिकी प्रगति के प्रतिनिधि उदाहरण विमान और आयुध निर्माण है। इनका समाज की प्रगति तथा समाज की रचना, व्यवस्था एवं सुरक्षा के लिए उपयोग किया जाता है। तथ्य यह है कि विमान और आयुध विद्या दोनों ही शिल्पी वर्ग को विश्वकर्मा की संतति के रूप में उनके आराध्य देव विश्वकर्मा से ही प्राप्त हुए है। इन दोनों विद्याओं ने विश्व को एकसूत्र में पिरोया है। ये उनकी चरम उपलब्धियाँ है।

बाल्मीकि रामायण और महाभारत रोचक वर्णन बतलाते हैं कि प्रौद्योगिकी और वैज्ञानिकता के साथ विमान-विद्या विश्वकर्मा की देन है। ऋषियों ने कठोर तप करके इस विद्या को विश्वकर्मा से प्राप्त किया और लोक व्यवस्था के निमित्त समाज को दिया। योग्यता और क्षमता के आधार पर ही आगे चलकर इनके निर्माताओं की कुल-परम्परा प्रचलित हुई। पुष्पक विमान की चर्चा भारतीय साहित्य तथा लोककथाओं में आज भी मिलती है।

भारद्वाज रचित 'यंत्रसर्वस्व' के वैमानिक प्रकरण में विमान के 32 रहस्यों का वर्णन है। उनमें विमान से मारक धूम्र फेंककर शत्रु विमान को नष्ट करना, विमान अदृश्य कर देना, शत्रु की स्मृति नष्ट कर देना, दूसरे विमान में बैठे शत्रु की वार्ता सुन लेना जैसे रहस्यों का वर्णन है। ऐसे अनेक ग्रंथ विश्वकर्मा परम्परा में उनके ज्ञानी-विज्ञानी शिलप्यों की देन है।

विश्वकर्मा की देव-परम्परा में निर्मित देवताओं के लिए वाहन, आयुध, सुदर्शन चक्र, सहस्रार चक्र, आभूषण, अस्त्र-ब्रह्मास्त्र, भूमि यंत्र, लतायंत्र तथा दूरवीक्षण यंत्र का विस्तृत वर्णन साहित्य में मिलता है। इसी परम्परा में वंशानुगत ज्ञान प्राप्त शिल्पियों के वर्ग में यह विद्या आगे बढ़ती गयी। इस प्रकार सूक्ष्म से सूक्ष्म वस्तुओं, उपकरणों तथा यंत्रों के निर्माण से लेकर विशाल, तीव्रगामी यंत्रों, वाहनों, आयुधों तथा उपयोगी उपकरणों का निर्माण विश्वकर्मा की वंश परम्परा एवं कुल परम्परा में संभव हुआ। भवन, दुर्ग, अट्टालक, सेतु, मार्ग, सरोवर, उद्यान, वाहन, आयुध सभी इसी शिल्प कर्म की देन है।

हरिवंश पुराण (2/58/63-76) का विश्वकर्मा निर्मित द्वारिकापुरी का मनोरम वर्णन विश्वकर्मा की वैज्ञानिकता तथा तकनीकी कुशलता का उदाहरण है। काष्ठ शिल्प के कारण वे वनस्पतिशास्त्र के भी ज्ञाता थे। इसीलिए उन्होंने इन्द्र से अनुमति लेकर द्वारिकापुरी में वृक्षों, पशु-पक्षियों आदि की भी रचना की। इसी के वर्णन बाद के ग्रंथों में मिलते हैं। विश्वकर्मा परम्परा के शिल्पियों, कारीगरों तथा शिल्पज्ञों के कारण प्राचीनकाल में सतयुग, त्रेता, द्वापर तथा कलियुग के आरम्भिक चरण में राष्ट्र की वैज्ञानिक तथा तकनीकी प्रगति हुई। प्रत्येक युग में शिल्प और शिल्पी वर्गो को उच्च स्थान दिया गया।

विश्वकर्मा वर्ग शिल्प-विद्या की प्रतिष्ठा तथा उसके उपयोग से समाज और राष्ट्र की प्रगति से सम्बन्धित है। यह वर्ग अपने ज्ञान तथा कौशल के कारण राष्ट्र की वैज्ञानिक एवं प्रौद्योगिकी प्रगति में सर्वप्रमुख रहा है। वर्तमान संदर्भ में इस वर्ग और चिंतन की पुर्नस्थापना होनी चाहिए तभी वंशानुगत शिल्पकर्म का विकास, समाज की आर्थिक एवं वैज्ञानिक प्रगति संभव है। समाज और सरकारों को चाहिए कि इनका संरक्षण करे।

समतामूलक समाज के निर्माण से ही सामाजिक विषमताओं को दूर किया जा सकता है। संपूर्ण सृष्टि में केवल मानव ही हाथ से मुक्त प्राणी है। सृष्टि में मनुष्य को छोड़कर अन्य किसी भी जीव को हाथ नहीं मिला है। भद्र मनुष्य की विद्या दूसरों को ज्ञान प्रदान करने के लिए उसका धन मजबूरों को दान देने के लिए तथा उसका बल दूसरों की रक्षा के लिए होता है। जो मनुष्य अहंकार वश अपने धन, बल, ज्ञान, का दुरूपयोग करता है उसका विनाश निश्चित है।

आज के परिवेश में शक्तिशाली संगठन की अति आवश्यकता है। क्योंकि बिना इसके कोई ठोस कार्य नहीं हो सकता। न ही हमारी चेतना में बदलाव आ सकता। संगठन में ऐसी ऊर्जा है जो बहुत से इंजनो को खीच सकती है। विशेष रूप से सामाजिक और राजनैतिक परिवेश में संगठन बहुत महत्वपूर्ण है। इसके लिए भरपूर प्रयास करना होगा। बाधाएं आये भी तो उनको दूर करना होगा। समय कम एवं मूल्यवान है इसे गंवाना ठीक नहीं। जो समय को नहीं पहचानेगा वह धोखे में रहेगा। निराशा मनुष्य को पिछे ढकेलती है और कुण्ठा अकर्मण्य बनाती है। औपचारिक रूप से हम एकता की बात करते हैं परन्तु व्यवहार में इसके विपरित आचरण करते है जिससे अनेकता

एवं विघटन होता है। हम सबको एक लाइन, एक कार्यक्रम, एक विचार पर एक-मत होना है। इसी से संगठन में मजबूती जाएगी। ऐ विश्वकर्मा कल दीपक मेरी आप से अपील है कि कुण्ठित भावना का परित्याग कर एक संगठित आवाज बुलन्द करें और अपने हक के लिए लड़े। हक हासिल करने के लिए तमाम बन्धनों को तोड़ दो और मजबूर कर दो उनको जो हमारे दरवाजे बन्द कर दिए हैं। हमारे अधिकार को अपने में समेटे हैं। अगर आज हम एक शक्तिशाली संगठन खड़ा कर सकें तो अपने लक्ष्य को प्राप्त कर लेंगे। शक्तिशाली संगठन बनाने के लिए निचले स्तर पर लगातार कार्य करने की आवश्यकता है किसी एक सचेतक की योजनानुसार सभी कार्यो में जुट जाय। हम जानते है कि संगठन बन जाते हैं परन्तु नालों की तरह उनका प्रभाव थोड़ी देर पश्चात रूक जाता है। संगठन की धारा अजस्त्र प्रवाहित रहे इसके लिए लगातार प्रयास चलता रहना चाहिए। शक्तिशाली संगठन हेतु हमारा पूर्ण समर्थन रहेगा एवं हम सतत प्रयत्नशील रहेंगे।

यह सर्वमान्य है कि कोई भी समाज जब तक राजनीति की मुख्य धारा में शामिल होकर देश व प्रदेश की राजनीति नहीं करेगा, उसके समाज का बहुमुखी विकास सम्भव नहीं होता। परिणाम लगभग 12 करोड़ का विश्वकर्मा समाज राजनीतिक रूप से अर्थहीन हो गया है। दूसरा पहलू यह रहा कि पिछड़ों को सरकारी नौकरियों में 27 प्रतिशत हिस्सेदारी अर्थात् आरक्षण मिला किन्तु उस पर उच्च पिछड़ों का कब्जा हो गया और विश्वकर्मा समाज जो हर भांति समर्थ-सक्षम है। केवल राजनीतिक विवशता के कारण उसका लाभ नहीं पा सका।

आज पुनः यह अवसर आया है जब विश्वकर्मा समाज नवगठित आरक्षित अति पिछड़ा समाज में अपनी अग्रणी भूमिका निभाये, नेतृत्व अपने हाथ में ले, जो कि बहुत ही आसान है क्योंकि उच्च पिछड़ा उसके आड़े नहीं आ सकता और अति पिछड़े समाज में आदिम अवस्था से ही विश्वकर्मा समाज एक प्रतिष्ठित समाज रहा है, चाहे कृषि कार्य हो अथवा औजार हो वह सभी विश्वकर्मा समाज ही अपने कौशल से उपलब्ध कराता है।

4. विश्वकर्मा समाज : समस्याएं एवम् संभावनाएं

मनुष्य एक सामाजिक प्राणी है। सामाजिक व्यवस्था के अनुसार उसे सदैव चलना पड़ता है। व्यवस्था, ईश्वर निर्मित नहीं होती है और निर्मित सार्वजनिक होती, क्योंकि देश काल एवं परिस्थितियों परम्परा के अनुसार

बदलती रहती है। मानव के सरोकार वह व्यवस्था जड़ है, जिसमें परिवर्तन न हो। परिवर्तन अर्थात बदलाव प्रकृति का स्वभाव है, यही जीवन का यथार्थ है। जीवन को चलानें के लिए मनुष्य की कुछ वह मूल समस्याएँ होती है, जिससे उस समाज को प्राप्त होना अति आवश्यक है। यह सब मिलने से वह समाज ऊँचाइयों पर पहुँच जाता है, यह तभी होता है जब वह समाज शिक्षित एवं संगठित होता है।

भारत वर्ष को स्वतन्त्र हुए लगभग 58 वर्ष हो गया, परन्तु विश्वकर्मा समाज की ओर किसी भी सरकार का ध्यान उसकी मूल समस्याओं की तरफ नहीं गया जिसका मुख्य कारण है कि विश्वकर्मा समाज का संगठित न होना तथा शिक्षा का आभाव/आज विश्वकर्मा समाज के लोगों द्वारा संगठन, शिक्षा एवं दहेज आदि मूल विषयों पर सामाजिक सुधार लाने के लिए जगह-जगह गोष्ठी तथा रैली का आयोजन किया जा रहा है जिससे विश्वकर्मा समाज में राजनैतिक चेतना आये और अपने मूल अधिकारों व राजनीति तथा नौकरी आदि में अपने सहभागिता के लिए लड़ाई लड़ सके। विश्वकर्मा समाज तभी आगे बढ़ सकता है, जब समाज शिक्षित होगा, हमारा संगठन मजबूत होगा। संगठन को मजबूत बनाने के लिए विश्वकर्मा समाज के लोगों को आगे आना होगा। संगठन के साथ-साथ हमें शिक्षा पर विशेष ध्यान देना होगा। शिक्षा से ही हमें शक्ति एवं ऊर्जा प्रदान होती है और शक्ति आने से हम सब अपने समाज के लिए राजनैतिक भागीदारी के लिए लड़ाई लड़ सकते हैं।

हर समाज की पहचान एक विशेष संस्कृति संकुल के कारण अन्य समाजों से पृथक होती है। जिस परिवार जाति अथवा-समाज का सांस्कृतिक मूल्य जितना ही उत्कृष्ट कोटि का होता है वह समाज जाति अथवा परिवार उतना ही सम्मान की दृष्टि से समाज में अपना स्थान सुरक्षित रखता है। उच्च सांस्कृतिक जीवन मूल्य, सम्बन्धित समाज, जाति अथवा परिवार के लोगों को उत्कृष्ट सांस्कारिक साँचे में ढालकर समग्र विकास की दिशा में चलने को प्रेरित करता है।

विश्वकर्मा समाज की सांस्कृतिक पहचान कर्म ही पूजा है के सूत्र में आबद्ध दिखती रही है। विश्वकर्मा समाज के सांस्कृतिक अवदान को जानने के लिए जब हम आदि काल से लेकर अब तक के जीवन मूल्यों पर नजर डालने से यह स्वमेव ही स्पष्ट हो जाता है कि सृष्टि के आरम्भ से लेकर अब तक इस समाज के लोगों ने ज्ञान विज्ञान के विभिन्न क्षेत्रों में उत्तरोत्तर

नयी-नयी खोज करके समाज एवं देश को प्रगति के पथ पर लाने का काम किया है। कर्म में विश्वास रखने वाले विश्वकर्मा समाज की सबसे बड़ी सांस्कृतिक धरोहर उसका स्वाभिमानी जीवन जीने की मूल भावना रही है।

लेकिन विश्वकर्मा समाज के लोग इस सामाजिक संरचना में हर स्तर पर शोषण, अत्याचार, अन्याय तथा उत्पीड़न के शिकार रहे हैं। किन्तु शहरों की तुलना में गाँवों में रहने वाले अधिक क्योंकि शहर बाजार में रहने वाले विश्वकर्मा समाज के लोग जो अपने पैतृक व्यवसाय से जुड़े हैं वे देशकाल और परिस्थितियों के अनुसार अपना समुचित पारिश्रमिक पाकर अपेक्षाकृत सुखद एवं सम्मानजनक जिन्दगी जीते हैं। शहर में रहने के कारण वे अपने हित-अहित के प्रति पूरी तरह सचेत एवं जागरूक रहते हैं, इस जागरूक वातावरण में रहने के कारण उनका तकनीकी ज्ञान भी समय के माँग के अनुसार क्षमता की दृष्टि से व्यापक होता है तथा वे व्यवहार कुशल भी होते हैं।

लेकिन गाँव में रहने वाले विश्वकर्मा समाज के लोग जो अधिकतर पैतृक व्यवसाय से जुड़े हैं दबंगों की चक्की के बीच इतना दबे-कुचले होते हैं कि स्वाभिमान और मान-सम्मान की जिन्दगी जीना तो दूर रहा उसके बारे में सोचने का भी अवसर उन्हे नहीं मिल पाता है, जिसके कारण उनका जीवन स्तर सोच, संस्कार, कार्य क्षमता आदि अत्यन्त ही संकुचित होता है।

सम्प्रति समय का तकाजा है और मेरा विनम्र सुझाव है कि गाँव में रहने वाले विश्वकर्मा समाज के लोग जो अपने पैतृक पेशे से जुड़े हैं वे दूर नहीं तो अपने आस-पास के शहर बाजार अथवा अपने गाँव के पास से होकर गुजरने वाली सड़क की चट्टी चौराहों पर ही अपना धन्धा प्रारम्भ कर दे और बेहिचक अपने द्वारा किये गये कार्य का पारिश्रमिक प्राप्त करने का प्रयास करें, और जब इससे उनकी माली हालत में सुधार आ जायेगा तो कोई भी इनके साथ अपमानजनक व्यवहार करने का साहस नहीं जुटा पायेगा। उनकी अच्छी माली हालत से आने वाली पीढ़ीपढ़ लिखकर समाज एवं राष्ट्रीय विकास की मूल धारा से जुड़कर अपना महत्वपूर्ण योगदान दे पायेगी।

वर्तमान समय में विश्वकर्मा समाज की स्थिति पहले से अच्छी हुई है। विश्वकर्मा समाज जगा है। उनमें राजनैतिक, सामाजिक, शैक्षिक एवं सांस्कृतिक चेतना जगी है। वे विकास की तरफ अग्रसर है, राजनीति में भाग ले रहे हैं,

अच्छे-अच्छे प्रशासनिक पदों को प्राप्त कर समाज को नयी दिशा दे रहे हैं। शिक्षा के क्षेत्र में भी समाज का कदम आगे बढ़ा है लोग अपने बच्चों को पढ़ा लिखा रहे हैं और बच्चे अपनी प्रतिभा का परिचय भी दे रहे हैं।

पुरुष एवं महिलाएं दोनों सामाजिक कार्यों में बढ़-चढ़ कर हिस्सा ले रही है। लोगों में सांस्कृतिक चेतना के साथ-साथ आर्थिक स्थिति में भी सुधार हुआ है। आज आपको ऐसा कोई जिला या तहसील, कस्बा नहीं मिलेगा जहाँ विश्वकर्मा समाज के कुछ लोग उद्योग धन्धों में आगे न हों और उनकी प्रतिष्ठा समाज में न हो लेकिन यह स्थिति मुठ्ठी भर लोगों की है।

हमारे समाज का एक बड़ा वर्ग पिछड़ा ही नहीं अपितु अति पिछड़ा है। उनकी आर्थिक एवं सामाजिक स्थिति बहुत ही खराब है उनके बच्चे पढ़-लिख नहीं पाते पढ़ने लिखने की उम्र में ही उन्हें काम-धन्धे में लगा दिया जाता है। वे लकड़ी काटने एवं लोहा पीटने के लिए बाध्य हो जाते हैं, जिससे उनका सामाजिक शैक्षिक एवं वे सांस्कृतिक अनुकूलन, शिक्षा के अभाव में नहीं हो पाता। अगर उनके अभिभावकों में शैक्षिक चेतना होती तो बच्चों को शिक्षा से वंचित नहीं करते और उन्हें पढ़ा लिखाकर योग्य नागरिक बनाते, जो उनका ही नहीं अपितु पूरे परिवार का भाग्य बदल देते। शिक्षा ही वह कुंजी है जिससे मनुष्य अपने अन्दर ज्ञान रूपी खजाना को प्राप्त कर सकता है जिससे मनुष्य का भाग्य खुलता है।

हमारे समाज के पिछड़ेपन का एक बड़ा कारण भाग्यवाद, अन्धविश्वास, जादू टोना एवं नशाखोरी है। भाग्य के भरोसे मनुष्य को नहीं रहना चाहिए। कर्म कीजिए, कर्म ही भाग्य का निर्माण करता है। ग्रामीण क्षेत्रों में हमारे समाज में विकास की एक बड़ी बाधा अंधविश्वास है। भूत प्रेत, जादू, टोना, टोटका के चक्कर में पड़ा आदमी न विकास कर सकता है न किसी ने विकास किया है। सबसे बड़ी हास्यास्पद स्थिति ये है कि कुछ पढ़े लिखे भी इसके शिकार हैं। इस स्थिति को सुधारना होगा विज्ञान के इस युग में समय के साथ-साथ चलना होगा। जब तक ऐसा नहीं होगा, हम वहीं के वहीं रह जायेंगे और विकास से कोसों दूर हो जायेंगे क्योंकि समय परिवर्तनशील है वह किसी का इन्तजार नहीं करता।

हमारे विश्वकर्मा समाज में एक और बड़ी बाधा है जो विकास को अवरूद्ध करती है वह है नशाखोरी, हमें बहुत से परिवारों में देखने को मिलता है कि कमाई तो बहुत अच्छी होती है परन्तु वह कमाई व्यक्ति के शराब, भाँग, अफीम एवं जुंए के लत के कारण सब बर्बाद हो जाती है।

ऐसे वातावरण में बच्चों का विकास असंभव है जिसमें आये-दिन घर में कलह एवं मारपीट होती रहती है। इसके लिए विश्वकर्मा समाज को नशाबंदी पर जोर देना चाहिए।

विश्वकर्मा समाज की इस दशा को बदलने के लिए हम सभी विश्वकर्मा बन्धुओं को मिलजुलकर प्रयास करना होगा जिससे समाज के अन्दर सामाजिक, आर्थिक, राजनैतिक, शैक्षिक एवं सांस्कृतिक चेतना का प्रादुर्भाव हो और समाज से अंधविश्वास नशाखोरी, भूतप्रेत, जादू टोना, अशिक्षा, भाग्यवाद और कुरीतियों का अन्त हो तभी समाज विकास के पथ पर अग्रसर होगा और राष्ट्र का विकास होगा और तभी विश्वकर्मा समाज सम्मान का जीवन जी सकेगा।

विश्वकर्मा समाज के लोग जन्मजात इंजिनियर पैदा होते हैं। इस समाज में विकास की अपार संभावनाएं है लेकिन मार्गदर्शक एवं शिक्षा के अभाव में उनकी सारी-की सारी संभावनाएं फूल बनने से पहले ही कली की तरह कुचल जाती है और वह एक कुचल शिल्पी बेचारा बनकर रह जाता है। आवश्यकता इस बात की है कि उनका सही मार्गदर्शन किया जाय, उन्हें शिक्षित किया जाय और उनको आगे बढ़ने के लिए प्रोत्साहित किया जाय हमारे समाज में एक से बढ़कर एक कारीगर कलाकार, एवं शिल्पी है जो ऐसे यंत्रो का निर्माण कर देंगे जिसकी कोई कल्पना नहीं कर सकता फिर जमाना देखेगा हम कहाँ से कहाँ पहुंच जाते हैं।

इतिहास में गौरवपूर्ण स्थान रखने वाला विश्वकर्मा समाज आज के परिपेक्ष्य में कहाँ है? क्या है? इससे कोई अनभिज्ञ नहीं है। सभी मेहनती बुद्धिजीवी तथा असामाजिक गतिविधियों से दूर रहने वाले समाज की ऐंसी दशा क्यों हुई? यह एक हृदय को झकझोरने वाला चिन्तनीय प्रश्न है। समाज को गतिशील एवं उसकी चहुमुखी प्रगति हेतु देश भर में अधिकांश संगठन बने हैं तथा बिगड़े हैं। इसका कारण भी तुच्छ-मानसिकता, स्वार्थपरता, विश्वास की कमी तथा सहयोग एवं समीक्षा का अभाव ही रहा। प्रायः विश्वकर्मा समाज के बहुमुखी विकास पर वर्ष में एक दो बार सम्मेलन होते रहे है जिनमें समाज के तथाकथित कर्णधार भाषणों के माध्यम से विश्वकर्मा समाज के लिए जमीन आसमान एक कर देते हैं लेकिन सम्मेलन के उपरान्त उनकी गतिविधियाँ प्रायः शून्यता के आगोश में समा जाती है। वास्तव में हमारे पिछड़ेपन का मुख्य कारण सबल संगठन का अभाव सहयोग की कमी तथा कागजी संगठन ही है। हमारे समाज में प्रायः जब

बैठके होती है तो उनमें आम सुधार की बात श्री विश्वकर्मा मन्दिर अथवा धर्मशाला के निर्माण तक सीमित रह जाती है। जबकि हमें मन्दिरों तथा धर्मशालाओं के नव निर्माणों से ध्यान हटाकर प्राचीन जर्जर भवनों की मरम्मत कराने के साथ ही साथ गरीब विद्यार्थियों के कोचिंग क्लास का प्रबन्ध एवं उनकी शिक्षा सम्बन्धी आवश्यकताओं की पूरा करने का प्रयास करना है। विश्वकर्मा समाज से एकल धन से शिक्षण संस्थाएं स्थापित करनी है। श्री विश्वकर्मा जी के नाम पर मेडिकल कॉलेज, इंजीनियरिंग कॉलेज खुलवाने चाहिए जिनमें विश्वकर्मा समाज के मेघावी छात्र शिक्षा ग्रहण कर समाज को गौरवशाली स्थान दिलायें। यह कटु सत्य है कि सबल संगठन तथा शिक्षा पर ही किसी भी समाज के विकास का आधार बिन्दु है।

आज की जातिवादी व्यार में हर एक समाज बह रहा है अधिकांश राजनेताओं अधिकारियों एवं कर्मचारियों में अपनों के लिए एक दर्द है। उत्तर प्रदेश में ही नहीं अपितु जातिवादी व्यवस्था से भारतवर्ष के साथ ही साथ अन्तर्राष्ट्रीय जगत प्रभावित हो रहा है। लेकिन बड़ा ही दुखद पहलू है कि अपने अधिकांश 'विश्वकर्मा बन्धु अपनों की यथोचित सहायता से भी किनारा करते हैं तथा अपने को अनेक उपनामों के लिवादे में लपेटकर जाति भी छिपाने का भरसक प्रयास करते हैं। अपनो के प्रति जवाबदेही यादव समाज, मुस्लिम जाट, गुर्जर पाल समाज से सीखी जा सकती है। दशकों से फैली वर्गवाद, उपजातिवाद की खाई से हमें काफी धक्का लग चुका है। यदि हमने समय की नवाकतता को पहचानने में देरी की तो हमारे समाज का स्वरूप कैसा बनेगा? यह एक चिन्तनशील पहलू है। समाजिक चहुंमुखी विकास के लिए सवल पक्ष को तत्काल यथासम्भव कदम उठाने होंगे।

विश्वकर्मा समाज ने सम्पूर्ण जगत की प्रत्येक आवश्यकता की पूर्ति हेतु नित नई खोज की है तथा मानव कल्याण में अपना महत्वपूर्ण योगदान दिया है। लेकिन बड़ा दुखद पहलू है कि भारतवर्ष में लगभग 10 करोड़ की विराट जनसंख्या बला यह शान्तिप्रिय कर्मशील एवं असामाजिक गतिविधियों से दूर रहने वाले इस विश्वकर्मा समाज की प्रत्येक क्षेत्र में उपेक्षा होती रही है। प्रत्येक राजनीतिक दल ने हमें जाति, धर्म तथा अन्य हथकण्डे अपनाकर हमारा कीमती मत तो लुटा है लेकिन आजतक हमारा वाजिब हिस्सा नहीं दिया। देश के विकास में ज्ञानी जैलसिंह, स्वामी कल्याण देव जी महराज, बाबू भाई मिस्त्री, मेजर ध्यानचन्द, स्वामी भीष्म धरोडा वाले, उपराष्ट्रपति राजगोपालाचार्य टी.टी. कृष्णनचारी, वित्त मंत्री मनमोहन सिंह, उड़ीसा की

पूर्व मुख्यमंत्री सतपंथी नन्दनी जैसी अनेकों प्रतिमान हस्तियों ने सराहनीय योगदान दिया है। लेकिन भारत सरकार को अनेकों बार मांगपत्र देकर विश्व कल्याण करने वाले श्री विश्वकर्मा जी भागवान के नाम पर राजकीय अवकाश एवं डाक टिकटें जारी करने की अपीलें की गयी। जिस पर आज तक कोई ध्यान नहीं दिया गया। विश्वकर्मा समाज के साथ यह क्रूर मजाक आज तक जारी है।

विश्वकर्मा समाज में प्रत्येक घटक की आज के परिपेक्ष्य में एक अहम जिम्मेदारी बन गयी है कि हम सभी धीमान, पाँचाल, टांक, मैथिल, आंगिड़े मिलकर सुदृढ़ संगठन बनाकर अपनी माँगों की पूर्ति हेतु सड़कों पर उतर कर अपना शक्ति परीक्षण करें। वर्तमान में माँगने से कुछ मिलने वाला नहीं है हमें अपना हक छीनना पड़ेगा तथा उन राजनैतिक दलों, नेताओं को मत न देकर सबक सिखाना है जो 50 वर्ष से हमारा अधिकार दबाये बैठे हैं। विशाल धरने, आंदोलन तथा विधानसभाओं/संसद के घेराव करने होंगे। अधिकार प्राप्ति हेतु कुछ कुर्बानी भी देनी होगी। लाठी, गोली खाये बिना हमें कोई कुछ दिलाने वाला नहीं है। आज का युग शक्ति परीक्षण का युग है जिसके पास जितनी शक्ति है उसे उसी के अनुसार हिस्सा मिल रहा है।

आज की राजनीति में पाल समाज, यादव, सैनी, जाट, मुस्लिम गुर्जर में सक्रिय एवं एक मजबूत आयाम पैदा कर चुके हैं लेकिन इस 10 करोड़ जनसंख्या वाले समाज का राजनीति में कितना प्रतिशत है? वास्तव में विकास का रथ राजनीतिक गलियारे से होकर ही गुजरता है जिस समाज के पास यह सुलभ है उसकी प्रगति को कोई शक्ति रोक नहीं सकती राजनीतिक हस्तक्षेप ही सर्वोच्च शक्ति है जिसके सामने योग्यता बोनी पड़ गई है। इसकी प्राप्ति हेतु विश्वकर्मा समाज के उद्योगपतियों एवं सम्पन्न वर्ग को तत्काल कदम बढ़ाने होंगे।

युवा वर्ग से मेरा विनम्र आग्रह है कि वर्गवाद तथा तुच्छ मानसिकता की दीवारों को त्यागकर हमें कंधे से कंधा मिलाकर आगे बढ़ना है तथा अपने समाज का प्रत्येक क्षेत्र में वाजिब अधिकार प्राप्त करना है। समाज की भावनाओं से खिलवाड़ करने वाले तथा 60 वर्षों से हमारा हक दबाने वालों का बहिष्कार करके उनकी औकात बता देनी है। आओ अपने विश्वकर्मा समाज को अन्य समाजों की तुलना में श्रेष्ठ बनाने हेतु अपना सर्वस्व न्योछावर कर दें तथा भेद-भाव, छोटा-बड़ा तथा ऊँच-नीच की संकीर्ण सीमाओं से ऊपर उठकर समाज को नया आयाम दें। जीवनदायी मंत्र से सारी

वसुधा को एक कुटुम्ब बनाना है। प्रलयंकारी तत्वों को घृणा से नहीं, शक्ति से भी नहीं बल्कि प्रेम से सृजनात्मक मार्गो पर लाना है। कहते हैं कि अंधा वह नहीं है। जिसकी आंखे फूट गई हों। अंधा तो वह है जो अपने दोषों को ढकता है दोष ढके नहीं जा सकते। हां, सदगुणों के विकास से उन्हें फीका किया जा सकता है।

विश्वकर्मा समुदाय

आइए, हम अपने सीमित दायरे से ही इस स्थिति को सम्भालने पर विचार करें। सारी बसुधा को एक कुटुम्ब मानने वाले अपने भारत देश ने आरम्भ से ही सर्वहितकारी एवम् विकासोन्मुख कर्मयोग दर्शन का भक्ति भाव से अनुसरण करते हुए उसका संदेश सारे विश्व को दिया है। इस दिशा -दर्शन में शिल्प और विज्ञान के आदिदेव भगवान विश्वकर्मा के मनु, मय, त्वष्टा, दैवज्ञ और शिल्पी नामों से विख्यात वंशजों का सर्वाधिक योगदान रहा है। स्कन्द पुराण (अ-13) के अनुसार "मनुर्मयश्च त्वाष्ठाश्च शिल्पी विश्वज्ञ एवं पंचेते देव ऋषियाम विश्वकर्मा गुमुखदगवा।" अर्थात मनु, मय, त्वष्ठा,, शिल्पी और दैवज्ञ ये विश्वकर्मा के शिष्य स्वरूप पुत्र क्रमशः लौह, काष्ठ,ताम्र, प्रस्तर एवं स्वर्ण आदि अलग-अलग विधाओं में निपुण होकर अधिष्ठता के रूप में कार्य संचालन करने लगे तथा वेदों और ऋचाओं का प्रतिपादन किया। निःसंदेह समाज और विश्व के बदलते परिवेश में इन पंच पुत्रों के योगदान का महत्व बना रहेगा और निरन्तर बढ़ता रहेगा। सृजनात्मकता के प्रत्यक्ष प्रतीक इस जीवन समुदाय ने सभी मानवीय मूल्यों को आज भी अक्षुण रखा है तथा जिज्ञासा और खोज की मानव की स्वाभाविक प्रवृत्ति और प्रयास को दिशा दी है और उसे आगे बढ़ाया है। यह अवश्य है कि तेजी से भागते युग में इस समुदाय के किंचित उपेक्षित हो जाने के कारण उसका मनोबल गिरा है जिनके शिल्प-कौशल से कल-कारखाने चल रहे हों, कृषि एवं उद्योग चल रहे हों, जिनके शिल्प घरों की शोभा बढ़ा रहे हों, महिलाओं के सौन्दर्य को बढ़ा रहे हों, जिनके शिल्प मन्दिरों में फूल-माला और श्रद्धा पा रहे हों, उनकी उपेक्षा देश के लिए आत्मघाती है। इस उपेक्षा ने पंच पुत्रों में किंचित ग्लानि भर दी है। जिसके फलस्वरूप वे अपनी पहचान बदल रहे है। जिसके फलस्वरूप वे अपनी पहचान बदल रहे है, अपनी ऐतिहासिक चैतन्यता खो रहे है। अपनी कला छोड़ रहे है, अपना समाज छोड़ रहे हैं, और वे छोड़ रहे हैं अपना वर्चस्व, सर्वस्व, आदर्श एवं उद्देश्य जिनके लिए भगवान विश्वकर्मा ने उन्हें भेजा

था। किन्तु घृणा से घृणा शांत नहीं होगी और न ही बैर से बैर शांत होगा, समस्या से भागना भी कोई विकल्प नहीं है बल्कि मात्र बुजदिली है। यह स्थिति केवल प्रेम से शांत होगी। प्रेम अपने मूल के लिए अपनी ऐतिहासिक पृष्ठभूमि के लिए, अपने रचनात्मक सनातन के लिए अपने शिल्पविज्ञ समाज के लिए जिसकी रचना भगवान "विश्वकर्मा" ने की थी छिपे रहना, दबे रहना और डरे रहना जैसी आत्मघाती प्रवृत्तियां किसी भी प्रकार शिव नहीं है। और इन प्रवृत्तियों का निदान स्वयं पंचपुत्रों के मन, मस्तिष्क और हाथों में हैं। आवश्यकता आपसी सहयोग, सानिध्य और सहभागिता की है। पंचपुत्र तो चिराग के समान है जिसके बारे में कहा गया है कि "जहां रहेगा वहीं रोशनी लुटाएगा, किसी चिराग का कोई मकान नहीं होता"। पंचपुत्रों को अपनी विकृत मनोस्थिति अवस्था और अनास्था को समाप्त करना है। प्रेम और सृजन मानव के स्वाभाविक गुण है। विज्ञान शिल्प एवं कला के मूल प्रवर्तक तो पंचपुत्र रहे ही है उन्हें एक बार फिर घृणा के ध्वंसक और प्रेम के प्रवर्तक के रूप में सामने आना है और एक प्रीतिलोक का सृजन करना है। तभी भय, निराशा, अवसाद, असंतोष, आत्मग्लानि, भेदभाव तथा निर्धनता आदि जैसे कुत्सित रोगों का शमन हो सकेगा और पंचपुत्र पुनः वहीं "विश्वकर्मा" हो जायेगा जैसा आदिसृष्टा से उसे रचा था।

विश्वकर्मा समाज लम्बे अर्से से उपेक्षित एवं पिछड़ों की जिन्दगी जी रहा है। आज के इतिहास में देखा जाय तो यह समाज पंक्ति में सबसे पीछे दिखायी पड़ रहा है। यह बिल्कुल सत्य है, परन्तु पुराण जैसे धार्मिक ग्रन्थों में भगवान विश्वकर्मा के कला-कौशल और विज्ञान के विकास को कोई नकार नहीं सकता। आज का विज्ञान भी भगवान विश्वकर्मा का ही आधार है। कौन सी वैज्ञानिक खोज ऐसी है जिसमें भगवान विश्वकर्मा की कला न झलकती हो, चाहे वह युद्ध क्षेत्र से सम्बन्धित नाना प्रकार के विमान, प्रक्षेपास्त्र, मिसाइलें, पोत, पनडुब्बी, बम आदि हों। सवारियों में साइकिल से लेकर मोटर, रेल व जहाज आदि हों। कृषि में नाना प्रकार के यन्त्रों का निर्माण हो, यानी विश्व में जिस किसी भी वस्तु का निर्माण किया जा रहा है वास्तव में विश्वकर्मा जी की ही कृपा मानी जायेगी। प्रत्यक्ष में यदि हम इस ओर अपना ध्यान आकृष्ट करें तो पायेंगे कि बड़े से बड़े कारखाने अथवा छोटे-से-छोटे कारखाने चाहे वह प्राइवेट हो या सरकारी छोटी दुकान हो या बड़ी सामूहिक रूप से भगवान विश्वकर्मा के पूजन का अनुष्ठान करते हुए पायेंगे। चाहे जिस जाति या धर्म के लोग हों। अनुष्ठानों में

खुशी-खुशी तन,मन,धन से यक्रिय सहयोग करते हुए देखे जाते हैं। ऐसे अवसरों पर सभी लोगों को यह मानने के लिए विवश होना पड़ता है कि यह सारी उपलब्धि भगवान विश्वकर्मा की ही देन है।

ऐसी स्थिति में भी विश्वकर्मा वंशज पिछड़े और उपेक्षित है। बहुत ही चिन्तनीय विषय है, इसे अवश्य ही समझना होगा। मर्यादित होकर सोया हुआ स्वाभिमान जगाना होगा।

1. हम पिछड़े क्यों, गहराई से सोचना होगा।
2. हम कभी श्रेष्ठ ब्राह्मण भी थे, महानता केसे खोयी? इसे पुनः कैसे प्राप्त करें।
3. कष्ट सहन कर भी हम अपने बच्चों को शिक्षित करें।
4. समाज के उपयुक्त विद्वान व्यक्ति से पूजा-पाठ एवं संस्कार स्वयं करने-कराने का प्रयास करें।
5. जो जहां पर भी हों अधिक से अधिक संख्या में संगठित रहने का प्रयास करें।
6. समाज के उत्थान व विकास के कार्यक्रमों में अवश्य हिस्सा लें।
7. समाज के सम्पन्न व निर्धन व्यक्ति आपस में तालमेल अवश्य बनावें।
8. समाज के कार्यों में यदि धन की आवश्यकता पड़े तो क्षमता के अनुरूप अवश्य लगावें, इससे वर्तमान व आने वाली पीढ़ी का भरपूर उत्थान होगा।
9. दहेज वास्तव में दानव का रूप है इसको कहीं भी स्थान न दें, दहेज लेकर शायद ही कोई धनवान बना हो, परन्तु विवशतावश दहेज देकर आदमी निर्धन एवं परेशान अवश्य हुआ है।
10. प्रगति-पथ पर अग्रसर व्यक्ति, पीछे के लोगों के लिए हेल्प लाइन अवश्य बनें।
11. अपनी जाति कभी न छिपायें, विश्वकर्मा के सिवा किसी दूसरे की औलाद न बनें इसमें आपका गौरव है। यानी गर्व से कहें-हम विश्वकर्मा है। इस परिप्रेक्ष में हरिजनों का अनुकरण करें जो शान से कहते हैं हम पासी हैं। इसीलिए वह हम लोगों से आगे भी है।

यदि हम सभी समाज की इन सभी बातों का ध्यान रखें एवं कार्य रूप दें तो अवश्य ही मान-सम्मान और अधिकार सुरक्षित होगा।

विश्वकर्मा समाज अपने आप में शक्ति सम्पन्न होते हुए संगठित नेतृत्व का आभाव में अन्य समाज से पिछड़ा हुआ है। हम यह नहीं कहते हैं कि हमको जातिवादी हो जाना चाहिए। किन्तु अन्य जातियों की तुलना में हमको पिछड़ा हुआ भी नहीं रहना चाहियें। आज स्थिति ऐसी है कि हमारे समाज का कोई व्यक्ति सम्पन्न होते हुए भी विकास की मुख्य धारा के साथ-साथ नहीं चल पा रहा है, चाहे वह व्यावसायिक हो वैचारिक हो, औद्योगिक हो, शजिणिक हो अथवा राजकीय सेवा क्षेत्र में हो विश्वकर्मा समाज का प्रतिनिधित्व नगण्य है।

हमारे समाज में कुशल एवं कर्मठ युवकों की कमी नहीं है किन्तु उनको उचित मार्ग दर्शन नहीं मिल पाता है सरकार में हमारे समाज का कोई प्रतिनिधित्व नहीं है। उद्योग में लगे हमारे भाईयों को कहीं से कोई सरकारी सहायता नहीं प्राप्त है। व्यक्तिगत आधार पर लोग अपनी जीविका चला रहे हैं। जब अन्य जातियों के लोगों से उनका सामना हो जाता है, तो वहां पर हम सभी पिछड़े माने जाते हैं।

ऐसा नहीं है कि हमारे समाज में राजनीतिक चेतना नहीं है, राजनीतिक चेतना है, राजनीतिक कार्यकर्ता है तथा नेता भी है। किन्तु कम संख्या में हैं, संगठित नहीं है और यही कारण है उनकी कोई आवाज नहीं है।

ऐसा क्यों? इसलिए कि हमारा कोई शक्तिशाली मंच नहीं है, जातिय संगठन तो किसी न किसी सीमा तक सदैव रहे हैं इस कारण इनका नाम सेवा कोई नहीं है। जैसा की अन्य कतिपय वर्गो के साथ है सामाजिक सुध ार भी जरूरी है। बिना सामाजिक सुधार के हममें गति नहीं आ सकती है। जो जीवन के विविध क्षेत्रों की आवश्यकता को देखते हुए समाज को संचालित करके यहां पर नेतृत्व करें। आवश्यकता इस बात की भी है कि हमारे समाज को संगठित करके विकास की गति को देखते हुए शैक्षणिक क्षेत्र में, सरकारी क्षेत्र में, औद्योगिक विकास के क्षेत्र में और राजनैतिक क्षेत्र में आगे जाने वाले नेतृत्व की आज सख्त जरूरत है।

आइये एक मंच पर खड़े हो जाएं। संगठन के जरिए अपनी आवाज उठाऐं जिससे उच्च पद पर आसीन अन्य वर्ग के लोग हमारी बात को मानेंगे। सुनने के लिए विवश हो जायें।

अपने देश के आजादी का अब हम 69 वीं वर्ष गांठ मना रहे है। इस अवसर पर प्रति वर्ष प्रधानमंत्री द्वारा उन सभी वर्गो के हित के लिए अनेकानेक लाभकारी योजनाओं की घोषणा की जाती है। और यथा संभव उसका लाभ भी दिया जाता है। जो अपने अधिकारो के प्रति सतत् जागरूक रहते हैं और अपनी सामूहिक ताकत का प्रदर्शन किसी भी रूप में करते रहते हैं।

परन्तु विश्वकर्मा समुदाय जो देश के संख्या बल को 15 प्रतिशत और कला, विज्ञान, साहित्य, संस्कृति, समाज कल्याण आदि के क्षेत्र में अन्य सभी वर्गो के मुकाबले 40 प्रतिशत योगदान दे रहा है। इतनी लम्बी अवधी के बाद देश भी अपनी पहचान कायम करने में असफल रहा और यहां के सामाजिक एवं राजनैतिक मुख्य धारा से अलग-अलग पड़ा रहा। इस समुदाय के कुछ युवा, बुद्धिजीवी, जागरूक एवं सक्रिय सदस्य इस ओर कोई कदम बढ़ाते भी है और किसी दल के व्यक्ति को विजय श्री दिलाने में अपनी अहम् भूमिका अदा करते हैं तो उन्हें भी अन्त में यह एहसास करा दिया जाता है कि वे रेगिस्तान में जल ढूंढने का प्रयास कर रहे हैं। फलतः वे कुंठित होकर एक अभिशप्त जीवन जीने को मजबूर हो जाते हैं। इस कारण विश्वकर्मा समुदाय दिनो दिन पहले उच्च, पिछड़ा फिर अनुसूचित वर्ग के पायदान पर उतरता जा रहा है। फिर भी, सबसे निचले वर्ग की सुविधाओं के हक प्राप्त करने में इस समुदाय को ऐड़ी-चोटी का पसीना बहाना पड़ता है।

5. समाज-संगठन के प्रतिमान

"समाज का विकास हो। समाज आगे बढ़े। समाज से अंधविश्वास और कुरीतियां दूर हों। हम शिक्षित बनें। एकता में बल है। इत्यादि, इत्यादि...।"

यह सब उस भाषण के आवश्यक हिस्से हैं जो किसी सामाजिक संगठन के द्वारा आयोजित सम्मेलन में माननीय वक्ताओं द्वारा दिये जाते हैं। विशेष कर विश्वकर्मा समाज के लिये तो यह सच है ही। सदियों से संगठन बने, चले, टूटे, परन्तु विश्वकर्मा समाज के विकास की दर अभी भी संतोषप्रद नहीं है। आज जरूरत इस बात की है कि हम अपने समाज को आत्मनिरीक्षण के कार्य में लगायें। हम सम्मिलित रूप से उन कारणों को खोजें जिससे हम पीछे पड़े हुए है। विकास के पथ पर समाज को नेतृत्व देने वाले लोग यह ढूढ़ें कि वो कौन-कौन से क्षेत्र हैं। जहां विश्वकर्मा

बन्धुओं को दिशा निर्देश की जरुरत है। आइये हम एक-एक करके सामाजिक नेतृत्व के आवश्यक तत्वों पर विचार करें।

1. सामाजिक जड़ता-हर समाज परिवर्तन का विरोध करता है। इसे ही हम जड़ता कहते हैं। सामाजिक नेतृत्व में लगे नेताओं को सबसे पहले जनता को मानसिक रूप से तैयार करना होगा कि वे परिवर्तनों के विरोध करने के बजाय उसे आत्मसात करें। हां, अपने विवेक का प्रयोग करना जरूरी है कि नये परिवर्तन बेहतरी की दिशा में हो रहे हैं या नहीं। इसके लिये जरूरी है कि हम नियमित तौर से गोष्ठियां कर के जन सामान्य को बदलते हुए परिवेश और उसके अनुरूप सामाजिक जरूरतों के बारे में बताया करें।

2. कर्मठता- यह सच है कि हमारा विश्वकर्मा समाज बहुत ही मेहनती है पर सही दिशा और तकनीकी ज्ञान के अभाव से हमें हमारी मेहनत का पूरा फल नहीं मिल पाता है। एक क्षेत्र में विशेषज्ञ बन कर समर्पित भाव से कार्य करने को कर्मठता कहते हैं। आज के दिनों में इस कर्मठता का अभाव होता जा रहा है। आज अगर विश्वकर्मा समाज यह चाहे कि पारम्परिक औजारों जैसे-भाँति, नहाई, आरी, बसुला से काम करके हम बहुत आगे बढ़ जायें तो यह सम्भव नहीं है। आज की नई पीढ़ी को हमें इलेक्ट्रॉनिक्स, कम्प्यूटर एवं सूचना तकनीकी के क्षेत्र में अग्रणी बनाना होगा। इसके लिये समाजिक नेतृत्व की यह जिम्मेदारी हो जाती है कि वह बढ़ते बच्चों एवं युवकों के लिये इन क्षेत्रों में उचित और निःशुल्क मार्गदर्शन की व्यवस्था करें। समाज के उच्च शिक्षित विशेषज्ञ और बुद्धिजीवी वर्ग समय दान दें और नई पीढ़ी को उनकी सम्भावनाओं से परिचित करायें।

3. रचनात्मक इच्छा-शक्ति के बगैर संसार में कुछ भी नहीं हो सकता। कहते हैं कि समस्त ब्रह्माण्ड भी परमेश्वर की इच्छा शक्ति से ही चल रहा है। जिस मनुष्य की इच्छा शक्ति प्रबल होती है वह विपरीत परिस्थितियों को भी अपने पक्ष में कर लेता हैं। इसके बजाय कि हम आपस में एक-दूसरे की बुराइयां निकालते रहें, हमें एक चुने हुए रचनात्मक कार्य या उद्देश्य के प्रति कर्मठता के साथ काम करना होगा। समस्त विश्वकर्मा संगठनों को चाहिये कि वे अपने क्षेत्र में तकनीकी शिक्षा केन्द्रों का विकास वे चाहें तो एक व्यापार-सलाह केन्द्र चला सकते हैं। जहाँ विश्वकर्मा समाज से इन क्षेत्रों के विशेषज्ञ समाज हित में अपनी निःशुल्क सलाह दें।

4. बुद्धिजीवियों की भागीदारी-हर समाज में उसे दिशा निर्देश देने की जिम्मेदारी बुद्धिजीवियों पर होती है। लेकिन हमारे विश्वकर्मा समाज का अधिकांश बुद्धिजीवी वर्ग अपनी बिरादरी से अलग-थलग रहने में अपना गौरव समझता है। ऐसी मानसिकता वाले लोग भी है जो पढ़े-लिखे तो अधिक है पर किसी न किसी तरीके से कुण्ठा-ग्रस्त है। उनका सोचना है कि सामाजिक रूप से अक्रिय व उदासीन रहने पर भी उनके व्यक्तिगत जीवन पर कोई प्रभाव नहीं पड़ने वाला है। बकौल यह सच भी है कि कुछ लोग भौतिक जरूरतों के मामले में परिपूर्ण हैं। और आजीवन उन्हें मूलभूत आवश्यकताओं की पूर्ति के लिये कुछ नहीं सोचना है लेकिन यहां गौर-ए-तलब है कि खाना-पीना व रहन-सहन तक ही सिमट कर रह जाना मानवता है क्या? अगर यही मानवता है तो फिर पशुता की परिभाषा क्या है? क्या समाज से मुंह मोड़ कर रहने वाले तथाकथित ऊँचे लोग इसका जवाब देंगे?

आज की यह स्थिति विश्वकर्मा समाज के सामने यक्ष-प्रश्न बन कर खड़ा है। आज इस बात की जरूरत है कि सामाजिक नेतृत्व ऐसे महानुभावों को हर तरफ से घेरे और सामाजिक जागरण की मुख्य धारा में उन्हें लाये। हम एक विकसित समाज के अंग बने, इसी में हमारे व्यक्तिगत विकास का भी गौरव है।

5. महिलाओं की भागीदारी-सामाजिक नेतृत्व को यह सोचना होगा कि वह महिलाओं के अधिकारों के लिये क्या कर सकता है। महिलायें विकास की हर प्रक्रिया में हमारी सहयोगी है। अतः उनकी उन्नति समूचे समाज की उन्नति है। हमें कुछ ऐसे भी कार्यक्रम चलाने होंगे जिससे कि महिलाओं में व्याप्त कमजोर धारणाओं को समाप्त किया जा सके। आज आर्थिक रूप से स्वलंबित होने में महिलाओं को कई प्रकार के सहयोग की जरूरत है। नेतृत्व में लगे लोग अपने-अपने क्षेत्र में महिलाओं के विभिन्न प्रकार के केरियर से संबंधित जानकारियां दें! कई प्रकार के कुटीर उद्योगों को महिलाएं अपने घर में भी सफलतापूर्वक चला रही है। आज इस प्रकार की कार्य संस्कृति की विश्वकर्मा समाज को बहुत जरूरत है।

6. नौकरशाही पर कब्जा-अभी-अभी एक मुद्दा विश्वकर्मा समाज को अखिल भारतीय मंचों पर उठ रहा है वह है राजनीति में हिस्सेदारी का माननीय वक्ताओं से सुनने में आया कि बिना राजनीति में कदम बढ़ाये, बिना संसद और विधानसभा में अपना प्रतिनिधित्व दिये हम विकसित विश्वकर्मा समाज नहीं बना सकते। मैं ऐसे महानुभावों का आदर करता हूँ और राजनीति

का भी विरोधी नहीं हूँ! परन्तु आप यह सोंचे कि जिस जातिवाद का राजनीति में वर्चस्व है वो क्या सिर्फ उनके संख्या बल के कारण है? बेशक, संख्या का अपना स्थान है। परन्तु आप जब एक विहंगम दृष्टि डालेंगे तो पायेंगे कि आज की विकसित जातियों ने सबसे पहले शिक्षा को अपनाया। उन्होंने प्रथम प्राथमिकता के आधार पर अपने बच्चों को बेहतर माहौल दिया, शिक्षा दी, और एक समय ऐसा आया कि उनकी नई पीढ़ियों का प्रान्त की नौकरशाही पर कब्जा हो गया। उन्हें पता था कि राजगद्दी की ओर जाने वाला रास्ता नौकरशाही की मंजिल से हो कर गुजरता है।

आए दिन किसी की बुराई की बुरा कहना, खतरे से खाली नहीं है। इसीलिए निर्विध्न जीवन-यापन में विद्वत्जन तटस्थ और मौन रहते हैं। लेकिन सामाजिक-प्राणी होने के नाते मनुष्य समाज में रहने के लिए बाध्य है; अच्छाई-बुराई झेलने के लिए विवश है। समाज में अच्छे और बुरे-दोनों प्रकार के लोग रहते हैं हमें समवर्ती बनना पड़ता है। अच्छों के साथ बुरों को भी अपनाना पड़ता है चूँकि सभी अपने हैं। तर्क सम्भव भी है—यदि समाज में विद्वतजन तटस्य और मौन रहेंगे, बुराईयों को नजर अंदाज करेंगे तो समाज सुधार केसे होगा, दानवता पर मानवता की विजय केसे होगी, जगत शान्ति-सद्भावना केसे पायेगा। अतः समाज में बुराईयों के रहते अच्छाइयों की सुरक्षा ही समाज संगठन का मूलोद्देश्य है।

समाज के लोग समाज-संगठन के अधिष्ठाता है। ये 'संगठक' कहलाते हैं। इन्हीं के द्वारा चयनित स्वजनों से समाज-संगठन बनता है। संगठित-समाज-संस्था, समिति, सभा, संघ जैसे नामों का पर्याय है। ऐसी समाज-संरचना का स्वरूप एकता और शक्ति का प्रतीक होता है। संगठित-समाज में रहने वाले भय-रहित होते है जिसमें कोई ऊँच-नीच शीर्षक-शोपित, अमीर-गरीब नहीं होता। सभी अपने कर्त्तव्य-कर्म ईमानदारी से करते है। इन्हीं कर्त्तव्य-कर्मों की श्रेष्ठता के पक्ष में शास्त्र और पुराण समाज-विरोधी कर्मों की घोर निन्दा करते हैं। इसीलिए, बिना पारस्परिक सद्भावना के कोई भी संगठन टिकाऊ नहीं होता और सद्भावना तभी होती है जब हमारी बुद्धि शुद्ध होगी, विकार रहित होगी।

परम संतोष की बात है, आज विश्वकर्मा समाज काला, नुकूल गतिमान है। तथापि ध्यान रहे-प्रगति का मूलाधार है गति जो परम्परागत होती है, जिसमें अबोध गति या कम बद्धता होती है। गति से अलग होकर प्रगति निराधार हो जाती है। विश्वकर्मा समाज सर्वत्र स्थापित हो रहे है यह अच्छी

बात है। प्रान्त, नगर, गाँव से लेकर मुल्लों में भी समाज-संगठन बन रहे है। जन मानस में चहुं ओर समाज संगठन समाज सेवा, समाज-सुधार विषयक भावनाएँ पनप रही है। अपने-अपने क्षेत्रों में लोग समाज संगठन बना रहे है युवाओं में निजी संगठन बनाने की धुन सवार है। कोई किसी के नियंत्रण में रहना नहीं चाहता कोई किसी के पीछे नहीं चलना चाहता। राह एक राही अनेक है। फलतः संघर्ष बढ़ रहे हैं, मतभेद बढ़ रहे हैं। ऐसी विषम परिस्थिति में आगे बढ़ने अर्थात् प्रगति के लिए शक्ति, सामर्थ्य के साथ सतर्कता, अनुशासन और बुद्धि विवेक का समन्वय जरूरी है।

समाज संगठन अत्यंत कठिन एवं दायित्वपूर्ण कार्य है। समाज की प्रगति अपगति संगठकों पर आश्रित होती है। इन्हें उच्चादर्श एवं सच्चरित्र का धनी होना चाहिए। इनमें विश्वसनीयता ईमानदारी, सेवा सहृदयता, निष्ठा, कर्त्तव्य परायणता, अनुशासन और समदर्शिता जैसे मानवीय गुण होने चाहिए। समाज-संगठकों को ऐसा प्रयास करना चाहिए कि हमारे समाज में उदारता और पर दुःख कातरता की परम्परा बनी रहे। दुर्भाग्यवश, हमारे सामाजिक दिग्दर्शकों में ऐसे कल्याण कारी मनों वृत्तियों का अभाव है। इस संदर्भ में एक उदाहरण देना मुझे सभी चीन प्रतीत होता है। 1964 में अखिल भारतीय विश्वकर्मा समाज के संस्थापक एवं अध्यक्ष, प. हल्कू राम जी विश्वकर्मा आचार्य' ने एक बार जयन्ती-समारोह में कहा था– 'हमारे समाज में लोग समाज सेवी का मुखौटा लगाकर, स्वार्थ-साधने संस्था में आते है। ऐसे लोग खोटे सिक्के चलाने संगठन में घुसते है–इनसे सावधान रहना चाहिए। 'स्पष्ट है, ऐसे अवसर वादी, छद्मवेशी लोगों से समाज पथ भ्रष्ट होता है और सामाजिक प्रगति अवरूद्ध होती है। फिर भी संस्थाएँ चलती हैं, सबको समेटकर चलती है चूँकि इसके बिना समाज का दुर्गम जीवन-पथ तय नहीं किया जा सकता।

समाज-संगठन में सबका सम्मान होना चाहिए। समानता के स्तर पर सबको प्रतिष्ठित करने के लिए मन में, भावनाओं में एकता होनी चाहिए ताकि समाज का क्रमिक विकास होता रहे। आदर्श समाज की संरचना में मानवीय-विकारों (काम, क्रोध, मद, लोभ) का परित्याग आवश्यक है चूँकि दुगुर्णों के लाभ सदैव दृष्टिभ्रम होते है । समाज संगठन की सफलता शक्ति, जन्म, सम्पत्ति, पद या प्रतिष्ठा से नही होती, उसके संचालकों तथा संगठकों के श्रेष्ठ व्यक्तित्व पर निर्भर होती है।

विनम्र अनुरोध है कि समाज-संगठन, सेवा और सुधार में ऐसे ही बंधुजन अग्रसर हों जो तन, मन धन से समाजोत्थान के संकल्प को आजीवन करने में सक्षम हों। वैसे सभी स्वजातीयजन समाज के अंग तो हैं ही। संगठन के सामान्य अंग बने रहे, विविध गतिविधियों में यथा शक्ति सहयोग करे, अपने मार्ग दर्शकों का अनुशीलन करें और संगठित शक्ति की श्री वृद्धि में सहायक बनें! बस!

सारी वसुधा को एक कुटुम्ब मानने वाले अपने भारत देश ने आरम्भ से ही सर्व हितकारी एवं विकासोन्मुख कर्म योग दर्शन का भक्तिभाव से अनुसरण करते हुए उसका संदेश सारे विश्व को दिया है। इस दिशा दर्शन में शिल्प और विज्ञान के आदि अभियंता भगवान विश्वकर्मा के मनु, मय, त्वष्टा, दैवज्ञ और शिल्पी नामों से विख्यात वंशजो का सर्वाधिक योगदान रहा है। तथा उनकी अपनी मौलिक सृजनात्मकता रही है। निःसंदेह समाज और विश्व के बदलते परिवेश में उनके इस योगदान का महत्त्व बना रहेगा और निरंतर बढ़ता रहेगा। सृजनात्मकता के प्रत्यक्ष प्रतीक इस जीवन्त समुदाय ने सभी माननीय मूल्यों को आज भी अक्षुण्य रखा है तथा जिज्ञासों और खोज की मानव की स्वाभाविक प्रवृत्ति और प्रयास को दिशा दी है, उसे आगे बढ़ाया है। यह अवश्य है कि तेजी से भागते युग में इस समुदाय के किंचित उपेक्षित हो जाने के कारण उसका मनोबल गिरा है। यह उपेक्षा कुछ तो समसामयिक परिस्थितियों के चलते हुई और उससे अधिक उपेक्षा उसने स्वयं करना शुरू कर दियो है। फलस्वरूप वह ही छिपा-छिपा, दबा-दबा और डरा-डरा सा है। मेरे भाई, यह आत्मथाती प्रवृत्ति किसी भी प्रकार शिव नहीं है। यह एक क्रूर चक्र है जिसे तोड़ना है। सामाजिक आयोजनों ने और साहित्य प्रकाशनों का निश्चित रूप से एक विशिष्ट योगदान है। इसके माध्यम से अपनी सहभागिता हेतु जन-जागरण का प्रशंसकीय कार्य हुआ है। अपेक्षा इस बात की है कि सभी विश्वकर्मा बन्धु खुले हृदय से और खुले मस्तिष्क से विश्वकर्मा होने का गर्व महसूस करते हुए समाज और देश निर्माण के प्रगतिगामी कार्यक्रमों में सक्रिय रूप से सहयोगी और सहभागी बने। अपेक्षा इस बात की है कि वे सच्चे विश्वकर्मा की भाँति खुलकर अपनी भूमिका निभाएं एक दूसरे से निःसंकोच सानिध्य बढ़ाए, एक दूसरे की मदद लें और एक दूसरे से मदद लें और एक बार फिर श्रम, विज्ञान और प्रगति के प्रतीक बनकर अपने को उन बुलंदियों तक पहुँचा दें जहाँ के लिए हमारे पूर्वज पूज्य भगवान विश्वकर्मा ने हमें बनाया था। मेरे भाई,

ठहराव के वर्तमान जकड़न को तोड़कर हमें आगे बढ़ना हैं। किसी भी विश्वकर्मा में कहीं भी कोई कमी नहीं है, आप का चारित्रिक स्तर बहुत ऊँचा है आप स्वाभिमानी है, सभी क्षेत्रों में सभी स्तरों पर आप मौजूद हैं बस कमी एक है और वह है आपसी सहयोग, सानिध्य और सहभागिता की। इसी कमी का निराकरण स्वयं आप के ही मन, मस्तिष्क और हाथों में है। वो वह चिराग है जिसके बारे में कहा गया है कि "जहाँ रहेगा वहीं रोशनी लुटायेगा, किसी चिराग का कोई मका नहीं होता"।

एक बात और एक नई किन्तु दुर्भाग्य पूर्ण प्रवृत्ति उभरती हुई दिखने लगी है और वह यह कि अपने समाज सेवियों और समाज सेवी संगठनों में सौहार्द और सामंजस्य का अभाव। यह प्रवृत्ति अभाव तक ही सीमित न रहकर अब पारस्परिक आलोचना का रूप लेने लगी है। सभी समाज सेवियों और समाज सेवी संगठनों को ध्यान रखना है कि जब सभी उद्देश्य समाज सेवा के माध्यम से समाज को उन्नत बनाना है तो आपस में किसी प्रकार के मतभेद अथवा आलोचना का कोई स्थान नहीं होना चाहिए। संगठनों के माध्यम से समाज में संगठन का विकास होना चाहिए न कि विघटन और बिखराव, सेवा भले ही न हो सके लेकिन असेवा भी किसी स्थिति में नहीं होनी चाहिए। अन्यथा "ढाक के तीन पात" की भाँति स्थिति वही होगी कि "मैं उसी मोड़ पर बरसों से खड़ा हूँ कि जहाँ इक आवाज सी आई थी कि हम आते हैं"। मेरे भाई "तुम मुसाफिर हो ऐसा मुमकिन है रास्ते वक्त शाम आ जाये, सबसे झुककर मिलो खुदा जाने, कौन किस वक्त काम आ जाये।"

बंधुओं, आपने अपने वंशजों का गौरव पूर्ण अमिट पौराणिक इतिहास एवं साहित्य का अध्ययन अनेकों बार किया है कि "भगवान विश्वकर्मा" सृष्टि के आदि रचयिता थे। इन्होंने अपने भौतिक ज्ञान-विज्ञान के द्वारा शिल्प कला कौशल का अद्‌भुत आश्चर्य जनक, चमत्कारी निर्माण देश समाज के हित के लिये किया जिनके उदाहरण वर्तमान में रामायण, महाभारत और टी.वी. में देखने और सुनने को मिलते हैं। जैसे–

"सृष्टि के चलायमान तीन देव महारथी हुये, एक ब्रह्मा दूसरे विष्णु, तीसरे शंकर जी। इनको क्रमशः पाशुपतास्य (ब्रम्हा को) चक्र व गदा (विष्णु को) त्रिशूल (शंकरजी) को दिये। इसके अलावा देवता, मुनि ऋषि प्राणियों की रक्षार्थ विभिन्न आयुध का अन्वेषण किया, इन्द्र को ब्रज, अर्जुन

को गाण्डीव, राम को अमोघ वाण, कुबेर को पुष्पक विमान, सुदामा पुरी, द्वारिकापुरी, जगन्नाथ पुरी, केलाश धाम, सेतुधाम रामेश्वर, गुरूपुत्र के लिये जलयान, वायुयान, व्यापार की सुविधा हेतु यातायात, पहनने के वस्त्र आभूषण, रहने के लिये घर, खाने-पीने की सामग्री, खेती के लिये हल, कल कारखाने आदि के लिये टूल्स और मशीनरी का निर्माण किया।"

वर्तमान युग में आप सभी सच्चे विश्वकर्मा पुत्र अपने बुजुर्गों के अनुकरणीय कृत्यों को न भूले और सदैव उनके द्वारा मान मर्यादित वर्चस्व को कायम रखकर उनके आदर्शों के अनुयायी बनने में प्रयासरत् रहें। समय परिवर्तनशील है। अनेक परिवर्तन हो चुके हैं, और भविष्य में भी अनेक परिवर्तन होंगे, और आपके प्रतिभाशाली समाज को सफलता मिलेगी। अभी जो 51 वर्ष पूर्व 15 अगस्त, सन् 1947 को गांधी जी के नेतृत्व में महान सफलता मिली "भारत स्वतंत्र हुआ।" इनके देशव्यापी आंदोलन में सभी जाति, धर्म, समुदाय के कर्मठ ऊँच-नीच पिछड़े, शिक्षित-अशिक्षित, धनाड्य, व्यापारी, कृषक और कल कारखाने के मजदूरों ने हिस्सा लिया और राजनीति में भागीदारी केवल चतुर और बुद्धिमान नेताओं को मिली।

तत्काल दुर्भाग्य वश दूसरा परिवर्तन देश के विभाजन का हुआ और तमाम, लड़ाई दंगे झगड़ा-फसाद की नींव पड़ी। इस देश बटवारें में कुछ को लाभ कुछ को हानि मिली, जिस जाति, धर्म, समुदाय के चतुर-सयाने नेता थो उस समाज के अच्छे नेतृत्व द्वारा ही उस समाज को शासन में उच्च पद, सरकारी नौकरियों में अधिक स्थान भूमि, उद्योग व्यापार आदि में आर्थिक लाभ मिला। इस बदलाव में भी अपना विश्वकर्मा समाज नेतृत्व विहीन होने के कारण पिछड़ गया, और अब तक पिछड़ा रहने की वजह से गरीबी की रेखा के स्तर से नीचे उतर आया। इस परिवर्तन शील जगत में अभी भी समाज को आगे बढ़ने और ऊँचाई पर पहुँचने के अवसर हैं यदि आप अपने समाज के नेतृत्व के लिये महादेव जी के समान तीन नेत्र वाले नेता चुने" अर्थात दो नेत्र सर्व साधारण की तरह और तीसरा नेत्र माथे पर बुद्धि का होना चाहिये जो किसी को दिखाई न दे और अपनी बुद्धिमता-गुणवत्ता के द्वारा किसी प्रकार की आलोचना शिकायत और तर्क-वितर्क को सुनने की सहनशीलता एवं सहिष्णुता (अर्थात धैर्य) हो, वही सच्चा समाज का नेतृत्व करने में सक्षम होगा, अन्यथा पेड़ के सूखे पत्ते की भाँति जरा सी हवा चलने से जमीन पर गिर पड़ेगा।

बन्धुओं, निराश न हों, समय बदलेगा, अपने समाज में बहुत ही अच्छे नेतृत्व करने के लिये लालायित नेता हैं, उनके आंतरिक हृदय में दहकती अग्नि के शोलों के उद्‌गार हैं कि हमारे समाज के लोग राजनीति में नहीं है, जिन्हें होना चाहिये, यह तर्क पूर्ण न्याय है।" वर्तमान में हमको राजनीति में अल्प संख्यक, पिछड़ा वर्ग समझा जाता है और बहुसंख्यक उसका लाभ उठाता है। इसलिये समाज सेवकों सच्चे विश्वकर्मा की भाँति हमारे समाज का नेतृत्व खुले मन से एक दूसरे के सानिध्य एवं सहयोग से निःसंकोच होकर अपने आपको भी श्रम शिल्प विज्ञान एवं प्रगति का प्रतीक बनायें। इस समय समाज को दृढ़ बनाने के लिये अनेक विकल्प है, जिससे समाज का मजबूत ढाँचा बनेगा, अतः हमारे नेताओं को समाज से जो कुछ मिलेगा उसको वे जैसे किसी से धन मिल सकता है तो धन लें, जिससे समय मिल सकता है उससे समय लें, जिससे श्रम मिल सकता है उससे परिश्रम लें, जिससे बुद्धि मिल सकती है उससे बुद्धि अथवा ज्ञान लें। इस समय सबल नेतृत्व की आवश्यकता है, इसलिये समाज के उन लोगों को बुलाना चाहिये जो समाज संगठन के सैद्धान्तिक एवं व्यवहारिक पक्षों को जानते है। संसार में कुछ भी कठिन नहीं है भारी से भारी काम संगठन से आसान हो जाता है और तब वही नेता सफल सामाजिक नेतृत्व में महादेव जी का तीसरा नेत्र होता है।

6. अपेक्षित कदम

शिक्षा, संगठन एवं संघर्ष ही चहुँमुख़ी विकास के आधार स्तम्भ है। प्रत्येक वर्ग, समाज का आधार इन्हीं बिन्दुओं पर टिका है। विश्वकर्मा समाज के चहुँमुखी विकास के लिए शिक्षा का व्यापक प्रचार-प्रसार होना चाहिए। विश्वकर्मा धर्मशालाओं, मंदिरों के नव निर्माणों एवं उनकी भव्यता पर अधिक धन व्यय न करके विश्वकर्मा जी के नाम पर इंजीनियरिंग, मेडिकल, महिला विद्यालयों की स्थापना पर विशेष बल दिया जाये ताकि समाज का शैक्षिक स्तर ऊँचा उठे तथा प्रत्येक क्षेत्र में वह भागीदारी प्राप्त कर सके। शिक्षित समाज, संगठन की महत्ता को समझता है। सबल संगठन के अभाव में आज हम कहाँ है? क्या है? इस पर बुद्धिजीवी वर्ग को चिन्तन करना चाहिए तथा समाज हित में ठोस कदम उठाने चाहिए। देश प्रदेश जिलों, महानगरों, कस्बों में संगठनों की आँधी चली तो, लेकिन अब शिथिल सी बन कर रह गयी है। नेतृत्व करने वाले महानुभाव अपने संग समाज के बड़े

हिस्से को जोड़ने में सफल नहीं हो पाये। कुछ लोगों के बहम के चलते भी संगठनों की बागडोर लटके-झटके खा रही है। तथा संगठन दम तोड़ते नजर आ रहे हैं। प्राय: देखने में आया है कि हमारे समाज में सत्ता एवं अधिकारी एवं सम्पन्न वर्ग समाज से अलग होकर "अपनी डपली अपना राग" में मस्त है समाज के प्रति अपने दायित्व को भुला बैठे हैं यदि आप के परिवेश में कुछ पाना है तथा समाज को उसका हक दिलाना है तो बुजुर्गों का आर्शीवाद लेकर युवाओं को मैदान में आना होगा तथा समाज के हक को निगलने वाले से दो-दो हाथ करने होंगे? आज अधिकारी, राजनेता अपने को प्राथमिकता देते हैं लेकिन हमारे आपने लोग कितना सहयोग करते है? यह किसी से छिपा नहीं है। शक्ति देश का भविष्य है यह सही है कि "जिस ओर जवानी चलती है उस ओर जमाना चलता है" युवाओं को राजनीति में बढ़ चढ़कर भाग लेना चाहिए तथा जो राजनैतिक दल प्रतिनिधित्व दे उसे अपनाना चाहिए। बेहतर तो यही है कि हमें राजनैतिक क्षेत्र में पहचान बनाये हुए लोगों के पास लगना चाहिए। पूर्व राष्ट्रपति ज्ञानी जैलसिंह के पौत्र श्री इन्द्रजीत सिंह ने राष्ट्रीय एकता दल का गठन किया है हमें तन, मन, धन से इनका सहयोग करना चाहिए। उन्होंने युवाओं के लिए 50 प्रतिशत पद आरक्षित किये है जिनमें 50 प्रतिशत महिलाहों के लिए है। ज्ञानी जी का नाम राजनीतिक क्षेत्र देश-विदेश में फैला है तो क्यों न हम उस पहचान को कायम रखें। श्री रामआसरे विश्वकर्मा को समाजवादी पार्टी ने आगे बढ़ा एम. एल.सी. बनाया है तथा समाज को सम्मान दिया है हमें ऐसी पार्टी का विशेष ध्यान रखना होगा। हमें उस पार्टी तथा नेता का साथ देना है जो हमारे समाज को उसका हक दे सके। यदि हम ईर्ष्या, मनमुटाव त्यागकर एक दूसरे का हर पल, हर दम सहयोग करने का संकल्प करें तो सुनहरे भविष्य को प्राप्त किया जा सकता है।

भारतवर्ष के कोने-कोने में असंख्य पीड़ित शोषित अज्ञान के अंधकार में डूबे पिछड़ी जातियों के लोगों को कौन उजाला दिखाएगा? कौन उनके दु:ख दर्द को कम करेगा? वही जो बाबा साहेब डा. भीमराव अम्बेडकर की तरह भुक्त भोगी होगा। कहावत सुनी होगी जिसके पैर ना फटी बिवाई वो क्या जाने पीर पराई। समाज के जिस वर्ग के अमानवीय दृष्टिकोण के परिणामस्वरूप इस वर्ग की यह दुर्दशा हुई, भला वह क्यों आपको खाता-पीता ओढ़ता-पहनता, सुशिक्षित, अच्छे पद पर आसीन और प्रसन्न मुद्रा में

देखना चाहेगा। अतः अपनी लड़ाई खुद लड़नी होगी। जीवन के संघर्ष में हर आदमी को अपनी लड़ाई खुद ही लड़नी होती है। हाँ, यदि आप संघर्ष करेंगे, आपका मिशन महान होगा तो लोग आपके साथ जुड़ेंगे। किसी दूसरे के भरोसे अपने कष्ट निवारण की जिम्मेदारी नहीं छोड़ी जा सकती क्योंकि कहते है—स्वर्ग तो स्वयं मरकर ही देखा जा सकता है। या यूँ कहिए कि आप काम सो महाकाम।

कौन उठाएगा यह बीड़ा? ऐसी स्थिति में जब समाज सुधारकों के आजीवन प्रयासों से समुद्र में बूंद जितना मामूली सुधार हुआ। धर्म के ठेकेदारों के हाथों में तो यह दुर्दशा हुई ही है जिन्होंने धर्म को भी विकृत करके अमानवीय बना डाला हो। जिन्होंने धर्म के नाम पर समाज में विष फैलाया हो, दुराचार, शोषण व अत्याचार किए हों। धर्म जो मानव को जोड़ने व परमात्मा से जोड़ने का सशक्त साधन होना चाहिए था उस धर्म के नाम पर साम्प्रदायिकता के माध्यम से दूरी मनुष्य जाति को टुकड़े-टुकड़े ही नहीं किया अपितु एक दूसरे को एक दूसरे के खून का प्यासा बना दिया जिसके परिणाम स्वरूप अनेक स्थानों पर अनेक बार खून की होली खेली गई, नरसंहार हुए और मानव को विषैले जन्तु से भी अधिक खूंखार बना दिया है। ऐसे लोगों से समाज के उपेक्षित वर्ग की स्थिति सुधारने की उम्मीद करना मूर्खता होगी।

आज के युग में सभी प्रकार की सत्ता राजनैतिक सत्ता में समाहित हो गई है। यही आदि है और यही अन्त भी। राजनेताओं से भी दलित पिछड़े समाज के उद्धार की आशा नहीं की जा सकती। क्योंकि उनमें ऐसी चाह नहीं है अपितु उनका हित या स्वार्थ इसी में है कि अधिक संख्या जनता अनपढ़ मूर्ख व विपनवस्था में रहे ताकि वह उनके चरणों में नाक रगड़ती रहे और ये हर चुनाव में गगनचुम्बी वादे करके निरीह जनता से शक्ति संचित करके अगले चुनाव तक या तो उन्हें मुंह ही न दिखाएं या पहचानने से मना कर दे या उपेक्षापूर्ण रवैये से उन्हें स्वयं से दूर रखे। राजनीति में तो दलित और पिछड़े वर्ग के राजनेता भी कुर्सी पा जाने पर यह भूल जाते है कि उनकी जड़े कहा है? उनकी शक्ति के स्रोत कौन है? उनका उत्तरदायित्व किनके प्रति है? फिर तो वे जनप्रतिनिधि बन जाते है—समाज और समर्थ लोगों की सेवा में जुटे रहते है। भाई-भतीजावाद लाने का एक अच्छा तरीका भारत में देखने को मिलता है। राजनीति में लाभ अपनों को ही मिले सबको

नहीं, हाँ वोट सबके जरूर चाहिए। ऐसे महान जन प्रतिनिधियों से जो भाषा, क्षेत्र, सम्प्रदाय, जाति धर्म के नाम पर लाभ अर्जित करते हों और परस्पर और बाँट-बखरा करके समाजवाद का नारा लगाते हों जिन्होंने देश को खोखला कर दिया हो, जो अपने स्वार्थ के लिए देश को बेचने को तैयार हों, धनोपार्जन ही जिनके जीवन का महान लक्ष्य बन गया हो जिनका काटा पानी न माँग पाए, उनसे भला आप क्या उम्मीद रखते है?

इसलिए हे कर्मयोगियों, श्रमजीवियों, मेहनतकशों उठो और अपना उद्धार स्वयं करने की दृढ़ प्रतिज्ञा लो। इस महान कार्य में भी दलित-पिछड़े समाज के उन लोगों की भूमिका अहम होगी जो शिक्षित है, जागरूक है, अपेक्षाकृत साधन सम्पन्न है जिन्हें सदियों के अंधकार से बाहर आकर ज्ञान-विज्ञान का प्रकाश देखने को मिला है और आधुनिकतम शब्दावली में जो पिछड़ों के 'क्रिमी-लेअर' है।

आप जानते है शिक्षा अक्षरज्ञान या डिग्री प्राप्त करने का नाम नहीं है, अपितु मानवीय गुणों को विकसित करने का नाम शिक्षा है अपना पेट तो सुअर भी पाल लेता है, अपना घोसला तो पक्षी भी बना लेते है। अपने बाल-बच्चों को तो सभी जीव-जन्तु पालते है, पोसते है। बात तो तब है जब आप किसी भूखे को भोजन, बेघर को घर, साधनहीन को साधन दिलाने में उसकी मद्द करे, किसी के काम आएं। धन तो वेश्या के पास भी हो सकता है, बल सांड के पास भी हो सकता है किन्तु धन की सार्थकता जरूरतमंद की मदद करने में बल की उपयोगिता बेसहारा व शोषित की रक्षा करने में हैं। अतः आप अपने तन, मन, धन व पुरुषार्थ से इस उपेक्षित वर्ग के कल्याण में जुट जाइए। संफलता अवश्य मिलेगी, आज कल नहीं तो परसों अवश्य।

आप जानते है बीमारी पुरानी है, उपचार भी लंबा चलेगा। सदियों पुरानी बीमारी के उपचार के लिए एक बार की शल्य चिकित्सा काफी न होगी-अर्थात् संघर्ष लंबा चल सकता है। जिसके लिए धैर्य की आवश्यकता है और स्वयं को साधने की जरूरत है अतः इसके लिए मुझे डा. अम्बेडकर से एक से एक मंत्र मिला है शिक्षित बनो, संगठित हो और संघर्ष करो। इसी आधार पर मेरे कुछ सुझाव आपके समझ प्रस्तुत है-

1. शिक्षा के बिना मनुष्य बिना सींग पूँछ के पशु के समान माना गया है। अतः सर्वप्रथम हम यह प्रतिज्ञा करें कि अपने बच्चे को लड़के

या लड़कियाँ समान रूप से, समुचित शिक्षा अवश्य दिलवाएं। आजकल बी.ए., एम.ए. तो आम बात है किन्तु पिछड़े वर्ग में अपेक्षाकृत शिक्षा का अभाव है आधे पेट रहकर यदि बच्चों को शिक्षा देंगे तो भी महंगा सौदा नहीं है। आप उनका और अपना भविष्य उज्जवल बना रहे है। नारी-शिक्षा अपने व दूसरे परिवार के लिए वरदान सिद्ध होगी। अतः लड़कियों को अवश्य शिक्षित बनाएं।

2. पढ़ाने लिखाने की सुविधा के लिए, अच्छे लालन-पालन के लिए छोटा परिवार रखिए ताकि उन्हें अच्छा नागरिक बना सकें।

3. बच्चों को स्कूल से निकालकर मजदूरी के माध्यम से कुछ कमा लेने के लोभ से काम में न जुटा लें। ऐसे भी बाल-मजदूरी कानूनी अपराध है।

4. आर्थिक दृष्टि से अपने पैरों पर खड़ा होने से पहले लड़कों की शादी न करें ताकि आपको उनका, उनकी पत्नी और बच्चों के पालन-पोषण का असहाय भार न उठाना पड़े।

5. युवक व युवतियों को केवल नौकरी पर निर्भर होने की अभिशाप से बचाएँ उन्हें कुछ छोटा-मोटा अपना काम धंधा करने के लिए मानसिक रूप से तैयार करें।

6. काम को महान समझें। काम कोई छोटा या बड़ा नहीं होता। अतः काम को सम्मान की दृष्टि से देखा जाए और हाथ से काम करने को दुर्भाग्य न माना जाए। श्रमजीवी होना कोई बुराई नहीं बल्कि किसी भी परिश्रम के काम को आत्म सम्मान के साथ करें।

7. मितव्ययी होना आवश्यक है। जितनी चादर हो उतने ही पैर पसारें। अपने साधनों से अधिक खर्च करना अनेक बुराइयों का जन्मदाता है।

8. कबीर के शब्दों में, अपनी रूखी-सूखी खाकर गुजारा करना ज्यादा सम्मानजनक हैं। दूसरों की दौलत व समृद्धि को देखकर चकाचौंध होने की जरूरत नहीं है। जादू से तुरन्त अमीर बनने की लालसा आपको अपराधी बना सकती है। आपके जीवन को नरक बना सकती है।

9. गाँधी जी ने साधन की शुद्धता पर बहुत अधिक बल दिया है। लोक में प्रचलित कहावत है, जैसा खाओं अन्न वैसा होगा मन। कुकर्मों द्वारा कमाया गया धन आपके या आपकी संतान के लिए सुख शांति का दाता नहीं हो सकता।

10. दहेज के धन से आदमी समृद्ध नहीं हो सकता। अपने पुरुषार्थ से कमाया धन आपकी शान में चार चाँद लगाता है। दहेज लालच की संतान है, सामाजिक कलंक है, व्यक्तिगत अभिशाप है, दहेज लेना और देना दोनों का ही परिणाम असीम दुःख है। अतः इसके लेने और देने से बचें। यह सामाजिक विष है इसे पीने वाला और पिलाने वाला दोनों ही मरेंगे।

11. नशीले व मादक द्रव्यों के सेवन से स्वयं बचें और अपनी संतानों को बचाए। नशा आत्महत्या का सुनिश्चित साधन है। इससे भी ज्यादा आपके परिवार के सदस्य व सगे सम्बन्धी व प्रियजनों को भी इसका खामियाजा भुगतना पड़ता है। स्वस्थ और सुखी जीवन के लिए नशीले पदार्थ से दूर रहे।

12. झूठी शान और दिखावे का रोग न पाले। इसका कोई अंत नहीं है। यह अमरबेल की तरह आपके मन पर छा जाएगा और अंत में निराशा ही हाथ लगेगी।

13. अपने खान-पान, रहन-सहन, वस्त्रादि व आचार-व्यवहार में सादगी बरतें और संतोष को परम धन समझें।

14. सोद्देश्य जीवन जीएं और अपने बच्चों को भी उनके जीवन के उद्देश्य के बारे में उन्हें जानकारी व मद्द दें। निरूद्देश्य जीवन हमें अंधकार, अज्ञान, और अपराध की ओर उन्मुख करता है।

15. स्वावलम्बी व सुखी जीवन के लिए आर्थिक विकास अनिवार्य है। मेहनत व बुद्धिमत्ता से अपनी आवश्यकताओं को पूरा करने का उचित उपाय होना चाहिए। वह नौकरी भी हो सकती है अपना रोजगार भी हो सकता है। पैसा जीवन में सब तो नहीं है परंतु यह मानना कि बहुत कुछ है। अतः पुरुषार्थ से धन अर्जित करें, शार्ट कट तरीकों से नहीं।

16. व्यक्ति सामाजिक प्राणी है इस नाते सहयोग लें और सहयोग दें। किन्तु अपने परिवार के वातावरण को ठीक रखने के लिए दूसरों को अपने आंतरिक मामलों में अनावश्यक महत्व न दें। आप स्वयं भी दूसरों के मामलों में फिजूल टांग न अड़ाएं। इससे आप अनेक झंझटों से बच सकते है।

17. आप दूसरों के हाथ का खिलौना न बनें, अपनी समझ से काम लें। दूसरों के कहने से आपस में लड़ें-परिवार या समुदाय के स्तर पर।

18. आप किस वर्ण या जाति से सम्बन्ध रखते है। इस तथ्य को छुपाने कि जरूरत नहीं है क्योंकि आप इसे छिपा भी नहीं सकते। आदमी आजीवन अपनी पहचान बनाने के लिए प्रयत्नशील रहता है और आप अपनी पहचान छुपाते है। इससे हीन भावना जन्म लेती है, आत्म विश्वास का अभाव होता है। आत्म-विश्वास तो सफलता की कुंजी है।

19. वर्ण-व्यवस्था और जाति-प्रधान देश में आप उच्च वर्ण या जाति होने का अशफल प्रयास करते है जो आपकी हीन भावना का द्योतक है। उच्च जाति के उपनामों का प्रयोग करके आप अपनी जाति छुपाकर बड़ा बनना चाहते है। यह लोभ या लालसा छोड़ दें नहीं तो आपकी हालत वही होगी–"कौआ चला हंस की चाल, अपनी भी भूल गया।

20. यदि आप समाज में सम्मान चाहते है तो अच्छी शिक्षा ग्रहण करें। परिश्रम करके अच्छे पद पर पहुँचे, अच्छा व्यापार करें, दूसरों के काम आएं आचार-व्यवहार ठीक रखें फिर चाहे आप किसी भी जाति से सम्बन्ध रखते है लोग आपका सम्मान करेंगे।

21. यदि आप चाहते है कि पिछड़े या कमजोर वर्ग का उद्धार हो तो आप छोटी से छोटी ईकाई से लेकर राष्ट्रीय स्तर के संगठन के सदस्य बने। संगठन के माध्यम से संगठित हों और संगठित करें। संगठन व एकता में ही शक्ति है।

22. संगठन को मजबूत बनाने के लिए तन, मन और धन से भरपूर सहयोग दें। कहते है अकेला चना भाड़ नहीं फोड़ सकता इसलिए यथा शक्ति आर्थिक सहयोग देकर, समय देकर और शक्ति लगाकर संगठन को मजबूत करिए।

23. लोकतंत्र में संख्या महत्वपूर्ण है। अतः जब आवश्यक हो तो संगठन की पुकार पर शक्ति प्रदर्शन के लिए काम छोड़कर भी यदि जाना पड़े तो अवश्य जाइए और शासनतंत्र को भीड़ की भाषा जल्दी समझ में आती है। यहाँ मूर्ख बहुमत (यदि वह संगठित हो) अधिक प्रभाव है, बुद्धिमान अल्पमत नहीं।

24. केवल अपने लिए नहीं अपितु दूसरों के लिए जीएं। समाज के लिए जीएं, राष्ट्र व मानवमात्र के लिए जीएं। भूलकर भी राष्ट्रविरोधी कोई काम हमें नहीं करना है। क्योंकि हमारा अस्तित्व राष्ट्र के साथ ही है, इसके बिना नहीं।

25. संगठन को अपने अधिकारों के लिए लड़ना चाहिए। आप जानते है-बिना रोए तो माँ बच्चे को दूध नहीं पिलाती है। राष्ट्रीय स्तर पर लाभ और अधिकार के बँटवारे में आप अपना हिस्सा लेने के लिए अपनी आवाज बुलंद करें, संघर्ष करें।

26. हर क्रांति के बीज मस्तिष्क में उगते हैं अतः संघर्ष करने से पहले शांत चित से सामूहिक विचार-विमर्श आवश्यक हैं। पहले सोचें, मनन करें, फिर बोलें, और बाद में आगे कदम बढ़ाएँ। संघर्ष को सफल बनाने के लिए अनुशासन सबसे आवश्यक शर्त है, इसके बिना संघर्ष दंगे में बदल सकता है, जिसका परिणाम घातक है।

27. इस वर्ग के लिए विशेषकर गाँधीजी का शांतिपूर्ण अहिंसा पर आधारित आंदोलन का तरीका ज्यादा कारगर हो सकता है। क्योंकि पिछड़ा वर्ग पुरुषार्थियों व श्रमजीवियों का वर्ग है। अतः जिसका धर्म रचना करना है उसे विध्वंस नहीं करना चाहिए। इस संदर्भ में मुझे वयोयुद्ध नेता श्री बुद्धप्रिय मौर्य की नीति अच्छी लगी, वे कहते है कि-हम मारेंगे भी नहीं और मानेंगे भी नहीं अर्थात् हिंसा का रास्ता नहीं अपनाएंगे और संघर्ष का रास्ता छोड़ेंगे नहीं, जब तक हमारे अधिकार हमें नहीं मिल जाते।

28. जो अपने अधिकार के लिए नहीं लड़ता, वह अत्याचार को सहन करता है और अत्याचार को सहन करने वाला भी उतना ही दोषी माना जाता है जितना अत्याचार करने वाला। अतः अपने आत्मसम्मान के लिए न्यायपूर्ण तरीके से अपने अधिकारों के लिए संघर्ष करना

आपके और हमारे लिए अपरिहार्य है। क्योंकि बिना प्रयास के आपके घर आकर कोई शासन तंत्र आपको कुछ देने वाला नहीं है। आपका हक है, आपको नहीं मिला है, वह मिलना चाहिए—यह बात शासनतंत्र को अच्छी तरह मालूम होनी चाहिए।

29. पारस्परिक सद्भावना के लिए समाज में हम प्रयत्नशील रहेंगे। धर्म, भाषा, क्षेत्र, जाति के आधार पर देश को तोड़ने वाले तत्वों के नापाक इरादों को हम कामयाब नहीं होने देंगे।

30. सुखी जीवन का एक उपाय है दूसरों से ईर्ष्या न करना। संसार में अधिकतर लोग अपने दुःख से पीड़ित नहीं है। अपितु दूसरे के सुख से पीड़ित है, दुःखी है। ईर्ष्या से बचें, और जीनें दें।

समतामूलक समाज के निर्माण से ही सामाजिक विषमताओं को दूर किया जा सकता है। संपूर्ण सृष्टि में केवल मानव ही हाथ से युक्त प्राणी है। सृष्टि में मनुष्य को छोड़कर अन्य किसी भी जीव को हाथ नहीं मिला है। सज्जन व्यक्ति की विद्या दूसरों को ज्ञान प्रदान करने, उसका धन मजबूरों को दान देने तथा उसका बल दूसरों की रक्षा के लिए होता है। जो मनुष्य अहंकारवश अपने धन, बल, ज्ञान का दुरुपयोग करता है उसका विनाश निश्चित है।

तृतीय खण्ड
मध्ययुगीन भारतीय समाज एवं विश्वकर्मा वंशज की प्रमाणिकता

९

विश्वकर्मा सभ्यता और संस्कृति

1. विश्वकर्मा समाज सभ्यता और संस्कृति

विश्व की प्राचीनतम संस्कृतियों मे भारतीय संस्कृति को मूल्यपरकता, तत्वबोध सम्यक जीवन दर्शन, आर्थत्मक विचार तथा ऐहिक एंव पारलौकिक जीवन की मुक्तिप्रद संकल्पनाएँ मानव के बीच अदभूत सामंस्य स्थापित करता है। विश्वकर्मा की संकल्पना तथा उसका सर्जक भाव ही भारतीय परम्परा एंव संस्कृति में सृजनात्मकता, संरचनात्मकता तथा संस्कारित जीवन का मूल अक्षुण्ण भाव है। इसी भावभूमि तथा विचारभूमि पर जागृतिक सत्ता एवं मानव जीवन की अवधारणायें विकसित हुई है। विश्वकर्मा एक देवता ही नही अपितु भारतीय संस्कृति में सृजन का स्वरूप है।

विश्वकर्मा देवता की संकल्पना को जिस प्रकार हमारे वैदिक ऋषियों ने साकार रूप प्रदान किया उसी प्रकार भारतीय संस्कृति के साथ ही यह संकल्पना प्राचीन विश्व के अन्य देशो मे भी संक्रमित हुई। चीन तथा ईरान के साथ-साथ दक्षिण पूर्व एशिया की संस्कृति में इस परम्परा के अवशेष आज भी विद्यमान हैं। भारतीय, विश्वकर्मा, की तरह विश्व की अन्य संस्कृतियों में शिल्प या सृजन के रूप में केसे प्रचलित हुआ। उदाहरणार्थ ईरानी धर्मग्रंथ अवेस्ता में ब्रज के बहशः उल्लेख जहाँ इसे इन्द्र देवता के आयुध के रूप में समीकृत करते हैं वही इसके निर्माता वैदिक त्वष्ठा या विश्वकर्मा से भी जोड़ते है। इसी प्रकार चीनी संस्कृति में “लू पान” का उदाहरण है। जिस प्रकार भारत में विश्वकर्मा को शिल्प शास्त्र का आविष्कारक देवता माना जाता है और शिल्पकर्म से जुड़े सभी शिल्पी या कारीगर इसकी पूजा करते हैं, इसी प्रकार चीन में “लू पान” को बढईयों का देवता माना जाता है।

भारतीय संस्कृति के साथ विश्वकर्मा शब्द भी बृहत्तर भारत पहुँचा। थाईलैण्ड में आज भी अभियन्ता को विश्वकम्प (विश्वकर्मा) कहा जाता है। विश्वकर्मा का यह स्वरूप भारतीय संस्कृति के उस पक्ष के प्रवाह तथा प्रसार को समझने में सहायक हुआ जिसके कारण भारतीय चिंतन का क्रियात्मक पक्ष रेखांकित किया जाता रहा। वास्तव में विश्वकर्मा का उदभव उसी समय हो गया था जब आदि मानव ने अपना संवरणशील जीवन प्रारम्भ किया था और उसी क्रम में स्थायी आवास की ओर अग्रसर होने से कृषि, आवास, भोजन की आवश्यकता के साथ ही वैदिक "तक्षा" की उत्पत्ति हो चुकी थी। प्रकृति के विभिन्न उपादानो को मानव जीवन के लिए उसको उसकी सांसारिक आवश्यकताओ के अनुरूप सृजित करना सभ्यता के प्रारम्भिक अवस्था की अनिवार्यता थी।

प्राचीन भारत में जनपदों, नगरों तथा राज्यों के उदभव एवं विकास, विभिन्न सामाजिक तथा आर्थिक व्यवस्थाओं में विश्वकर्मा की सृजन परम्परा का महत्त्वपूर्ण योगदान है मेघ न केवल गर्जन तथा अत्याचारियों में भय का संचार करता है अपितु जलवृष्टि के द्वारा भूमि को उर्वर बनाता है। शासक के मुख्य आयुध के रूप में बज्र नामक आयुध का कल्पना की गयी जो इन्द्र का मुख्य अस्त्र है। इसके निर्माता विश्वकर्मा हुए। वज्र के अतिरिक्त अन्य आयुधो का निर्माण भी विश्वकर्मा तथा उसकी परम्परा के अधीन हुआ जो उनके वंशज करते आ रहे हैं। सैन्य, आयुध निर्माण परम्परा रथ निर्माण, दुर्ग एवं नगर निर्माण आदिं देवशिल्पी विश्वकर्मा की निर्माण परम्परा के प्रमाण समझे जा सकते हैं।

भारत जैसे कृषि प्रधान देश के लिए भूमि की उर्वरता, कृषि-कर्म, कृषि के उपकरणों के निर्माण तथा संपूर्ण कृषि व्यवस्था को संचालित करने वाले एक विश्वकर्मा संस्कृति की देन है। कालान्तर में विश्वकर्मा की संततियों के रूप में इन्हे अलग-अलग मन, मय, त्वष्टा, शिल्पी तथा दैवज्ञ वर्णित किया गया। इनको विभिन्न उपकरणों का निर्माण कार्य सौंप गया। आगे चलकर विशेषीकृत व्यवसाय एवं शिल्प का विकास हुआ जिनमें लौकार आदि की विशेष प्रतिष्ठा बढी।

व्यापार, वाणिज्य के विकास के लिए वाहन, रथ, नाव, आदि निर्मित हुए तथा प्रत्येक शिल्प में विश्वकर्मा की अवतारणा हुई। कृषि व्यवस्था, व्यापार एवं वाणिज्य की स्थापना तथा उसके विकास में विश्वकर्मा का विशेष स्थान है। आज भी विश्वकर्मा पूजा के समय शिल्प का सभी

विधाओं में उपकरणों की पूजा का अर्थ विश्वकर्मा देवता की पूजा अर्चना से लिया जाता है। भारत में कृषि उन्नति के पिछे विश्वकर्मा की देव परम्परा का विशिष्ट योगदान है। इस लिये अन्नोप्पादन के बाद एवं कृषि कर्म के शुभारम्भ के समय आधुनिक युग में पूजा प्रचलन पाया जाता है। किसान शुभ मुहूर्त में भूमि तथा उपकरण का पूजन करता है एवं शास्योंत्पादन के पश्चात् फसल का अंश देवस्थानो, ग्राम देवता, दिक्पाल तथा शिल्प के शिल्पस्थान प्रथमतः अर्पित करता है। क्योंकि उसकी मान्यता है कि सभी देवी शक्तियों के कारण ही कृषि उत्पादन संभव हो पाया है।

इस दृष्टि से विश्वकर्मा देवता की प्रतिष्ठा आर्थिक जीवन में अत्यधिक बढ़ जाती है मणिक औद्योगिक एवं आण्विक युग में इस विचारधारा का महत्व और भी बढ़ जाता है। जहाँ मानव सभी दैवीय शक्तियों को जानने-पहचानने तथा जीवन में उसकी उपयोगिता को बढाने में लगा है।

विश्वकर्मा सभ्यता एवं संस्कृति ही मूल भारतीय सभ्यता एवं संस्कृति है। कालान्तर में विदेशियों के आधिपत्य एवं उनके प्रभाव में इसका मूल स्वरूप विलुप्त होकर उसमें समाहित होता गया। इतिहास लेखन में इतिहासकारों ने भी निष्पक्षता नही बरती। विवश होकर इनके सृजनात्मक स्वरूप का वर्णन प्रस्तुत पुस्तक में करना पड़ा है जो इतिहास पुर्न-लेख में सहायक होगा।

भारत की अत्यन्त प्राचीन जाति होने के कारण विश्वकर्मा समाज की सभ्यता और संस्कृति एक दिन की नहीं, एक वर्ष की नहीं बल्कि काल-कालान्तर से चली आ रही एक व्यवस्था है। अनेक परिवर्तनों तथा आयामों से गुजरती इनकी सभ्यता और संस्कृति ने अनेक उतार-चढ़ाव देखे हैं। कभी संस्कृति को छोड़ सभ्यता आगे बढ़ी है तो कभी पुरानी रूढ़ियों, मर्यादाओं, ने स्वयं विश्वकर्मा समाज की सभ्यता को नियन्त्रित कर उस पर नियंत्रण किया है। अन्य दूसरे समाजो की तरह विश्वकर्मा समाज में भी सांस्कृतिक पिछड़ेपन की समस्या पैदा हुई है। सभ्यता की जंजीरें टूटी है, फिर आगे बढ़ी है। इस अध्याय में हम विश्वकर्मा समाज की सभ्यता और संस्कृति का अध्ययन करेंगे।

2. रहन-सहन

इतिहासकारों ने प्राचीन भारत के इतिहास का विभाजन कई कालखण्ड़ों में किया है। विश्वकर्मा जाति सभी कालखण्ड़ों में रही है। समय की गति और परिस्थियों ने इस जाति के रहन-सहन, वेश-भूषा, भाषा, व्यवहार, रोजगार पर अनेक प्रहार किये हैं। अदभुत झंझावातों से गुजर कर आज जिस

स्तर पर विश्वकर्मा जाति के लोग है: इसका अध्ययन अत्यन्त कौतूहलपूर्ण और आश्चर्ययुक्त है।

आदिम शिकारी या पाषाण पुरा-पाषाण युग में इस जाति के लोग अत्यन्त असभ्य रूप में थें। हालाँकि उस समय जाति नहीं थी; किन्तु अन्य लोगों की तरह विश्वकर्मा लोग भी नंग-धड़ंग घुमक्कड़ीं अवस्था में थे। भारत भूमि में रह रहे सभी इन्सान अपनी भूख की ज्वाला को शांत करते हुए नदियों के किनारे, कन्दराओं, गुफाओं में निवास कर रहें थें। सवर्दा उनको अपनी जिन्दगी पर खतरा ही नजर आ रहा था। धीरे-धीरे वे सभ्यता की ओर बढ़ाने लगे। खण्ड 4 के अध्यायों में हम इस बात को अच्छी तरह लिख आये हैं।

धातुयुग मनुष्य के विकास का एक साफ-सुथरा और परमार्जित युग रहा है। इस युग में जातियाँ नहीं थी। सभी इन्सान एक थे। मानव जाति तेजी के साथ विकास की ओर उन्मुख था। इसकी सभ्यता और संस्कृति अन्य लोगो की ही तरह थी। दूसरी जातियों और विश्वकर्मा जाति के बीच कोई अन्तर नहीं किया जा सकता था।

खुदाइयों से प्राप्त पुरातात्विक अवशेषों से सैंधव सभ्यता काल के समय इन्सान झुण्डों या कबीलों में रहने लगा था। कुछ स्थानों में जानवरों के हड्डीयों के ढेर, मुहरें, बर्तन, बाट-माप के सामान, खिलौने, चुड़ियाँ, लकड़ी, पत्थर और लोहे के औजार भारी मात्रा में पाये गये हैं। इसके अध्ययन से हम इस निष्कर्ष पर पहुँचते हैं कि यह कबीलाई लोगों की बस्ती रही होगी, क्योंकि जहाँ हड्डियों के ढेर मिले, वहाँ केवल हड्डियाँ ही थीं; जहाँ मुहरें मिलीं वहाँ केवल मुहरें ही थीं। ऐसे ही बर्तन, खिलौने, गेहूँ या अन्न के दाने, लोहे, पत्थर के औजार आदि सामान भिन्न-भिन्न स्थानों पर अलग-अलग ढेर-के-ढेर पाये गये। पुरात्व के इन सामग्रियों से काम के बँटवारे का आभास होता है।

इस काल तक जातियाँ नहीं थीं, किन्तु पेशे के आधार पर कबीले बन गये थे। शिकारियों का कबीला, पशुपालकों का कबीला, मिट्टी के बर्तन बनाने वालों का कबीला, लोहे के समान बनाने वालों का कबीला, अन्न उत्पादन करने वालों का कबीला, कपड़ा बुनने वालों का कबीला अलग-अलग अस्तित्व में आ चुका था। इन कमकर कबीले लोगों की सभ्यता एक थी। रहन-सहन और पहनावे एक थे। कमकर जातियों के लोग, सिर पर पगड़ी, नंगे बदन और घुटने के ऊपर धोती अथवा जानवरों की खाल से बने

कंचुकी आदि पहनते थें। 'गुलमोहम्मद' के टीलो में प्राप्त सामाग्रियों के विश्लेषण से ऐसा प्रतीत होता है कि इन कमकर लोगों के पहनावे, खान-पान, वेश-भूषा एक थे। आज इन लोगों की अहीर, गड़ेरिया, कुम्हार, लुहार, खटिक, चमार आदि हम कह सकते हैं।

सैन्धव सभ्यता के पतन के बाद आर्यमिश्रित सभ्यता का उदय हुआ। इस सभ्यता में भी लोगों के रहन-सहन के स्तर, कपड़े पहनने के तरीके आदि में कोई विशेष परिवर्तन नहीं हुआ। ऐसा प्रतीत होता है कि इस समय विश्वकर्मा समाज एक मात्र आधारभूत वस्तुओं का उत्पादनकर्ता एवं निर्माता था। इसकी जिन्दगी मानव समाज में ही सिमटी रही। सर जान मार्शल, दयाराम साहनी आदि पुरातत्व विशेषज्ञों के अध्ययन में यह बात एकदम स्पष्ट होती है कि इस काल के शिकारी या आखेटक अन्य दूसरे कुलाल, नापित, लुहार, सुनार, आदि सभी कमकर लोग, अत्यन्त अविकसित अवस्था में अपना जीवन निर्वाह कर रहे थें।

भारत के अधिकांश भागों के ग्रामीण व शहरी अंचलो में अधिकांश विश्वकर्मा जातियों के बच्चे अपने माँ-बाप के साथ उत्पादन एवं निर्माण कार्यो में प्रायः लगे रहते हैं। उत्पादित सामानों को हाट, बाजार मेले में बेचते हैं और फेरी लगाते हैं। पैतृक व्यवसाय में लगे रहने के कारण ये बच्चें शिक्षा से वंचित रहते हैं। कुछ लोग संपन्न है। विकसित है। परन्तु अधिकांश विपन्न है। दयनीय स्थिति में है।

इस प्रकार हम देखते हैं कि आज विश्वकर्मा समाज में आपस में ही काफी अन्तर व्याप्त हो गया है। कुछ लोग बहुत ही आगे हैं। उनका सामाजिक स्तर, रहन-सहन बहुत ऊँचा तथा सम्माननीय है। कुछ लोग उतना ही नीचे गिरकर अत्यन्त अपमानित जिन्दगी जी रहे हैं। निश्चय ही रहन-सहन की यह विषमता काफी गहरी होती जा रही है। समाज-सुधारकों को इस विषमता के बारे में सोचना होगा।

3. खान-पान

आरम्भ में मानव समाज जब अपने शिकारी जीवन में था तो वह स्वभावतः मांस पर ही निर्भर था। जंगलों से जानवर को पकड़ना, उसको मारकर उसका मांस खाना, यही उसकी जिन्दगी थी। धीरे-धीरे सैन्धव सभ्यता के करीब पहुँचते-पहुँचते उसने गेहूँ, जौ, चना, चावल के बारे में भी जानकारी प्राप्त कर ली। फलों का भी उसे ज्ञान हो गया। कन्दमूल, तरबूज, मछली उसके प्रिय खाद्य पदार्थ थे। इस काल तक उसे शराब का ज्ञान नहीं था।

सैन्धव सभ्यता के बाद आर्यों के आगमन तक विश्वकर्मा जातीय समाज के लोग खान-पान के मामले में काफी परिपक्व हो चुके थे। अन्न का उत्पादन भी इनके द्वारा होने लगा था। मांस-मछली के साथ-साथ पशुओं के दूध का भी इस्तेमाल ये लोग करने लगे थे। इतिहास के मंथन से इस बात का भी पता चलता है कि सामूहिक भोज की प्रथा इन्हीं लोगों ने समाज में शुरू की। सुरक्षा व आखेट हेतु शस्त्र निर्माण जरूरत के सामानों को बनाकर उन्होंने कबीले के दूसरे लोगो को देना प्रारम्भ किया। यहीं से सामूहिक भोज तथा अदल-बदल की प्रणाली का विकास हुआ। सामाज की गति बदली। खाने के बाद कुछ टोटम सम्पन्न किये जाने लगे। नृत्य, गायन आदि का विकास भी विश्वकर्मा समाज की ही देन है।

आर्यों के आगमन के बाद सोमरस, सुरा और पेय का भी प्रचलन हुआ। शिल्पी समाज ने इसे अपने खान-पान में शामिल किया। धान, ताड़, खजूर, नीम, गन्ना, महुआ से शराब बनाना आदिकालीन मानव बड़ी ही अच्छी तरह सीख गया था। 'काठिक' जाति के लोगों का प्रिय पेय धान और महुए की शराब थी।

आज आधुनिक भारत में शिल्पी जाति के लोग चाहे गरीब हों या अमीर खान-पान के मामले में बड़ी ही रूचि दिखाते हैं। मसालेदार चटपटी दाल-सब्जी और मांस मछली इनका मुख्य आहार है। विश्वकर्मा समाज को तीखा व्यंजन भी प्रिय है। चावल, गेहूँ, मटर, मक्का, चना, उर्द से बने पदार्थ इनको काफी पसन्द है। इस जाति के लोग पहले शादी विवाह के अवसर पर शाकाहारी और मांसाहारी दोनों प्रकार के व्यंजन सामूहिक रूप से परोसते थे। शराब भी छककर पिलाई जाती थी।

आज उत्तर भारत में सामूहिक रूप से शादी-विवाह में शराब पीना-पीलाना वर्जित है। जातीय नियमों द्वारा मांसाहारी भोजन पर पूर्वी उत्तर प्रदेश में तो रोक लगा दी गयी है किन्तु अन्य स्थलों पर निषिद्ध नहीं है। दक्षिण भारत, राजस्थान, गुजरात में भी कमोबेश यही स्थिति है। घरों में नातेदारों, रिश्तेदारों के साथ बैठकर कीमती-से-कीमती शराब हैसियत के मुताबिक पी तथा पिलाई जाती है। वैसे आमतौर पर देशी शराब या महुए की शराब का प्रचलन देहातों में ज्यादा है।

स्वागत में उनका परम शिष्य चुन्द नामक विश्वकर्मा ने भगवान बुद्ध को पावा में श्रद्धा के साथ अंतिम भोजन कराया था। उन्होंने इसकी प्रशंसा की थी। खान-पान के बाद अपने शिष्य आनन्द के साथ भगवान बुद्ध कुसीनगर

चले गये। एक सप्ताह बाद उनका देहान्त हो गया। महापरि निर्वाण की जानकारी होने पर चुन्द अपने मित्रों के साथ अंतिम दर्शन हेतु गया और भगवान बुद्ध का दर्शन कर मोक्ष प्राप्त किया।

कुल मिलाकर हम यह कह सकते हैं कि आज ही नहीं बल्कि आदि से विश्वकर्मा समाज के लोग राजशाही ढंग के खान-पान के अभ्यस्त रहे हैं। आज देश में हजारों जातियाँ ऐसी है, जिनकी तुलना में विश्वकर्मा समाज के लोगों का भोजन काफी अच्छा और उच्च स्तर का है।

4. वेश-भूषा

आदिम मानव समाज एकदम असभ्य था। वह नंगा-भूखा था। जीवित रहने के लिए केवल संघर्ष कर रहा था। नदियों, कन्दराओं, पेड़ो, गुफाओं में शरण लेकर अपने जीवन को गुजार रहा था। हिंसक जानवरों से रक्षा, भूख की ज्वाला को शान्त करना, यही उसकी जिन्दगी थी। आगे वह कुछ सभ्य हुआ तो पेड़ के पत्ते अथवा जानवरों की खाल से अपना बदन ढँकने लगा। सैन्धव सभ्यता में उसको ऊनी, सूती, रेशमी, कपड़ों का ज्ञान हुआ। बाल झाड़ने, स्त्रियों को जूड़ा गूँथने, गहने पहनने, बच्चों को खिलौना से खेलने की आदत पड़ी। वेशभूषा में परिवर्तन हुआ किन्तु इस काल के लोग बाल कटाने, दाढ़ी बनाने से वंचित ही थे।

शिकारी जीवन जीने वालों की वेशभूषा बड़ी खराब व अस्त-व्यस्त थी। कपड़ों का ज्ञान हो जाने के बाद भी इस कबीले के लोग पहनने-ओढ़ने में एकदम पिछे थे। किसी प्रकार घुटनों के ऊपर तक इनकी धोती थी। बदन खुला हुआ था। हाथ में एक लाठी रहती थी। चन्द्रगुप्त काल में शिल्पी जातियों ने राजमहल, सिंहासन, प्रचलित सिक्के, मुकुट, राजा रजवाड़ों के किला, दुर्ग, अस्त्र-शस्त्र, रथ, कभी आदि का निर्माण किया। कालान्तर में देशी-विदेशी आक्रमणों के समय इनका तथा इनकी कर्मशालाओं का सर्वाधिक विकास हुआ। जो लोग उनकी अधीनता नही स्वीकार किये उनके हाथ पाँव काट लिए गये। जान से मार डाला गया। उनकी शिल्प कला संस्कृति तकनीक को नेस्ताना-बूद कर दिया गया। शेष को विजेताओं द्वारा जबरदस्ती अन्यत्र ले जाया गया। इनके मूल के लोगों को विदेशों में ले जाने से वहाँ भी कला कृतियों का निर्माण व सृजन करते रहे। धर्म-कर्म-पूजन में आस्थावान बने रहे। कालांतर में इन्हें पांचाल ने हम शिल्पी के नाम से जाना

गया। धर्म-कर्म-पूजन पाठ ने इनकी आस्था थी। इनके शिल्प ज्ञानी पंडितों ने शिल्प पुराणों सहित अन्य ग्रंथों की संरचना की जो पूज्यनीय व वन्दनीय है। इसका उल्लेख इस पुस्तक के प्रथम, द्वितीय, तृतीय खण्ड के यथा स्थान किया गया है जो ऐतिहासिक है।

ईसा के बाद कई शताब्दियों तक ऐसी ही इनकी अपरिवर्तनीय जिन्दगी थी। पहले घुमक्कड़ी जीवन था। अपने बाल बच्चों को छोड़कर कन्धे पर बसूला, हाथ में आरी, हथौड़ी, छेनी लेकर जगह-जगह घूमना और चारपाई, चौकी, पीढ़ा, हल, बनाना इनका दैनिक कर्म था। इस काल में घरों में रहने वालों का पेशा खुर्पी, हसिया, गड़ास, पहसूल, चाकू, कल्छुल, ओखली, मूसर, कठवत, सन्दूक, आलामारी, मथनी, चौखट, बाजू तथा खेती का हल, फाल, जूआठ, हरीश ढोली, पाल्की, बैलगाड़ी, एक्का, रथ, आदि बनाना और बेचना था। वे दिन में इसे बनाते और बेचते थें। रात को खा-पीकर सो जाते थे। बाहर के दूसरे अन्य जाति वर्ग के लोग इनकी वेश-भूषा देखके ही पहचान जाते थे कि ये विश्वकर्मा वर्ग जाति के है। ये लोग धार्मिक प्रवृत्ति है तथा धर्म-कर्म में आस्था और विश्वास रखते थे और है।

लगभग उन्नीसवीं, बीसवीं शताब्दी तक इनका यही हाल था। कारिगरी करने, धातुओं के सामानो का उत्पादन करने तथा उसे बेचने वाले विश्वकर्मा पाँचाल भी सभ्यता से कोसों दूर अत्यन्त पिछड़ी अवस्था में थे। बीसवीं शताब्दी के प्रारम्भिक दशक में पूरे देश के विश्वकर्मा समाज में एक क्रान्तिकारी परिवर्तन का संकेत मिलता है। आबादी के एक-दो प्रतिशत लोग पढ़ाई-लिखाई की ओर उन्मुख हुए। वेशभूषा बदली। धोती-कुर्ता, साफा या पगड़ी पहनने का प्रचलन पैदा हुआ। बदन में मिरजई, अंगरखा या फतुई पहना जाने लगा। पैरों में जूता पहनने का रिवाज बना। सन् 1850 ई. के आसपास इस जाति के लोग सभ्यता की दहलीज पर कदम रख चुके थे।

इसके सौ वर्ष बाद भारत की आजादी के शुरूआती दौर में विश्वकर्मा समाज के लोग वेशभूषा, खान-पान, रहन-सहन में काफी परिपक्व हो चुके थे। दिल्ली, यू.पी. मद्रास, हरियाणा, राजस्थान, महाराष्ट्र, बिहार, पश्चिम बंगाल आदि में दो प्रतिशत लोग पढ़ने-लिखने भी लगे। सुन्दर धोती, कपड़े, शाल, तौलियां, चादर, कम्बल आदि का इस्तेमाल पच्चीस प्रतिशत लोग करने लगे। आज 21वीं सदी का प्रारम्भिक दशक है। विश्वकर्मा समाज की सभ्यता और संस्कृति में गुणातीत परिवर्तन आया है। पढ़ाई-लिखाई की ओर

औरतों, बच्चों का ध्यान गया है। कोट, पैण्ट, शर्ट, पैजामे, मोजे, स्वेटर, सूट सभी लोग पहनने लगे हैं। औरतें लहँगा, साड़ी, सुन्दर ब्लाउज, शाल लपेटती है। बच्चियाँ-युवतियाँ गरारे, सलवार, समीज ही नहीं बल्कि शर्ट और पैन्ट भी पहनने लगी है। टी.वी. और सिनेमा ने भी विश्वकर्मा समाज की वेशभूषा में आज एक क्रान्तिकारी परिवर्तन लाया है। सभ्यता की दौड़ में इस जाति के लोग अब पिछे नहीं है।

5. घर-मकान

विश्वकर्मा समाज के लोगों की आवासीय स्थिति काफी दयनीय रही है। जो दूसरों के लिए सुन्दर मकान घर बनाता वह स्वयं इससे वंचित था। भारत की अन्य जातियाँ जहाँ सुन्दर मकानों में रहती थी, वहीं इस जाति के लोग टूटी-फूटी झोपड़ियों या मिट्टी और खपरैल के घरों में जीवन व्यतीत कर रहे थें। दिल्ली, हरियाणा, राजस्थान, गुजरात, मध्य प्रदेश, बिहार, और समस्त दक्षिण भारत में तो लगभग 50 प्रतिशत लोगों के पास एक-दो कमरे का कच्चा पक्का मकान था। पर उत्तर प्रदेश, खासतौर से पूर्वी उत्तर प्रदेश की स्थिति बड़ी ही गयी-गुजरी और दयनीय थी। यहाँ 1940 के पूर्व मात्र दस प्रतिशत लोगों के पास अपना निजी आवास था। प्राचीन समय से देहातों में रहने वाले लोग जहाँ झुण्ड के झुण्ड थे, वहाँ सबके कच्चे घर और फूस की झोपड़ियाँ थी। इन्हीं झोपड़ियों में एक किनारे उनके औजार और ध र्मशालायें थे। और उनके अन्य पशु तथा दूसरे किनारे उनका परिवार भी रहता था।

उत्तर भारत में 60 प्रतिशत लोगों का पेशा कृषि यंत्र और घरेलू उपयोग सामानों को बनाना और बेचना था। 20 प्रतिशत लोग अन्यत्र कल कारखानों में काम करते थें। 5 प्रतिशत लोग धर्म-कर्म नौकरी करते थें। 10 प्रतिशत लघु कृषक थे। 5 प्रतिशत निजी उद्योग व्यवसाय करते थें। सबसे दयनीय स्थिति ग्रामीण अंचलों के विश्वकर्मा जातियों की थी जो साल भर जमीदारों और किसानों के यहाँ जबरा पर काम करते थें और उन्हें खेत की फसल कटने पर मात्र एक बोझा अनाज उसके एवज में दिया जाता था। विवश होकर वे एक स्थान से दूसरे स्थान पर चले जाते थें। इसके कारण वे अपना निजी आवास नही बनाते थें। अस्थायी रूप से कच्चा या घासफूस से लकड़ी, बाँस, बल्ली की झोपड़ी बनाकर उसमें रहते थें। यही उनका निवास और कर्मशाला थी। शादी विवाह इसी अस्थायी आवास से किया

जाता रहा। जमीनदारी उन्मूलन के बाद इनकी सभ्यता और संस्कृति पर काफी असर पड़ा। माल गाड़िया लोहारों को छोड़कर अन्य लोग स्थायी रूप से एक जगह मकान बनाकर रहने लगे। इस प्रकार अब 60 प्रतिशत उन लोगो को भी मकान हो गये जिनके पास कभी निजी स्थायी मकान नही थे।

आधुनिक युग की आधुनिकता, टेलीविजन, पढ़ाई-लिखाई, पास-पड़ोस का वातावरण आदि भी विश्वकर्मा समाज के लोगों को पूरे देश में बड़ी गम्भीरता के साथ प्रभावित किया। रहन-सहन, वेशभूषा के साथ ही आवास घर-मकान में तेजी से परिवर्तन हुआ। दो-दो, तीन-तीन मंजिल के भव्य मकान बनने लगे। सुन्दर और आकर्षक ड्राइंग रूप का प्रचलन हुआ। शादी-विवाह का एक मानदण्ड मकान भी माना जाने लगा। हम संक्षेप में यह कह सकते हैं कि 21 वीं सदी का प्रारम्भ विश्वकर्मा समाज के लोगों का विकास काल था। इस काल में इस जाति के लोगों ने दूसरी विकास के सोपान पर खड़ी जातियों के बीच अपने आपको प्रतिष्ठापित किया। फिर भी 25 प्रतिशत देहातों में रहने वाले लोग गरीबी और अपने पिछड़ेपन के कारण अभी भी प्रगति से मीलों दूर जीवन व्यतीत कर रहे हैं।

6. शिक्षा-दीक्षा

जब भारत में लोग मुनियों के आश्रम या गुरूकुलों में जाकर शिक्षा ग्रहण कर रहे थें तब इस जाति के लोगों के पास शिक्षा ग्रहण करने का वक्त नहीं था। लोग अनपढ़ तथा परम्परागत रूप से अशिक्षित जीवन व्यतीत कर रहे थें। मांस बेचना जानवर चराना, फल-फूल पैदा करना ही इनकी जिन्दगी थी। शिकारी या शिल्पी समाज के लोगों ने कभी भी शिक्षा के महत्त्व को स्वीकार नही किया। अतः यह जाति सदियों तक शिक्षाविहीन ही रही।

जैन काल, बौद्ध काल बीत गये। गुप्तकाल तक कहीं भी इस कौम के किसी एक व्यक्ति का नाम इतिहास तथा पुराणों में नहीं आता, जिससे कहा जाय कि इस कौम के लोग भी शिक्षित थे। पुण्यमित्र शुंग का शासनकाल ईसा पूर्व 184 से प्रारम्भ होता है। इस काल में अमृतसर, जालंधर, श्यालकोट आदि में पांचाल लोग भारी संख्या में थे। यह आज की विश्वकर्मा जाति का ही एक वर्ग था। इनका कार्य घरेलू उत्पादन था। शिल्प निर्माण भी ये लोग कर रहे थे। पुराणों में इस जाति के द्वारा शिल्प संहिता या विश्वापनिषद

लिखी जाने की बात सामने आती है। तैमूर आक्रमण 1397 में भी इस जाति के कुछ लोगों को शिक्षा से परिचित होने का अंदाज मिलता है। वैसे हम यह कहने में कतई संकोच नहीं करेंगे कि पांचाल वर्ग को छोड़कर शेष यह जाति शिक्षा के नाम पर शून्य रही।

बीसवीं सदी का प्रारम्भ और 19वीं सदी का अन्त इस जाति के लिए भारी क्रान्तिकारी परिवर्तन का काल रहा। कहीं-कहीं विश्वकर्मा समाज के लोग पढ़ने की दिशा में उन्मुख हुए। कुछ नये रूझान पैदा हुए। इक्का-दुक्का लोग पढ़ने-लिखने लगे। धीरे-धीरे संख्या बढ़ने लगी पर यह संख्या उंगलियों पर गिनी जा सकती थी। इसे हम नगण्य ही कह सकते हैं।

बीसवीं सदी के प्रारम्भ में इस जाति में काफी लोग शिक्षा ग्रहण करने लगे। आजादी के बाद प्रशासनिक सेवाओं में भी लोग पहुँचे। आज 21वीं सदी का प्रारम्भ है। विश्वकर्मा समाज के लोगों का झुकाव तेजी से शिक्षा की ओर हुआ है। लड़के-लड़कियाँ उच्च शिक्षा प्राप्त कर रहे हैं। पहले विश्वकर्मा समाज में औरतों का घर के बाहर निकलना वर्जित था। अब हमारी बेटियाँ काफी संख्या में विद्यालयों, विश्वविद्यालयों में दाखिला लेकर शिक्षा ग्रहण कर रही हैं। इंजीनियरिंग, लॉ तथा अन्य दूसरे तकनीकी क्षेत्रों में भी विश्वकर्मा जाति के लोगों का रुझान हो चुका है।

भारी संख्या में लोग राजकीय तथा क्रेन्द्रीय सेवाओं में लगे हैं। उत्तर भारत में आई.ए.एस., पी.सी.एस. तथा आई.पी.एस. की सेवाओं में जाकर अत्यन्त कुशलतापूर्वक काम कर रहे हैं। प्रशासनिक सेवा के अलावा न्यायिक सेवा में हमारे लोग पहुँच रहे हैं। विश्वकर्मा समाज के लेखक विचारक भी है जिनके लेखन कार्य गौरन्वित कर रहे हैं। पढ़ने-लिखने को कौन कहे अब कहीं-कहीं विश्वकर्मा समाज के लोगों को अच्छे स्कूल-कॉलेज भी संचालित करते हुए पाया गया है। लेकिन आज भी इतने के बावजूद शिक्षा ग्रहण में इस जाति के लोग पीछे हैं। आबादी की तुलना में हमारी संख्या शिक्षा जगत में बहुत ही पीछे हैं। कौम को इस ओर तेजी से कदम बढ़ाने की आवश्यकता है।

7. कला-कौशल

वैसे इस जाति के लोग अनपढ़ होते हुए भी कला-कौशल की दुनिया में आगे हैं। पूरे भारत स्तर पर कुछ मामलों में इनका कोई मुकाबला नहीं

किया जा सकता। गायनकला, शिल्पकला, वादनकला में इस जाति के लोग आरम्भ से ही रूचि रखते रहे हैं। अनपढ़ होते हुए भी इनकी मौखिक रचना-शक्ति काफी तीव्र तथा सराहनीय रही। कुस्ती अथवा पहलवानी में भी इस जाति के लोगों की अच्छी-खासी रूचि रही है। लखनऊ, दिल्ली, मध्य प्रदेश, आन्ध्र प्रदेश के अनेक शहरों में सुन्दर-सुसज्जित अखाड़े आज भी विद्यमान है। इनसे भारत स्तर के अनेक सुप्रसिद्ध पहलवान निकले हैं।

पाककला में भी इस जाति के लोग काफी आगे हैं। शादी-विवाह में पूड़ी काढ़ना; अत्यन्त चटपटी लुभावनी दाल तैयार करना उत्तर प्रदेश के लोगों की उत्कृष्ट पाककला का ज्वलन्त उदाहरण है। पाक कला में औरतें भी आगे हैं। युग और परिस्थियाँ बदल जाने के कारण अब विवाह-शादी में हलवाई आकर खाना बनाता है। पहले हर स्थानों में खाना बनाने के लिए स्वजातीय समाज के लोगों की एक अलग गोल होती थी। इनका काम ही जिम्मेदारिपूर्वक एक-दूसरे के यहाँ खाना बनाना था। पाककला में लोग माहिर और उपयुक्त थे।

8. व्यापार

अपने रोजगार में तो विश्वकर्मा जाति के लोगों का मुकाबला कोई दूसरा नहीं कर सकता। उनके द्वारा हस्तनिर्मित लोहा, काष्ठ, ताँबा, पीतल, सोने के बने सामान ग्रामीण और शहरी क्षेत्रों में बेचे जाते रहे हैं। अन्य देशों में ये काफी लोकप्रिय थे। ग्रामीण अंचलों के अधिकांश कारीगर अशिक्षित थे पर उनके उत्पादित सामान बेजोड़ थे। उनकी कलाकृतियाँ भी अद्वितीय पाई गयी जो खुदाई से प्राप्त संग्रहालयों में प्रदर्शित की गयी है।

वस्तुओं के क्रय-विक्रय को व्यापार कहा जाता है। किसी राष्ट्र का व्यापार उसकी आर्थिक प्रगति का द्योतक एवं सभ्यता के विकास का मापदण्ड होता है। भारत का विदेशी व्यापार ईसा से 3000 वर्ष पूर्व भी रोम, मिश्र, असिरिया, चीन, पूर्व एवं मध्य देशो से होता था। भारत जैसे विविधताओं वाले देश के लिए आन्तरिक व्यापार का व्यापक महत्व है। क्योकि यहाँ किसी भी राज्य में सभी वस्तुओं का उत्पादन नहीं होता है। उदाहरण के लिए उत्तर प्रदेश में चीनी और गेहूँ अधिक उत्पन्न होता है तो बंगाल में जूट और चावल उड़ीसा लौह अयस्क के उत्पादन के लिए प्रसिद्ध हैं तो महाराष्ट्र कपास उत्पादन में अग्रणी राज्य है। अतः देश के विभिन्न

राज्य एक दूसरे पर निर्भर है जो अपने व्यापार का सहारा लेते हैं। इसमें भारतीय कारीगरों और शिल्पियों का सर्वाधिक योगदान है।

उद्योग और व्यापार भारतीय शिल्पियों के द्वारा आर्थिक सामाजिक विकास और राष्ट्रीय एकता को प्रभावी ढंग से सुदृढ़ करने में महत्वपूर्ण भूमिका अदा करते हैं। जो विदेशी आक्रमणों तथा हुक्मरालों के कारण विनष्ट हो गये तथा उनको पुर्नजीवीत करने में उदासीनता से हस्तशिल्प उत्पादन अपने प्राचीन गौरव तथा कला कौशल को खो दिया। इससे राष्ट्र और समाज दोनो की अपूर्णनीय क्षति हुई जिनकी भरपाई असंभव हो रही है।

अन्य देशों से भारतीय व्यापार के संबन्ध में हम यहाँ लकड़ी के बने समुद्रीय जहाज का उल्लेख करते हैं जो हवा के बहाव से चलते थे जिसमें मुसाफिर कम और सामान ज्यादा लदा होता था। लेकिन ऐसा जहाज यदि आज के दौरे में पानी पर तैरता नजर आये तो अचंभा होना स्वाभाविक है। यहाँ एक जहाज की बात कर रहे है जो सितम्बर 1745 में कास्ट इंडियामैन जब चीन से लौट रहा था, उसमें चाय, चीनी, मिट्टी, सिल्क, कपड़े, औषधीय पौधे व धातु आदि सामान भरा था। लेकिन 260 साल बाद उस जहाज की हु–ब–हु अनुकृति "रेप्लिका है जो योतेबोरी शहर के बंदरगाह के मुहाने पर डूब गया था। तब से समुद्र की गहराईयों में दबे इस इतिहास की खोज 1986–1992 के दौरान हुई। उसके बाद सौ से ज्यादा कारीगरों ने दशकों बाद उसकी अनुकृति तैयार की।

इसमें मूल जहाज के ही पैमाने, आयाम, कारीगरी, शैली, हस्तकला और सामाग्री का इस्तेमाल हुआ। जब यह बनकर निकला तो मानो इतिहास जीवित हो उठा था। जहाज में इस्तेमाल की गई ज्यादातर चीजे हाथ से बनी हुई है। जहाज पूर्वजों की कारीगरी के प्रति सम्मान भी जाहिर करता है। जहाज का निर्माण उसी समाग्री के साथ किया गया जिसके साथ उसे 18 वीं सदी में बनाया गया था। लकड़ी तो लकड़ी, जहाज में इस्तेमाल की गई कीलें, पाल, रस्सियाँ व तमांम सामाग्री मशीनों के इस्तेमाल से नही बल्कि कारीगरों ने हाथों से बनाई है।

कास्ट इंडियामैन को दो ध्वजाओं वाला झण्डा लगाने की इजाजत थी ताकि दूर से वह लड़ाकू जहाज की झलक दे और लूटेरे उससे दूर रहें। स्टीयरींग व्हील 18 वीं सदी की ही डिजाइन वाला है। उसी के सहारे जहाज चलता है। यह खोज परक तथ्य इसका प्रमाण है कि जहाज के लिए

उपयुक्त इस तरह की लकड़ी भारत में ही मिलती है। हर कोई पेड़ भी काम नहीं आता था। पेड़ की उम्र सौ से दो सौ साल के बीच होनी चाहिए जिसके एक मात्र पारखी व निर्माता विश्वकर्मा मनु-मय दक्ष कारीगर थे। इन्होनें सुदूर व्यापार में अग्रणी भूमिका अदा की।

मध्यकालीन भारत की समृद्धि का पताका पूरी दुनियां में लहरा रहा था, लेकिन अफसोस है, हम उस इतिहास पर गर्व करने के बजाय उसे भूलते जा रहे हैं। मध्यकालीन इतिहास की उपलब्धियां मध्यकालीन भारत का स्वर्ण युग था। शाहजहाँ के समय के वास्तुकला की सर्वोत्कृष्ट कृतियां बनाई गयी है। भविष्य संवारने के लिए इतिहास से सबक लेना जारी है। ऐसे युग के बारे में जानने से हम भारतीयों को भी गर्व होगा। मध्यकालीन भारत के सम्राटों ने विश्व में भारत को जो प्रतिष्ठा दिलायी आज वह दुर्लभ है। शारजहाँ ने तो भारत को सम्मान चरमोत्कर्ष पर पहुँचाया।

भारत की सीमाये दुनियाँ के देशों को छूती थी। साहित्य काल के विकास ने संस्कृति को मजबूती प्रदान किया। हिन्दू-मुस्लिमों में देश प्रेम की भावना और सामंजस्य विकसित हुआ। भारतीय कारीगरों द्वारा निर्मित वैभव का प्रतीक विश्व प्रसिद्ध मयूर सिंहासन और कोहिनूर-हीरा से आज भारत मरहूम है। इतिहासकारों को अब केवल विश्वविद्यालय की गोष्टियों एवं शोध तक सीमित नही रहना चाहिए उन्हें आम जनता के बीच जाकर सच का खुलासा करना चाहिए।

इतिहास साक्षी है कि अंग्रेज जब पहले पहल भारत में व्यापार के लिए आये तो उनका उद्देश्य था, भारत द्वारा निर्मित वस्तुओं से उन देशों तक पहुंचाना जहाँ उनकी अधिक मांग की। पर धीरे-धीरे ये व्यापारी इस व्यापार के स्वरूप में एक ऐसा भौतिक परिवर्तन लाये कि व्यापार की दिशा ही बदल गयी। भारत जो कि किसी समय बाकी देशों को वस्तुओं का निर्यात करने वाला एक महान देश समझा जाता था, अब स्वयं एक कृषक उपनिवेश बनकर रह गया। जिसका काम था इंग्लैंड के उद्योगों के लिए कच्चा माल अंग्रजो को देना और उस कच्चे माल से बनी वस्तुओं के लिए एक मण्डी का काम करना। इससे भारतीय हस्तशिल्पियों के उत्पादन को गहरा धक्का लगा और वे इससे मुक्त नही हो सके। कहा जाता है कि इससे हजारों कारीगर शिल्पियों और उनके परिजनो ने तड़प-तड़प कर आत्महत्या कर ली। उससे भारतीय हस्तकला विलुप्त हो गई।

साहित्य और इतिहास का लेखक होने के नाते मेरी धारणा है कि भारतीय राजाओं द्वारा कर लेना तो सूर्य द्वारा भूमि से पानी लेने के समान था। जो कि पुनः वर्षा के रूप में भूमि पर उर्वरता देने के लिए फिर वापस आता था, पर अंग्रेजों द्वारा लिया गया कर फिर भारत में वर्षा न करके इंग्लैण्ड में ही वर्षा करता था।

9. चाल-चलन व आदतें

विश्वकर्मा जाति के लोगों का चाल-चलन अत्यन्त उत्तम तथा अनुकरणीय है। ये अपने वचन के बहुत ही पक्के होते हैं। एक बार जो कह दिया वह कह दिया। जो वचन दे दिया वह दे दिया। नफा-नुकसान का कोई परवाह नहीं। मित्रता में भी ये दिये गये ज़बान के पालक तथा रक्षक है। रोजगार में भी ये अपने वचन को गम्भीरतापूर्वक निभाते हैं।

विश्वकर्मा जाति की औरतें काफी मृदुल और उदार है। इनमें दया और दान की प्रवृत्ति है। इनका चरित्र बहुत ही ऊँचा तथा आदर्श है। बेश्यावृत्ति या अनैतिकता से इस जाति की औरतें काफी दूर है। बेश्यालयों या अनाथालयों में इस कौम की औरतें चिराग लेकर ढूँढ़ने पर भी नहीं मिलेंगी। औरतों में आत्म-सम्मान की भावना कूट-कूट कर भरी हुई है। खटिक जाति के लोग चोर-ड़केत नहीं होते। जेलों में खोजने पर चोरी-डकेती में लिप्त अपराधी नहीं मिलते। हाँ, अपने भाई या पड़ोसी से मार-पीट के अपराध में सजा भुगत रहे लोगों की संख्या जेल में अवश्य मिलेगी।

इस जाति के लोगों में कट्टरता और स्वाभिमान कूट-कूट कर भरा है। जरा-सी बात में झगड़ा इनका स्वभाव है। ये किसी की कोई गलत बात बर्दाश्त नहीं कर पाते। बात-बात में अपने सम्मान के लिए बगैर किसी नफा-नुकसान को सोचे भिड़ जाना इनकी आदत का एक हिस्सा है। विश्वकर्मा जाति के लोग काफी शानी होते हैं। बिरादरी में एक-दूसरे से नीचे न कहे जायँ इस चक्कर में ये कभी-कभी अपना बहुत नुकसान भी कर डालते हैं। यदि इनके भाई ने अपने घर बारात बुलाई। उसने सौ लोगों को आमंत्रित किया और आव भगत में काफी खर्च किया तो इनका प्रयास होगा कि वे दो सौ लोगों को बुलाये। उससे ज्यादा आव भगत करे, भले ही इन्हें कर्ज लेना पड़े। ये अपने भाई से कभी कम रहना नहीं पसन्द करते।

इस जाति के लोग बहादुर, कट्टर, जिद्दी, साहसी, युद्ध से पीछे न हटने वाले वचन के पक्के होते हैं। व्यवसाय इनका मुख्य पेशा है। नौकरी में अब कुछ लोग जाने लगे हैं किन्तु इनकी रूचि व्यवसाय में ही अधिक है। वैसे सरकारी सेवाओं में भी ये दक्ष तथा कुशल करार दिये गये हैं। इनके विवेक तथा दूरदर्शिता से लोग प्रभवित होते रहते हैं।

अतः संक्षेप में हम यह कह सकते हैं कि विश्वकर्मा जाति के लोग कट्टर, स्वभिमानी, अपने साथी संगी के लिये मर मिटने वाले होते हैं। समाज में दूसरों के समक्ष सर झुकाकर रहना इनको कत्तई स्वीकार नहीं है। ये अत्यन्त ईमानदार, नैतिक व देवी-देवताओं में विश्वास करने वाले काफी हद तक अन्ध विश्वासी चरित्र के हैं। इन्हें अपने धर्म और चरित्र पर गहरा भरोसा है। ये मर मिटकर भी अपनी शान और इज्जत की रक्षा निरन्तर करते आये हैं। आज कर भी रहे हैं।

इक्कीसवीं शदी में कौम के लोगों ने आशातीत तरक्की की है। लेखक, विचारक शिक्षाविद, अध्यापक, इंजिनियरिंग, वाणिज्य, उद्योग, ठेकेदारी, सरकारी राजपत्रित, अराजपत्रित, उच्च पुलिस सेवा, प्रशासनिक सेवा हर दिशा में इस कौम के लोग तेजी से बढ़ रहे हैं। आर्थिक स्थिति भी इनकी अच्छी हो रही है। पर यह सब शहरों में ही है। देहातों में इनकी प्रगति काफी पीछे है। कुल मिलाकर हम यहीं कह सकते हैं कि इस जाति के लोगों ने अन्य पिछड़ी जातियों की तुलना में अभी बहुत कम तरक्की की है। इन्हें अभी बहुत आगे बढ़ना है।

10

विश्वकर्मा समाज का आधुनिक स्वरूप

1. विश्वकर्मा जाति के उत्पत्ति की आवधारणा

विश्वकर्मा जाति भारत की प्राचीन जातियों में से एक है। जिस समय भारत में जातिप्रथा का प्रादुर्भाव हुआ, जातियाँ बनने लगीं या नामांकित की जाने लगीं, उस समय के पूर्व से ही विश्वकर्मा जाति का वजूद यहाँ था। वैसे भारतीय समाज में मानव के विकास का क्रम काफी रोचक और पुराना है। पुस्तक के प्रथम खण्ड में इस बात पर अच्छी तरह प्रकाश डाला गया है। भारत में पहले जातियाँ नहीं थीं। वर्ण भी नहीं था। समाज में बस मनुष्य रह रहा था। निरंतर सभ्यता की ओर उसके कदम बढ़ते जा रहे थे।

पाषाणकाल का मानव असभ्य था। वह नंगा था। नदियों, झीलों, गुफाओं, कंदराओं, दर्रों के पास रहता था। जड़, फल, गिरी, जंगली पशुओं का गोश्त खाकर अपना जीवन बसर करता था। उसे हमेशा अपनी जान पर खतरा बना रहता था। मानव की सभ्यता के अध्ययन से पता चला है कि आगे चलकर उसे कुछ ज्ञान हुआ। चीतों, शेरों, तेन्दुओं, भेड़ियों, भालुओं, लकड़बग्घों, हाथियों, जंगली कुत्तों से अपनी रक्षा करने का उसे एहसास हुआ। उसने भागने, छिपने या उसे मारने की तरकीब सीखी। भूख की ज्वाला को शांत करने के लिए वह पशुओं का मांस खाने लगा। पशुओं को पकड़ना, उसे मारना मानव विकास का दूसरा क्रम था।

प्रथम खण्ड में जाति की उत्पत्ति के कुछ सिद्धांतों की व्याख्या की गई है। इसमें एक व्यावसायिक सिद्धांत का वर्णन है। इस सिद्धांत को मानने वाले विद्वान 'नेसफील्ड और इवैट्सन' आदि का कहना है कि जातियों का उद्भव उनके पेशे अथवा कार्यों से हुआ। इन महान जाति अन्वेषकों का कथन है कि जो व्यक्ति जिस व्यवसाय या धंधे को करता था; उसके बच्चे तथा परिवार के लोग भी उसी धंधे को अपनाने लगे। पाषाणकालीन मानव

आगे बढ़ा। धातुकाल तक पहुँचते-पहुँचते उसको काफी ज्ञान हो चुका था। पशुओं को मारने, उन्हें पकड़ने के लिए उसने नुकीले पत्थरों, लकड़ी के डण्डों, धातु के अन्य औजारों का ईजाद कर लिया था। उसका सम्पूर्ण जीवन शिकारी था। पशुओं को मारना; मिल-बाँटकर खाना, कल के लिए संचित रखना यही उसकी जिन्दगी थी।

आज पूरे देश में विश्वकर्मा जाति के लोगों का दो-तिहाई भाग उद्योग व्यवसाय करता है। उसका यह व्यवसाय जातिगत व्यवसाय है। तमिलनाडु, केरल, कर्नाटक, आंध्र प्रदेश, आसाम, हरियाणा, पंजाब, उत्तर प्रदेश, महाराष्ट्र, गुजरात जहाँ भी आप जाइए विश्वकर्मा जाति के लोग उद्योग व्यवसाय का धंधा करते पाये जायेंगे। यहीं कल्पना की जा सकती है कि धातु कालीन इंसान क्या यही तो नहीं थे, जो जंगलों-गुफाओं से मकान में रहते थे और फल-फुल खाकर अपना जीवन बसर करते रहे? यहाँ एक तर्क यह भी प्रस्तुत किया जा सकता है कि आदि मानव, जब शिकारी था, उसके बाल-बच्चे शिकारी हुए तो आज हिन्दुस्तान के सभी लोगों को शिकारी होना चाहिए या स्पष्टत: यों कहा जाय कि सभी लोगों को बधिक होना चाहिए। हमें इस बात के समाधान के लिए फिर इस पुस्तक के द्वितीय खण्ड के पृष्ठों को उलटना होगा। जातिप्रथा की उत्पत्ति के विभिन्न सिद्धांतों में जाति अन्वेषकों द्वारा वर्णित किये गये, उद्विकासीय, भौगोलिक, धार्मिक सिद्धांतों को पढ़ना होगा। स्वत: उत्तर मिल जायगा कि आज सारा देश क्यों विश्वकर्मा नहीं हैं?

मानव विकास के क्रम में हम आगे बढ़ते हुए सिन्धु सभ्यता अथवा सैन्धव युग में पहुँचते हैं। इस युग तक आते-आते इंसान काफी सभ्य हो चुका था। घुमक्कड़ी जिन्दगी समाप्त हो चुकी थी। वह घर बनाकर रहने लगा था। उसे कपड़े, अच्छे हथियार, अन्न, बर्तन, गहने, धातु के विभिन्न वस्तुओं को संचित रखने का ज्ञान हो चुका था। उसकी जिन्दगी सामूहिकता की ओर बढ़ चली थी। जरूरत के मुताबिक अनेक पेशों का विकास भी हो चुका था। अच्छे मिट्टी के बर्तन बनाने वाले कुम्भकार या कुम्हार, सुंदर लकड़ी के हथियार या सामान बनाने वाले बढ़ई, धातु के गहने-बर्तन बनाने वाले सुनार, लोहे का यंत्र बनाने वाले लुहार, कपड़ा बुनने वाले बुनकर, मांस इकट्ठाकर उन्हें बेचने वाले शिकारी, गेहूँ, चावल पैदा करने या खेती करने वाले खेतिहर, मछली पालने या पकड़ने वाले मल्लाह आदि सैकड़ों

झुण्डों का समाज सैन्धव सभ्यता की मुख्य धारा में था। अब सहज ही आप कल्पना कर सकते हैं कि खटिक जाति के लोग वहाँ रहे होंगे या नहीं? पाषाणकाल के वे आखेटक सिन्धुकाल में मांस बेचने, पालने वाले शिकारी कौन थे? प्रश्न का उत्तर है वे आज के खटिक ही थे और जिन्होंने अपना पेशा नहीं बदला; सभ्यता की दौड़ में पीछे रह गये।

प्राचीन सभ्यता का अध्ययन करने से यह बात भी अत्यन्त साफ और पक्की दिखती है कि उस समय कोई पेशा अच्छा-बुरा नहीं था। ऊँच-नीच, बुरे तथा छोटे-बड़े की भावना दूर तक सैन्धव सभ्यता में नहीं दिखाई देती। लोग अपना पेशा, मनोरंजन, दैव कार्य मिल-जुलकर एक साथ करते थे। मोहनजोदड़ो की खुदाई में पाये गये सामूहिक स्नानागार भी इस बात के ज्वलन्त प्रमाण हैं। खुदाइयों में ऊँचे चबूतरे, सलाखें, नीचे बैठने के स्थान, आदि अनेक चीजें ऐसी भी पायी गयी हैं, जिसके आधार पर पुरातत्ववेत्ताओं ने यह निष्कर्ष निकाला है कि इस काल में गणतंत्रात्मक शासन प्रणाली थी। चौधरी, सरदार, गणक आदि हुआ करते थे। समाज काफी विकसित था। अध्ययन से एक बात और भी साफ होती है कि सैन्धव काल में शिकारी पेशा अपनाने वाले लोग भारी संख्या में भेड़-बकरी, पशु-पक्षी पालने लगे थे। भेंड़, बकरी, सूअर, मुर्गी, बत्तख और तीतर इनके मुख्य पालतू जानवर तथा पक्षी थे। अस्थि-पंजरों के अध्ययन से एक बात और भी साफ हो गई है कि गाय, भैंस आदि बड़े जानवर पालने वाले शिकारी नहीं बल्कि कृषक लोग थे। भारतीय पुरातत्व विभाग के महानिदेशक सर जॉन मार्शल ने मोहनजोदड़ो में खुदाई का काम 1921 में शुरू किया, श्री जे.एच.मैके ने 1931 तक खुदाई की उनकी इन खुदाइयों में सिन्ध के लरकाना जिले के मोहनजोदड़ो और हड़प्पा के मौन्टगुमरी जिले में कई जगह जानवरों की हड्डियों के ढेर मिले। परीक्षण से पता चला कि यह बस्ती थी और यहाँ की ये हड्डियाँ भेड़, बकरी और सूअरों की हड्डियाँ थी। यह सहज ही अनुमान लगाया जा सकता है कि यह बस्ती मांस की खेती करने वालों की रही होगी।

उत्तर भारत के पश्चिम बंगाल, आसाम, उत्तर प्रदेश, पंजाब, दिल्ली, हरियाणा, महाराष्ट्र आदि में कृषक जाति के काफी लोग अनाज फल व्यवसाय से भी जुड़े हैं। पश्चिम बंगाल में कर्मकार जाति के लोगों का मुख्य पेशा कारीगरी कला है व्यवसाय है। अनुमान लगाया जा सकता है कि प्राचीन भारत के वही शिकारी या आखेटक जानवरों के साथ फल आदि भी

खाते और बेचते थे। सिकन्दर के आक्रमण के बाद यूनानी साहित्य में काठिक और पार्श्वी, तथा भरतो जाति के बारे में लिखा गया है कि 'ये देवी पूजक, मांस और फल के प्रेमी थे। इनका मुख्य पेय शराब था। इनके हथियरार तीर, धनुष तथा झुलवा थे।'–इससे भी प्रमाण मिलता है कि आज की खटिक जाति भारत की अति-प्राचीन जाति थी। भारत में विशेषतः उत्तर भारत में ज्यादातर आज भी खटिक जाति के एक ही परिवार में मांस विक्रय तथा फल विक्रय का एक ही साथ धंधा होता है।

सिन्धु सभ्यता के लोगों का विश्वास एक अलौकिक शक्ति एवं अद्भुत सत्ता में था। ये लोग मातृदेवी की उपासना करते थे, पत्थर, पीपल के पेड़, लकड़ी के बने पशुओं, प्रेतों, शिवलिंगों एवं विभिन्न मूर्तियों की पूजा की जाती थी। आज भी देश के हर भागों में फैले विश्वकर्मा जाति के लोग अपने आदिकाल के इन रिवाजों को भूल नहीं पाये हैं। बस मामूली परिवर्तन के साथ उनकी पारिवारिक संस्कृति का यह हिस्सा एक पीढ़ी से दूसरी पीढ़ी में अपने उसी रूप में गुजरती हुई चली आ रही है।

उत्तर पाषाण काल का मानव तथा सैन्धव सभ्यता का इंसान भूत-पिचाशों में विश्वास रखता था। खुदाइयों में ताबीज तथा किस्म-किस्म की मालाएँ पाई गई हैं। पशुवध या नरबलि करते हुए चित्र पाये गये हैं। उत्तर प्रदेश की सोनघाटी, मानिकपुर, रायगढ़ के सिंगनपुर, हैदराबाद, विल्लारी और सलेम में कुछ अजीब किस्म के चित्र पाये गये हैं। एक पुजारी पूजा कर रहा है; वहीं पशुबलि के लिए हाथ में खड्ग लिए तैयार एक पुरुष है। यह उन परम्पराओं का द्योतक है जिनका आदिकालीन समाज में प्रचलन था। आज भी जगह-जगह विश्वकर्मा समाज में हवन-पूजा की प्रथा है। अधिकांश परिवारों में मातृ देवी की पूजा होती है। अन्न-वस्त्र चढ़ाये जाते हैं। भूत-पिचाश पास न फटके इसके लिए ताबीज, गण्डे, मालाएँ, विभिन्न जंगली पेड़-पौधों की मालाएँ, काले धागे आदि बाँधे जाते हैं। घर के अंदर एक कमरा देवघर, देवखर या देवस्थान के नाम से सुरक्षित रहता है। अतः हम दावे के साथ कह सकते हैं कि विश्वकर्मा जाति हिन्दुस्तान की अत्यन्त पुरानी जाति है। इसका वजूद पाषण काल, धातुकाल और सैन्धव काल में भी था। आर्ययुग में भी विश्वकर्मा जाति का अपना अत्यन्त महत्वपूर्ण स्थान रहा है।

इस पुस्तके के चतुर्थ खण्ड अध्याय तीन-चार में आर्यों के बारे में वर्णन किया गया है। वैसे विषय के बाहर होने के कारण चतुर्थ खण्ड की

बातें बहुत ही संक्षिप्त रूप में वर्णित हैं, जबकि उसका गहन अध्ययन काफी रोचक और ज्ञानवर्द्धक है। हमारे छात्रों तथा भविष्य में जाति पर अन्वेषण करने वालों के लिए खण्ड एक के सभी पहलुओं का गहन अध्ययन करना चाहिए।

ऋग्वेद के अध्ययन से पता चलता है कि आर्ययुग में यहाँ अनु, द्रह्यु, तुर्वस, पुरु, यदु, भरत, मत्स्य, क्रीकट, श्रृन्जय, चेदि, उषीनर, क्रीवि, अलील, पवथ, भालानाशे, शिव विषाणिन, तृत्सु आदि जाति के लोग थे। ऋग्वेद तथा अन्य दूसरे ग्रन्थों में इन जातियों का उल्लेख कहीं जाति, कहीं वंश, कहीं राज्य के रूप में हुआ है। कहीं इन्हें असुर, कहीं अनार्य और इनमें कुछ को आर्य भी कहा गया है। कहीं-कहीं इन्हें गण भी सम्बोधित किया गया है। इनमें सबसे सशक्त भरत जाति के लोग थे। इस जाति के सबसे महत्वपूर्ण दो शासक दिवोदास और सुदास थे। दिवोदास को पुरू, यदु और तुर्वष वंशों से युद्ध करना पड़ा था। यह जातिगत युद्ध नहीं बल्कि वर्चस्व का युद्ध था। पुरूवंशी दूसरी शक्तिशाली जाति थी। ये लोग सरस्वती नदी के दोनों तटों पर रहते थे। इनका प्रायः भरत जाति से झगड़ा था। उनके सर्वप्रथम राजा थे-दुर्गाह और गिरीक्षित। गिरीक्षित का पुत्र पुरूकुत्स उपर्युक्त भरतों के राजा सुदास का समकालीन था। यही पुरूकुत्स ऋग्वेद में वर्णित दास राज्ञ युद्ध में मारा गया।

ऋग्वेद में जाति अनुशीलन से ज्ञात होता है कि 'कृवि' जाति के लोग प्रारम्भ में सिन्धु और चिनाव के तटों पर रहते थे। बाद में ये पांचाल चले गये। कुरु जाति से इनका गहरा लगाव था। श्रृंजय जाति के लोग 'भरत' जाति के लोगों से अपना अच्छा संबंध बना लिये थे। अनु, द्रह्यु, यदु और तुर्वस भरत जाति के विरोधी थे। ये पंजाब के विभिन्न भागों में रहते थे। इनके पास अपार धन था। चेदि जाति के लोग यमुना और विन्ध्य पर्वत की श्रृंखलाओं के बीच रहते थे। 'उषीनर' वंश के लोग सरस्वती के पास ही कहीं रहते थे। दास या असुर लोग आर्यों के देवताओं में विश्वास नहीं करते थे। वे केवल शिव के उपासक थे। अतः लोग आर्यों के अनार्यों को भेड़िये की तरह लालची, स्वार्थी, कटु वाणी बोलने वाले, गाये-बैलों को उठा ले जाने वाले की संज्ञा दी है।

यह काल संघर्ष का काल था सिन्धु वासियों और आर्यों में संघर्ष-दर-संघर्ष हो रहे थे। सैन्धव सभ्यता नगरीय थी। नगर में मांस, फल, हाथी दाँत,

कपड़े, अन्न, अस्त्र-शस्त्र बेचने वालों की कोई जाति तो थी नहीं बस पेशे के नाम पर उन्हें शिकारी, लुहार, सुनार, रंगरेज के नाम से जाना जाता था। आगे चलकर जब समाज में कुछ स्थायित्व आया और आर्यों मूलवासियों की या विजयी और पराजितों की दो गोल बन गई तो कुछ लोग भागकर जंगलों, कंदराओं में रहने लगे होंगे। कुछ लोगों की अलग बस्ती बन गई। उदाहरण के लिए इन पुस्तक के प्रथम खण्ड में वर्णित 'पुष्कलावती' का युद्ध। आर्यों ने अपनी एक विजय के उपलक्ष में आज अफगानिस्तान में बहने वाली विशाल नदी 'स्वात' के किनारे इन्द्रपूजा तथा अश्वमेघ यज्ञ किया तथा यज्ञ के बाद यही पर 'मंगलपुर' नाम का एक नगर बसाया। यहाँ से 120 कोस की दूरी पर यहीं स्वात नदी, कुंभा नदी से मिलती थी। मूलवासियों या अनार्यों की नगरी पुष्कलावती यहीं पर थी। पुष्कलावती नगरी, आर्य नगरी मंगलपुर से काफी खूबसूरत थी।

पुष्कलावती में शुद्ध रूप से असुर प्रजाति या सैन्धव के मूल निवासी ही रहते थे। यहाँ के लोग काफी सभ्य, सुसंस्कृत, ज्ञानी, मनोविनोदी तथा शांतिप्रिय थे। इनका मुख्य पेशा वाणिज्य था। अनके धार्मिक पुस्तकों के अध्ययन से ज्ञात होता है कि पुष्कलावती की शिल्पकला, आभूषण निर्माणकला, बर्तन निर्माण और रंगसाजी आदि की दूर-दराज तक ख्याति थी। यहाँ कृषि पेशा के लोग भारी संख्या में गाँवों से आते थे। नगर में लुहार, सुनार, बढ़ई, कुम्हार, शिकारी, रंगरेज, चर्मकार, बुनकर, संगतराश आद की अलग-अलग दुकानें तथा आवास थे। मंगलपुर तथा आस-पास के स्त्री-पुरुष भारी संख्या में झुण्डों के साथ उपरोक्त वस्तुओं को खरीदने के लिए आते थे। माह दो माह रूककर, वे इन वस्तुओं की खरीददारी करते थे। परिणामत: आर्य स्त्री-पुरुषों का संबंध यहाँ के मूलवासी स्त्री-पुरुषों से होता गया। पुराणों में यह भी मिलता है कि अनेक आर्य स्त्रियाँ यहाँ आकर वापस नहीं गई। अनेक मूलवासी औरतें आर्यों के साथ मंगलपुर भाग आई। जब कुछ वर्षों के बाद ये घटनाएँ काफी बढ़ने लगीं तो दोनों पक्षों में भारी तनाव हुए। प्रतिरोध स्वरूप कई छोटे-छोटे युद्ध हुए। आर्यवर्ण के बहुत सारे लोग यहाँ की समृद्धि आदि के प्रति आकर्षित थे ही। गोल बनाकर पुष्कलावती पर चढ़ाई की। पुष्कलावती का राजा 'सम्बर' बड़ी बहादुरी के साथ लड़ा किन्तु ठीक ढंग से तैयारी न होने के कारण पराजित हो गया। पुष्कलावती और आसपास के लोग भारी संख्या में गुलाम बनाये गये।

अब इस घटना से सहज ही अनुमान लगाया जा सकता है कि पुष्कलावती के शिल्पियों, वाणिज्यकर्ताओं का क्या हाल हुआ होगा? यही स्थिति तत्कालीन 'वहावलपुर और चन्द्रभागा नदी के किनारे बसे मद्र, तक्षशिला, चन्द्रपुर आदि नगरों की रही। युद्ध हुए। दोनों वर्णों के स्त्री-पुरुषों का सम्मिलन हुआ, एक-दूसरे से खिल्त-मिल्त हुए। नई-नई जातियाँ बनीं। संस्कृति का आदान-प्रदान हुआ किन्तु आगे चलकर छोटे-बड़े की भावना का विकास हुआ। आर्यों ने वर्ण व्यवस्था का प्रचलन भी इसी समय किया। पेशे के आधार पर सैकड़ों जातियाँ बनी। नये सिरे से समाज की गाड़ी को चलाने के लिए धर्मग्रन्थ, महाभारत, पुराण, उपनिषद, समृतियाँ, सूत्र, गूह्य, मंत्र, कंडिकाओं का सृजन किया गया। अनेक योग्यतायें, निर्योग्यतायें निर्धारित की गई। बढ़ई, लोहार, रंगरेज, शिकारी, चर्मकार, बाजीगर, बुनकर, शिल्पी आदि को जाति का नाम धीरे-धीरे दिया गया। इनमें अनेक उपजातियाँ बनीं। अध्ययन से यह स्पष्ट होता है कि आज की 'खटिक' जाति उस समय समाज में तो भगवान विश्वकर्मा यांत्रिक जगत के सर्वेसर्वा है। इसी सोच के अंतर्गत हर यांत्रिक-शालाओं का गेट खोल कर सर्व प्रथम भगवानृ विश्वकर्मा की ही पूजा अर्चना करके फिर कार्य का शुभारम्भ किया जाता है। यह कार्य सिर्फ विश्वकर्मा बंधु ही नहीं अपितु सारा समाज अर्थात् ब्राह्मण, क्षत्रिय, वैश्य तथा शूद्र सभी करते हैं और इस कर्म के द्वारा वे उस दिन अच्छे लाभ की कामना भी करते हैं। यह ही एक ऐसे देवता है जिन्हें बिना किसी भेदभाव के सभी लोग पूजते हैं। अतः श्री अनन्त शर्मा जी से मैं पूछना चाहता हूँ। कि ऐसा सर्वपूज्य देवता क्या शूद्र हो सकता है? अर्थात् कदापि नहीं। भगवान विश्वकर्मा के गुणों, कार्यों और उनके अदभुत चमत्कारों को देखा ही होगा कि भगवान श्री कृष्ण की प्रार्थना पर द्वारिकापुरी व सुदामापुरी का निर्माण पलक झपकते ही कर दिया। इसी प्रकार विश्वकर्मा वंशी नल नील के द्वारा समुद्र पर सेतु बनाकर भगवान राम की सारी सेना उतार देना कोई कम महत्व नहीं रखता। तो क्या इन सब चमत्कारिक कार्यों से विश्वकर्मा शूद्रों को कोटि में गिने जा सकते है? अर्थात् कदापि नहीं।

"सुग्रीव की सेना वास्तव में बन-नर सेना थी। इन्हें बानर इसलिये घोषित कर दिया गया ताकि श्रेय दलितों को न चला जाय"

इसी प्रकार रामायण आदि पौराणिक ग्रन्थों में विश्वकर्माओं के कार्य को न दर्शाकर, भगवान की कृपा लिखकर स्तम्भ को टाल दिया गया (जैसा निम्नलिखित दोहे से परिलक्षित होता है) ताकि श्रेय विश्वकर्माओं को न चला जाय।

दोहा–

श्री रघुवीर प्रताप से, सिंधु तरे पाषान।

ते मति मंद जो रामतजि भजहिं जाय, प्रभु आन।

(लंका काण्ड – 3)

अतः ऐसा प्रतीत होता है कि आप भी संत तुलसीदास जी की श्रेणी की बाते करते हैं कि ब्राह्मणों के अलावा (शायद आप भी अपने को ब्राह्मण मानते है) कोई उत्तम कार्य किसी दूसरे वर्ग को न जाने पाये। सो इस युग में अब सम्भव नहीं है क्योंकि सभी लोग ब्राह्मणों से कम विद्वान नहीं हैं।

अब मैं आपको भगवान विश्वकर्मा के वंशावली की तरफ ले जाना चाहता हूँ।

महर्षि विश्वकर्मा के पाँच पुत्र हुये जो निम्नलिखित श्लोकों से परिलक्षित हैं; मनुर्मयस्तथा कष्ठा शिल्पी विश्वास एवं च।

विश्वकर्मासुता ध्योतोरथ करस्तु पंच च।।

(स्कन्द पुराण ना. अंश–5)

अयं सा च मनुः कर्ता काष्ठकारो ममस्मृतः।

त्वाष्टाक कास्य कर्ता च शिल्पकर्ता च शिल्पकि।

देवस स्वर्णकाराश्चं पंचनामा पंचकर्मकम्।

यो वेद पंच कर्माणि सर्व पापं समुच्चयते।

(ब्राह–30 मार्तण्ड–31)

मनुलोहे का, मयकाष्ठ कला का,

त्वष्टा तांबे का, शिल्पी पत्थर का तथा दैवज्ञ सोने चाँदी का कार्य करते थे। इसी कारण इन्हें पांचाल भी कहते हैं।

इन्ही पाँचों भाईयों की शादी मुनि पुत्रियों से हुई जो निम्न श्लोक से पुष्ट होता है–

मुने अग्नि रसः पुत्री प्रसिद्ध कांचना वया।

विश्वकर्मा तनुजस्य मनो पत्नी बयूवसा।

भारत एक प्राचीन राष्ट्र है क्योंकि वैदिक ऋषियों ने अपने तप और बल से इस तत्व को प्राप्त किया था। इसलिए राष्ट्र के साथ तप, ताप, ऊर्जा,

गति, ज्ञान और विज्ञान का भावार्थ जुड़ा हुआ है। अथर्ववेद (16/41/1) में स्पष्ट रूप से कहा गया है कि 'आत्मज्ञानी ऋषियों ने जगत का कल्याण करने की इच्छा से सृष्टि के प्रारम्भ में जो दीक्षा लेकर तप किया, उससे राष्ट्र का निर्माण हुआ, राष्ट्रीय बल और ओज भी प्रकट हुआ। इसलिए सब विबुध इस राष्ट्र के सामने नम्र होकर इसकी सेवा करें। राष्ट्र की जीवितता का आधार उसकी ऊर्जा है। 'भारत' की संज्ञा इसीलिए है क्योंकि भारत भी अपने मूल भाव और अर्थ में ऊर्जा, ज्ञान-विज्ञान, गति-प्रगति तथा प्रकाश और अग्नि का ही बोध कराता है।

इस भारत राष्ट्र की वैज्ञानिक और तकनीकी प्रगति में जिस ज्ञान, कर्म और योग के सम्मिलित भाव की आवश्यकता का चिन्तन किया गया उसे सर्जक देवता 'विश्वकर्मा कहा गया। इसलिए भारत के वैज्ञानिक और तकनकी प्रगति में मूलरूप से विश्वकर्मा के देवत्व की विद्यमानता है। इस चिन्तन का संकेत ऋग्वेद, यजुर्वेद, सामवेद और अथर्ववेद के विश्वकर्मा सम्बन्धी मंत्रों एवं 'विश्वकर्मा' सम्बन्धी विशेषणों के उल्लेख से मिलता है। यही कारण था कि इन्द्र, अग्नि, विष्णु, आदित्य, प्रजापति, वायु एवं शिव के रूप में विश्वकर्मा की कल्पना मिलती है। कालांतर में समाज की व्यवस्था के अनुरूप प्रकृति के विभिन्न तत्वों और रूपों का अलग-अलग विकास हुआ और शिल्प के नवीन क्षेत्र सृजित हुए। इसीलिए सभी शिल्पों के मूल में एक ही देव भावना विद्यमान रही है-विश्वकर्मा। इस प्रकार यदि प्राचीन काल से लेकर आज तक भारत के वैज्ञानिक और तकनीकी प्रगति के विविध सोपानों का अवलोकन किया जाय तो निश्चित रूप से शिल्पों के विकास में लगे हुए विश्वकर्मा वर्ग की महत्तम भूमिका दिखाई देती हैं यही कारण था कि प्राचीन काल में सम्पूर्ण रचनात्मक-विद्या को शिल्प कर्म के अंतर्गत परिगणित कर लिया गया था और सामाजिक, सांस्कृतिक, आर्थिक और राजकीय स्तर पर इस विद्या की श्रेष्ठता मान्य की गई थी।

विश्व का चिन्तन इस बात का साक्षी है कि केवल भारत के ही ऋषियों की वैज्ञानिक दृष्टि का परिणाम रहा है कि विश्व एक इकाई है और इसकी आत्मा विश्वात्मा है साथ ही इसके निर्माता व भाव रूप विश्वकर्मा विश्व के कल्याणार्थ देव और मानुषी दोनों ही संकल्पनाओं के साथ प्रत्येक कालों में भारतीय समाज में विद्यमान रहा है। मनुष्य लोक में विश्वकर्मा की वंश-परम्परा, कुल-परम्परा, शास्त्र-परम्परा एवं ज्ञान-विज्ञान

की विविध प्रक्रियाओं की परम्परा का प्रचलन ही भारत की विज्ञान और प्रौद्योगिकी के प्रगति का इतिहास है।

पुराणों तथा शिल्पशास्त्रों में भारत की विज्ञान-परम्परा को वंशानुगत रूप मिला। भारतीय चिन्तकों की यह सोच कितनी वैज्ञानिक रही है कि प्रत्येक शिल्प को वंशानुगत आधार से जोड़ दिया जाय जिससे समाज में विविध शिल्पों के ज्ञानी, परमज्ञानी तथा विज्ञानी विद्यमान रहें और स्वतः स्फूर्त समाज निर्मित हो। समाज की आर्थिक समृद्धि, धार्मिक चेतना तथा राष्ट्रीय प्रगति में शिल्पों के वंशानुगत विकास ने महत्वपूर्ण भूमिका का निर्वाह किया। यही कारण था कि प्रत्येक उद्योग-धंधे, व्यवसाय, व्यापार, वाणिज्य, कृषि, पशुपालन आदि के विकास में शिल्प की वैज्ञानिक और तकनीकी प्रगति रही है।

वस्तुतः शिल्प-कर्म सामान्य ज्ञान न होकर एक वैज्ञानिक विधा है। तकनीक (अंग्रेजी टेक्नीक) स्वयं ही संस्कृत के 'तक्ष्' से बना है और इसी मूलभाव के साथ विश्व की भाषाओं में शब्द मिलते है। यह 'तक्ष्' क्रिया ही तक्षण क्रिया, तक्षा और वैदिक त्वष्ट्रा तथा विश्वकर्मा का परवर्ती रूप है। इसलिए तकनीकी प्रगति के मूल में भी शिल्प है। कालांतर में मनु, मय, त्वष्टा, शिल्पी और दैवज्ञ नामक पंचपुत्रों के रूप में लौहकर्म, काष्ठकर्म, पाषाणकर्म, कांस्यकर्म एवं सुवर्णकर्म के क्षेत्र में विशिष्ट तकनीकी प्रगति हुई। इसके मूल में एक ही भाव था तथा धीरे-धीरे जातीय श्रेष्ठता और कर्मशीलता के आधार पर समाज के विशिष्ट वर्ग का उदय हुआ। सही वर्ग राष्ट्र के विकास में योग भाव के साथ आरंभ से ही समर्पित और संकल्पित रहा है।

परवर्ती कालों में शिल्पकर्म में लगे विविध वर्गों ने समाज के आर्थिक विकास के सोपान तैयार किये। इस प्रगति में पुरुषार्थ को ध्यान में रखा गया। धर्म, अर्थ, काम और मोक्ष चारों पुरुषार्थ एक साथ शिल्प कर्म में प्राप्त होते हैं। इसीलिए शिल्प विद्या को श्रेष्ठतम और सब प्रकार के मोक्ष और सिद्धियों को प्रदान करने वाली कहा गया है।

'अग्नि' एवं 'चक्र' ये दोनों मानव की प्राविधिक एवं वैज्ञानिक प्रगति के आधार हैं। पाँचों वर्गों का उदय प्रकृति के पंचभूतों (पृथ्वी, जल, अग्नि, आकाश एवं वायु) के आधार पर हुआ। लौह, काष्ठ, पाषाण, धातु एवं सुवर्ण से जुड़े सभी शिल्प प्रकृति के तत्वों पर निर्भर है। इसीलिए भारतीय

शिल्पी प्रकृति का सच्चा उपासक माना जाता रहा है। यही उसके समाज में श्रेष्ठ होने का कारण रहा है। उसने अग्नि की उपासना की और जीवन में स्थिरता और सामाजिक प्रगति का सूत्रपात किया। अग्नि की नित्य साधना करने वाला वर्ग ही लौहकार, सुवर्णकार, ताम्रकार, कांस्यकार हुआ। ऊर्जा और उष्मा की बारीकियों को ये शिल्पी जानते है। कालांतर में इसी के आधार पर विज्ञान की नींव पड़ी नगरों और ग्रामों के विकास के मूल में मानव का शिल्प ज्ञान ही प्रमुख कारक रहा है।

'चक्र' अर्थात् पहिये के आविष्कार ने मानव को सभ्य बनाया। उसमें गति, का संचार हुआ और चक्के पर आधारित रथ, वाहन तथा चक्रीय सिद्धांत पर विज्ञान और प्रौद्योगिकी सामने आयी। कहीं न कहीं इस चक्र के मूल में तक्षा और रथकार थे। इसीलिए वेदों और सूत्रग्रंथों में इन्हें दो वर्णों में वर्णित किया गया है। अश्वमेघ यज्ञ के अवसर पर 'तक्षा' को लकड़ी के आधार, पोत, गाड़ी, आसन आदि निर्मित करना होता था। रथकार रथ निर्मित करता था। इसीलिए महत्व के कारण रथकार को श्रौतयज्ञ सम्पन्न करने की अनुज्ञा प्रदान की गई थी। यज्ञ के साथ-साथ वह अपना उपनयन भी करा सकता था और इसके द्वारा वह सहज ही 'द्विज' की श्रेणी में आ सकता था। पौधापन श्राँतसूत्र (15/13/14) में इस पक्ष पर पर्याप्त प्रकाश डाला गया। इसलिए मानव प्रगति की कहानी तथा विज्ञान की प्रगति की कहानी में मूलरूप से विश्वकर्मा वर्ग की भूमिका रही है।

वर्तमान विज्ञान सूर्य एवं अन्य ग्रहों की गति तथा ऊर्जा पर केन्दित है। इसीलिए उनका मानव प्रगति के लिए उपयोग को ध्यान में रखकर सभी यंत्र, आयुध, विमान, वाहन, शास्त्रास्त्र आदि निर्मित किए जा रहे है। देश के समस्त उद्योग, कारखाने, यांत्रिक कार्यशालाएँ आदि विश्वकर्मा वर्ग में सम्मिलित हैं। इसीलिए सर्वत्र विश्वकर्मा की पूजा तथा उपासना, यज्ञ-आहुतियाँ प्रचालित है। इनके क्षेत्रीय रूप अलग-अलग हैं।

आज की वैज्ञानिक एवं प्रौद्योगिकी प्रगति के प्रतिनिधि उदाहरण विमान और आयुध निर्माण है। इनका समाज की प्रगति तथा समाज की रचना, व्यवस्था एवं सुरक्षा के लिए उपयोग किया जाता है। तथ्य यह है कि विमान और आयुध विद्या दोनों ही शिल्पी वर्ग को विश्वकर्मा की संतति के रूप में उनके आराध्य देव विश्वकर्मा से ही प्राप्त हुए हैं। इन दोनों विद्याओं ने विश्व को एकसूत्र में पिरोया हैं। ये उनकी चरम उपलब्धियाँ है।

बाल्मीकि रामायण और महाभारत के रोचक वर्णन बतलाते हैं कि प्रौद्योगिकी और वैज्ञानिकता के साथ विमान-विद्या विश्वकर्मा की देन है। ऋषियों ने कठोर तप करके इस विद्या को विश्वकर्मा से प्राप्त किया और लोक व्यवस्था के निमित्त समाज को दिया। योग्यता और क्षमता के आधार पर ही आगे चलकर इनके निर्माताओं की कुल-परम्परा प्रचलित हुई। पुष्पक विमान की चर्चा भारतीय साहित्य तथा लोक कथाओं में आज भी मिलती है।

भारद्वाज रचित 'यंत्रसर्वस्व' के वैमानिक प्रकरण में विमान के 32 रहस्यों का वर्णन है। उनमें विमान से मारक धूम्र फेंककर शत्रु विमान को नष्ट करना, विमान अदृश्य कर देना, शत्रु की स्मृति नष्ट कर देना, दूसरे विमान में बैठे शत्रु की वार्ता सुन लेना जैसे रहस्यों का वर्णन है। ऐसे अनेक ग्रंथ विश्वकर्मा परम्परा में उनके ज्ञानी-विज्ञानी शिल्पियों की देन है।

विश्वकर्मा देवताओं के लिए वाहन, आयुध, सुदर्शन चक्र, सहस्रार चक्र, आभूषण, अस्त्र-ब्रह्मस्त्र, भूमियंत्र, लतायंत्र तथा दूरवीक्षण यंत्र का विस्तृत वर्णन साहित्य में मिलता है। इसी परम्परा में वंशानुगत ज्ञान प्राप्त शिल्पियों के वर्ग में यह विद्या आगे बढ़ती गई। इस प्रकार सूक्ष्म से सूक्ष्म वस्तुओं, उपकरणों तथा यंत्रों के निर्माण से लेकर विशाल, तीव्रगामी यंत्रों, वाहनों, आयुधों तथा उपयोगी उपकरणों का निर्माण विश्वकर्मा की वंश एवं कुल परम्परा में संभव हुआ। भवन, दुर्ग, अट्टालक, सेतु, मार्ग, सरोवर, उद्यान, वाहन, आयुध सभी इसी शिल्प कर्म की देन है।

हरिवंश पुराण (2/58/63-76) का विश्वकर्मा निर्मित द्वारिकापुरी का मनोरम वर्णन, विश्वकर्मा की वैज्ञानिकता तथा तकनीकी कुशलता का उदाहरण है। काष्ठ शिल्प के कारण वे वनस्पतिशास्त्र के भी ज्ञाता थे। इसीलिए उन्होंने इन्द्र से अनुमति लेकर द्वारिकापुरी में वृक्षों, पशु-पक्षियों आदि की भी रचना की। इसी के वर्णन बाद के ग्रंथों में मिलते हैं। विश्वकर्मा परम्परा के शिल्पियों, कारीगरों तथा शिल्पज्ञों के कारण प्राचीन काल में सतयुग, त्रेता, द्वार तथा कलियुग के आरम्भिक चरण में राष्ट्र की वैज्ञानिक तथा तकनीकी प्रगति हुई। प्रत्येक युग में शिल्प और शिल्पी वर्गों को उच्च स्थान दिया गया। तथा उसके उपयोग से समाज और राष्ट्र की प्रगति से संबंधित है। यह वर्ग अपने ज्ञान तथा कौशल के कारण राष्ट्र की वैज्ञानिक एवं प्रौद्योगिकी

प्रगति में सर्वप्रमुख रहा है। वर्तमान संदर्भ में इस वर्ग और चिन्तन की पुनर्स्थापना होनी चाहिए तभी वंशानुगत शिल्कर्म का विकास, समाज की आर्थिक एवं वैज्ञानिक प्रगति संभव है। समाज और सरकारों को चाहिए कि इनका संरक्षण करें।

2. भारतीय वांगमय में विश्वकर्मा का स्वरूप

व्युत्पत्ति की दृष्टि से विश्वकर्मन एक विशेषण है: विश्व = सब(का), कर्मा = करने वाला। निरूक्त, 10/25 में "विश्वकर्मा सर्वस्यकर्ता" कहा गया है। इस प्रकार विश्वकर्मा की जो अवधारणा विकसित हुई उसमें वह स्वयंभू ब्रह्म एवं परात्पर परमात्मा ही है, जो अकेले ही बिना किसी उत्पादन एवं आधार के, एकमात्र अपने द्वारा सारे भूत-जगत की सृष्टि करता है। सारे सृष्टि-जगत में वह एवं उसमें सारा सृष्टि जगत समाहित है। न उस विश्वकर्मा का अंत है और न ही उसके द्वारा रची गयी सृष्टि का अंत। वह अत्यंत असाधारण एवं अनन्त है।

एक देवता के रूप में विश्वकर्मा की अवधारणा वैदिक है। ऋग्वेद के दशम् मण्डल के 81वें तथा 82वें सूक्त में जिस विश्वकर्मा का उल्लेख हुआ है वह ऋग्वैदिक युग की सर्वोच्च दैवी शक्ति का प्रतिनिध है। क्योंकि विश्वकर्मा देव, अदेव, जीव, जगत, पृथ्वी, जल, वायु, सूर्य, चन्द्र आदि सभी का रचनाकार है। यही उसका विराट स्वरूप है। विश्वचक्षु, विश्वतोमुख, विश्वतोबाहु, विश्वतस्पात आदि असाधारण विशेषण ऋग्वेद के पुरुष सूक्त–'सहस्रशीर्षापुरुषः सहस्राक्षः सहस्रपात्' को प्रतिबिम्बित करते हैं। जिस प्रकार, पुरुष सूक्त में विराट पुरुष के विभिन्न अंगों से चारों वर्णों की उत्पत्ति बतायी गयी है, उसी प्रकार परवर्ती पुराण परम्परा में विश्वकर्मा का तादात्म्य शिव से स्थापित कर उनके पंचमुख-सद्योजात्, वामदेव, अघेर, तत्पुरुष तथा ईशान-से पांच शिव पांचाल ब्राह्मण-मनु, मय, त्वष्टा, शिल्पी, दैवज्ञ की उत्पत्ति का सिद्धांत निरूपित किया गया है। सद्योजात मुख पूर्व दिशा, वामदेव मुख दक्षिण दिशा, अघोर मुख पश्चिम दिशा, तत्पुरुष मुख उत्तर दिशा और ईशन मुख उर्ध्व दिशा का प्रतिनिधित्व करता है। शैव धर्म में ये पांच पाशुपत सिद्धांत है। इसी पाशुपत सिद्धांत पर शिव का पाशुपत अस्त्र बना है। महाभारत के वन पर्व में शिव और अर्जुन के युद्ध का वर्णन है। उस युद्ध में शिवजी ने प्रसन्न होकर अर्जुन को वरदान में पाशुपत्र अस्त्र दिया था। साथ ही यह

निर्देश दिया था कि पाशुपत्र अस्त्र को अपनी आत्मरक्षा के लिये अपने पास रखना और यदि इसे चला दोगे तो तीनों लोक भस्म हो जायेंगे।

ये पांच मुख ब्रह्ममुख या पंचब्रह्म कहे गये है। ये पांच ब्रह्म हैं–तारकाकार ब्रह्म, दण्डाकार ब्रह्म, कुण्डलाकार ब्रह्म, अर्धचन्द्राकार ब्रह्म तथा बिन्दु रूप ब्रह्म। इन्हीं पांच ब्रह्म आकारों से प्रणवाक्षर अर्थात् 'ओऽम' बनता है।

ओमित्येकं परंब्रह्म सर्वतत्वानुग्राहकम्।
आब्रह्मसतंबपर्येतं सर्वानुग्रहकारकम्।।
प्रथमं तारकाकारं द्वितीयं दण्डमुच्यते।,
तृतीयं कुण्डलाकारं चतुर्थमर्धचन्द्रकम्।
पंचमं बिन्दु संयुक्तं प्रणवे ब्रह्म पंचकम्।।

ॐ

ओंकार स्वरूप

पद्मपुराण में भगवान विश्वकर्मा के इन पांचों मुखों के आकारों की पारब्रह्मिक विवेचना की गयी है, जो प्रणवाक्षर अर्थात् ओंकार को प्रतिबिम्बित करता है। यह ओऽम महामंत्र है और इसे परब्रह्म रूप कहा गया है। इस प्रकार पंचमुखी विश्वकर्मा के पंचमुखाकार ही परब्रह्म रूप ओऽमकार है।

ये पंचमुख पंच शिल्प के उद्‌भावक हैं। (लोहकार, काष्ठकार, ताम्रकार, पाषाणकार तथा स्वर्णकार = पंचाल)। "पंचेभ्यः शिल्पेभ्यः अलम् इति पांचालः।" इन पांच मुखों को क्रमशः पृथ्वी, जल, तेज (पावक), वायु और आकाश का रूपक कहा गया है जो मानव-शरीर की संरचना के सहायक तत्व है। दृष्टव्य है–

'सद्योजात् महीप्रोक्ता वामदेवं तथा जलम्।
तेजस्त्वघोरं विख्यातं वायुस्तत्पुरुषं मतम्।
ईशानं च तथाकाशमूर्ध्वस्थं पंचमं मुखम्।

इस प्रकार, विश्वकर्मा का देव-परिवार, समाज-जीवन के लिये एक उच्च आदर्श है।

भारतीय वांगमय में विश्वकर्मा का देव स्वरूप यद्यपि पूर्णतः प्रतिष्ठित है किन्तु उन्हें वास्तु एवं शिल्प के आचार्य के रूप में परवर्ती पुराण परम्परा में

विशिष्टता प्राप्त हुई– 'विश्वकर्मा प्रभासस्य पुत्रः शिल्पी प्रजापतिः।' (पद्मपुराण, सृष्टि खण्ड) योगसिद्धा ब्रह्मचारिणी माता के पुत्र होने के कारण पौराणिक विश्वकर्मा वैदिक पृष्ठभूमि के साथ योग एवं सिद्धि के प्रतीक के रूप में समादृत हैं। शिल्प योग कर्म है। इससे सिद्धि प्राप्त होती है। योग एवं शिल्प का अंतर्सम्बन्ध है। कर्म कौशल के लिये योग एक अनिवार्य तत्व एवं प्रक्रिया है। योग का सम्बन्ध चित्त से है क्योंकि चित्तवृत्तियों का निरोध योग से ही संभव है। (योगश्चित्तवृत्ति निरोधः)। जिस प्रकार योग साधना से मनुष्य का शरीर स्वस्थ रहता है उसी प्रकार सामाजिक स्वास्थ्य के लिये शिल्प आवश्यक है। गीता में भगवान श्रीकृष्ण ने 'योगः कर्मषु कौशलम्' कहकर कर्म और योग के अंतर्सम्बन्ध को अधिक महत्वपूर्ण बना दिया है। इस प्रकार योग और शिल्प कर्म की इस अवधारणा से श्री विश्वकर्मा ने नर से नारायण और पुरुष से पुरुषोत्तम का आदर्श प्रस्तुत किया है। इसी कारण पद्यमपुराण के भू खण्ड में उल्लेख किया गया है कि यत्किंचित दृश्यते शिल्पम् तत्सर्व विश्वकर्मजम्।

हमारे हिन्दू धार्मिक अनुष्ठानों में प्रत्येक मांगलिक कार्य में स्वास्तिक चिन्ह बनाकर सर्वप्रथम पूजित होता है। आखिर क्यों सुपूजित है यह स्वास्तिक चिन्ह? 'विश्वकर्मा पुराण' में विश्वकर्मा के पांच पुत्रों–मनु, मय, त्वष्टा, शिल्पी एवं दैवज्ञ की कुल-परम्परा में जिन शिल्पों का विकास हुआ, उनमें क्रमशः लौहकर्म, काष्टकर्म, कांस्यकर्म, पाषाणकर्म एवं सुवर्णकर्म की प्रतिष्ठा हुई और ऐतिहासिक भारत के पूर्वी भाग में लौह शिल्प, पश्चिमी भाग में ताम्र शिल्प, उत्तरी भाग में पाषाण शिल्प, दक्षिणी भाग में काष्ठ शिल्प और मध्य भाग में सुवर्ण शिल्प के केन्द्र स्थापित किये गये। इसी सिद्धांत पर हिन्दू धर्म का अतिमंगलकारी 'स्वास्तिक' का चिन्ह आधारित है। इस प्रकार प्रत्येक शुभकार्य में स्वास्तिक का रेखांकन एवं पूजन भगवान विश्वकर्मा के मंगलकारी स्वरूप के दर्शन को बोध कराता है।

युग परिवर्तन के साथ विभिन्न सामाजिक एवं धार्मिक मान्यताओं के स्वरूप में परिवर्तन एवं परिवर्द्धन हुआ किन्तु विश्वकर्मा का सम्बन्ध किसी विशेष सम्प्रदाय या पूजा पद्धति से न होने के कारण उनका देवत्य स्वरूप यथावत् बना रहा। सृजन एवं शिल्प की लोकहितकारी प्रवृत्ति के कारण इनका शिल्पाचार्य स्वरूप भी समाज में श्रृद्धा एवं आदर का केन्द्र बना हुआ है। विश्वकर्मा का सम्बन्ध किसी जाति-विशेष से न होकर शिल्प के समग्र

परिवेश से है, इसीलिये विभिन्न रूपों में शिल्प, उद्योग, प्रौद्योगिकी तथा कृषि आदि सभी कार्यों से जुड़े वर्ग के लोग इन्हें (विश्वकर्मा) अपना 'ईष्ट' मानते हैं।

इस प्रकार वैदिक युग से लेकर आज तक विश्वकर्मा की उपयोगिता समाज के सभी क्षेत्रों में इतनी बढ़ी कि विभिन्न राजनीतिक, सामाजिक, आर्थिक एवं निर्माणात्मक व्यवस्थाओं में उसकी अनिवार्यता स्थपित हो गयी। इसीलिये कर्म आधारित समाज की व्यवस्था तथा सुसंचालन में भी इस देवता तथा उसकी देव-परम्परा का योगदान स्वीकार किया जाता है तथा वर्तमान सामाजिक एवं धार्मिक परम्पराओं में विश्वकर्मा पूजा इसकी प्रतीकात्मक अभिव्यक्ति है। ऋग्वेद के द्रष्टा ऋषियों ने विश्वकर्मा को सर्वोच्चय देवी शक्ति, महाप्रज्ञ, महाद्रष्टा, देवों तथा लोकों के निर्माण पंचमहा भूतों के सर्जक तथा अद्वितीय देव के रूप में मान्यदता दी है। इसी प्रकार विश्वकर्मा की अवधारणा पर ग्राम, भवन, दुर्ग, जलाशय, वाहन तथा सभी प्रकार के आयुधो उपादानों एवं उपकरणों के सर्जक के रूप में प्रतिष्ठित हुई। उन्हें प्रारम्भ में प्रजापति, यज्ञ पुरुष, ब्रहमास्पति एवं ब्रहमा के रूप में तथा बाद में तक्षा, वर्धक तथा शिल्पी के रूप में मान्यता मिली।

भारत में शिल्प की शास्त्रीय एवं वास्तु-मूर्तिगत दोनों की विशेष प्रतीष्ठा हुई। ऐतिहासिक काल में इनकी विशेष प्रगति एवं प्रसिद्धि हुई। वैदिक से लेकर आधुनिक युग तक की दुर्लभ सामग्रियों में इस देवता से संबंधित विवध रूपों को शोधात्मक विश्लेषण प्रस्तुत करने का प्रयास किया गया है। विश्वकर्मा से संबंधित शिल्प का शास्त्रीय क्षेत्र अत्यंत व्यापक गहन एवं गवेष्णात्मक शोध की अपेक्ष ा करता है। शिल्प देवता एवं शिल्पाचार्य विश्वकर्मा की आचार्य परम्परा, उपाधि, आचार्य परम्परा के वास्तु एवं शिल्पग्रंथ तथा परवर्ती कला परम्परा विवेचनीय है।

भारतीय परम्परा में "शिल्प" शब्द किसी भी प्रकार के कला और कौशल को निदिष्ट करता है। इसकी प्राचीनता वैदिक है। शिल्प देवता तथा शिल्पाचार्य के रूप में क्रमशः देवलोक एवं मनुष्यलोक दोनों में विश्वकर्मा के शिल्पकर्म का महत्व है। कला में वास्तु शिल्प, मूर्ति शिल्प, चित्रशिल्प प्रचलित है जबकि उद्योग एवं व्यवसाय में लौह, काष्ठ, पाषाण, मृदमाण्ड, सुर्वग आदि के द्वारा सृजित संरचनायें शिल्प के अर्ध को विस्तार प्रदान

करती है। वास्तु एवं शिल्प दोनों शब्दों की व्यापकता के कारण उनमें अंतर करना कठिन हो जाता है। द्राविणी परम्परा में वास्तु शास्त्रीय ग्रंथों को भी शिल्प शास्त्र का संज्ञा दी गयी है। इस विद्या का संबंध शालेख जीवन से है जहाँ संचरणशीलता के पश्चात् आवास, स्थायी आवास संबंधी संकेत वैदिक जीवन में देखी जा सकती है। सैन्धव संस्कृति का उन्नत वास्तु योजना इसका निदर्शन है। रामायण और महाभारत में विश्वकर्मा द्वारा सुंदर/अलंकृत देव अधिवासों का निर्माण इसकी एक महत्वपूर्ण कड़ी है।

आर्य वास्तु परम्परा के प्रथम आचार्य विश्वकर्मा ने यह विद्या स्वयं पितामह ब्रह्मा से प्राप्त की थी। इसकी परवर्ती परम्परा के गहन अन्वेषण तथा अनुसंधान से ज्ञात होता है कि कालांतर में ऐतिहासिक युगों में विभिन्न कुशल तथा प्रसिद्ध स्थापतियों ने अपने नाम भी विश्वकर्मा के नाम से प्रचलित कर दिये। वास्तु एवं शिल्प विद्या की दक्षिणी परम्परा के प्रवर्तक दानवशिल्पी मय का दक्षिणी भारत की वास्तु एवं शिल्प विद्या में सर्वोच्च स्थान है।

3. सर्व समाज में सम्मान एवं सत्ता में भागीदारी

आज हम संक्रमण काल के दौर से गुजर रहे हैं। हजारों वर्षों तक विश्वकर्मा वंशज मनु, मय, त्वष्टा, शिल्पी और दैवज्ञ सृष्टि के निर्माण के प्रतीक रहे है। भगवान विश्वकर्मा की पांचों संतानें आज के आधुनिकीकरण के दौर में अकिंचनता एवं बिखराव के कारण दिग्भ्रम की स्थिति में पहुँच गयी हैं। आजादी के बाद देश के सामाजिक परिदृश्य में जो परिवर्तन आया, वह प्रजातंत्र के चमत्कारिक लक्षणों का प्रतिफल है। जनतांत्रिक मूल्यों पर आधारित स्वतंत्र भारत की नई व्यवस्था ने देश के कमजोर वर्गों के लिये एक नई रोशनी दी। एक व्यक्ति, एक वोट का युग आया गया। उसे राजनीतिक समानता मिली और वह भी जाति-लिंग, रंग, भाषा और क्षेत्र के भेदभाव के बिना। समाज में बदलाव की एक असाधारण प्रक्रिया आरम्भ हुई। इस बदलाव से वे लोग लाभ की स्थिति में रहे, जो संगठित थे, एक स्थान पर केन्द्रित थे और जो वोट की राजनीति में संतुलन बिगाड़ सकते थे। इसके विपरीत विश्वकर्मा समाज, जो पूरे देश के गाँवों-गाँवों में बिखरा है, उन्हें न तो समाज में सम्मान मिला, न ही उनका आर्थिक स्तर ऊँचा उठा, न उन्हें शिक्षा के क्षत्र में अच्छे अवसर मिले और नही ही मिली उन्हें सत्ता में समुचित भागीदारी।

आज स्वाधीनता प्राप्ति के समय का त्याग एवं बलिदान कहीं दृष्टिगोचर नहीं हो रहा है। जो समुदाय, वर्ग या जातियाँ सशक्त थीं वे राजनीति में घुस गयीं और देश की बागडोर उन्हीं के हाथों में रही। सामाजिक दृष्टि से समर्थ लोग ही सत्ता में आ पाये। यहाँ तक कि जिन असामाजिक तत्वों को राजनीतिक प्रश्रय मिला, वे भी धीरे-धीरे सत्ता में स्थान पा गये। इस तरह धन-बल एवं संख्या की दृष्टि से समर्थ वर्ग के हाथों में सत्ता का ध्रुवीकरण होने लगा तथा समाज के वृहत्तर हितों की अनदेखी होने लगी। येन-केन प्रकारेण सत्ता हथियाने के तरीके ईजाद होने लगे। परिणामस्वरूप समाज का आम आदमी सत्ता की दहलीज से दूर होता चला गया। फिर एक बार जो सत्ता में आ गये, उन्होंने अपने बेटे-बेटियों, सगे-संबंधियों और चाटुकारों को सत्ता में स्थापित कर दिया और राजनीति के दरवाजे साधनहीन आदमी या वर्ग के लिये धीरे-धीरे बंद हो गये। इस बात का अनुमान इसी तथ्य से लगाया जा सकता है कि आजादी के इन पचपन वर्षों के दौरान देश के सर्वोच्च पदों पर यही सशक्त वर्ग काबिज रहा है—चाहे राजनीति हो या नौकरशाही या फिर अर्थ-तंत्र। जहाँ एक ओर हमारे पुश्तैनी धंधे बंद होने लगे, वहीं इन समर्थ सत्ताधीशों ने राजनीति और नौकरियों पर पुश्तैनी व्यवसाय या परम्परा की तरह एकाधिकार जमा लिया।

हम विश्वकर्मा वंशज बुद्धि, विद्या एवं कला में अग्रणी होते हुए भी राजनीतिक चेतना के अभाव एवं संख्या-बल के बिखरे होने के कारण हम सत्ता में भागीदारी हासिल नहीं कर पाये और दिन-प्रतिदिन पिछड़ते चले गये और बारह करोड़ आबादी वाला अपना विश्वकर्मा समाज राजनीति में अर्थहीन-सा हो गया। आज जब यह नारा बुलंद हुआ कि 'जितनी जिसकी संख्या भारी, उतनी उसकी भागीदारी' तब हमारे कान खड़े हो गये। अब समय आ गया है कि हम अपने समाज के अस्तित्व की रक्षा के लिये अपने विखण्डन और बिखराव को रोकें। समाज को एकजुट करें और इस एकीकृत समाज के मत के मूल्य को पहचानें। आश्चर्य की बात है कि जनसंख्या की दृष्टि से 9.7 प्रतिशत होते हुए भी विश्वकर्मा वर्ग के लोगों को सत्ता में एक प्रतिशत (1.0 प्रतिशत) भी भागीदारी नहीं मिली। शैक्षिक, सामाजिक और आर्थिक दृष्टि से पिछड़े विश्वकर्मा लोग राजनैतिक क्षेत्र में भी पिछड़े ही रहे। हमारे समाज के लोग दूसरों के लिये कुर्सियाँ झाड़ने, दूरियाँ, बिछाने, झण्डे

उठाने, उनका पैर छूने और नारे लगाने से लेकर खुले-तौर पर वोट का समर्थन देकर हम संतुष्ट हो जाते हैं और गलतफहमी यह रहती है कि जो व्यक्ति हमारे समर्थन से विजयी हुआ है, वह हमारी दरिद्रता दूर कर देगा और समाज को विकास के रास्ते पर ले जायेगा, किन्तु परिणाम में यह एक छलावा मात्र होता है। आज यही हो रहा है। शासन में भागीदारी पाने के लिए संगठित होना होगा एवं एकता प्रदर्शित करनी होगी।

जो एक-दो लोग दल विशेष की कृपा से सत्ता पा जाते है, वे पार्टी के लोग बन जाते हैं, अपनों के हितैषी नहीं रहते। क्योंकि वह सीट उन्हें अपनो से नहीं, सत्ताधीशों की कृपा से मिली है। अतः ये उन्हीं की चिलम भरने से संतुष्ट रहते हैं जबकि वह राजनीतिक दल इन्हें नमूने के तौर पर दिखाकर यह दावा करता है। कि हम कमजोर वर्ग के लोगों को सत्ता में भागीदारी दे रहे हैं। ऐसी स्थिति में सोचना है कि हम अपने से क्या अपेक्षा करें और हमें क्या करना चाहिए?

देश के कोने-कोने में पीड़ित, शोषित और अज्ञान के अंधकार में डूबे विश्वकर्मा वंशजों को उजाला कौन दिखायेगा? कौन उनके दुख-दर्द को कम करेगा? कौन उठायेगा यह बीड़ा? यह एक असमंजस की स्थिति है। हमारे अंदर की चेतना कब जागेगी? हम अपनी एकजुटता की ताकत को कब पहचानेंगे? याद रखिये अपनी लड़ाई खुद लड़नी होगी। यह काम दूसरे के सहारे नहीं हो सकेगा क्योंकि सहारे आदमी को कमजोर बनाते हैं और कमजोरों को दुनिया जीने नहीं देती। हमें अपने मतभेद भूलने होंगे। अपने अहं को छोड़ना होगा। समाज के बड़े हित के लिये अपने स्वार्थ का परित्याग करना होगा। आपस में सामंजस्य स्थापित कर एक मंच पर आना होगा।

इसलिये हे कर्मयोगियो! श्रमजीवियों! कामगारों और शिल्पियों! उठो और अपना उद्धार स्वयं करने का व्रत लो। सभी का एकीकरण करो और विशाल शक्ति-पुंज की संरचना करो जो समाज का मार्गदर्शन करें। इस महान कार्य में अहम् भूमिका होगी समाज के उन लोगों की जो शिक्षित हैं, जागरूक हैं और साधन सम्पन्न हैं। बात तो तब है जब आप किसी भूखे को भोजन, बेघर को घर है साधन-हीन को साधन दिलाने में मदद करें, किसी के काम आयें। इसी से पैदा होगी एकीकरण की भावना और दिखेगा समाज का सशक्त रूप। इस समय गोधूलि बेला का अंधकार हो सकता है पर उषा की सुनहरीबेला निश्चित रूप से आयेगी हम जानते हैं कि जिस जहाज का

कप्तान ही न हो, उसका भटक जाना स्वाभाविक है। लेकिन संतोष की बात है कि अभी हमारे समाज का जहाज सिर्फ भटका है, डूबा नहीं है। इसलिये उम्मीद की जानी चाहिए कि समाज को कप्तान मिल जाने के बाद जहाज पुनः अपनी दिशा एवं गति प्राप्त कर लेगा।

आज हमारा विश्वकर्मा समाज उस चौराहे पर खड़ा है जहाँ उसे सही दिशा-निर्देश की बड़ी आवश्यकता है। ऐसे में, बिखरे विश्वकर्मा समाज यथा मनु (लौहकार), मय (काष्ठकार), त्वष्टा (ताम्रकार), शिल्पी (शिल्पकार), दैवज्ञ (स्वर्णकार), रामगढ़िया, जांगिड, और मैलि सहित अन्य उपनामों वाले स्वजनों को संगठित करके एक मंच पर लाने के उद्देश्य से समाज के प्रबुद्ध जनों द्वारा विश्वकर्मा एकीकरण अभियान आरम्भ किया गया है। इस अभियान के अंतर्गत सामाजिक संगोष्ठियों की श्रृंखला का सूत्रपात 9 जून, 2002 को उत्तर प्रदेश गन्ना किसान संस्थान, लखनऊ में पूर्वांचल विश्वविद्यालय जौनपुर के पूर्व कुलपति एवं भीमराव अम्बेडकर कालेज (दिल्ली विश्वविद्यालय) के प्राचार्य डा. प्रेमचन्द्र पातंजलि की अध्यक्षता में सम्पन्न संगोष्ठी से किया जा चुका है। उक्त संगोष्ठी में लिये गये निर्णय के क्रम में सभी मण्डलों और जनपदों में अभियानगत् संगोष्ठियां/सम्मेलन आयोजित किये जा रहे हैं। जिसमें समाज के सभी वर्गों के लोग बड़े उत्साह के साथ भाग ले रहे है। इन संगोष्ठियों में भगवान विश्वकर्मा के अभिप्राय और प्रशस्ति से लेकर एकीकरण की आवश्यकता एवं महत्व, सांगठनिक संरचना और सत्ता में भागदारी जैसे विषयों पर विस्तार से प्रकाश डाला जा रहा है। साथ ही, संगोष्ठियों में नीचे अंकित तीन बिन्दुओं की सार्थकता को व्यापक रूप से स्पष्ट किया जा रहा है:

1. बिखरे विश्वकर्ता बंधुओं को संगठित करने की आवश्यकता एवं महत्व।
2. एकीकृत समाज के संगठन का स्वरूप-आकार-प्रकार, कार्य-क्षेत्र विस्तार एवं वित्त-पोषण।

4. सत्ता में भागीदारी की समीक्षा

किसी बिखरे समाज का एकीकरण एक गंभीर चिन्तन का विषय है। इसके लिये दृष्टिकोण की व्यापकता और कारक-तत्वों के विश्लेषण के लिये गहरी किन्तु सूक्ष्म दृष्टि एक अनिवार्यता है। आज हमारे समाज का

एकमात्र कर्तव्य है–एकीकरण का प्रयास। कर्तव्य का निर्धारण विवेक से होता है और विवेक का जन्म निष्पक्ष विश्लेषण से होता है और यह अनासक्ति के अभाव के बिना हो ही नहीं सकता। जहाँ अनुराग है, वहीं पूर्वाग्रह है, वहीं पक्षपात है। एक के प्रति अनुराग रखते हुए आप दूसरे के प्रति निष्पक्ष नहीं हो सकते। विवेकवान समाज के सदस्य के रूप में एकीकरण जैसे गम्भीर, व्यापक और कल्याणकारी विषय का चिन्तन हमारे अंदर एकता का भाव उत्पन्न करेगा, उससे एकीकरण के प्रति हमारी सोच निष्पक्ष, सकारात्मक और दृढ़ होगी। एकीकरण अभियान पूर्णतया अराजनैतिक होगा।

विश्वकर्मा के पांचों वर्गों की समष्टि एक आदर्श है जिसे हम एकीकरण की संज्ञा देते हैं इस विश्व का प्रत्येक व्यक्ति किसी न किसी आदर्श को मानता है पर बिरले ही ऐसे लोग है जिनके मन में इस आदर्श के प्रति गहनता होती है। एकीकरण-जैसे आदर्श के प्रति समाज में गहनता का अभाव ही हमें एकता की प्रेरणा देता है। प्रेरणा एक भाव है और यह क्रिया के लिये उत्प्रेरक बल का कार्य करता है। इसकी उत्पत्ति अभाव की अनुभूति से उत्पन्न कामना से होती है। अभाव की व्याकुलता जितनी अधिक होगी, प्रेरणा-शक्ति भी उतनी ही प्रबल होगी। प्रेरणा सदैव आंतरिक ही होती है और अंतःकरण से ही उत्पन्न होती है, जो फल के लिये आवश्यक क्रिया करने की शक्ति देती है। इस प्रेरणा की पृष्ठभूमि में विश्व रचनाकार भगवान विश्वकर्मा की अनुभूति समाविष्ट है। इसी परिप्रेक्ष्य में महाभारत के शांति-पर्व में "विश्वकर्मन् नमस्तेऽस्तु विश्वात्मन् विश्व संभवः" द्वारा विश्व के कारक देवता भगवान विश्वकर्मा को नमन किया गया है।

बिखरे विश्वकर्मा समाज के पांचों वर्गों का एकीकरण हमारा आदर्श है और यही हमारा एकमात्र कर्तव्य भी, क्योंकि वैदिक युग से लेकर आज तक विश्वकर्मा की उपयोगिता समाज के सभी क्षेत्रों में इतनी बड़ी है कि विभिन्न राजनीतिक, सामाजिक, आर्थिक एवं निर्माणात्मक व्यवस्थाओं में उसकी अनिवार्यता स्थापित हो गयी और ऐसा इसलिये हुआ क्योंकि विश्वकर्मा कोई जाति नही है–यह एक वर्ग (Class) है और विश्वकर्मा का सम्बन्ध किसी जाति विशेष से न होकर शिल्प के समग्र परिवेश से है। इसीलिये विभिन्न रूपों में शिल्प, उद्योग, प्रौद्योगिकी तथा कृषि आदि सभी कार्यों से जुड़े वर्ग के लोग विश्वकर्मा हैं।

सभी जानते हैं कि मनु मय, त्वष्टा, शिल्पी एवं दैवज्ञ विश्वकर्मा समाज के मूल अंग है जिनकी जनसंख्या लगभग 15 प्रतिशत है। यह समाज निम्नांकित नामों से पूरे देश में जाना-पहचाना जाता है धीमान, जांगिड़, उपाध्याय, ओझा, झा, टॉक, लाहोरी, मथुरिया, सूत्रधार, ककुहास, रामगढ़िया, मैथिल, द्विवेदी/त्रिवेदी, विप्पला, लौष्ठा/लोटा, महुलिया, रावत, कान्यकुब्ज, मालवीय, मागध, पंचालर, सरवरिया, गौड़, देव-कमलार, आचार्य, विश्वब्राह्मण, कंशाली, विश्वकर्मा, नवन्दन, तरंच्छ, पांचाल एवं जगत्गुरू। इनके अतिरिक्त भी अन्य कई उपनामों से विभिन्न प्रदेशों में विश्वकर्मा वंशज जाने जाते हैं।

विश्वकर्मा समाज की विभिनन उपनामों से बिखरी जनसंख्या को एकीकृत करने के प्रयास टुकड़ों में हुए हैं जिसका कोई विशेष प्रभाव इसलिये नहीं पड़ क्योंकि इन प्रयासों में आपसी तालमेल और सामंजस्य का नितान्त अभाव था। इसका एक विशेष कारण यह भी था कि अभी तक हम समाज में अपने को ब्राह्मण सिद्ध करने में लगे रहे और यह अभीष्ट प्रामणिक तौर पर हमें प्राप्त भी हुआ। परन्तु भौतिक और सामाजिक दृष्टि से लोहार, बढ़ई (काष्ठकार), ठठेरा (ताम्रकार), शिल्पी (पाषाणकार) और सोनार (स्वर्णकार) से अलग हटकार हम अपनी पहचान नहीं बना सके। उपालम्भ, उपेक्षा और उपहास के भय से हमारे समाज का शिक्षित वर्ग अपनी जाति छिपाने लगा और आज यह स्थिति है कि लगभग 80 प्रतिशत लोग ब्राह्मणत्व की चादर लपेटे अपनो से ही दूर होते चले जा रहे हैं।

याद रखिये पर्दादारी महिलाओं के सम्मान और खुद को खुलेआम न कर देने की वर्षों पुरानी रवायत है। यद्यपि आज के शिक्षित समाज में पर्दादारी महिलाओं के लिये भी अप्रासंगिक हो चुकी है, तथापि यदि किंचितमात्र भी इसकी सार्थकता शेष है, तो भी इसे महिलाओं तक ही सीमित रहने दिया जाये तो ही बेहतर है। हम समाज के पुरुष वर्ग का आह्वान करते हैं कि वे घूंघट करने से बाज आयें। विश्वकर्मा वर्ग शिल्पीवर्ग है। शिल्प, उद्योग, प्रौद्योगिकी और कृति में नियोजित सभी लोग विश्वकर्मा हैं। फिर ऐसा क्यों हैं कि विश्वकर्मा वर्ग का एक बड़ा तबका खुद को विश्वकर्मा बताने से हिचकता है। कभी अपने नाम के आगे किसी 'लचीले वर्ग' का उपनाम (सरनेम) जोड़कर तो कभी किसी जोड़-तोड़ के माध्यम से इस वर्ग ने अपने ही असली स्वरूप (विश्वकर्मा) को देखने से इंकार

कर दिया है। यही वह घूंघट है जो वास्तव में विश्वकर्मा समाज के पुरुषों की पहचान और एका में बाधक है। साथ ही, अन्य समाजों की तरह अपना समाज भी अनेकानेक संगठनों में विभक्त है। इससे हमारी शक्ति क्षीण हो रही है। इस क्षीण होती शक्ति के संचयन के लिये एकीकरण आवश्यक है। इसीलिये संगोष्ठियों, सम्मेलनों, पत्र-पत्रिकाओं, संवादों और मीडिया द्वारा प्रचार-प्रसार आदि के माध्यम से हम समाज के एकीकरण के महत्व एवं अनिवार्यता को रेखांकित करना चाहते हैं।

एकीकरण दो स्तरों पर किया जायेगा।

1. असंगठित विश्वकर्मावंशजों को अभियानगत् सदस्य बनाकर संगठित करना और उन्हें सीधे अभियान से जोड़ना।
2. विभिन्न नामों से संगठित इकाइयों का स्वरूप यथावत रखते हुए उनहें महासंघ या परिसंघ के सांगठनिक ढाँचे से सम्बद्ध करके।

सांगठनिक संरचना एक पिरामिड की तरह होगी। सबसे नीचे ग्राम पंचायत स्तरीय संगठन/इकाइयाँ बनेंगी जो संगठन के आधार का कार्य करेंगी। इसके ऊपर खण्ड एवं तहसील स्तरीय संगठन होंगे जो जिला और मण्डल स्तरीय संगठनों के प्रशासनिक नियंत्रण में कार्य करेंगे। प्रदेश में राज्य स्तरीय संगठन बनेगा और शीर्ष पर केन्द्रीय सर्वोच्च सांगठनिक इकाई की स्थापना होगी। संस्था का वित्तपोषण होगा जिसके लिये कोष की स्थापना की जायेगी। वित्त-पोषण कई विधियों से होता है यथा (1) सदस्यों द्वारा प्रदत्त सहभागिता शुल्क, (2) संस्था द्वारा अर्जित चल एवं अचल संपत्तियों से प्राप्त होने वाली धनराशि, (3) उदार महानुभावों द्वारा प्रदत्त दान, (4) शासन द्वारा प्राप्त अनुदान।

सामाजिक संगठन की संरचना में समाज में प्रबुद्ध वर्ग-विशेषतया शिक्षा, साहित्य, कला एवं विज्ञान जगत के मूर्धन्य विद्वान एवं वैज्ञानिक, आर्थिक क्षेत्र में स्थापित औद्योगिक घराने एवं कामगार, सामाजिक सेवा से जुड़े लब्ध प्रतिष्ठ व्यक्ति एवं ख्याति प्राप्त संस्थाएं, राजनीतिक एवं प्रशासनिक क्षेत्र के कुशल राजनेता एवं उत्प्रेरक व्यक्तित्व के धनी लोगों की विशेष भूमिका होगी। इस प्रकार, एकीकृत समाज का एक शीर्ष संगठन हो, एक शीर्ष नेतृत्व हो, एक झण्डा हो, एक केन्द्रीय कार्यालय हो, एक कोष हो, एक कार्यक्रम हो और प्रतिबद्ध कार्यकर्ताओं का एक केडर हो।

इस प्रकार होगा—हमारे समाज का एकीकरण।

देश की आजादी के बाद, लोकतांत्रिक व्यवस्था ने हमें ऐसा हथियार दे दिया है जो वंचित समाज के लिये जाति–धर्म–वर्ण एवं लिंग भेद किये बगैर उन्नति के समान अवसर की उपलब्धता का वायदा करता है आधुनिक राजनीतिक व्यवस्था वह सब कुछ प्रदत्त करने को आश्वस्त तो करती है किन्तु राजनीतिधर्मी बनते समाज में अपनी सृजनात्मक शक्तियों के बावजूद हमारा समाज वह स्थान हासिल नहीं कर सका, जिसका वह हकदार था। राजनीति सत्ता में भागीदारी वह कुंजी है जो किसी जाति/वर्ग विशेष की उन्नति का द्वार खोलती हैं राजनीतिक सत्ता की यह कुंजी जिस वर्ग अथवा जाति के हाथ में है अथवा जो जाति–वर्ग या समुदाय राजसत्ता की इस कुंजी के जितना पास है, वह जाति, वर्ग अथवा समुदाय उतनी ही तेजी से आगे बढ़ गया।

दलित वर्ग के लिये तो बाबा साहब डॉ. भीमराव अम्बेडकर ने निरंतर लड़ाई लड़ी। परिणामस्वरूप इस वर्ग को संसद, विधायिकाओं और स्थानीय निकायों में सीटों के साथ–साथ नौकरियों में आरक्षण तथा शिक्षण संस्थाओं में अनेक लाभों का प्रावधान हो गया किन्तु हमें इस तरह का न तो संवैधानिक संरक्षण प्राप्त हुआ और न ही वोट की राजनीति में कोई पूछ हो सकी। सच है, जिसका कोई नेतृत्व नहीं होता, वे किसी बड़े लक्ष्य की प्राप्ति नहीं कर सकते। यही शाश्वत नियम है। यह पहले भी था, आज भी है और कल भी रहेगा।

सोचने का मुद्दा यह है कि ऐसा हुआ तो क्यों कर? दरअसल, कोई भी समाज जब तक राजनीति की मुख्यधारा में शामिल होकर देश व प्रदेश की राजनीति में अपनी सक्रियता नहीं निभायेगा, तब तक उस समाज का चतुर्दिक विकास संभव नहीं होगा। यही वजह है कि लगभग दस करोड़ की आबादी वाला अपना विश्वकर्मा समाज राजनीतिक रूप से आज भी अर्थहीन सा है। आजादी के बाद जिस भी राजनीतिक पार्टी/पार्टियों की सरकारें देश एवं प्रदेशों में बनीं, उसने विश्वकर्मा समाज का वोट लेकर सत्ता में आने के बाद समाज के लिये कुछ भी ठोस नहीं किया। गाँधी, लोहिया, और जयप्रकाश का मत था कि जिन लोगों की स्थिति सुधारनी हो, उन्हें सहानुभूति नहीं, सत्ता सौंपनी चाहिए।, उपेक्षित वर्ग यदि सत्ता में आता है तो वह अपने समाज के हितों के लिये अच्छी तरह से कार्य कर सकता है। इस वर्ग को

सत्ता में साझीदार बनाये बिना, उसे समाज की मुख्यधारा में जोड़ना मुश्किल है। वस्तुतः हमें अपने समाज को अपनी विशाल संख्या और शक्ति का एहसास कराना होगा ताकि राजनीतिकार हमें और हमारी ताकत को समझ सकें और यह तभी संभव होगा जब हम अपने समाज में व्याप्त एकता के अभाव को दूर करने में सक्षम होकर एकजुट हो सकेंगे और तभी हम और हमारा समाज देश की मुख्यधारा में शामिल हो सकेगा।

यदि विश्वकर्मा समाज के विकास के विगत इतिहास पर दृष्टि डाली जाय तो हम यह भी पाते हैं कि विभिनन संगठनों द्वारा विभिनन राज्यों में समय-समय पर बैठकें और सम्मेलन होते रहे हैं तथा आज भी हो रहे हैं, किन्तु टुकड़ों में। किसी का आपस में कोई मेल नहीं है। समन्वय की यही कमी हमें एकजुटता की प्रेरणा दे रही है। इस परिप्रेक्ष्य में, वर्ष 1981 में कानपुर के ब्रजेन्द्र स्वरूप पार्क में विश्वकर्मा बंधुओं के विशाल सम्मेलन और उससे प्राप्त प्रतिफल का उल्लेख कदाचित आज बहुत ही प्रासंगिक है। उस महासम्मेलन के मुख्य अतिथि भारत सरकार के तत्कालीन गृहमंत्री माननीय ज्ञानी जैल सिंह थे जिसमें एक लाख से भी अधिक विश्वकर्मा बंधुओं ने भाग लेकर संगठित एकता का सराहनीय परिचय दिया था। इसी के परिणामस्वरूप माननीय श्री ज्ञानी जैल सिंह को इस देश के सर्वोच्च 'महामहिम राष्ट्रपति' के पद की प्राप्ति हुई। यह था– उस महासम्मेलन का राजनैतिक सत्ता में भागीदारी का प्रतिफल। उसी महासम्मेलन के बाद हमारे समाज में राजनैतिक चेतना का, सामाजिक जागरूकता का जागरण अभियान आरंभ हुआ। वह समय था–समाज को संगठित रखने हेतु 'गाइड लाइन' तैयार करने का। किन्तु हम चूक गये और समाज को जनान्दोलन के मार्ग तक नहीं पहुँचा सकें।

आज मानव स्वार्थ से जो कुछ हो रहा है, उसका परिणाम भयंकर हो सकता है। शासन-प्रशासन में भागीदारी की बात तो हम करते हैं। किन्तु गम्भीरतापूर्वक हासिल करने के प्रति अपेक्षाकृत क्रियाशील नहीं है। वे जातियाँ या समाज के लोग जो समय रहते वास्तविकता को नहीं पहचान सकते वे बिखरे और विवेकहीन होने के कारण नीचे के पायदान में आ जाते हैं। इस समाज में भी नई चेतना और उत्साह मुख्यधारा के उद्गम स्थान को पाने के लिए जागा है। कुछ नेतृत्व सभालें लोगों की भूमिका भी काफी उत्साहवर्धक और प्रेरणादायक है।

कहना न होगा, जब तक मंजिल तय नहीं होगी और उच्चकोटि की महत्वाकांक्षा नहीं होगी, तब तक हमारे समाज को सर्व-समाज में सम्मान तथा सत्ता में समुचित भागीदारी नहीं मिल सकेगी। हमारी मंजिल है एकीकरण और हमारी महत्वाकांखा है सत्ता में भागीदारी। एकीकरण हमारा साधन है और सत्ता में भागीदारी हमारा साध्य। यही हमारे एकीकरण का चरम लक्ष्य है। इस दिशा में हमारे कदम आगे बढ़ चुके हैं। विश्वकर्मा समाज की पहचान एक संघर्षरत् समाज के रूप में होनी आरम्भ हो चुकी है। कल जरूर आयेगा जब विश्वकर्मा समाज का सही मूल्यांकन किया जायेगा। इस समाज की अनदेखी नहीं होगी। हम आह्वान करते हैं–यदि उपलब्धियाँ हासिल करनी है तो संघर्ष से सामना करना ही होगा और आत्मविश्वास ही वह कवच है जो इस 'अस्तित्व युद्ध' में सहायक होता है और अंत में भी।

11

भारतीय इतिहास में विश्वकर्मा

वैसे हम कई बार कह चुके हैं कि भारतीय इतिहासकारों ने देश के इतिहास की रचना निष्पक्षता से नहीं की है। जो जातियाँ पढ़ी-लिखी थी या जो धन-बल, बाहुबल में आगे थी, उनको इतिहासकारों ने इतिहास लेखन में वरीयता प्रदान की। शक्तिहीन होते हुए भी उन्हें शक्तिशाली कहा। चरणों और भाटों ने जमीन, पैसे और इनाम लेकर तिल को ताड़ बनाया। विश्वकर्मा जाति का दुर्भाग्य था कि इसके साथ भी यही अन्याय हुआ। बहादुरी में सर्वाधिक आगे रहने वाली भारत की इस अत्यन्त प्राचीन जाति को छोड़ दिया गया। अपने वायदे और बचन पर मर मिटने वाली इस बहादुर जाति का इतिहास का कहीं कोई उल्लेख नहीं किया गया। जबकि यूनानी, इरानी, अरबियन देश के लोगों ने अपने इतिहास लेखन में इस जाति की बखूबी चर्चा की है। अंग्रेज लेखकों ने भी इस जाति को गौरव के साथ देखा और भारतीय इतिहास में इसे ऊँचा दर्जा दिया।

हम इस अध्याय में प्राचीन भारत से लेकर सन् 1400 ई. यानी तैमूर लंग काल तक में हुई कुछ घटनाओं का जिक्र करेंगे। इस विश्वकर्मा जाति ने सिकन्दर आक्रमण, महमूद गजनवी आक्रमण तथा तैमूर लंग आक्रमण में विदेशी आक्रमणकारियों का रूख ही बदल दिया। इसके बाद स्न 1400 ई. से 1700 ई. तक को हम मध्यकाल तथा 1901 से लेकर स्न 2004 तक के काल को आधुनिक काल कहकर इसका उल्लेख करेंगे। इसका यह विभाजन इतिहास के आधार पर नहीं है। इसे हम मात्र विश्वकर्मा जाति के गोम शासन सुगम अध्ययन की दृष्टि से ही विभाजित कर रहे हैं।

1. सिकन्दर और विश्वकर्मा जाति

यूनानी लेखकों ने सिकन्दर के आक्रमण के समय तेइस भारतीय गणराज्यों का उल्लेख किया है। उनके अनुसार कथ्यान कठ या काठिक ओस्सोडिआई

उसने दिया बौसिको नीज मनु वंश लोहार भारत की सबसे अधिक शक्तिशाली जाति थी। यह लाहौर और अमृतसर के जिलों से घिरे क्षेत्र में फेली हुई थी। इनकी राजधानी सरगल साम्रल थी। ये वही लोग थे जिन्हें विश्वकर्मा मनु वंश के कश्यप गोम शाशन तथा भारद्वाज गोम शाशन में उल्लेख किया है।

सिकन्दर आक्रमण के समय भारत में कुल 23 गणराज्य 'अस्पेसियन, गुरेइअन, अस्से के नोज (अश्वक), नीसा, प्यूकेलाटिस (पुष्कलावती), तक्षशिला, अरसेक्स (उरसा या हजारा), अभिसार (कश्मीर का पश्चिमोत्तर भाग, पुरूराज (झेलम तथा चिनाब नदियों के बीच), ग्लौग निकाई, गैण्डरिस अड्रेस्टाई, कथ्यान (कठ या काठिक), सौभूमि, फेगलस, सिवोई (शिव), छुद्रक, मालव, अम्बष्ठ जेवाई, ओस्सोडिआई, मौसिकेनोज, पैटलीन थे। इन तेइस गणराज्यों में तक्षशिला, परूराज, जेवाई आदि दो-तीन गणराज्य मात्र क्षत्री थे। शेष शूद्र जाति से सम्बन्धित गणराज्य थे। महत्त्वाकांक्षी सिकन्दर ने वैक्ट्रिया के विजय के बाद ई. पूर्व 327 में हिन्दुकुश को पार कर कोही दामन (Kohii-Daman) की घाटी में प्रवेश किया। उसने अपने सेनापति पर्डिकस को पर्याप्त सैन्यबल के साथ खैबर दर्रे से सिन्धु नदी तक सीधे पहुँचने का आदेश दिया। मार्ग में शूद्र गणराज्य पुष्कलावती के राजा 'हस्ती' से उसका घोर युद्ध हुआ। राजा हस्ती ने तीस दिन तक यूनानियों का बड़ी बहादुरी से सामना किया। अन्त में लड़ते हुए वह वीरगति को प्राप्त हुआ। इस युद्ध में सिकन्दर की मदद महाराज आम्भी ने की थी। देश की कायरता का प्रतीक क्षत्रिय राजा 'आम्भी' 200 रजत मुद्रायें, 3090 पुष्ट वृषभ (बैल), 1000 भेंड़ें और 30 हाथी तथा 700 अश्वारोही व कुछ मित्रों के साथ सैन्यरहित होकर सिकन्दर के पास गया। दीनतापूर्वक उसकी अधीनता स्वीकार की।

आम्भी को अपना साथी बनाने के बाद सिकन्दर ने क्षत्रिय राजा पोरस पर हमला किया। उसके लड़के को मौत के घाट उतारा। पुरू को जीतकर उसे जीवनदान देते हुए सिकन्दर आगे बढ़ा। रावी को पार करने के बाद सिकन्दर के सामने कठोरिया (कंथु) जाति के लोग खड़े मिले। यह वही जाति है जिसे यूनानी इतिहासकारों ने सरगला कठेरिया कंथुक्रधारी सरगुला (कोडिना) कहा है किन्तु यह आज की विश्वकर्मा जाति ही थी। इन्हें कही कंथु कहीं कठोरिया कहीं काटर, कहीं कोथला, कोथला भी इतिहासकारों ने लिखा है। इसी प्रकार भारत कठोरिया, काठर, कोथला को दिया कठारी में

कई प्राचीन जातियाँ ऐसी है जिनके कई-कई नाम इतिहास में पाये जाते है, जैसे- लिच्छवी, लोहार, बढई, कुम्हार, अहीर आदि। लिच्छवी के लिए लिच्छवी, लेछवीलेछी, निच्छवी, निछवी, नेच्छवी; अहीर आदि के लिए लोहार, बढ़ई, सोनार; आभीर ग्वाला आदि के नाम प्राचीन इतिहास में मिलता है।

इतिहासकार विद्याधर महाजन ने अपनी पुस्तक प्राचीन भारत का इतिहास "ANCIENT INDIA" आठवें संस्करण में लिखा है-'सिकन्दर ने अकेसिन्जु या चनाब जिसे चिनाब भी कहा जाता है पार किया। चिनाब तथा रावी नदी के बीच के प्रदेशों में रहने वाली जातियों को विजय किया। राबी को पार करके उसने 'कथेयोई' जाति पर विजय पाने की तैयारी की। कथेयोई तथा कथा जाति अपने साहब के लिए सर्वप्रसिद्ध थी। घमासान युद्ध के पश्चात् उनकी राजधानी 'संगला' पर सिकन्दर ने अधिकार कर लिया। इस युद्ध में 17,000 व्यक्ति मारे गये और 70,000 बन्दी बना लिये गये। सौभूति आदि पड़ोसी नगरों में आतंक की लहर दौड़ गई और उन्होंने बिना अधिक विरोध के सिकन्दर के सामने आत्मसर्मण कर दिया।

काठिक या कठिक जाति का नाम यूनानी भाषा में कथेयोई, लिखा हुआ पाया जाता है। संस्कृत भाषा में इन्हें कठाः कहा गया है। पालि ग्रंथों में कहीं काठिक, कहीं कठीक मिलता है। आगे चलकर शुंग काल में इस जाति का नाम काठोर या काठिक पाया जाता है। इतिहास के अध्ययन से यह स्पष्ट होता है कि आज की विश्वकर्मा जाति भारत की वही प्राचीन जाति से बनते-बिगड़ते कठ, काठिक, कठोर, कठिक, कथेयोई से गुजरते हुए वर्तमान विश्वकर्मा जाति तक पहुँच गई है। इसका पहला युद्ध सिकन्दर से हुआ। इस जाति के बहादुर लड़ाकुओं ने सिकन्दर को लोहारो द्वारा निर्मित अस्त्र-सस्त्र, बरछी, भाला, तीर कमान से भारत से वापस जाने के लिए विवश किया।

इतिहासकार डॉ. विमलचन्द पाण्डेय ने अपनी पुस्तक 'प्राचीन भारत का राजनीतिक तथा सांस्कृतिक इतिहास', भाग-1 में लिखा है-'रावी को पार करने के पश्चात् सिकन्दर की मुठभेड़ कठों से हुई जो प्रसिद्ध योद्धा थे और जिन्होंने अपनी राजधानी संगल की रक्षा हेतु अनेक मित्रों की सहायता प्राप्त कर ली थी। अधृष्ठ (Adraisati) लोगों ने सिकन्दर की अधीनता स्वीकार कर ली थी। किन्तु कठों ने नीति और वीरता से सिकन्दर का जमकर

सामना किया। यहाँ तक कि सिकन्दर के अश्वारोही वहाँ पर निष्फल से होने लगे। सिकन्दर ने अन्त में पदाति (पैदल) सेना की सहायता से बड़ी कठिनाई एवं घोर संग्राम के बाद इन भारतीयों को नगर की दीवालों में शरण लेने के लिए विवश किया। इसी समय पोरस भी 5000 भारतीय सैन्य तथा अनेक हाथियों के साथ आ पहुँचा। सिकन्दर ने नगर को घेर लिया। रात में कठिकों ने एक झील के द्वारा भागने का निश्चय किया। सिकन्दर को परिज्ञात हो गया और उसने छापा मारकर बहुतों को मौत के घाट उतार दिया। नगर धराशायी कर दिया गया। कठों के ऊपर विजय सिकन्दर को बहुत महँगी पड़ी क्योंकि ग्रीक लेखकों के वर्णनों से भी यह ज्ञात होता है कि इस युद्ध में असामान्य रूप से यूनानी मरे और आहत हुए।"

ग्रीक लेखक अरियन ने लिखा है कि-'कठिक कस्याना कत्यायन जाति के लोग युद्ध-कौशल में उन दिनों काफी प्रसिद्ध थे। इन लोगों ने (कठों ने) प्रारम्भ में अपने अन्य पड़ोसी जातियों के साथ संघ बनाकर सिकन्दर का सामना करना चाहा था। इन्हीं के पड़ोस में व्यास नदी पर छुद्रक और राबी की निचली घाटी में मालवों के संघ राज्य थे। किन्तु दुर्भाग्य था कि मालवों और छुद्रकों के पहुँचने के पहले ही सिकन्दर ने सांडल पर हमला कर दिया। फिर भी कठिकों से कुछ दूसरी अन्य छोटी-छोटी जातियाँ मिल ही गई। सांडल में कठों द्वारा एक बुद्धित्तापूर्ण व्यूह रचना की गयी। सिकन्दर के सिपाही सांडल राजनगर के इस व्यूह से घबरा उठे। व्यूह में सिकन्दर बुरी तरह फँस गया। इसी बीच पुरू सिकन्दर की सहायता के लिए आ पहुँचा। दुर्ग के चारों ओर झील में बड़े-बड़े वृक्ष काटकर डाल दिये गये। बड़ी मुश्किल से इस प्रकार सांगल दुर्ग पर सिकन्दर का अधिकार हुआ। दुर्ग तो मिट्टी में मिला दिया गया किन्तु कठिक, कस्यान, कत्यायन, कठोरिया कंथु असनोडियों और पार्श्विर्यों के भयानक मोर्चे और युद्ध से सिकन्दर की सेना के छक्के छूट गये और वे हताश हो उठे।'

ग्रीक इतिहासकारों ने आगे लिखा है कि व्यास या हाइफेसिस पहुँच कर सिकन्दर की सेनाओं ने आगे बढ़ने से इनकार कर दिया। सिकन्दर ने अपने सैनिकों से अत्यन्त हृदय द्रावक शब्दों में प्रार्थना की लेकिन सैनिकों पर इसका कोई प्रभाव न पड़ा। यूनानी सैनिक आगे बढ़ने के लिए तैयार नहीं हुए। यह 'कठिकों' कस्यानो कत्यायनो कठीरियों कंथुओं आसनोडियों द्वारा किये गये उग्र विरोध और भयंकर युद्ध का परिणाम था। सिकन्दर; जिसके इशारे पर उसके अनुयायी यूनान से इतनी दूर भारत तक चलते चले आये थे

आगे बढ़ने से एकदम इनकार कर दिया। सिकन्दर की लाख कोशिशें बेकार हुई। वह अपने टूटे और हतास सैनिकों के मन में उत्साह नहीं भर सका। अन्त में उसने हिम्मत हार कर बैठी अपनी सेना को उत्साह दिलाने के लिए अकेले ही चल पड़ा। चलते समय उसके मुख से सैनिकों के लिए निकले मार्मिक शब्द आज भी इतिहास में अमर है-'डाल दो मुझे गरजती हुई नदियों के खतरे में ...क्रुद्ध हाथियों की, दया पर...और इन क्रूर कर्मी हिंसक छोड़ दो मुझे दुश्मनों के जातियों (काठिक और पार्श्वियों) कास्यायनो कत्यानो कठोरियों कंथुओ आसनोडिया के औदार्य पर... जिनके नाम अब तुम्हें भयभीत करते हैं...मैं ढूँढ़ लूँगा ऐसे वीरों को जो मेरा अनुशरण करेंगे।' सिकन्दर के हताश सैनिक उसके ये शब्द सुनते रहे। फिर भी काठिकों, कस्यानों, कत्यायनो, कठोरियों, कंथुओ, आसानोडियों द्वारा आहत की गई इस यूनानी सेना पर ये शब्द जरा भी असर न कर सके।

अन्त में सिकन्दर का सेनापति कोयनस, जिसने पोरस के विरूद्ध युद्ध किया था-ने उत्तर देते हुए सिकन्दर को समझाया-'जब वैस्सालियन (Th salians) और युद्ध करने के योग्य न रहे तो आपने उन्हें वापस घर भेज दिया...शेष यूनानियों में से कुछ उन नगरों में बस गये हैं, जिनकी आपने स्थापना की...बाकी लोग हमारे साथ कठिनाइयों का सामना कर रहे हैं... उन्होंने और मकदूनियाँ की सेना ने काठिकों, कास्यानो, कत्यायनो, कठोरियों, कंथुओं, आसनोडियों से युद्ध में बहुत से प्रिय सैनिक खो दिये हैं... कई घावों के कारण अयोग्य हो गये हैं... बहुत से यूनानियों को एशिया के विभिन्न भागों में छोड़ दिया गया है... अधिकांश बीमारी के शिकार हो गये हैं... इतनी बड़ी सेना में बहुत थोड़े सैनिक बच रहे हैं और उनका भी पहले की तरह वह शारीरिक बल नहीं रह गया है... सबकी आत्मायें खिन्न है... आप स्वयं देख लीजिए हमारे साथ कितने मकदूनियन और यूनानी आये थे और अब कितने बच गये हैं...। हे सम्राट! सफलता के उमड़ते हुए समुद्र में संयम एक उत्तम गुण है... इतनी बड़ी सेना के नेता होकर किसी मानवीय शत्रु से डरने की आवश्यकता नहीं... लेकिन ईश्वर की क्रोधाग्नि को कोई नहीं जानता... और इससे बचना मनुष्य के लिए सम्भव नहीं है। 'कोयनस के भाषण का सभी यूनानी सैनिकों ने जोरदार समर्थन किया। परिस्थितियों के अधीन सिकन्दर ने 326 ई. पू. सैनिकों को यूनान लौटने का आदेश दे दिया।

इस प्रकार हम देखते है कि 'काठिक, कास्यान, कत्याय, कठोरियों, कंथुओं, आसनोडियों जाति ने सिकन्दर के सैनिक के मन में इतना भय पैदा कर दिया कि सिकन्दर को वापस लौटना पड़ा। यह जाति बहादुर थी। हिंसक और वधिक थी। युद्धप्रेमी थी। इन्हें युद्धकला और युद्ध में विशेष व्यूह रचना का पूरा तर्जुबा था। इस जाति के लोगों ने सिकन्दर से आमने-सामने युद्ध करके इतिहास को नया मोड़ दे दिया। लेखक इस पुस्तक के पिछले अध्याय में लिख चुका है कि भारतीय इतिहासकारों ने प्राचीन भारत के इतिहास लेखन में भारी पक्षतापूर्ण रवैया अख्तियार किया है। शुद्र कहे जाने वाले लोगों की गम्भीर उपेक्षा की है। उदाहरण सामने हैं।

मस्सग शुद्र गणराज्य था। इन्होंने चार दिन तक बड़ी भयंकर लड़ाई लड़ी, हारकर सिकन्दर ने युद्ध विराम कर उनके शर्तो पर सन्धि की। जब वे वापस अपने घर जाने लगे तो सिकन्दर ने निर्दयतापूर्वक मस्सगो पर पीछे से हमला किया। अधिकांश को मौत के घाट उतार दिया। सिकन्दर के इस कलंकित कारनामे पर भारतीय इतिहासकारों की कलम रूक गई। क्योंकि ये शुद्र थे। स्वात की घाटी में वजीरा, ओरा, पुष्कलावती के शुद्र सैनिकों ने सिकन्दर के छक्के छुड़ाये पर भारतीय इतिहास लेखक मौन रहे। ग्रीक इतिहासकार 'डियोडोरस' प्लूटार्क ने सिकन्दर के इस हृदयहीन कार्यो की निन्दा करते हुए लिखा-। Alexader's conduct on the occasion was a foul blot on his martial fame.

तक्षशिला का राजा आम्भी अत्यन्त शर्मनाक ढंग से सिकन्दर से बिना लड़े ही शरणागत हो गया। महाराज पुरू ने सिकन्दर का मुकाबला किया और पहले ही मुकाबले में पराजित हुए। उनके पुत्र को मार डाला गया पर उन्हें भारतीय इतिहासकारों ने एक बहादुर क्षत्रिय राजा की उपाधि दी क्योंकि पुरू को बन्दी बनाकर सिकन्दर ने पूछा-'तुम्हारे साथ कैसा बर्ताव होना चाहिए?' पुरू ने कहा 'जैसा एक जीता हुआ राजा एक हारे राजा के साथ करता है।'

सोचने की बात है-एक हारा हुआ या रणभूमि में पराजित राजा और कह ही क्या सकता है। बहादुर तो भारतीय इतिहास में मस्सग, काठिक, कास्यान, कत्याय, कठोरियों, कंथुओं, असनोडियों, अलगस्सोई, मालव, छुद्रक, अम्बष्ठ और वसाति आदि थे जिन्होंने खण्ड-खण्ड होकर भी हिम्मत नहीं

हारी। टूट-टूटकर भी अपनी जन्मभूमि की रक्षा के लिए लड़ते रहे। अपने प्राणों की बली तलवारों की धार पर देते रहे। इनमें काठिक जाति का भी अद्भुत योगदान है। ये काठिक, कठोरी, कास्यान, कत्याय, कठोरी, कंथुओं, आसनोडिया, मनु वंश के है। अस्त्रशस्त्र निर्माण व संचालक मे दक्ष व प्रवीण थे जो आज के विश्वकर्मा वंश में हैं। आज भी उनमें अपना पैतृक गुण मौजूद है। इनको भी अपनी मातृभूमि भारत से अत्यन्त लगाव है। मातृभूमि की रक्षा के लिए इनमें भी अपने प्राणों को उत्सर्ग करने की क्षमता है। विश्वकर्मा जाति के लोगों का यह भारत है। इस जाति के लोगों ने मातृभूमि की रक्षा हेतु सांगल, सॉडल में सिकन्दर से आमने-सामने लड़कर सिद्ध कर दिया कि मातृभूमि के लिए वे सचेत है। काश! ऐन वक्त पर कायर और देश का विभीषण पोरस पहुँच कर कठिकों, कास्यानों, कत्यायों कठोरियों, कंथुओं, आसनोडियों के विरूद्ध सिकन्दर को मदद न पहुँचाया होता तो आज भारत और यूनान का इतिहास ही कुछ और होता। सिकन्दर मारा गया होता। मातृभूमि की ओर किसी विदेशी की आँख उठाने की जुर्रत न होती। लेकिन पोरस ने और आम्भी ऐसे कायर क्षत्रियों ने दुश्मन को सहायता पहुँचा कर भी हानि पहुँचाई। खेद है कि हमारे इतिहास लेखकों ने उन्हीं कायरों को देश का नायक कहा और देश के आन-बान और शान रखने वाले वीरों का उल्लेख तक नहीं किया क्योंकि वे शुद्र थे।

2. महमूद गजनवी और विश्वकर्मा जाति

महमूद गजनवी को इस्लाम का योद्धा माना जाता है। प्रायः यह कहा जाता है कि वह भारी धार्मिक कट्टरता का पक्षपाती था। वह सारे धर्मों को मिटाकर केवल 'इस्लाम' को दुनिया में प्रतिस्थापित करना चाहता था। लेकिन यदि गहराई से देखा जाय तो यह प्रतीत होता है कि उसके सम्बन्ध में यह धारणा सही नहीं है। वास्तव में महमूद एक मूर्तिभंजक आक्रमणकारी था। उसने भारत-भूमि पर सत्रह बार आक्रमण किया। उसके इन आक्रमणों का उद्देश्य मध्य एशिया में एक विशाल इस्लाम साम्राज्य स्थापित करने के लिए धन जुटाना था।

प्राचीनकाल से ही भारत में मन्दिर हिन्दुओं के सामाजिक तथा आर्थिक गतिविधियों के केन्द्र रहे हैं। मूर्तियों के साथ-साथ इन्हीं मन्दिरों में सोना, चाँदी, हीरा, जवाहरात और राज्य का खजाना आदि रखा जाता था। महमूद

गजनवी इन मन्दिरों के इस ऐश्वर्य के प्रति पहले से ही काफी कुछ सुन लिया था। यही कारण था कि उसने मन्दिरों की ओर आक्रमण का विचार किया। सन् 1000 और 1026 के बीच महमूद ने भारत पर सत्रह बार आक्रमण किया। महमूद के कुछ प्रमुख आक्रमण को देखा जाय तो उसकी मंशा स्पष्ट प्रतीत होती है। पंजाब में जयपाल और आनन्दपाल मुल्तान और भटिंडा के प्रमुख हिन्दूशाही राजा थे। महमूद ने स्न 1004 ई. में इन पर भयंकर आक्रमण किया। छोटे-छोटे अनेक मन्दिरों और शाही महलों में भयंकर लूटपाट तथा खौफनाक कत्लेआम किया। नारायणपुर पर सन् 1009 ई. में ; थानेश्वर पर 1014 ई. में, कन्नौज पर 1018 ई. में, मथुरा पर 1029 ई. में, कालिंजर पर सन् 1019 ई. में दुबारा-तिबारा सन् 1022 ई. तथा सन् 1023 ई. में महमूद ने भयंकर आक्रमण किये। यह पहले ही हम लिख आये हैं कि महमूद के ये आक्रमण राजसत्ता नहीं बल्कि मात्र धन के लूट की घटनायें हैं। इन्हीं दिनों सोमनाथ का मन्दिर अपनी अपार सम्पत्ति के लिए पूरे भारत में प्रसिद्ध था। महमूद ने सन् 1024 ई. तथा 1026 ई. में इस मन्दिर पर अत्यन्त खौफनाक आक्रमण किया। भारी कत्लेआम हुआ।

महमूद के इस आक्रमण काल में हिन्दुओं की वर्ण-व्यवस्था अपनी चरम सीमा पर थी। जाति व्यवस्था ने समाज को आधारहीन तथा खोखला बना दिया था, छुआछूत की भावना के कारण समाज की दशा अत्यन्त गिरी, शोचनीय तथा दयनीय हो चुकी थी। इतिहासकार अलबरूनी के अनुसार यदि कोई हिन्दू दुर्भाग्यवश किसी मुसलमान का केदी बन जाता था तो उसे हिन्दू समाज कभी वापस नहीं लेता था। हिन्दू खासकर ब्राह्मण यह नहीं चाहते थे कि किसी अपवित्र को फिर से पवित्र किया जाय। चाहे वह पहले ब्राह्मण ही क्यों न रहा हो? यह बड़ी ही विकट परिस्थिति थी।

हिन्दू धर्म की यह कट्टरता समाज के एक बहुत बड़े वर्ग को एक पीड़ा अन्दर ही अन्दर पहुँचा रही थी। सम्भवतः इसी परिप्रेक्ष्य में शैव धर्म का भारत में प्रादुर्भाव हुआ। शैव सम्प्रदाय के लोग इतना ज्यादा कट्टर नहीं थे। शैव सम्प्रदाय के ग्रन्थ 'आगाम' के अध्ययन से पता चलता है कि इसमें जाति का कोई बहुत बड़ा बंधन नहीं था। इस सम्प्रदाय की पाई गई मूर्तियों के अध्ययन से भी यह स्पष्ट होता है। कि शैव धर्म तत्कालीन समाज में इसी कारण कुछ दिनों तक काफी लोकप्रिय रहा। काठियावाड़ में शिव की

कुछ ऐसी मूर्तियाँ मिली हैं। जिनमें यही भावना झलकती है कि-सर्व जगत और सभी प्राणियों का कर्ताधर्ता नियन्ता एक ही शिव है। इस शिव के भिन्न-भिन्न स्वरूप है। कहीं-कहीं शिव की विशाल जटाधारी त्रिमूर्ति पाई गई है। इसके छः हाथ, जटा सहित तीन सिर और तीन मुख हैं। जिनमें एक रोता हुआ चेहरा, रूद्र का प्रतीक है। उसके बीच के दो हाथों में से एक में विजौरा, दूसरे में भाला, दाहिनी ओर के दो हाथों में से एक में सूर्य, दूसरे में खप्पर और बायीं ओर के दो हाथों में से एक में दंड, दूसरे में ढाल जैसी कोई वस्तु है। कुछ स्थानों जैसे चितौड़, धारापुर, केवई आदि की मूर्तियाँ छोटे स्तम्भ की आकृति की गोल लिंग के रूप में और चारों ओर उसमें चार मुख सूर्य, ब्रह्मा, रूद्र और विष्णु के प्रतीक हैं। इन मूर्तियों में कट्टरता और संकीर्णता का भाव कहीं नहीं है।

हम यहीं अत्यन्त संक्षिप्त रूप में शैव सम्प्रदाय के उदय के सम्बन्ध में एक ऐतिहासिक कहानी का भी वर्णन करना चाहेंगे। यह कहानी सन् 971 में प्राप्त एक शिलालेख में अंकित है-'एक बार भृगु को विष्णु ने श्राप दिया। भृगु ने शिव की घोर आराधना की। वे प्रसन्न हुए। उन्होंने सबके प्रति समभाव बरतने का संदेश दिया।'- काठियावाड़ क्षेत्र में भगवान शंकर की पूजा का बहुत बड़ा महत्त्व रहा है। महमूद गजनवी द्वारा लूटे और तोड़े जाने वाले सोमनाथ की मन्दिर से विश्वकर्मा जाति का बहुत बड़ा सम्बन्ध रहा है। इस स्थल पर हम कुछ ऐतिहासिक तथ्यों का उल्लेख करेंगे।

सोमनाथ ज्योतिर्लिंग की स्थापना गुजरात में सम्भवतः वल्लभी वंश के राजाओं ने पाँचवी या छठीं शताब्दी में की होगी। चन्द्रगुप्त (ई. सन् 410), कुमारगुप्त (ई. सन् 416), स्कन्दगुप्त (ई. सन् 456) इन तीनों राजाओं के अतिरिक्त और दूसरा गुप्त राजा गुजरात में उल्लिखित नहीं है। भाँट और चारणों के कथनानुसार ईस्वी सन् 470 में स्कन्दगुप्त का स्वर्गवास हुआ। उसके सेनापति मैतृक वंशी भट्टारक ने गुजरात में एक स्वतंत्र राजवंश की नींव डाली। इसी पुरूष ने गुजरात में बल्लभी नगर बसाया। यह शिव का बहुत बड़ा उपासक था। शैव धर्म के प्रति उसकी अपनी बहुत बड़ी भक्ति और आस्था थी। उसने अपने सिक्कों और ताम्रपत्रों पर शिव तथा नन्दी की प्रतिमा अंकित करवायी थी। इन प्रमाणों से साबित होता है कि सोमनाथ के मन्दिर का निर्माण सर्वप्रथम इसी राजा ने किया होगा। आज सौराष्ट्र के

गाँव-देहातों में घर-घर रमते योगी लोग एक गीत गाते हैं, जिसका अर्थ है कि सौराष्ट्र में पाँच रत्न है-घोड़ा, नदी, स्त्री, सोमनाथ और हरि का निवास। इसमें सबसे अधिक प्रसिद्ध सोमनाथ का महालय है। सोमनाथ का यह महालय दक्षिणी काठियावाड़ के समुद्र तट पर स्थित है। आज इस क्षेत्र को काठियावाड़ कहते हैं। पहले इसे सौराष्ट्र कहा जाता था; सौराष्ट्र का अर्थ-उत्तम राष्ट्र और 'सौर राष्ट्र' का अर्थ है सूर्य का प्रदेश।

सोमनाथ महालय की भारत के बारह ज्योतिर्लिंगों में गणना है। इस महालय के चारों तरफ एक सुन्दर प्राचीर थी। अनेकों बार क्रूर आक्रान्ताओं ने अपने आक्रमणों से इस प्राचीर को तोड़ा। अग्नि ज्वालाओं से इसे भस्म किया। परन्तु कहा जाता है कि उनके पीठ फेरते ही उसी भस्म से फिर नवीन देवालय और प्राचीरों का उदय हुआ। इन सारे आक्रमणों में सबसे प्रबल आक्रमण 1025 में महमूद गजनवी का हुआ। इन पंक्तियों के लेखक ने वर्ष 1983, 1996 में इस पवित्र महालय सोमनाथ का अवलोकन किया। वास्तव में आज पाटन नगर अपना प्राचीन वैभव और ध्वस्त खण्डहरों का अवशेष रहकर अपने ऊपर किये गये अत्याचारों का मूक साक्षी बनकर खड़ा है। सोमनाथ के प्राचीन वैभव के खण्डहरों के साथ यहाँ एक जामा मस्जिद भी है जो यहाँ के प्राचीन सूर्य मन्दिर पार्श्वनाथ मंदिर, कोठार, शस्त्रागार तथा पूर्वी-पश्चिमी द्वारों को तोड़कर उन्हीं के सामानों से सूर्य मंदिर के स्थान पर बनाई गई है। इसी प्रकार नगर की मायापुरी मस्जिद और एक मकबरा भी मन्दिरों को तोड़कर उसी सामानों से बनाया गया है।

मूर्तिभंजक महमूद गजनवी अपनी भारी सेना लेकर सन् 1015 ई. में गजनी से चलकर मुल्तान और अजमेर के पाटन आया। पन्द्रहवीं सदी में लिखी गई 'रोजल-उस-सफा' के अनुसार-'सोमनाथ एक बुत का नाम है, जिसे हिन्दू लोग सब बुतों का मालिक मानते हैं। 'इतिहासकारों के अनुसार सोमनाथ समुद्र तट पर स्थित देवालय में प्रतिष्ठित एक मूर्ति थी। इस मूर्ति की हिन्दू पूजा करते थे। हिन्दुओं का यह भी विश्वास था कि मृत्यु के बाद शरीर से आत्मा निकलकर सोमनाथ के पास आती हैं और फिर वहाँ से आज्ञा लेकर नये-नये शरीरों में प्रवेश करती हैं। समुद्र का ज्वार-भाटा सोमनाथ की पूजा करता है। मन्दिर की पूजा खर्चे हेतु 1000 गाँव मन्दिर को भेंट थे। इसमें इतनी रत्न-राशि एकत्रित थी कि इसका दशांश भी किसी राजा के कोष में न होगा। दो हजार ब्राह्मण मूर्ति की सेवा करते थे। दो सौ मन की सोने की जंजीर में घंटा लटका रहता था। तीन सौ नाई और पाँच सौ नृत्य

कुमारियाँ और तीन सौ वाद्य बजाने वाले यहाँ रहते थे। इन सबका व्यय यात्रियों द्वारा दिये गये योग दान व भेंट से चलता था।

सोमनाथ के इस विशाल वैभव को लूटने के लिए महमूद ने विशाल सेना लेकर चढ़ाई की। इतिहासकार फरिस्ता लिखता है कि महमूद के इस आक्रमण का राजपूती और शिल्पी सेना ने डटकर मुकाबला किया। आमने-सामने बहुत भयानक युद्ध हुआ। मुस्लिम अश्वबल विद्युत शक्ति से क्षत्रिय व शिल्पी सेना का दमन कर रहे थे। हिन्दू सेनानी तोपों का आविष्कार होने के बावजूद भी हाथी पर ही जमे बैठे रहकर युद्ध करना उचित समझे और मुस्लिम सेना का मुकाबला किया। हजारों क्षत्रियों, राजपूतों, शिल्पकारों ने अपनी गर्दन कटा दी पर महमूद की फौज ने प्राचीरों को ध्वस्त ही करके दम लिया। केप्टन विलबर फोर्स और पार्वस ने काठिक, कस्यान, कत्याय, कठोरी, कंथुओं, आसनोडियों, जाति का वर्णन करते हुए लिखा है कि सोमनाथ मन्दिर क्षेत्र के बाहरी सीमा के दक्षिण क्षेत्र में इन लोगों की बहुत बड़ी-बड़ी अनेक बस्तियाँ थी। ये बहुत ही बीर, लड़ाकू तथा युद्धप्रेमी, अस्त्र-शस्त्र निर्माता थे। इन्हें भगवान शिव यानी सोमनाथ से काफी लगाव था।

बाम्बे गजेटियर की 'काठियावाड़ा' नाम की आठवीं पुस्तक और केप्टन एच. विलफोर्स बैल कृत 'हिस्ट्री ऑफ काठियावाड़' के अनुसार यह वही काठिक, शिल्पी जाति थी जिसने सौराष्ट्र का नाम बदलकर 'काठियावड़ा' यानी अपनी जाति के नाम पर कर लिया था। यूरोपियन लेखक Cousens ने मन्दिर और कठ, कस्यान, कत्याय, कंथु, आसनोडि जाति के लोगों का वर्णन करते हुए लिखा है कि मन्दिर हिन्दुओं की पवित्रता का प्रतीक बन चुका था। इसमें शूद्र के रूप में जानी जाती थी। मन्दिर या देवालय में इनके दर्शन का रास्ता दूसरा था। प्राचीर के सटे ऊँचा चबूतरा था। महमूद गजनवी जब अपनी भारी सेना लेकर मन्दिर के बाहर युद्ध कर रहा था तो काठिक लोगों ने मन्दिर के तीन सौ ससे अधिक नापितों और लगभग उतने ही दुंदुभी बजाने वाले मृदंगचियों को लेकर विशालकाय चबूतरे पर खड़े होकर एक अलग से मोर्चा बना लिया।

मुस्लिम सेना का दबाव बढ़ता गया और जब प्राचीरें ध्वस्त हो गई, राजपूत सैनिक काट डाले गये तो मोर्चा काठिक, कस्यान, कस्यान, कंथू, आसनौडि नापितों और मृदंगचियों ने सम्हाल लिया। भयंकर घोर युद्ध हुआ। महमूद की सेना दहशतगर्द होकर इधर-उधर होने लगी। तीर, झलुवा, बर्छे

और भाले के सीधे प्रहार से कोलाहल मच गया। मन्दिर के अन्दर बने विशालकाय खम्भे की आड़ से जब काठिक, कस्यान, कत्याय, कंथु, असनौडि लोगों ने मुस्लिम सेना पर सीधा प्रहार किया तो मुसलमान सैनिक घबरा उठे। महमूद की सेना में भगदड़ मच गई। एक पर एक नरमुण्ड गिरने लगे। जगह की संकीर्णता को देखकर काठिक व अन्य शास्त्रधारी, शिल्पी लोग थोड़ा मन्दिर के अन्दरूनी हिस्सो में भी फेल कर लड़ना चाहा तो मन्दिर के बाह्मण अप्रसन्न हो उठे। नापितों और मृदंगचियरे के समझाने के बावजूद भी महालय की पवित्रतता के विचार से काठिक व शिल्पी सैनिकों को दूर से ही लड़ने को कहा गया। परिणामस्वरूप काठिक व शिल्पी सेना अपमान का घूँट पीकर हटने लगी। महमूद के सैनिक फिर जम गये।

हिन्दुओं की घृणित वर्ण-व्यवस्था, जाति-पांति की घृणा और विभेदकारी नीती ने फिर अपने ही लोगों को अपने ही देवता और देवालय की रक्षा से हटा दिया। बहादुर काठिक व शिल्पीयों के हटते ही मुसलमान सैनिक मन्दिर में घुस गये। चार हजार ब्राह्मण मन्दिर के अन्दर प्रांगण में कत्ल कर दिये गये। लगभग 50 हजार हिन्दू मन्दिर के प्रांगण के बाहर कत्ल किये गये। इतिहास लेखक 'अलबरूनी' महमूद के दरबार में रहा। इस आक्रमण के समय वह महमूद के साथ था। अपनी तवारिखे-हिन्द में उसने लिखा है-'मूर्ति को शाह महमूद ने 416 हिजरी में तोड़ा। खुद उस पर रहम करे। उसने मूर्ति के ऊपरी भाग को चूर-चूर कर डाला। नीचे के भाग को उसके शृंगार, आभूषण और वस्त्रों सहित ले जाने का हुक्म दिया। उसने मूर्ति के एक भाग को चक्रस्वामिन की मूर्ति के साथ, जिसे वह थानेश्वर से लाया था-गजनवी के चौराहे पर फिकवा दिया। मूर्ति का दूसरा भाग गजनवी के मस्जिद के द्वार के आगे लगवा दिया। जिस पर लोग अपने पैरों की धूल और कीचड़ मस्जिद में प्रवेश के पहले पोंछते है।'

सोमनाथ मन्दिर 56 खम्भों पर टिका हुआ था। प्रत्येक खम्भा मुक्ता, मणियों, मोतियों बेशकीमती हीरों, जवाहरातों और बहुमूल्य पत्थरों से सुसज्जित था। काठिक व शिल्पकार इन्हीं खम्भों की आड़ से अपनी जान हथेली पर लेकर लड़े थे। मन्दिर प्रांगण और उससे सटे विशालकाय आंगन से वे और लड़ना चाहते थे पर उन्हें शूद्र और नीच कहकर हटा दिया गया। महमूद के मूस्लिम सिपाहीयों ने इसी स्थान पर ब्राह्मण पुजारियों का कत्ल किया। खम्भों में लगी रत्न राशि लूट ली। महमूद मन्दिर के द्वार को जो चाँदी, सोने और चन्दन से बना था तुड़वाकर गजनी ले गया।

इसमें सन्देह नहीं कि यदि सोमनाथ के पुजारियों द्वारा काठिक अथवा आज की शिल्पकार जाति को अछूत कहकर अपमानित न किया गया होता तो मन्दिर की यह दुर्दशा न हुई होती। इतना भयंकर नरसंहार या रक्तपात न हुआ होता। यह हिन्दू व्यवस्था की देन थी। हिन्दू ऊँच-नीच, छुआछूत, घृणा और तिरस्कार की व्यवस्था के बीच बँटे हुए थे। मुसलमान एक थे। उनमें अपनी एकता का जुनून था। वे ईरान, ग्रीस, स्पेन, चीन और भारत की किसी संस्कृति से प्रभावित नहीं हुए। किसी भी देश की संस्कृति या भाषा उन्हें अपनी ओर खींच नहीं सकी। उनके सामने एकेश्वरवाद, मुहम्मद साहब की पैगम्बरी, कुरान का महत्त्व, बहिस्त और दोजख के कड़े सिद्धान्त ऐसे थे कि कहीं की भी संस्कृति नहीं प्रभावित कर सकी। उनके धर्म में तर्क को कोई स्थान न था। तर्क की जगह वह तलवार पसन्द करते थें। मुसलमान तलवार के बल पर अपनी अद्भूत संस्कृति की वर्षा करते हुए जहाँ-जहाँ गये वहाँ-वहाँ अपनी राजनैतिक सत्ता एवं सांस्कृतिक सत्ता स्थापित करते गए भारत की राजनैतिक सत्ता संयोजक तथा विभाजक द्वन्द्वों से परिपूर्ण थी। संयोजक सत्ता की प्रबलता होने पर मौर्य, गुप्त, वर्धन आदि साम्राज्य सुगठित हुए परन्तु जब विभाजन सत्ता का प्रादुर्भाव हुआ, ऊँच-नीच, जाति-पाति, भेद-भाव की भावना ने जोर पकड़ा तो केन्द्रीय शक्ति खण्ड-खण्ड हो गयी। देश छोटे-छोटे टुकड़ो में बँट गया।

ऐसा शायद ही किसी मुल्क में देखने-सुनने को मिला हो कि देश संकट के सामने जाति-पाति की भावना में अपना सर्वनाश कर दिया हो। किन्तु भारत में ऐसा ही सिकन्दर आक्रमण के समय हुआ। अपने ही देश में अपने ही शत्रुओं से मिलकर अपनें ही योद्धाओं पर घातक हमले किये गये। यवनों, वैक्ट्रियनों, पार्थियाओं के सन्दर्भ में भी यही बात लागू होती है। सेल्यूकस, एष्ट्रयोकस, ड्रायोडोटस प्रथम, ड्रायोडोटस द्वितीय, यूथिडेमस प्रथम, यूक्रेटाइस, हेलियोक्लीस, अपोलोडोटस सभी के साथ यह बात लागू होती है। सोमनाथ पर हमला हुआ, मन्दिर ढहाया जाने लगा। एक बहादुर लड़ाकू शक्तिशाली कौम अपने भगवान की रक्षा के लिए आगे आई। दुश्मन को बहादुरी से खदेड़ने लगी तो उन्हे अछूत समझकर नीचे से ही युद्ध करने के लिए कहा गया इसलिए कि कहीं भगवान सोमनाथ अपवित्र न हो जायँ। कहीं अछूतों या शूद्रों के प्रवेश से महालय की महिमा खण्डित न हो जाय, और फिर जो होना था सो हुआ। साढ़े चार हजार पूरोहित कत्ल कर दिये गये। सैकड़ो भगवान को चढ़ाई गई देवदासियाँ मुस्लिम सैनिको के दुर्भोग

का शिकार हुई। तमाम सैनिक मारे गये। अतुल सेना का संहार हुआ। खुन की नदी बही। देवता का बुरा हाल हुआ।

3. तैमूरलंग और शिल्पकार

यदि कोई व्यक्ति यह प्रश्न करे कि दिल्ली के इतिहास, में सबसे बुरे वे कौन से दिन थे, जिनमें भारत की यह पुरानी राजधानी अपनी तबाही, बर्बदी, हत्या, लूट-मार, बलात्कार, आगजनी और भयंकर सर्वनाश से चित्कार कर उठी हो तो इसका सीधा-सा उत्तर होगा-1897 ई. में तैमूर का आक्रमण। वस्तुतः भारत में तैमूर के आक्रमण ने नादिरशाह को भी मात कर दिया। तैमूर के भयंकर आक्रमण और बर्बर हत्याकाण्ड के मुकाबले नादिरशाह भी बौना लगता है। तैमूर के इस आक्रमण से समस्त उत्तर भारत हिल उठा। नगर के नगर विशाल श्मशान में परिणित हो गये।

सर्वप्रथम नवम्बर 1397 ई. में तैमूरलंग का बेटा शाहजादा पीर मुहम्मद जहाँगीर 30 हजार घुड़सवारों को लेकर सिंध में ऊँचनगर को रौंद डाला। मुल्तान में भयंकर लूट-पाट की। मुल्तान का सूबेदार सारंग खान छः महीने तक आक्रमणकारियों को रोककर उनसे लोहा लेता रहा। उस समय उसका भाई मल्लू इकबाल खान दिल्ली में सेनापति था पर वह यहाँ गृहयुद्ध में बुरी तरह फँसा हुआ था। दिल्ली की सेना आपस में लड़ रही थी। सारंग खान इन्तजार करता रहा पर गृहयुद्ध के आगे दिल्ली से कोई मदद नहीं आई। जब तक शहर में कुत्ते, बिल्ली, चूहे खाने को मिलते रहे तब तक सारंग खान डटा रहा। जब पेड़ की छाल तक मिलनी बन्द हो गई तो वह लाचार हो उठा। उसका रहा-सहा धैर्य टूट गया। इसी बीच अपने बेटे शाहजादा पीर मोहम्मद जहाँगीर की मदद करने के लिए अमीर तैमूरलंग एक लाख तातार सैनिकों को लेकर मुल्तान आ धमका। लंगड़ा तैमूर एक हजार मील पार करके समरकंद से मुल्तान पहुँच गया था पर दिल्ली अब भी सो रही थी।

तैमूर लंग 33 वर्ष की अवस्था में चगताई तुर्को का प्रधान बन गया। उसने एक के बाद एक कई युद्ध किये। सबमें विजय भी प्राप्त की। फारस पर भी तैमूर ने हमला किया। जीत हुई। आस-पास के अन्य दूसरे राज्यों को भी उसने जीत और अपनी शक्ति सुदृढ़ की। साम्राज्य लिप्सा तैमूर को शान्त न बैठने दी। उसने विजयों की झड़ी-सी लगा दी। जिस-जिस देश में गया वहाँ उसने, कत्ल, खून, मृत्यु द्वारा वहाँ की जमीं को श्मशान में बदल

दिया। ईरान, खुरासान, इस्फहान, सीस्तान, मजांद्रान, फारस, इराक, लूरिस्तान, अजरबैजान, एशिया माइनर और बगदाद आदि को जितने के बाद उसने रूष और चीन पर भयानक आक्रमण किया। यहाँ उसने क्रमशः ईसाई और बौद्ध धर्मावलम्बियों का वध करके उनके सिरों की मीनारें खड़ी कीं। रूस में मास्को, चीन में पेकिंग की सड़कों पर तातार सैनिक निरर्थक हत्यायें, कत्लेआम, लूट, आगजनी करते रहे, जिसका मूल्यांकन सर्वनाशी भयंकर दैत्य से कम नहीं रहा।

मानवता के नाम पर कलंक रहे तैमूर की आत्मकथा का मूल ग्रंथ 'मल्फूजात-ए-तैमूरी' है। यह ग्रंथ चगताई तुर्की भाषा में तैमूर के सामने ही उसके शासनकाल 1369-1404 में लिखा गया था। बाद में दिल्ली के सम्राट शाहजहाँ के शाही हुक्म से अबू तालिब हूसैनी ने इसका फारसी में अनुवाद किया। आज भी फारसी अनुवाद की ये पाण्डुलिपियाँ 'रायल एशियाटिक सोसायटी, बंगाल' के पुस्तकालय में सुरक्षित रखी गई है। इस ऐतिहासिक ग्रंथ का पहला अंग्रेजी अनुवाद मेजर स्टीवर्ट ने किया था। ओरियण्टल ट्रांसलेशन फण्ड द्वारा 1830 ई. में यह अनुवाद प्रकाशित हुआ। इसके पश्चात् सर एच. एम. इलियट ने 'द हिस्ट्री ऑफ इण्डिया' के तृतीय खण्ड में एक दूसरा अनुवाद प्रकाशित किया। तैमूर के सामने लिखी गयी पुस्तक मल्फूजात-ए-तैमूरी का अर्थ है-तैमूर का आत्मसंस्मरण या तैमूर की आत्मकथा। इसमें तैमूर ने विभिन्न देशों पर अपनी विजयों और प्राप्त अनुभवों का वर्णन किया है। सर एच. एम. इलियट द्वारा अनूदित मल्फूजात-ए-तैमूरी का अंग्रेजी से हिन्दी रूपान्तर श्री राधेश्याम गोस्वामी ने किया है।

इस हिन्दी अनुवाद के कुछ हिस्से को मैंने 'सरिका पत्रिका सन् 1984 के दो-तीन खण्डों में पढ़ा। पढ़ते ही मेरी रूह काँप उठी किन्तु कुछ ही दिनों के बाद मुझे पता चला कि इसमें खूंखार तैमूरलंग से भिड़ने वाली कस्यान, कत्याय, कंथु, आसनौडी जाति वर्तमान में विश्वकर्मा जाति का ही नाम है तो गर्व से मन आहादित हो उठा। उसी समय (सन् 1984) इत्तेफाक से विश्वकर्मा जाति की उत्पत्ति और उसके विकास का इतिहास लिख रहा था। इसको लिखा गया। किन्तु मन में काफी ऊहापोह रहा कि पत्रिका में छपे एक लेख पर इतना लम्बा निष्कर्ष निकालना उचित नहीं है। उत्तम उत्साहजनक जानकारी मिली। जिसे हम तैमूर के ही शब्दों में यहाँ उद्धत कर रहे हैं। तैमूर कहता है-'मेरे मन में यह इच्छा पैदा हुई कि मैं शीघ्र ही

काफिरों के विरूद्ध एक ज़िहाद (धर्मयुद्ध) शुरू करूँ जिसमें मैं गाज़ी बन सकूँ क्योंकि मैंने अपने कानों से सुना है कि काफिरों को कत्ल करने वाला व्यक्ति गाज़ी कहलाता है। और यदि वह उनके द्वारा ज़िहाद में मारा जाये तो 'शहीद' की पदवी पाता है।... मेरे अमीरों ने मुझे बताया कि हिन्दुस्तान के निवासी काफिर और अविश्वासी नास्तिक है। अतः सर्वशक्तिमान अल्लाह की आज्ञा का पालन करने के लिए मैंने निश्चय किया कि मैं उनके विरुद्ध युद्ध यात्रा करूँ।'

इसके बाद तैमूरलंग ने अपने अमीरों को बुलाया। उससे हिन्दुस्तान के बारे में जानकारी माँगी। तैमूर के सेनापतियों और अमीरों ने बताया कि हिन्दुस्तान की चार रक्षा पंक्तियाँ हैं। इनमें पहली रक्षा पंक्ति के रूप में पाँच बड़ी-बड़ी नदियाँ, दूसरी रक्षा पंक्ति के रूप में दुर्गम जंगल, तीसरी रक्षा पंक्ति में सैनिक शक्ति और खूंखार जातियाँ हैं, चौथी रक्षा पंक्ति के रूप में हाथी हैं। अमीरों ने हर तरह से तैमूर को उकसाया और कहा कि आप इन चारों को तोड़ देंगे। आप के पास एक लाख घुड़सवार तातारों की फौज है। तैमूरलंग के लड़के ने भी तैमूरलंग को हिन्दुस्तान पर आक्रमण करने के लिए कहा और उसे बताया कि हिन्दुस्तान की जमीन में सोना, चाँदी, हीरा, लाल, पन्ना, पुखराज, रांगा, टिन, लोहा, इस्पात, ताँबा, पारा आदि अनेक बेशकीमती धातुएँ हैं। इन पर अधिकार करना हमारा धर्म है। तैमूर ने आशिर्वाद लेने के लिए हजरत शेष जैनलाब्दीन को पत्र लिखा। उन्होंने तैमूर को सफल होने का आशिर्वाद दिया।

तैमूर के वजीर ने तैमूर को बताया कि हिन्दुस्तान का सारा राजस्व छः अरब है। हम आसानी से हिन्दुस्तान जीत सकते हैं। उसके उलमाओं ने भी कहा कि इस्लाम प्रेमी सुल्तान का यह कर्तव्य है कि वह-'सलाइलाह इल्लिल्लाह मुहम्मदुर्रसुलिल्लाह'- अर्थात् अल्लाह एक है और मुहम्मद साहब उसके पैगम्बर हैं-इसका प्रचार करे। इसके बाद तैमूरलंग ने भारी सेना इकट्ठी की और हिजरी सम्वत् 800 के पवित्र और उत्तम रज़ाब महीने की शुभ घड़ी में हिन्दुस्तान की ओर बड़े गर्मजोशी से चल पड़ा। देखते ही देखते 'तुरमुज नगर' पर अधिकार कर 'जीहून' नदी पार किया। गजतिक और समनकान नगरों को लूटता हुआ वह पलक झपते ही 'इंन्दराब' नगर आ पहुँचा। यहाँ के अमीरों ने तैमूर को बताया कि उन्हे कठोर या काठिक तथा सियाहपोश नामक काफिर जातियाँ आगे से आकर काफी तंग करती है। जबरदस्ती राज्य कर वसूलती है। स्त्री-बच्चों को गुलाम बनाकर अपनी

सीमाओं में उठा ले जाते हैं। तैमूर ने काठिक और शिल्पकार जाति के लोगों का सर्वनाश करने के लिए यह प्रतिज्ञा की। तुरन्त अपनी सेना में से 10 तुमान (डिवीजन) सैनिक चुन लिये। शेष सैनिकों को शाहजादा शाहरूख, तीलाक गुमान और दीकतुर की सुरक्षा में छोड़करर काठिकों पर हमला कर दिया। वह इतना तेजी से चला कि दस दिन का रास्ता तीन दिन में पूरा कर 'परयान' नामक स्थान पर पहुँच गया।

परमान पहुँचने पर तैमूर ने अपने दो श्रेष्ठ अमीर शाहजादा रुस्तम तथा बुरहान अलगान जुजद्यीतर को बायें हाथ अवस्थित 'सियाहपोशों' के प्रदेश का विनाश करने के लिए रवाना किया। इनके साथ उनके दस हजार सेना तथा कुछ चुने हुए सरदार भी लगा दिये। यही उनसे स्वयं को 'काठिक और शिल्पी जाति पर हमले के लिये तैयार किया और दुर्गम पर्वत बड़ी ही कठिनाई से पार कर 'इन्द्रराव' के मुज़ीद से कठिक और शिल्पी जाति के बारे में जानकारी प्राप्त की। जिसका वर्णन तैमूर के शब्दों में इस प्रकार है-

'जब मैने इन्दराब के सरदार मुज़ीद से काठिकों शिल्पीयों और उनके काठोर राज्य की स्थिति और विस्तार के बारे में पूछा तो उसने बताया-'काठोर, कठोरिया राज्य की लम्बाई कश्मीर की सीमा से लेकर काबुल के पहाड़ों तक फेली हुई है। इस देश में अनेक नगर तथा गाँव है। इनके कई नगरों में एक का नाम 'शाकल' और दूसरे का नाम 'जारकल' है। इस देश में बहुत अधिक फल पैदा होते हैं, जैसे अंगूर, सेब, खूबानी; इसके अतिरिक्त और भी कई प्रकार के फल होते हैं।

यहाँ चावल तथा दूसरे प्रकार के अन्न की खेती भी की जाती है। शराब भी बहुत बनाई जाती है। छोटे-बड़े सभी लोग इसे पीते हैं। ये लोग अस्त्र-शस्त्र बनाते है। यहाँ भेड़ व अन्य पशु भारी संख्या में पाये जाते हैं। इस राज्य के अधिकांश निवासी कठ या काठिक जाति के हैं। ये मूर्तिपूजक हिन्दू हैं। इनकी मुखाकृति बड़ी सुन्दर तथा भव्य होती है। इनकी भाषा तुर्की, फारसी तथा कश्मीरी से भिन्न है। काठिकों के हथियार मुख्य रूप से धनुष, बाण, तलवार और झलुआ है। इनके शाशक को अदालशू कहा जाता है।"-मल्फूजात-ए-तैमूरी से हिन्दी अनुवाद।

इन्दराब के सरदार मुज़ीद से इतना जानने के बाद तैमूरलंग रव्वावक पहुँचा। वहाँ अपने कुछ सामानों को सुरक्षित छोड़कर कंकरीले, पथरीले

बर्फीले मार्ग को बड़ी ही कठिनाई तथा जद्योजहद से ऊँचे-ऊँचे पर्वतों को पार करता हुआ 'काठिक' राजा के किले के पास पहुँचा। इस किले के एक ओर नदी बहती थी। काठिकों को एक दिन पहले ही तैमूर के आक्रमण की सूचना मिल चुकी थी। सभी अपनी सम्पत्ति समेट कर पहाड़ की ऐसी गुफाओं में जाकर छिप गये थें कि उन तक तैमूर के सैनिकों का पहुँचना कठिन था। 'मल्फूजात-ए-तैमूरी' में तैमूरलंग ने आगे लिखा है कि-'जब मैंने किले के भीतर प्रवेश किया तो देखा कि काफिर दुर्ग खाली कर भाग चुके हैं। यहाँ दुर्ग की लूट में बहुत से मवेशी तथा और भी कई कीमती वस्तुएँ मेरे हाथ लगीं। मैंने अपने सैनिकों को आदेश दिया कि नगर के इन सभी मकानों को आग लगा कर राख कर दें, जिनके बीच यह मनहूस किला खड़ा हुआ है। नगर को जलाने के बाद उस दुर्ग को जमींदोज़ करने का हुक्म दिया। देखते ही देखते उस विशाल दुर्ग का नामोनिशां मिट गया। नगर और दुर्ग का विध्वंस करके मैंने शीघ्रतापूर्वक नदी पार की, जिससे दुश्मन के रास्ते को अपनाकर उसका पीछा किया जा सके। इस प्रकार मैं उस पहाड़ की तलहटी में पहुँच गया जिसकी चोटियों, दर्रों तथा अन्य सुदृढ़ स्थानों पर काफिरों ने मोर्चे बाँध लिये थे। मैंने तुरन्त अपने बीर, साहसी और अनुभवी योद्धाओं को पहाड़ पर चढ़ने का हुक्म दिया। मेरे बीर सैनिक युद्ध के नारे लगाते हुए, भीषण गर्जना करते हुए-'तकबीर तकबीर'-चिल्लाते हुए दुश्मन पर हमला के लिए झपटे... सिंह की भाँति पराक्रम दिखाने वाले 'अर्शलान अज्तुमान कबकखाना काठिकों पर टूट पड़े... विधर्मी इन काफिरों को टुकड़े-टुकड़े करके नरक में ढकेल दिया गया... अली सुलतान तवाची... अमीरशाह मलिक... मुबाशीर बहादुर... मकली ख्वाजा. .. संजक बहादुर... शेख अली सालार... मूसा जकमाल... मलिक कूची... मीर हुसैन कूर तथा दूसरे सरदारों ने बहुत बड़ी तादात में इन काफिरों का कत्ल किया... इस्लाम के प्रति अपने अनुराग का परिचय दिया।'

काठिक जाति के लोगों के आत्मसमर्पण और उनकी खोपड़ियों को काटकर मीनार बनाने के सम्बन्ध में तैमूरलंग मल्फूजात-ए-तैमूरी में आगे लिखता है कि काफिर काठिक पहाड़ी दर्रो में तीन दिन और तीन रातों तक जमें रहें लेकिन ज़ब मैंने उनके विरुद्ध अपनी बहादुरी फौजें भेंजी तो उन पर हमारे हमलों का इतना दबाव पड़ा कि उन्होंने आत्मसमर्पण करने और शरण देने की प्रार्थना की। मैंने उनके पास 'आफ सुलतान' को इस सन्देश

के साथ भेजा कि यदि ये लोग बिना शर्त के आत्मसमर्पण करने और मुसलमान बनकर कलमा पढ़ने को तैयार हों तो मैं उनको शरण दे दूँगा अन्यथा सबको जड़ से उखाड़ कर फेंक दूँगा और काफिर जाति का बीज नाश कर दूँगा... मेरे संदेश को समझकर ये काफिर आत्मसमर्पण करने, मुसलमान बनने, पवित्र इसलाम को ग्रहण करने को तैयार हो गये... मैंने उनके प्राण बख्श दिये... उनकी सम्पत्ति उनके पास रहने दी... हुक्म दिया कि कोई भी व्यक्ति उनकी सम्पत्ति, धरती तथा जिन्दगी से छेड़-छाड़ न करे।'

मल्फुजात-ए-तैमूरी में तैमूरलंग ने आगे लिखा है कि-उस रात मैंने अपनी सेना के साथ वहीं पड़ाव डाला, रात गहरी होने पर इन काले दिन वाले काफिरों ने 'अमीरशाह मलिक' की कुशून के ऊपर अचानक हमला कर दिया लेकिन शाह मलिक सतर्क था। शत्रु की चाल कामयाब नहीं हो पायी। आक्रमणकारियों में बहुत से लोग वहीं कत्ल कर दिये गये। कुछ भाग निकले, फिर उन्हें पकड़वा कर मौत के घाट उतार दिया... ज्योंहि दिन निकला मैंने अपनी सेना को आदेश दिया कि वे तुरन्त चारों दिशाओं में आक्रमण कर दें। दर्रों में से बलपूर्वक अपना रास्ता बनाकर पुरुषों को वहीं कत्ल कर डालें। उनके स्त्री-बच्चों को गुलाम बना दें और सारी सम्पत्ति लूट कर घरों में आग लगा दें।' इस मार-काट के बाद मैंने यह हुक्म दिया कि इन जिद्दी काफिरों की खोपड़ियों से पहाड़ की चोटी पर एक मीनार खड़ी की जाय। मैंने अपनी फौज के साथ आये हुए पत्थर पर लेख खोदने वाले कारीगर को हुक्म दिया कि वह इन दर्रों में एक शिलालेख तैयार करे जिसमें लिखा हो कि मैं 800 हिजरी के पवित्र रमजान महीने में अमुक-अमुक मार्ग से इस देश में आया। काठिकों के इस राज्य को अच्छी तरह नष्ट-भ्रष्ट करके मैंने अपने मन को सन्तुष्ट किया। इस प्रकार इस काठिक राज्य को मटियामेट करने के बाद मैंने अपनी शिस्तानी और ज़लाल उल इसलाम को मार्ग ढूँढ़ने के लिए आगे भेजा। यह रमजान के महीने की तीसरी तारीख आठ सौ एक हिजरी थी जो 14 सितम्बर सन् 1398 ई. रविवार दिन था।'

इस भयानक रक्तपात, लूट-खसोट के बाद इस जाति का अपना क्या अवशेष बचा होगा यह सोचने की बात है? कोई भी जाति इस खौफनाक स्थिति में अपने अस्तित्व की रक्षा केसे की होगी यह एक दिल को दहला देने वाला अत्यन्त क्रुर प्रश्न है? इस जाति के लोगों का अपना सबकुछ लुट

गया। कुछ लोग अपना धर्म परिवर्तन कर मुसलमान बन गये। भारी संख्या में लोग आगे और भाग गये। मल्फुजात-ए-तैमूरी में ही तैमूरलंग ने स्वीकार किया है कि कुछ काठिकों ने आगे जाकर सिन्ध के पास फिर मोर्चा बनाया। इस मोर्चे में पार्श्वी, आभीर, चुमुरी, मल्लोई, कम्बोज आदि लोगों ने भी भाग लिया। यहाँ भी भयानक कत्लेआम हुआ। इस पराजय का भी कारण कुछ देशी रियासतों के राजपूत या क्षत्रिय राजा थे जिन्होंने मारे डर के तैमूरलंग के सामने आत्मसमर्पण कर दिया।

सिन्धु क्षेत्र में जहाँ उक्त शूद्र कुल जातियों ने काठिक जाति के साथ मिलकर मोर्चा बाँधा था वहीं अनेक राजा, महाराजाओं ने तैमूरलंग से कहा-हमने अपने गले में आपके प्रति समर्पण और आज्ञापालन की जंजीर बाँध रक्खी है। हमारी यह पीठ घोड़े की काठी व जीन की भाँति आपकी गुलामी के लिए प्रस्तुत है। हम उत्सुकतापूर्वक आप जैसे महान बादशाह के आगमन की प्रतीक्षा कर रहे हैं। वह शुभ दिन कब आयेगा जब आपके वैभवपूर्ण छत्रछाया के नीचे हमें और हमारे राज्य को सुरक्षा और उन्नति मिलेगी। वह सौभाग्य कब उपलब्ध होगा जब आपके विशिष्ट और गौरवपूर्ण चरणों को चूम कर हम गौरवान्वित होंगे।'-इन याचकों में कश्मीर का सुल्तान सिकन्दर शाह भी था। अतः मोर्चा उखड़ गया और कुछ लोग रेगिस्तान की ओर से राजस्थान भागे। पुनः तैमूरलंग ने वहाँ भी उन्हें पकड़ा। राजस्थान के बार्डर पर तैमूर के सिपाहियों के पकड़ में आने के बाद काठिक जाति के लोगों ने अपने को काठिक, कठ या कठोर होने से इनकार कर दिया। अपने रहन-सहन में थोड़ा परिवर्तन करके इन्होंने अपनी जाति कस्यान, कत्यान बताई। यह एक ऐतिहासिक सत्य है।

4. मध्यकाल में विश्वकर्मा जाति सन् 232 ई.

यह पहले ही बताया जा चुका है कि विश्वकर्मा जाति के इतिहास के सन्दर्भ में मध्यकाल की कल्पना हमने सन् 1400 ई. से 1900 ई. तक की है। इस बीच 600 वर्षों तक विश्वकर्मा जाति भारतीय इतिहास के पटल पर कहीं भी दृष्टिगत नहीं होती। सम्भवतः इसका कारण तैमूरलंग का आक्रमण भी हो सकता है। तैमूर आक्रमण या उसके सर्वनाश के बाद इतिहास के पटल से कस्यान, कत्याय, कंथु, आसनोडी जाति का गायब हो जाना एक खोज का विषय है। इतना ही नहीं बल्कि प्राचीन भारत में ईसा पूर्व पाई जाने वाली जातियाँ शिकारी, कठिक, काम्बोज, दरद, चुभुरी, क्रीकट, अम्बस्ट, लिच्छवी, चेदी का भी कहीं इतिहास में कोई उल्लेख नहीं मिलता। हाँ,

मुगल काल में शिल्पी जाति के कुछ सदस्यों के बारे में कुछ किम्बदन्तियाँ जरूर मिलती हैं किन्तु यहीं यह भी खेद है कि इन किम्बदन्तियों का भी कोई ठोस आधार कहीं नहीं प्राप्त होता।

मुगलकालीन सेना के अध्ययन से पता चलता है कि इस जाति के लोग राजपूतों की सेना में कहीं-कहीं सैनिक थे। महाराणा प्रताप की सेना में शस्त्र निर्माता लोहार लोगों की संख्या अच्छी थी। तत्कालीन इतिहास तथा किम्बदन्तियों के विशेषण से पता चलता है कि लोहार जाति के लोगों ने पूर्वजों से मिले गुणों को विरासत के रूप में सर्वदा सँजोकर रखा। इनमें कट्टरता तथा जिद्दीपन सर्वदा व्याप्त रही। शराब पीना, मांस खाना, पशु पालना, तंत्र-मंत्र ओझाई-देवाई की साधना करना, मूर्ति की पूजा में लीनता, झुण्डों या बस्तियों में रहना इनके जीवन की खास विशेषता थी। जातीय रक्त की पवित्रता बनाये रखने में इन्होंने सर्वदा ध्यान दिया। इसी कारण अन्तर्जातीय विवाह लोहार समाज में पूर्णतः वर्जित रहा। यदि कहीं किन्हीं परिस्थितियों में किसी ने अन्तर्जातीय शादी कर भी ली तो जाति से बहिष्कार करना, उसका हुक्का-पानी बन्द कर देना इनकी जातीय पंचायत का विशेष निर्देश था। लोहार जाति के लोगों की जातिय पंचायतें बड़ी ही सख्त और सुदृढ़ होती रही है।

इस जाति के लोग कट्टर हिन्दु रहे। अतः मुसलमानों से बचने के लिए इस जाति के लोगों ने पूर्वोत्तर भारत में अस्त्र-शस्त्र, लोहा, लकड़ी का कार्य प्रारम्भ कर दिया। पर यह वहीं हुआ जहाँ मुस्लिम दबाव ज्यादा रहा। हुमायूँ के चौसा युद्ध में इस जाति के अधिकांश लोगों ने बिहार के बक्सर, आरा, सासाराम, उत्तर प्रदेश के बनारस, जौनपुर, आजमगढ़, फेजाबाद, अकबरपुर, इलाहाबाद, फतेहपुर, कानपुर, लखनऊ, शाहजहाँपुर, मुरादाबाद आदि में मुसलमानों से रक्षा के लिए अस्त्र-शस्त्र बनाये। बहू-बेटियों की सुरक्षा की। लोहार ही नहीं बल्कि इन क्षेत्रों में दूसरी जाति के अन्य लोगों ने भी बारात की अगवानी, पूजा-पाठ में प्रणाली को अपनाया। इनमें कायस्थ, राजपूत, चमार, पार्सी, कुर्मी, भर, कोइरी, तेली, आदि प्रमुख रूप से रहे। इतिहास के अन्वेषण से पता चलता है कि उत्तर भारत में शिल्पकला दुर्ग निर्माण मुगल काल में तेजी के साथ हुआ। आज उत्तर प्रदेश, बिहार, पश्चिम बंगाल में विश्वकर्मा लोग अपने करम कौशल से प्रमूख भूमिका अदा कर रहे है।

मुगलकाल और उसके बाद विश्वकर्मा जाति के लोगों की बड़ी ही दयनीय दशा रही है। इनके पास अपना घर-द्वार नहीं था। पूर्वोत्तर भारत के

अधिकांश स्थानों पर ये लोग खानाबदोश-सा घुमक्कड़ी जीवन बिताते थे। शाहजहाँ के काल में इस जाति के अन्दर कुछ स्थायित्व आया। उत्तर प्रदेश, बिहार, मध्य प्रदेश, में अधिकांश लोगों ने घर बनाकर रहना शुरु कर दिया। इनका पेशा गृह उद्योग में कुछ कमी आई। कृषि यंत्रो के निर्माण की ओर लोगों का झुकाव बढ़ा। पटरियों, फुटपाथों, बाजारों और यहाँ-वहाँ लोग छोटी-मोटी दुकानें लगाकर लोहार, बढ़ई, अन्य व हस्त निर्मित सामानों की दुकानें करने लगे।

उत्तर भारत में उपजाति के लोग कृषि यंत्रो व घरेलू सामानों का निर्माण करने लगे। राजस्थान में राजगीरी का पेशा अपनाया। मकान निर्माण में उनके पति कारीगर के रूप में जोड़ाई, चुनाई, का काम करते रहें। उनके औरत-बच्चे लोहे, लकड़ी, से निर्मित सामान बेचने लगें। राजस्थान, गुजरात के काफी लोग संगतराशी का भी काम करने लगे। मन्दिरों, महलों के निर्माण में पत्थरों की कलापूर्ण कटाई, उसको सेट करना इस जाति का जातिगत पेशा बन गया। इसी पेशे के आधार पर पश्चिमी राजस्थान में इस जाति की शिल्पकार नाम से एक उपजाति ही विकसीत होने लगी। इस वर्ग के अध्ययन से एक बात और भी सामने आई कि अनपढ़ तथा पूर्णतः अशिक्षित होते हुए भी इस वर्ग के लोगों ने बहुत ही कौशलपूर्वक शिल्पकला को अंजाम दिया। इनकी औरतें भी शिल्पकला की ओर अपना रूझान बड़ी ही गहराई के साथ रखने लगी। थी।

फतेहपुर सिकरी के भवन निर्माण में राजस्थान और आसपास से बुलाये गये विश्वकर्मा संगतराशों का बहुत बड़ा योगदान रहा है। सिकरी मस्जिद के भवन समूह को छोड़कर शेष अन्य भवन जोधाबाई का महल, बीरबल का महल के निर्माण और सजावट में मालवा तथा गुजरात की परम्परा का प्रभाव विश्वकर्मा संगतराशों के कौशल की अमिट कहानी है। 'इब्बाकोच' (Ebba-Koch) सिकरी भवन निर्माण कला और सजावट का वर्णन करते हुए कहता है कि दिल्ली सल्तनत यानी खिलजी तथा इल्वारी तुर्क परम्परा की सजावट के लिए उक्त संगतराशों ने बलुआ पत्थर का प्रयोग किया है जिसकी ही वजह से राजा बीरबल के महल के मेहराब पर कमल, गुलाब के गुच्छों तथा अनार की कलियों की अत्यन्त बारीक खुदाई और कटाई मन को अन्दर की अन्दर गुदगुदा देती है। अतिलियो पैटर्न सिसलियों (Attilio Pattern Ccilio) का मानना है कि इन महलों में हिन्दू शैली के आकारों धार्मिक

संकेतों और तुगलक शासकों की वास्तुकला दोनों का मिश्रण है। स्थानीय शिल्पकारों द्वारा यह अनूठा निर्माण एक हृदयग्राही कला का उत्कृष्ट रूप है। 'शाहजहाँ एण्ड आरफियस' तथा 'मुगल आर्किटेक्चर' नामक पुस्तक में इब्बाकोच का मनना है कि प्राकृतिक तरीके से सजावट की ऐसी जीती-जागती कल्पना यहाँ के मजदूरों की है, ऐसा सोचा भी नहीं जा सकता।

मुगलकाल खासतौर से सन् 1570 से सन् 1585 के बीच आगरा से 26 मील पश्चिम फतेहपुर सिकरी है। वर्ष सन् 1569 ई. में राजकुमार सलीम का जन्म हुआ। इसके दो वर्ष बाद अर्थात् 1571 में फतेहपुर सिकरी के निर्माण का अकबर ने आदेश दिया। बदायूँनी तथा 'मोन्सरात' आदि अन्य समकालीन लोगों ने राजस्थान से बुलाये गये इन संगतराशों की तसदीक की है। अंग्रेज लेखक J.F. Richard कहता है कि मुगलिया सल्तनत का बादशाह सम्राट अकबर को कोई पुत्र नहीं था। वह अजमेर में महान सूफी सन्त ख्वाज़ा के दरगाह में गया। उन्होंने आगरे से पहले ही फतेहपुर सिकरी में शेष मैनुद्दीन चिश्ती के पास जाने की सलाह दी। अपने लाव-लश्कर सहित अकबर पैदल ही चलकर महान सूफी सन्त शेष चिस्ती के पास पहुचाँ। उन्होंने उसे आशिर्वाद दिया। सन् 1569 में अकबर के पुत्र को पुत्र पैदा हुआ। सूफी सन्त के पुत्र शेष सलीम चिस्ती के नाम पर अकबर के पुत्र का नाम शाहज़ादा सलीम रखा गया। हिन्दुस्तान और मुगलिया सल्तनत के इस महान बादशाह ने इसी महान सूफी सन्त के सम्मान में फतेहपुर सिकरी का निर्माण कराया। इसके निर्माता ईरान, फारस, तुर्कीस्तान, हिन्दुस्तान के अनेक वास्तुकार तथा शिल्पकार थे। इन शिल्पकारों तथा वास्तुकारों ने राजस्थान गुजरात के हजारों संगतराशों के सहयोग से शिकरी में इस विशाल मकबरे और आलीशान महल का निर्माण किया। ये संगतराश ज्यादातर छोटे और गरीब वर्ग के थे। इनमें विश्वकर्मा शिल्पी जाति के लोग अवश्य ही रहे होंगे। इस पर हमारे स्वजातीय समाज के इतिहास के विद्यार्थियों को खोज करना चाहिए। अकबर के इसी पुत्र जिसका नाम बाद में जहाँगीर हुआ के काल में संगमरमर का प्रयोग होना शुरू हुआ। जहाँगीर के पुत्र शाहजहाँ ने आगरे में यमुना के किनारे दुनिया की एक भव्य इमारत 'ताजमहल' का निर्माण कराया। इसमें भी लगभग 300 कारीगर काम कर रहे थे। इन तीन सौ कारीगरों में लगभग 150 से अधिक उच्च कोटि के विश्वकर्मा संगतराश थे। इतिहास की ये बातें 'अकबरे-सुहाइली' तथा रामपुर रज़ा लाइब्रेरी में

उपलब्ध राशि चक्रीय पाण्डुलिपी की चित्रावली 'हम्जानामा' के तार्किक अध्ययन से हमें मिलती है।

मुगलकाल में विश्वकर्मा जाति के लोग शिक्षाविहीन केवल मजदूरी पर निर्भर थे। यदि किसी ने कुछ शिक्षा प्राप्त की तो वह बस मामूली साक्षरता तक ही सीमित रही। इस काल मे लोग लोहा और लकड़ी का व्यवसाय भी करते पाये गये हैं। इस काल में खेती का काम विश्वकर्मा जाति के लोग कत्तई नहीं करते थे।

कर्नल जेम्सटॉड ने अपनी पुस्तक 'राजस्थान का इतिहास में राणा कुम्भा तथा राजा रायमल का वर्णन करते हुए लिखा है कि राणा रायमल सम्वत् 1530 या सन् 1474 ई. में चित्तौड़ के सिंहासन पर बैठे। उनके भाई सूरजमल तथा उनके पुत्रों में राज्य को लेकर विवाद हुआ। अपने भतीजे पृथ्वीराज से उसकी घमासान लड़ाई हुई। सूरजमल पराजित हुआ। उसकी भी सेना में विश्वकर्मा जाति के कुछ लोग थे।

राजपूतों के इतिहास अध्ययन से पता चलता है कि एक समय (लगभग 1509 ई.) मेवाड़ राज्य में आपसी झगड़ा पैदा हो गये। गुजरात और मालवा के सुल्तानों ने मेवाड़ पर हमला किया। राणा सांगा ने अपनी सेना के साथ उनका सामना किया। इस सेना में अस्सी हजार अश्वारोही, उच्चपद वाले सात राजा, 9 राव, 104 रावल तथा रावत उपाधिकरी सरदार, पाँच हजार लड़ाकू सैनिकों के साथ युद्ध क्षेत्र में आ डटे। इन 104 रावत उपाधिकारी सरदारों में लगभग एक-चौथाई संख्या विश्वकर्मा जाति के लोगों की थी।

शोलापुर की विजय के बाद मानसिंह वापस लौट रहा था। उसने राणा प्रताप से मिलने की इच्छा प्रगट की। प्रताप उसका स्वागत करने के लिए उदय सागर तक आया। भोजन बना। मानसिंह को बुलावा भेजा गया। राजकुमार अमर सिंह को अतिथि की सेवा करने के लिए नियुक्त किया गया। राणा प्रताप की अनुपस्थिति देखकर मानसिंह ने उसके न आने का कारण पूछा। अमरसिंह ने बताया राणा को सिर दर्द है। मानसिंह समझ गया। उसने कहा-'राणा से कह दो, जो होना था सो हो गया। उसको सुधारने का अब कोई उपाय नहीं है, फिर भी यदि वे मुझे 'काँसा' नहीं परोसेंगे तो कौन परोसेगा?' राणा नहीं आये। उन्होंने कहला भेजा-जिस राजपूत ने अपनी बहन तुर्क को दी हो उसके साथ कौन रातपूत भोजन करेगा?' मानसिंह इस अपमान को बर्दाश्त न कर सका-वह चला गया। जाते समय उसने कहा अब रणभूमि में जब आना तो अपने साथ 'फूफा' को भी लेते आना।

'मानसिंह आग-बबूला हो उठा। विकराल हल्दीघाटी के इस युद्ध में दो हजार से अधिक विश्वकर्मा जाति के नवजवान सैनिकों ने भी महाराणा प्रताप की ओर से लड़ाई लड़ी।

राजपूताने के इतिहास की समीक्षा से पता चलता है सन् 1700 के बाद समाज का वर्गीकरण वर्ग पर आधारित न होकर जाति पर आधारित हो गया। शासकों के पुत्र तथा भाई-बन्धुओं के नाम पर भिन्न-भिन्न जातियाँ (खाप) बन गई। जैसे चम्पावरु, कुम्पावंत, जोधा, मेड़तिया, शेखावटी, चूड़ावत आदि। सामाजिक संगठन में प्रत्येक जाति की स्थिति उस जाति की वंशोत्पत्ति तथा उसके द्वारा अंगीकृत व्यवसाय पर निर्भर हो गई। ऐसी स्थिति में विश्वकर्मा जाति को काफी नीचे आ जाना पड़ा। यह जाति न सैनिक ही रह सकी न व्यवसायिक ही। अस्त्र-शस्त्र निर्माता जाति के लोगों की स्थिति सन् 1800 तक समाज में अत्यन्त दयनीय बनी रही। अंग्रेजी हुकूमत का भी प्रभाव इस जाति पर नहीं पड़ा।

मुगलकाल में लिखी पुस्तकें-तोहफा-ए-अकबरशाही', तबकात-ए-नासीरी, अकबरनामा, अनेक-अकबरी, मुजाहिदान-ए-इस्लाम, मुन्तरव्ब-उत-तवारीख, अमल-ए-सालेह आदि मुगलकाल की पुस्तकें हैं। इनमें भारतीय किसानों तथा शिल्पी जातियों का भी कहीं-कहीं वर्णन है। अंग्रेज यात्री विलियम फ्रिंच, निकोलस डाउटन, विथिंगटन, थामस कोर्यत, एडवर्ड टैरी आदि अनेक लेखकों ने हिन्दुस्तान के उन जातियों के दर्द को कहीं-कहीं उजागर किया है जो वर्ण-व्यवस्था की गहरी ठोकर से 1600 ई. से लेकर लगभग 1800 ई. तक कराहती रही है।

शाहजहाँ के बेटे औरंगजेब का काल हिन्दुओं में शूद्र कहे जाने वालों के लिए और भी अनुपयुक्त कहा जा सकता है। सन् 1666 के बाद औरंगजेब ने कुछ ऐसे कदम उठाए जो गैर-मुस्लिमों के हक में काफी खिलाफ थे। जजिया कर फिर से लगाया गया। इसका प्रभाव छोटे गरीब आवास पर पड़ा। इस प्रकार यह सहज ही अनुमान लगाया जा सकता है कि विश्वकर्मा जाति इससे जरूर प्रभावित हुई होगी। सन् 1700 से लेकर सन् 1900 तक विश्वकर्मा जाति का कोई इतिहास नहीं मिलता। यह जाति तो थी। अंग्रेजी हुकूमत में इस जाति के लोग कोई उल्लेखनीय भूमिका नहीं निभा सके। वैसे 1857 में महारानी लक्ष्मीबाई के साथ झलकारीबाई नामक एक महिला का जिक्र आता है। इस महिला की बहादुरी महारानी की ही तरह सुर्खियों में है। कुछ इतिहासकारों का कहना है कि यह झलकारीबाई

विश्वकर्मा जाति की थी। सन् 1857 से 1900 तक में अनेक विश्वकर्मा जाति के लोग अंग्रेजों के विरुद्ध संघर्ष में संलग्न थे पर उनका व्यौरेवार इतिहास नहीं मिलता।

5. पाँचाल देश की खोज

महाभारत के समय पाँचाल देश का अंग था। किंम्वदंतियों के अनुसार तब देश में एटा मैनपुरी, कानपुर, शाहजहाँपुर, बरेली, बदायु, चीलीभीत और नैनीताल आदि जिले थे। इस प्रदेश की राजधानी कम्पिल नगरी थी जो इस समय फर्रुखाबाद में है। राजा द्रुपद इस प्रदेश के सम्राट थे। पाण्डवो ने 14 वर्ष का वनवास भी इसी जिले में स्थित द्वैतवन में काटा था।

यह द्वैतवन यमुना और चंबिल नदियों के मध्य में स्थित था जिसके कुछ चिन्ह अब भी शेष है। उन्होंने एक वर्ष का गुदा वास भी जमुना नदी के किनारे स्थित चक्रनगरी में काटा था। जो राजा विराट की राजधानी थी। यहाँ पर भीम ने बकासुर नाम के राक्षस को मारा था। यह बकेवर का रहने वाला एक शक्तिशाली सामन्त था। कुदरकोटगंज और आसई के पुराने खेड़े और खंडहर आज भी प्राचीन नगरों गढ़ो का स्मरण करते हैं। इन प्राचीन खेड़े की न तो अभी तक खुदाई ही हुई है और न खोज।

संम्भवत: यह स्थान बाद में शिल्पियों के भी गढ़ रहे हो जिन्हें 11 वीं और 12 वीं शताब्दी में सैंगरो और चौहान राजपूतों ने नष्ट किया। उस समय सैंगर नदी के उत्तर का भाग लगभग 10 मील की चौड़ाई तक घने जंगलो से भरा था। यह जंगल कानपुर से लेकर मेरठ तक फेला हुआ था। वर्ष 1018 तक कन्नौज के राठौर-वंशी राजा का इटावा पर शासन रहा। उसी समय महमूद गजनवी भारत पर अपने 12 वें आक्रमणों में वरन वर्तमान बुलंदशहर के राजा कुलचंद्र का किला जीतकर मथुरा से होता हुआ जब कन्नौज गया तो रास्ते में उसने इटावा से 15 मील उत्तर में स्थित मुंज के किले पर आक्रमण किया। जिसके बहुत से लोग मारे गये और किले पर आक्रमणकारियों का कब्जा हो गया।

अभिलेखों के अनुसार 11 वीं शताब्दी तक गंगा-जमुना के दो आब इटावा, कानपुर, फतेहपुर और इलाहाबाद जिलों में तथा अवध में सांमतो का जोर रहा। वैसे ठाकुरों ने रायबरेली, प्रतापगढ़ और उन्नाव में तथा सैंगरो ने इटावा में उन्हें समूल नष्ट किया। मूंज के संबंध में फरिश्ता ने लिखा है कि

महमूद गजनवी अपने 12 वें आक्रमण के तहत कन्नौज से मथुरा गया इसके बाद वह मूंज गया। उसने मूंज के किले को युद्ध प्रिय लोगों से युक्त पाया जिन्होंने उसको 15 दिन तक आगे नहीं बढ़ने दिया और बराबर युद्ध करते रहे। बाद में जब हतास हो गये तो कुछ तो वहाँ से भाग गये और कुछ-लोग बाल बच्चों के साथ जलकर वहीं मर गये। यह लेख संस्कृत में हैं। अब यह शिलालेख कोलकत्ता के अजायब घर में रखा है इसमें हरीवर्मा के पुत्र तक्षदत्त द्वारा वहाँ के पांचाल ब्राह्मणों को प्रदत्त भूमि दान का उल्लेख है।

चीनी यात्री हुएनसाँग तथा बौद्ध-ग्रंथों के अनुसार पाँचाल राजबंश की राजधानी कनोछिभम, शिल्प-ललित कलाओं में प्राचीन दुनिया में आग्रणी थी। प्राचीन काल में पाँचाल तिब्बत, नेपाल, चीन के संपर्क सूभ में थे। पाँचाल राज्यों की शृंखला में विश्वगुदा, दामनगुप्त नाम का राजा भी था। चाइनीज सूभों के अनुसार-चीनी यात्री व्हेनसाँग वहाँ आये थे और उन्होंने इसे विश्व का 10 राज्यों में से एक बताया था। ब्राहमी लिपि, लेखों, शिलापट्टों के सक्ष्म अध्ययन से ज्ञातब्य है कि महात्मा बुद्ध ने यहा नागवंश राजा को बौद्ध धर्म दीक्षित किया था।

प्राचीन शिल्पलेखों, पुरातात्विक खुदाईओं से प्राप्त प्राचीन कालीन वस्तुओं, औजारों सिक्का आदि ब्राहमी लेखो, शिलापट्टो, संग्रहलाओं मे उपलब्ध आदि कालीन वस्तुओं के अध्ययन से मेरा अनुमान है कि मौर्य वंश के पतन तथा गुप्त राजाओं के बीच प्रचलित सिक्के लगभग 200 ई. पूर्व के है। कई ऐसे दुर्लभ सिक्के से एक ओर पाँचाल वंश के तीन चिन्ह अंकित, जिसके नीचे तीसरी सदी ईसा पूर्व प्रचलित ब्राहमी लिपि में विश्व लिखा अंकित है। जिसका अनुवादित शम बिश्वयुद्ध-विश्वकर्मा, विश्वशिल्पी से लगाया गया है। चिन्हों की कला के आधार पर इतिहास में विश्वगुप्त का स्थान दामनगुप्त के पहले आता है जो शिल्प वंश का था। इसको कालांतर विश्वशिल्पी, पाँचाल विश्वकर्मा की संज्ञा दी गयी। कहीं-कहीं इसका उल्लेख प्राचीन ग्रंथों में आया है।

6. गाड़िया लोहारों काव्याय

लोहार जाति पर्याय है कर्मनिष्ठता का, स्वाभीमान का, ग्वेष्णात्मक का और लोकमंगल को जीवंत स्वरूप प्रदान करते हुए समन्वय के द्वारा सामाजिक एवं सांस्कृतिक समरसता पैदा करने वाले एक अनूठे मानव समुदाय का।

अतीत बताता है कि मानव समुदाय जिस परिवेश में रहता है। लोहार जाति के लोग भी जिस परिवेश तथा वहां उत्पन्न होने वाली परिस्थियों से प्रभावित हुए बिना केसे रह सकते है। औरों की ही तरह गड़ियां लोहार भी तो है जो पूर्वकालिक परिस्थितियों के प्रभाव में आकर खानाबदोश की जिन्दगी जीने के लिए मजबूर है।

वीरता के सांचे में ढली राजस्थान की धरती पर बसे लोहार जाति के लोग स्वाभिमान युक्त सुखद और स्थायी जिंदगी चिरकाल से जीते चले आ रहे थे। सामाजिक सांस्कृतिक तथा राजनितिक महत्व की दृष्टि से लोहार जाति के लोग अन्य सबल जातियों की तरह राजस्थान के जन-जन, कण-कण को प्रभावित करते रहने में अहम भूमिका निभाते रहे है। तात्पर्य है कि लौह शिल्प के क्षेत्र में तो ये अपनी उल्लेखनीय योगदान देते ही थे। युद्ध क्षेत्र में भी अस्त्र-शस्त्र के निर्माण से लेकर युद्ध क्षेत्र के गूढ़ कार्यो की गुत्थी सुलझाने में अहम भूमिका निभाते थें। इसका सुपरिणाम था कि समाज के साथ-साथ राजा-महाराजाओं के ये विशिष्ट कृपापात्र थे। इन्हें क्या पता था कि उन्हें एक दिन खानाबदोश की भी जिन्दगी जीने के लिए मजबूर होना पड़ेगा।

राजपूतकालीन स्वर्णिम इतिहास को लिखने वाली राजस्थान की गौरवमयी विकास यात्रा पर मध्यकाल आते-आते ऐसा ग्रहण लगा कि शौर्य का मेरूदण्ड खण्ड-खण्ड होकर बिखर गया। आज से लगभग चार सौ वर्ष पूर्व मुगल सम्राट अकबर और चित्तौड़ के महाराणा प्रताप के बीच हल्दी घाटी के मैदान में तीन युद्ध हुए। तीसरे युद्ध में जिससे अब राजपूतों और मुगल सल्तनत के बीच हुई लड़ाई बताया जाता है। रातपूत सैनिकों की पराजय हो गयी थी। उस पराजय के बाद राज्य के प्रति समर्पित भाव से देशसेवा के कार्य में लगे लोहारों ने मेवाड़ के ऐतिहासिक दुर्ग उदयपोल द्वार के नीचे एकत्र होकर कसम खायें कि "हे वीरभूमि चित्तौड़! हम तुम्हारें पुत्र यह प्रतिज्ञा करते है कि जब तक हम मुगलों की पराधीनता से तुम्हें पुनः मुक्ति नहीं दिला देंगे तब तक बस्तियों या वनों में कही भी घर बनाकर नहीं रहेंगे और न पलंग पर सोयेंगे। न तो दीपक जलायेंगे और न तो कुएँ अथवा बावड़ी से पानी निकालने के डोरी का प्रयोग करेगें। चित्तौड़ दुर्ग पर कभी चढ़गे भी नहीं" इस प्रण के साथ ये लोहार परिवार गाड़ियों पर ही अपना घर लिए देश के एक कोने से दूसरे कोने तक घूमते रहें। तर्क यह दिया जाता है कि इस कठोर व्रत लेने वाले लोग चित्तौड़ राज्य के सैनिक थे, जो

जीवन निर्वाह में कठिनाई आने लगी तो उन्होंने लोहे की वस्तुएं और किसानों की खेती के काम आने वाले उपकरणो का निर्माण करके जीविका चलाने लगे। वर्षों तक लोहा का काम करते-करते ये लोग इस कला मे प्रवीण हो गये और गाड़िया लोहार कहलाने लगे। यह तर्क गले के नीचे नही उतरता। विचार करने की बात है कि व्रत लेने वाले यदि सभी सैनिक राजपूत होते तो जीविका के लिए जो भी पेशा उनके लिए सरल और लाभदायक जान पड़ता है उसे अपनाते। यह कोई बंधन तो था नही कि वे लौह कार्य को ही करें। सत्यता तो यह थी कि राजपूतों की पराजय के बाद मुगलों का राजपूत सैनिकों के लिए हथियार निर्माण में लगे लोहारों पर दबाव बढ़ा कि वे मुगलों के उपयोग के लिए अपनी प्रतिभा का प्रयोग करें। उनके दबाव में न आने पर उन्हे घर से बेघर कर दिया गया परिणाम यह हुआ कि वे खनाबदोश की जिन्दगी जीने के लिए मजबूर हो गये।

लगभग डेढ़ दशक पूर्व तक ये देश के कोने-कोने में जीविका की तलाश में दर-दर की ठोकरें खाते हुए देखे जाते थे। अब यदा-कदा ही ये दिखाई पड़ते है। ऐसा लगता है कि चार सदियों से खानाबदोशों की सी जिंदगी जीने वाले ये लोग देश का चक्रमण करते-करते अब थक-हार गये है। ये एक जगह घर बनाकर चैन की जिंदगी जीने का मन बना चुके है। देखा यह जा रहा है कि ये दिल्ली जैसे महानगरों के इर्द-गिर्द डेरा डालकर रहने लगे है।

बढ़ते मशीनीकरण के प्रभाव के इनके पारस्परिक पेशे को छीन लिया है। इसके चलते इनके सामने जीवन-निर्वाह का संकट उत्पन्न हो गया है। इतने लम्बे अंतराल तक आभावों मे रहने के बाद भी इनमें आन-बा और अकड़ आज भी देखा जा सकता है। ये स्वाभिमानी लोग भूखे रह सकते है पर अपना पेट भरने के लिए किसी के घर या होटलो पर बर्तन नहीं मांजते है। महानगरों की कालोनियों में स्थित मकानों में जाकर झाड़ू-पोंछा नहीं करते। इन परिवारों की औरते दिन में 18 घंटे लोहा कूटने का घन चला सकती है पर किसी निर्माणधीन भवन में मजदूरी नहीं करती। कुटीर उद्योगों के प्रति सरकार की अस्पष्ट और मजदूरी नहीं करती। कुटीर उद्योगों के प्रति सरकार की अस्पष्ट और उपेक्षापूर्ण नीतियों ने इन गड़िया लोहारों के मनोबल को पूरी तरह तोड़कर रख दिया है। अतिक्रमण हटाने के नाम पर उनकी गाड़ियों को राजमार्गों के किनारे से दूर कर दिया गया है। यद्यपि कि कुछ स्थानों पर प्रशासन ने इन्हें अतिक्रमण हटाने के एवज में एक कमरे वाला

पक्के घर भी बनाकर दिये है किन्तु यह सुविधा गाड़िया लोहारों को उपलब्ध नहीं है। चिरकाल तक खानाबदोश की जिंदगी जीने वाले इन परिवारों के बच्चे आज भी परीक्षा से कटे हुए है। जो प्रारम्भिक शिक्षा प्रारम्भ भी करते है। वे अर्थाभाव तथा पारिवारिक समस्याओं के मकड़जाल में उलझकर बीच में ही पढ़ाई छोड़ देने के लिए मजबूर हो जाते हैं। शायद ही कोई लड़का या लड़की मिले जो स्नातक की कक्षाओं का मुँह देख पाये होंगे। गिन-चुने जो युवक या युवती पढ़-लिख लिये है वे भी नौकरी न मिल पाने के कारण लोहा पीटकर ही जीविका चलाने के लिए मजबूर है।

कहीं-कहीं इन लोगो ने जनजाति कल्याण संघ, अखिल भारतीय गड़िया लोहार संघ जैसे संगठनों का गठन किये है। इन संगठनो के बैनर तले ये विभिन्न स्तर से अपनी समस्याओं को राष्ट्रीय स्तर पर उठाते हैं किन्तु पूरी तरह संगठित होकर अपनी मांग न रख कर पाने के कारण इनकी आवाज दब कर रह जाती है। अधिकांश संगठनों के मुखिया अपनी बिरादरी से शादी-विवाह के झगड़े सुलझाने तक ही अटक कर रह जाते है। आज इन गाडियां लोहारों को स्वतंत्र भारत के अन्य नागरिकों के समान न तो कोई सुविधा प्राप्त है । और न ही सम्मान। विभिन्न सरकारों ने इन गाडिया लोहारों के कल्याणार्थ समय-समय से अनेकानेक घोषणाएँ की परन्तु उन पर अमल कितना हुआ है यह तो इनकी बस्तियों और उनके जीवन-स्तर को देखकर स्वतः अनुमान लग जाता है।

समय की पुकार है कि चिरकाल तक घोर उपेक्षा का शिकार रहने वाले गाडियां लोहारों को भी देश के जन-सामान्य की तरह सम्मान मिले। इनके निपुण हाथों से विकसीत हुई हस्तशिल्प को सरकार द्वारा मान्यता प्रदान कर उसके उत्थान तथा संरक्षण के लिए ठोस स्थायी योजना बनायी जाए। उल्लेखनीय है जिसने भी गाडियां लोहारों की शिल्पकला को निकटता से देखा है वह बरबस ही प्रशंसा करने के लिए मजबूर हुआ है। राजस्थानी लोककला का अद्‌भुत नमूना होती है। इनकी गाड़ियाँ। लोहे और लकड़ी की वस्तुओं पर इनके द्वारा की गयी नक्कासी देखते ही बनती है। भारत महोत्सव में गाडियां लोहारों के शिल्प कला को सम्मान स्थान देकर सम्मानित किया जाना चाहिए। इनको सम्मान से केवल राजस्थान के वीरों की धरती का ही सम्मान नहीं होगा बल्कि पूरे देश के शिल्प कला को सम्मान प्राप्त होगा। इतना ही नहीं गाड़िया लोहारों के साथ-साथ समस्त विश्वकर्मा वंश के लोग सम्मानित होंगे।

7. तथ्य परक इतिहास लेखन की विवशता

इतिहास लेखन को लेकर विगत कुछ वर्षों से बहुत से आन्दोलन मीडिया और सड़कों पर देखने को मिल रहे हैं। एन.सी.ई. आर.टी. ने इतिहास की पाठय पुस्तकों में जो संशोधन किया है, उससे भारतीय इतिहास लेखन को नये आयामों में देखना प्रासंगिक हो गया है। अब जबकि उच्चतम न्यायालय ने नयी पाठ्य पुस्तकों को विद्यालयों में चलाये जाने का फेसला दे दिया है। तो भी इतिहास लेखन पर बहस समाप्त नहीं है। गैर भाजपा शासिंत राज्यों में नयी पाठय पुस्तकों को पढ़ाने के सन्दर्भ में गतिरोध जारी है। राजनीतिक दलों द्वारा पाठय पुस्तकों के विरोध में आन्दोलन किया जा रहा है।

इन विरोधों और गतिरोधों के बीच जो असली समस्या है वह अनसुलझी पड़ी हुई है कि आखिर इतिहास है क्या? इतिहास में मानव समाज के पूर्वजों का जनजीवन स्पन्दित होता है। इतिहास उत्पादन के साधनों एवं सम्बन्धों के निरन्तर और कालक्रमित विकास का लेखा-जोखा है इसलिए कहा जा सकता है कि इतिहास आर्थिक राजनीतिक और सामाजिक विश्लेषण की पंजिका है। किसी भी काल के अर्थतन्त्र का विश्लेषण करने पर उस काल की तमाम आर्थिक, सामाजिक, राजनीतिक, और सांस्कृतिक और तकनीकी विकास की परिघटनाओं को वास्तविक रूप में जानने और समझने में मदद मिलती है। अर्थतन्त्र इतिहास का एक पक्ष न होकर उसकी धुरी है। इस धुरी से जुड़े हुए सभी पहलुओं को उपयुक्त महत्व देकर सही इतिहास को लिखा और समझा जा सकता है।

भारतीय इतिहास लेखन के सन्दर्भ में इतिहासकारों के समक्ष कई प्रकार की जटीलताएं है। इतिहास के सही स्वरूप का पता लगाने के लिए जरूरी है कि इतिहासकार वैज्ञानिक उपागमों को जानने व समझने वाला हो। उसे पुरातत्व और नृविज्ञान का ज्ञान हो। वह मानव के मनोभावों और समाज दर्शन का ज्ञाता हो। इस प्रकार बहुआयामी इतिहासवेत्ता ही सही इतिहास लिखने में समक्ष होता है अन्यथा इतिहास न होकर दन्तकथा बन जाता है। एन.सी.ई. आर.टी. की नयी संशोधित पाठय पुस्तको तथा बेसिक शिक्षा परिशद उत्तर प्रदेश की पाठय पुस्तकों को देखने से ऐसा लगता है जैसे ये इतिहास नहीं दन्तकथा की पुस्तकें है। उत्तर प्रदेश शासन द्वारा विश्वविद्यालयों में भारतीय

संस्कृति से सम्बन्धित जो विषय अनिवार्य रूप से रखने की योजना है। तथा जहां इस तरह के पाठयक्रम पहले से संचालित है। वहां इस तरह के दन्तकथात्मक दृष्टिकोण को महत्व दिया गया है। इससे भारतीय इतिहास लेखन के दृष्टिकोण में गिरावट का पता चला है।

भारतीय इतिहास लेखन में विवादो का मुख्य कारण है-सामान प्रतिनिधत्व का आभाव आदर्शवाद। भारतीय इतिहास पूरे भारतीय जन मानस का प्रतिनिधित्व नहीं करता है इसलिए यह विवाद का विषय रहा है। लोगों में नये इतिहास दर्शन के विषय में उत्सुकता बनी रहती है। भारतीय परिप्रेक्ष्य में प्रायः लोग सोचते है कि नये इतिहास लेखन में सभी वर्गो का समान रूप से एवं उचित प्रतिनिधित्व मिलेगा, परन्तु इतिहास को टुकड़ो में देखना संभव नहीं है। इसलिए उचित प्रतिनिधित्व और समान महत्व आदि की आकांक्षाएं बनी रहती है। और नये इतिहास की मांग बनी रहती है जो इतिहास के लिए बड़ा दुर्भाग्यपूर्ण है, क्योंकि इतिहास पुनः दन्तकथा की ओर बढ़ने लगता है।

विवाद का दूसरा बिन्दु आदर्शवाद रहा है। आदर्श और इतिहास में विरोध नहीं है। आदर्श और इतिहास में अन्योन्याश्रित सम्बन्ध है, क्योकि इतिहास की प्रमुख घटनाएं मुख्यतः आदर्श और आदर्शहीन खेमों के संघर्षो की गाथा है। कौन आदर्शवादी है या कौन आदर्शहीन है, यह जानना इतिहास का कार्य नहीं है, बल्कि विभिन्न कालों के राजनीतिक, आर्थिक, सामाजिक, सांस्कृतिक एवं तकनीकी संघर्षो को निरपेक्ष, तथ्यात्मक एवं उचित विश्लेषण के द्वारा सही विवरण उपलब्ध कराना इतिहास का कार्य है किन्तु भारत में तथाकथित राष्ट्रवादी इतिहासकारों ने जो इतिहास प्रस्तुत किया है। वे किसी खास दृष्टिकोण से प्रभावित लगते हैं। उनमें निरपेक्षता, समानता तथा उचित प्रतिनिधित्व जैसे मूल्यों तथा आयामों का अभाव दिखायी देता है। इतिहास का ध्येय यथार्थवादी मूल्यांकन ही होना चाहिए। इससे इतिहास की सार्व भौमिकता बनी रहती है। किन्तु प्रत्ययवादी इतिहासकरों में आदर्श के प्रति पूर्वाग्रह रहता है। इससे इतिहास में एक विशेष पक्ष एवं दृष्टिकोण को महत्व प्राप्त हो जाता है तथा कुछ अति महत्वपूर्ण तथ्यों की अनदेखी कर दी जाती है। इससे इतिहास की यथार्थता में कमी आती है। कई बार तो जो घटना हुई ही नहीं रहती, उसे भी इतिहास में शामिल कर दिया जाता है।

कितनी विडम्बना है कि जो इतिहास आज हम पढ़ रहे है वह कल नहीं रहेगा और जो कल इतिहास हम पढ़े, वह पता नहीं कब बदल दिया जायेगा। इस तरह के इतिहास लेखन को बदलना होगा। इतिहास लेखन की प्रवृत्ति को सार्वभौमिक इतिहास की तरफ बढ़ाना होगा। विचारधाराओं, विडम्बनाओं से बचने तथा सही इतिहास लेखन का उपागम ही तो है क्यों न हम आदर्शवादी इतिहास से यथार्थवादी इतिहास की तरफ कदम बढ़ायें। वणिति तथ्यों के आधार पर यदि विश्वकर्मा सभ्यता एवं संस्कृति को एतिहासिकता कर दी गई होती तो आज भी भारतीय सभ्यता एवं संस्कृति इतनी प्रदूषित नहीं होती।

हमें व्यर्थ के वाद-विवादों में उलझने के बजाय उचित इतिहास लेखन के लिए नये आयामों की तलाश करनी चाहिए, जो भारत के अतीत की सही तस्वीर दुनिया के समक्ष प्रस्तुत करे। जब हम अपने-अपने स्वार्थों को तिलांजलि देकर इतिहास लेखन में नये आयामों को अपनायेंगे तो इस तरह के विवादों को जगह नहीं मिलेगी और हम नयी पिढ़ियों को इतिहास के माध्यम से एक ऐसा मंच उपलब्ध करा सकेंगे जहां से वे अतीत घटनाओं, दुर्भाग्यों विनाशों, मानवीय संवेदना के मूल्यों और विकास के चरणों को देख एवं समझ सकेंगे तथा उनसे सीख लेकर आगे के विकास कार्यक्रमों का उचित एवं सटीक निर्धारण कर सकेंगे। यही इतिहास के अध्ययन की सार्थकता भी होगी।

विश्वकर्मा समाज का अत्ययंत गौरवशाली इतिहास रहा है। इतिहास के पन्नों से विश्वकर्मा वंश को निकाल दिया जाय तो भारत का इतिहास अधूरा हो जायेगा। भारतीय संस्कृति, शिल्प एवं परम्परा मे विश्वकर्मा की दैवी संकल्पना तथा सृजनात्मक, संरचनात्मक सर्जक कृतित्व से ही जागतिक सत्ता एवं मानव जीवन की अवधारणायें विकसीत हुई है। भारतीय शिल्प इतिहास में विश्वकर्मा का स्थान अद्वितीय है। इस धरती पर जो कुछ दिखाई दे रहा वह इन्ही की अमरकृति है।

लेखक की खोज परक पुस्तक विश्वकर्मा उत्पत्ति एवं विकास का इतिहास, भारत की सांस्कृतिक एकता और भौतिक उन्नति की आधार शिला है विषयगत अन्तर्दृष्टि, अध्ययन की स्मोत सामग्री, ललित कला एवं प्रतिमा विज्ञान को एवं जिज्ञासाओं ऐतिहासिकता प्रदान करने में इतिहासकारों के लिए सहयोगी है। इसकी पृष्ठभूमि में विश्वकर्मा के लुदा गौरवशाली इतिहास का पुर्नलेखन किया जाना चाहिए ताकि इतिहास की प्रभोजकता बनी रहे।

वैश्वीकरण के इस दौर में जब दुनिया सिमटकर एक गांव में तबदील हो रही हो, तब मध्यकाल के मार-काट भरे इतिहास का कोई अर्थ नहीं रह जाता। कल के झगड़े आज की दोस्ती में बदल रहें हैं तो इतिहास के प्रति नजरिया भी बदल रहा है। कल तक पाकिस्तान में जो कुछ इतिहास के नाम पर पढ़ाया जा रहा था, अब उसे बदला जा रहा है। इधर ब्रिटेन में भी जूनियर कक्षाओं में पढ़ाया जाने वाला इतिहास बदला जा रहा है। भारत में ब्रिटिश राज को लेकर एक नया अध्याय जोड़ा गया है। ब्रिटिश साम्राज्य में भारत की भूमिका और भारतीय स्वधीनता संग्राम नामक इस अध्याय में जहां जलियांवाला बाग में जनरल डायर द्वारा किए गए सामूहिक नरसंहार का हवाला है, वहीं विस्टेन चर्चिल द्वारा गांधी जी के बारे में की गई टिप्पणियों और कामसूत्र जैसे विषयों को शामिल किया गया है। जाहिर है, किसी भी नजरिये से ब्रिटिश कार्रवाईयों को जायज नहीं ठहराया जा सकता। इतिहास के पाठयक्रम के लिए बनी समिति के निदेशक क्रिस मैक्गवर्न भी स्वीकारते हैं कि मोटे तौर पर इस अध्याय का स्वर ब्रिटिश विरोधी है। इसलिए परंपरागत सोच वाले ब्रिटिश इतिहासकार इस बात पर खासे खफा हैं कि अब ब्रिटेन में ही ब्रिटिश साम्राज्य के खिलाफ पढ़ाया जाएगा। वे इसे साम्राज्यवाद के बाद ब्रिटेन के खिलाफ रची गई साजिशों का एक हिस्सा बता रहे हैं। बहरहाल, यह एक दिलचस्प मुद्दा है कि किस तरह आपको अपने रही इतिहास को एक बदले हुए अंदाज में अपने बच्चों को पढ़ाना पड़ता है। 1997 में जब हम आजादी की स्वर्ण जयंती मना रहे थे, तब हमने उन्हीं ब्रिटिश महारानी को निमंत्रित किया, जिनके पुरखों ने देश में अत्याचार किए। रानी उस जलियांवाला बाग गई जरूर, जहाँ जनरल डायर ने मानवता की चिंदियां उड़ाई थी। पर उन्होंने उस कांड के लिए माफी नहीं मांगी। दो वर्ष पहले जब तत्कालीन ब्रिटिश, विदेश मंत्री जैक स्ट्रॉ भारत आए, तब उन्होंने पहली बार जलियांवाला बाग कांड के लिए अपनी सरकार की तरफ से मांफी मांगी। यह भारत व ब्रिटेन के बीच सुधरते रिस्तो का ही सफल था कि ब्रिटिश सरकार के नजरिये में परिवर्तन आया। सच यह भी है कि परिवर्तन क्यों न आए? आज ब्रिटेन में कोई 10 लाख भारतवासी रहते है। इतनी बड़ी तादाद में किसी कौम को आप कब तक नजरअंदाज कर सकते हैं? उनके बच्चों के सामने आप ब्रिटिश अत्याचारों को जायज तो नहीं ठहरा सकते। इसलिए वक्त का तकाजा है कि इतिहास को तटस्था के साथ पढ़ाया जाए। पर यहीं दूसरा सवाल भी उठ खड़ा होता है कि क्या इतिहास तटस्थता के साथ पढ़ाया जा सकता है।

12

आधुनिक जाति व्यवस्था में विश्वकर्मा समाज

1. विकास का इतिहास

विकास के इतिहास में विश्वकर्मा का सर्वाधिक विकसित रूप वास्तुशास्त्र एवं शिल्प शास्त्र में दिखाई देता है। जीवन में स्थिरता, शांति, सौंदर्य तथा सामाजिक एवं धार्मिक कृत्यों के लिये शिल्प का विकास हुआ। प्रारम्भिक आर्य संस्कृति की एक विशेषण थी– गतिशीलता या संचरणशीलता। कृषि के विकास के साथ-साथ जैसे ही भवनों, दुर्गों, पुरों, देवालयों, मंदिरों, स्तूपों, चैत्यों आदि की संरचनात्मक अवधारणायें उद्‌भूत हुई। मूर्ति कला एवं चित्रकला के अविष्कार में हमें एक विचारधारा मिलती है जिसमें देवताओं तथा मानवों के जीवन को प्रत्यक्ष देखने की आकांक्षा थी।

ललितकलाओं के रूप में इस देश की संस्कृति में नैतिकता और चारूता विकसित हुई। कलाओं को केवल कला के रूप में विकसित करने की बात इस देश की संस्कृति को मान्य नहीं हुई। प्रत्येक निर्माण विश्वकर्मा की कृति है भले ही उसके निर्माता प्रत्येक काल में अलग-अलग क्यों न हो। इसी मान्यता के कारण शिल्पियों को विश्वकर्मा की संततियों तथा उसी कुल परम्परा से जोड़कर देखा गया। यहाँ तक कि वास्तु एवं शिल्पशास्त्रों की रचना परम्परा में इसी अवधारणों को बल मिला और विश्वकर्मा शिल्पशास्त्र विकसित हुए।

सभ्यताओं के विकास के साथ ही जीवन की आवश्यकताओं के अनुरूप भवनों दुर्ग, आवासों तथा विभिन्न शिल्पों का विकास हुआ। शिल्प तथा शिल्पियों के सामाजिक एवं आर्थिक अध्ययन, कुल परम्परा, शिल्पी समूह, शिल्पी-व्यवसाय तथा कालांतर में शिल्पकर्म के आधार पर निर्धारित जातिगति विश्लेषणों के अनुसार भारतीय शिल्प का इतिहास जितना रोचक एवं महत्वपूर्ण है उतना ही शिल्पियों का इतिहास भी। क्योंकि भारतीय

शिल्पियों ने अपने शिल्प कौशल से मानो पृथ्वी पर स्वर्ग का अवतरण किया है। इसका सहज अनुमान एलीफेन्टा, एलोरा तथा अजन्ता, कोणार्क की कला तथा राष्ट्रीय धरोहरों के स्मारकों को देखने से लगता है। ऐसा प्रतीत होता है प्रत्येक शिल्पी अपने शिल्पकर्म के माध्यम से शिल्पदेवता विश्वकर्मा की अराधना करता है। विकास का इतिहास इसी श्रृंखला का एक अंश है। इतिहास की पृष्ठ भूमि इसी पर केंद्रित है।

आदि काल में प्रजापति विश्वकर्मा ने सबसे पहले सोचा था प्रजा के प्रति मेरा दायित्व। उन्होंने प्रजा के प्रति अपने दायित्व का निश्चय कर प्रजा की प्राथमिक आवश्यकताओं पर अपना ध्यान केंद्रित किया। जीवित रहने सबसे पहली आवश्यकता हुई, भोजन, हेतु अन्न, जल, अग्नि की। इस समस्या को सुलझान के लिए उनहोंने खेती करना सीखाया लोगों ने खेती करना प्रारम्भ किया। अनाज पैदा होने लगा। लोगों ने पहली बार अनाज देखा। खाद्य पदार्थों की समस्या सुलझने लगी। तब न तो अनाज को पकाने का साधन उपलब्ध था और न ही उसको पकाने का बोध था। कच्चा अनाज लोग पचा नहीं सके। उन्होंने अपने अतींद्रिय ज्ञान का प्रयोग किया। उन्होंने जाना अग्नि पैदा हो गयी। सूर्य चन्द्र प्रतिस्थापित-रन-बाद धरती पर विलक्षण रोशनी दिखाई दी उन्होंने कहा यह रोशनी जो दिखाई दे रही है, वह आग है। इससे खाने की समस्या का समाधान हो सकता है। अनाज को अग्नि में पका कर खाया जा सकता है। अनाज को अग्नि में डाला गया। वह पका नहीं जल गया। लोग पुनः भगवान त्वष्टा के पास आये। भगवान विश्वकर्मा कई युगों में कई रूप से प्रजापालन हेतु अवतरित हुए और आज भी वे किसी न किसी रूप में विद्यमान हैं।

लोगों ने आदि देव विश्वकर्मा की अराधना की। वे अवतरित हुए। लोगों के साथ गये और कहा मिट्टी खोदों, लोगों ने मिट्टी खोद डाली। पानी निकला फिर कहा मिट्टी ये पानी डालकर मर्दन करो। लोगों ने प्रजापालक के कथन के अनुसार मर्दन किया और फिर चाक बनाई। उन्होंने चाक से घड़ा बनाने की विधि समझाई। उस विधि से लोगों ने घड़ा तैयार कर लिया। फिर अनाज को घड़ा में औसतन पानी के साथ डालने को कहा। प्रजा ने अनाज को पानी के साथ भर दिया फिर कहा, आग जलाओ-इसे आग पर रखे। घड़े को आग पर रखा गया और अनाज भोज्य पदार्थ के रूप में पकना शुरू हो गया। इसी प्रकार अन्य घरेलू उपयोग के सामान के निर्माण एवं

उपयोग की विविध बताई इस प्रकार जीवनपयोगी सामानों का निर्माण और सृजन किया गया।

विश्वकर्मा का वह काल नित नई समस्याओं को सुलझाने का आरम्भिक काल था। प्रतिदिन नई समस्या आती और प्रतिदिन उनका समाधान खोजा जाता। सृष्टि कर्ता भगवान त्वष्टा ने ये सभी कार्य प्रजाहित को ध्यान में रखकर किया।

सृष्टि कर्ता विश्वकर्मा में सृष्टि निर्माण एवं सृजन से लेकर वेद पुराण, शिल्प शास्त्र आदि साक्षी है कि प्रजा पालन के कर्त्तव्य बोध आर्न्तनिहित थे। इसलिये उन्होंने प्रजाहित में सभी संरचनाएँ की। उन्होंने प्रजा के कल्याण हेतु सुंदर मार्गदर्शन किया। अपनी सारी शक्ति प्रजाहित में लगा दी। उन्होंने हमें समाज संरचना का पहला पाठ पढ़ाया। शिल्प शास्त्र में कर्त्तव्य एवं धर्म की नए, सिरे से व्याख्या की। उनकी अवधारणा थी कि प्रजाहित में किया गया कार्य आलौकिक एवं सर्वत्र फलदायी होता है।

आदि और अनन्त की समीक्षा करने से स्पष्ट है कि वास्तव में प्रजा पालक वही होता है जिसका मूल चिंतन और सभी कार्य प्रजाहित में हो। प्रजा के हित में ही प्रजापालक का कर्त्तव्य बोध/अर्न्तनिहित होता है। यदि लोकतंत्र के संदर्भ में देखे तो शासक का केवल अपना हित नहीं होना चाहिएं जहाँ शासक का अपना हित होता है वहाँ शासन तंत्र निरकुंश हो जाता है। विश्वकर्मा के सामने भी तथाकथित देवताओं का अह्म प्रश्न था। परन्तु उन्होंने प्रजाहित में सारे सृजन कार्य किये जिसका कालांतर में अतिक्रमण हुए और सर्वत्र विकृतियाँ आई।

इन सारी व्यवस्थाओं के साथ-साथ दण्ड नीति का भी विकास हुआ। कुलकरो के समय में हाकार, माकार और धिकार क्रमशः दण्डनीति के तीन अंग थे। राजतंत्र के उदय के साथ-साथ नई दण्ड नीति का विकास हुआ। जैसे-जैसे राजतंत्र में प्रगति हुई, विकास बढ़ा, कारोबार बढ़ा, सुरक्षा तंत्र मजबूत हुआ, वैसे-वैसे जनता का मानस बदलता गया। प्रजा में लोभ का भाव बदल गया। जब लोभ बढ़ जाता है, तब सारी बिधाये बदल जाती है। समाज विकास के साथ अपराध पनपने लगा। अपराधों की रोक थाम के लिये दण्ड नीति को नया आयाम दिया गया। चार प्रकार के दण्ड का विधान किया गया। उस समय लोगों को मृत्यु दण्ड नहीं दिया जाता था।

महर्षि विश्वकर्मा के पुत्र की हत्या के दोषी इन्द्र को मानसरोवर में कठोर दण्ड के रूप में सजा भुगतनी पड़ी जिसको प्रजापालक सृष्टिकर्ता विश्वकर्मा ने क्षमा दान देवताओं के आग्रह पर दिया। और सारी सुरक्षा दी। ऐसा उदाहरण बिरले कही सुनने को मिलता है। आज जितने भी वैज्ञानिक अविष्कार हुए है, वह आज से हजारों वर्ष पूर्व भारत में शिल्पियों द्वारा आविष्कारित व निर्मित इन संसाधनों का वर्णन वेद-पुराण-शिल्पग्रंथों में मिलता है। आज भी जो विकसित वैज्ञानिक-प्रौद्योगिकी दिखाई दी रही है, वह इन्ही की देन है।

विश्वकर्मा समाज को राष्ट्रीय धारा से जोड़ने हेतु शश्योत्पादन लेकर संपूर्ण आर्थिक व्यवस्था के सर्जक के रूप में उल्लेख आवश्यक है। विश्वकर्मा के पाँचों पुत्रों मनु, मय, त्वष्टा, शिल्पी एवं दैवज्ञ के शिल्प का तेज सन्निहित है। इस प्रकाश-पुंज के आलोक में समाज अपने तिरोहित गौरव का दर्शन कर सकेगा।

'विश्वकर्मा विजयतेतराम्' का जयघोष रूपायित है। चक्र के अंदर स्थित दूसरे घेरे में अंग्रेजी के अक्षर 'V' के साथ अंक '5' संपृक्त है। इस प्रकार, यह प्रतीक विश्वकर्मा समाज के पाँचों शिल्प-वर्गों को संपृक्त (एकीकृत) करके संगठित शक्ति के साथ विजय पथ (विजयतेतराम्) पर बढ़ चलने का संदेश देता है।

'विश्वकर्मा विजयतेतराम्' का स्वरूप भौतिकता के साथ-साथ आध्यात्मिक संस्पर्श से अनुप्राणित है। इसलिये इन दोनों शब्दावलियों के भौतिक और आध्यात्मिक दो-दो अर्थ किये गये है।

सृष्टि की रचना में पाँच का अंक अति विशष्टि हैं पंच महाभूतों का पंचीकरण करके विश्वकर्मा ने ही सृष्टि का शिल्पन् किया और शिल्प की अर्थवत्ता और सत्ता को विश्व में स्थापित किया। इसीलिये शिल्प कर्म को यज्ञ कर्म निरूपित किया गया। शिल्पकर्म के प्रत्येक सिद्धांत प्रथमतः विश्वकर्मा के ही माध्यम से उद्भूत होते हैं। शिल्पाधिपति के रूप में जिस विश्वकर्मा की सत्ता को स्वीकार किया गया है, वह पंचमुखी है। प्रथम मुख सद्योजात् पूर्व दिशा में, द्वितीय मुख वामदेव दक्षिण दिशा में, तृतीय मुख अघोर पश्चिम दिशा में, चतुर्थ मुख तत्पुरुष उत्तर दिशा में और पंचम् मुख ईशान उर्ध्वस्थ, ऊपर की ओर स्थित बताये गये हैं। इन पाँच मुखों से पाँच शैव पांचाल ब्राह्मण क्रमशः मनु, मय, त्वष्टा, शिल्पी एवं दैवज्ञ उत्पन्न हुए। इन

पंच-ऋषियों से पाँच शिल्प लौह, काष्ठ, ताम्र, पाषाण और स्वर्ण उद्भूत हुए। इस प्रकार, पाँच विश्वकर्मा पुत्र पंच शिल्प के उद्भावक पिता कहे गये। इन पाँचों शिल्पों के माध्यम से इस जगत को अलंकृत या विभूषित करने के कारण इन्हें पांचाल कहा जाता है-

'पंचमिः शिल्पैः' अलन्ति-भूषयन्ति जगत् इति पाञ्चालाः।

विश्वकर्मा के इन्हीं पाँच पुत्रों मनु से लौहाकार, मय से काष्ठकार, त्वष्टा से ताम्रकार, शिल्पी से शिल्पकार और दैवज्ञ से स्वर्णकार वंश प्रवर्द्धमान हुए। जन्मदिक् के अनुकूल मनु ने लौह शिल्प यज्ञशाला देश के पूर्व दिक्भाग में, मय ने काष्ठ शिल्प यज्ञशाला दक्षिण दिक् भाग में, त्वष्टा ने ताम्र शिल्प यज्ञशाला पश्चिम दिक्भाग में, शिल्पी ने पाषाण शिल्प यज्ञशाला उत्तरी दिक्भाग में और दैवज्ञ ने स्वर्ण शिल्प यज्ञशाला मध्य भाग में स्थापित की। इस योजना बद्ध रीति से समाज के विकास एवं निर्माण से सम्बन्धित पाँचों शिल्प यज्ञशालायें देश की प्रत्येक दिशाओं में पृथक-पृथक स्थापित कर राष्ट्र और समाज को एकता के सूत्र में बाँधने का अनूठा उदाहरण विश्वकर्मा ने प्रस्तुत किया। इसलिये इसी उदाहरण को आत्मसात् करते हुए वी-5 को विश्वकर्मा एकीकरण के प्रतीक चिन्ह के रूप में अंगीकृत किया गया है। इस प्रकार विश्वकर्मा के पाँच मुख, पाँच दिशाएँ, पाँच पुत्र, पाँच वंश एवं पाँच शिल्प का उद्बोधक है।

भौतिकता के साथ आध्यात्मिक पक्ष अत्यन्त रोचक और श्लाघनीय है। विश्वकर्मा ऋग्वैदिक युग की सर्वोच्च शक्ति का प्रतिनिधि है। ऋग्वेद के 10वें मण्डल के सूक्त 81 व 82 में विश्वकर्मा ही इस सृष्टि का निर्माता देव है। बाजसनेयी संहिता (26/9) के अनुसार विश्वकर्मा को समस्त संसार तथा ब्राह्मण्डों का उत्पादक पिता कहा गया है-'त्वष्टेदं विश्वं भुवनं जजान्।'

विश्वकर्मा के पाँच मुख पंचब्रह्म हैं-(1) तारकाकार ब्रह्मा, (2) दण्डाकार ब्रह्म (3) कुण्डलाकार ब्रह्म (4) अर्द्धचन्द्राकार बृह्म (5) बिन्दु ब्रह्म। पाँचों ब्रह्म मिलकर एकाक्षर 'ऊँ' (प्रणव) बनाते है। यही 'ऊँ' परब्रह्म विश्वकर्मा का प्रतीक है। वी-5 'ऊँ' का लौकिक स्वरूप है जिसमें पाँचों शिल्पों के उद्भावकों के वंशजों का एकीकरण गुंफित स्वरूप में प्रकाशित हैं। यह पाँच शिल्प-लौह, काष्ठ, ताम्र, पाषाण और स्वर्ण पंचमहाभूत क्रमशः पृथ्वी, जल, तेज (अग्नि), वायु और आकाश के रूपक हैं।

विश्वकर्मा का उत्पादक पिता विश्वकर्मा ने विश्व के प्राणियों की रचना के लिये निर्माण सामग्री का सर्वप्रथम सृजन किया। यह सामग्री पंच महाभूत (तत्व)–आकाश, वायु अग्नि, जल और पृथ्वी हैं। यही तत्व जगत की रचना के आधार हैं। इन तत्वों के पृथक-पृथक गुण हैं–आकाश का गुण शब्द, वायु का गुण स्पर्श, अग्नि का गुण रूप, जल का गुण रस और पृथ्वी का गुण गंध है। सृष्टि रचना की प्रक्रिया में आकश तत्व से शब्द श्रवण हेतु कर्ण, वायु से स्पर्श की अनुभूति के लिये त्वचा, अग्नि (तेजस) तत्व से रूप को समझने वाले नेत्र, जल से रस का स्वाद बताने वाली जिह्वा और पृथ्वी से गंध (ध्राण) लेने वाली नासिका सृजित किये गये। पुनः वाक् (वाणी), हाथ, पैर, गुदा और लिंग पाँच कर्मेन्द्रियाँ जनित की गयी। इनमें सामञ्जस्य स्थापित करने के लिये पाँच महाभूतों के सूक्ष्मांश से अंत:-करण बना और अंत:करण से उपजे पाँच विषय–मन, बुद्धि, अहंकार, प्रकृति और पुरुष। इस प्रकार पाँच महाभूत, उनके पाँच गुण, पाँच ज्ञानेन्द्रियों, पाँच कर्मोन्द्रियाँ एवं पाँच विषयों सहित कुल 25 तत्वों से सम्पन्न यह शरीर ही परमात्मा (आत्मा) का निवास है।

विश्वकर्मा से शिल्प की संज्ञा का प्रादुर्भाव हुआ और विश्वकर्मा शिल्प का पर्याय बन गया। विश्वकर्मा में देव तत्व है इसलिये उसके शिल्प में सौंदर्य है, पवित्रता है जीवन की स्थिरता, सुख और शांति है, ऋत् और सत्य है विश्वकर्मा ब्रह्म, तेज और ज्ञान के प्रतिनिधि है जो किसी भी समाज की व्यवस्था तथा उसकी गतिशीलता के लिये आवश्यक है। इसी उद्दात उद्देश्य की अभिव्यक्ति है।

विश्वकर्मा विजयतेतराम्–

मानव समाज का निर्माता विश्वकर्मा है, सारी प्रजा उसकी कृति है। शश्योत्पादन से लेकर सम्पूर्ण आर्थिक व्यवस्था के सर्जक के रूप में विश्वकर्मा इस सृष्टि और ब्रह्माण्ड के रचनाकार के नाम से निर्दिष्ट है। मानव जीवनदाता के रूप में प्रतिष्ठित विश्वकर्मा से मानव संस्कृति विकसित हुई है। इसलिये विश्वकर्मा संस्कृति के प्रथम प्रवर्तक हैं।

'स प्रथमः संस्कृति विश्वकर्मा... (तै. सं. 6/4/10/2)

या प्रथमा संस्कृतिर्यज्ञेऽस्मिन्। मैत्रायणी संहिता 1/3/12

संस्कृति के प्रथम आविष्कारक होने के कारण विश्वकर्मा 'संस्कृति के नाम से भी विख्यात हैं। सामाजिक व्यवस्था को सुसंस्कृत बनाने के लिये

विनिमयन एक अनिवार्य कार्य है जिससे राज्य नामक संस्था का प्रादुर्भाव संभाव्य हुआ। 'ऐतरेय ब्राह्मण' में भुवन-पुत्र विश्वकर्मा के राज्याभिषेक का एक रोचक कथानक आता है। विश्वकर्मा ने कश्यप नामक धर्मात्मा एवं योग्य पुरुष का राजा बनाने का निश्च किया जिसका कश्यप सहित अन्य प्रजातंत्र ने प्रतिशोध किया और विश्वकर्मा से अनुबंध किया कि जब तक राज्य व्यवस्था के सभी साधन न बनें, तब तक पृथ्वी को यथावत नहीं जीता जा सकता। अतः विश्वकर्मा से ही राज्य संचालन की प्रार्थना की गयी किन्तु विश्वकर्मा इस प्रस्ताव से असहमति जताते हुए कहते हैं कि मेरे द्वारा जनित ऐश्वर्य का भोग अन्य लोग करें, यही उनके जीवन का उद्देश्य है। पुनः प्रजाजनों ने विनम्रता पूर्वक यह प्रार्थना की कि 'भगवान्, इस समय यथार्थ में आप ही राजा बनने योग्य है और यदि आप ऐसा नहीं करते तो हम सारी प्रजा जल मग्न होते हैं। तब विश्वकर्मा ने जन कल्याण के लिये राजा बनना स्वीकार किया और कश्यप ने राजा के रूप में विश्वकर्मा का अभिषेक किया।

'एतेन ह वा ऐन्द्रेण महाभिषेकेण कश्यपो,
विश्वकर्माणं भौवनमभिषिषेच।
तस्मादु विश्वकर्मा भौवनः समस्तां पृथिवीं
जयन्।।

तत्पश्चात् राज्य पदारूढ़ विश्वकर्मा ने सम्पूर्ण संसार को विजित किया।

इस प्रकार, विश्वकर्मा संस्कृति के प्रथम प्रवर्तक के रूप में मानव समाज के निर्माता हैं और राज्य प्रणाली के प्रथम संस्थापक और राजा के रूप में समस्त पृथ्वी के विजेता हैं इसलिये अभियान के प्रतीक चिन्ह में हमारा जयघोष है–विश्वकर्मा विजयतेतराम्।

ऋग्वैदिक काल से ही विश्वकर्मा शिल्प के अधिपति के रूप में स्तुत्य एवं समाहत है। ब्राह्मण ग्रंथों में विश्वकर्मा प्रजापति के रूप में निरूपति हैं। विश्वकर्मा ही संवत्सर है, कालचक्र है। इसलिये समय के प्रवाह के साथ जितने भी सृजनात्मक कार्य एवं शिल्प-रचनायें हुईं वे इसी देव विश्वकर्मा की शक्ति से संभव हो सकीं। यही कारण है कि आज भी शिल्प, उद्योग, प्रविधि एवं कृषि व्यवसाय में लगा हुआ प्रत्येक वर्ग अपने उत्कृष्ट कार्यों का श्रेय विश्वकर्मा देव को देता है और उसकी पूजा करता है।

आज भी विश्वकर्मा का देव तत्व, तमाम प्रयासों के पराभूत नहीं हो सका है सामाजिक संरचना में 'शिल्प कर्म' का सम्मान नहीं है और शिल्पी अनादर के पात्र बन गये हैं। चूँकि वर्तमान प्रजातांत्रिक व्यवस्था में उन्हीं की पूछ है जो संगठित हैं, एक स्थान पर केन्द्रित है और जो वोट की राजनीति में सत्ता का संतुलन बिगाड़ सकते हैं। इसलिये विश्वकर्मा के पाँचों वर्गों को एकीकृत कर सत्ता में भागीदारी के माध्यम से उन्हें पुनः उनका पुराना गौरव दिलाना अभियान का उद्देश्य है, जहाँ उन्हें राजत्व प्राप्त था।

आज विजयी वह वर्ग है जिसे राजत्व प्राप्त है और जिसके हाथ में सत्ता की बागडोर है। सत्ता ही सारी समस्याओं के समाधान की कुंजी है। यह स्थिति तब तक सम्भव नहीं है है जब तक हम अपने अहं, स्वार्थ, अविश्वास और मतभेदों पर विजय नहीं प्राप्त कर लेते। इसीलिये अभियान का जयघोष है– विश्वकर्मा विजयतेतराम्।

जाति में व्याप्त रूढ़ियों, कुप्रथाओं, गन्दी मानयताओं, हानिकारक तत्वों को दूर करने के लिए समय-समय पर जातिगत बैठकें, सभायें, सम्मेलन और पंचायतें हुआ करती हैं। विश्वकर्मा समाज में भी ऐसी हजारों पंचायतें, सभायें, सम्मेलन समय-समय पर आयोजित हुए। जातीय जागरूकता और पुनर्निर्माण हेतु अनेकानेक प्रस्ताव पारित किये गये। सैकड़ों समाज सुधारकों ने इसकी बड़ी कुशलता और मेहनत से अगुवाई की। हम पुस्तक के इस खण्ड में इन्हीं का सविस्तार अध्ययन करेंगे।

वैसे प्रायः एक बात और यह भी सामने आती है कि जातीय जीवन में कुछ ऐसे लोग होते हैं जो जातीय निर्माण हेतु कभी कुछ नहीं करते, उनका प्रत्यक्ष या अप्रत्यक्ष कोई योगदान नहीं होता किन्तु इतिहासकार इन्हें खुश करने के लिए या रुपये-पैसे, प्रतिष्ठा के बल पर खरीदे गये चापलूसों की दृष्टि से सराहना या सम्मान पाने के लिए उनको इतिहास में अत्यंत महान बना देता है। हम इस प्रवृत्ति से दूर हटकर इस खण्ड में उन्हीं लोगों का वर्णन करेंगे जिन्होंने विश्वकर्मा जाति के लिए कुछ किया है। जिनके मन में अपनी कौम को ऊँचा उठाने की ललक रही। जिन्होंने बगैर नाम और कीर्ति की परवाह किये मान-अपमान को ताक पर रखकर विश्वकर्मा जाति के लिए काफी कुछ किया है।

जैसा कि ऊपर कुरीतियों कुप्रथाओं के बारे में लिखा गया है, इसमें संदेह नहीं कि समाज में कुछ ऐसी रूढ़ियाँ या कुरीतियाँ प्रचलन में थीं, जो

विश्वकर्मा समाज को हमेशा त्रस्त करती रहीं। दूसरी जातियों के समक्ष हँसी या उपहास का पात्र बनती रहीं। इन्हीं सबके कारण समाज में असम्मानजनक व्यवहार होता रहा। हम सबसे पहले विश्वकर्मा समाज में व्याप्त इन्हीं कुरीतियों का विस्तार के साथ अध्ययन करेंगें। यहीं इस संदर्भ में एक बात यह और भी कहना सामयिक होगा कि एक जगह एक कुरीति दूसरी जगह वहाँ की रीति हो सकती है। या यह भी हो सकता है कि एक जगह की रीति या प्रथा दूसरी जगह भयानक कुप्रथा या कुरीति हो सकती है। हम यथास्थान इस पर विचार करेंगे। यहाँ तो बस हम विश्वकर्मा समाज में वर्तमान कुरीतियों की ही एक चर्चा करेंगे।

2. विश्वकर्मा जाति की कुरीतियाँ

जहाँ तक कुरीतियों का प्रश्न है ये विश्वकर्मा जाति में ही नहीं बल्कि भारत की सभी जातियों में कुछ-न-कुछ पाई जाती हैं। रीतियों, प्रथाओं, मान्यताओं, का सीधा सम्बन्ध संस्कृति (Culture) से होता है। संस्कृति और सभ्यता अलग-अलग चीजें हैं। प्रायः समाज में संस्कृति और सभ्यता दोनों का एक-दूसरे पर नियंत्रण होता है। कभी सभ्यता आगे बढ़ती है तो संस्कृति उस पर नियंत्रण करती है। उसके प्रति विद्रोह करती है। समाज में हंगामे होते हैं। आन्दोलन होते हैं किन्तु प्रायः यह देखने में आता है कि जीत सभ्यता की होती है। संस्कृति को यथास्थान छोड़कर सभ्यता कई कदम आगे निकल जाती है। इसी को हम सांस्कृतिक पिछड़ापन या (Cultural Backwardness) कहते हैं। अतः इस स्थल पर विश्वकर्मा समाज में व्याप्त कुरीतियों का अर्थ कदापि यह न निकाला जाय कि विश्वकर्मा जाति में ही ये कुरीतियाँ हैं। अन्य दूसरी जाति कुरीतियों से बरी हैं। वस्तुतः यह एक सांस्कृतिक पिछड़ापन है जिससे सभ्यता लड़ती है और उसे अपने स्थान पर पूरी तरह प्रतिस्थापित करने का प्रयास करती है। अतः हम विश्वकर्मा समाज में व्याप्त प्रमुख कुरीतियों का यहाँ वर्णन करेंगे।

बाल विवाह

वैसे तो बाल विवाह का प्रचलन हिन्दुस्तान की सभी जातियों में बहुत पहले रहा है। बच्चे-बच्चियों की शादी उन्हें गोद में लेकर किये जाने की प्रथा रही है। राजस्थान, गुजरात आदि में तो ब्राह्मणों, क्षत्रियों, वैश्यों और शूद्रों सभी में यह प्रथा रही। सबकी देखा-देखी विश्वकर्मा जाति में भी यह प्रथा

दक्षिण भारत से लेकर उत्तर भारत तक में थी। दक्षिण भारत के आंध्र, कर्नाटक, तमिलनाडु, महाराष्ट्र में 7–8 वर्ष की बच्ची 10–12 वर्ष के बच्चे शादी योग्य करार कर दिये जाते रहे। कमोबेश यही स्थिति राजस्थान, हरियाणा, पंजाब और गुजरात की रही है। यहाँ भी 6–7 वर्ष की लड़की तथा 9–10 वर्ष के लड़कों का विवाह कर दिया जाता था।

उत्तर प्रदेश, बिहार, पश्चिम बंगाल व मध्य प्रदेश में बाल विवाह का प्रचलन काफी रहा है। यहाँ भी 6–7 वर्ष की लड़की तथा 10–12 वर्ष के लड़के की शादी आम बात रही है। आज के 100 वर्ष पूर्व हुई शादियों में दम्पत्तियों को यह जानकारी हो ही नहीं पाती थी कि उनकी शादी कब हुई? यह कहाँ हुई? शादी के आयोजन केसे किन–किन लोगों के बीच हुए? शादी के बाद वर–वधू के परिपक्व हो जाने पर गौना हुआ करता था। इस गौने की भी आयु 15–16 वर्ष की लड़की, 16–18 वर्ष आयु का लड़का होता रहा है। जैसाकि ऊपर कहा गया है, यह प्रथा विश्वकर्मा समाज में ही नहीं बल्कि अन्य दूसरे समाज, अहीर, कुर्मी, गोंड़, कलवार, भड़भूजा, कुशवाहा, राजभर, पासी, कायस्थ, क्षत्रिय आदि सभी जातियों में रही है।

विश्वकर्मा समाज में इस पर आन्दोलन तो नहीं हुए किन्तु राज्य सरकारों की पॉलिसी तथा हिन्दू कोड बिल की कुछ धाराओं ने स्वयं इस प्रथा पर प्रभावी नियंत्रण किया। लोग बाल–विवाह में धर–पकड़, मुकदमा कायम होने आदि के डर से पीछे हटने लगे। आज उत्तर भारत हो या दक्षिण भारत कहीं भी विश्वकर्मा समाज में बाल विवाह नहीं होते देखा जाता। वर्ष 1970 के बाद आज समाज में कुछ स्थान को छोड़कर हर जगह 18 वर्ष से ऊपर लगभग 21 वर्ष से 26–28 वर्ष की लड़कियाँ ओर इसी आयुवर्ग के लड़कों की शादी हो रही है।

3. दहेज प्रथा

दहेज प्रथा का प्रचलन विश्वकर्मा समाज में आज के पचास–साठ वर्ष पहले एकदम नहीं था। लड़के–लड़कियों की शादी लोग आपसी सहमति या नातेदारों, रिश्तेदारों की मध्यस्थता के बीच कर लेते थे। उत्तर भारत के दिल्ली, हरियाणा, राजस्थान, गुजरात में वधू पक्ष अपनी लड़की को आभूषण बनवाकर विदा करते समय देता था। वरपक्ष की ओर से प्रतीक रूप में थोड़े गहने और कपड़े शादी के अवसर पर लाये जाते थे। वर को कुछ उपहार

आदि दिया जाता था। उत्तर भारत के पूर्वी उत्तर प्रदेश, बिहार, पश्चिम बंगाल, मध्य प्रदेश के निचले हिस्सों में यह प्रथा दूसरे रूप में थी। यहाँ शादी के अवसर पर वधू के लिए वरपक्ष से गहने और कपड़े लाये जाते थे। वधू की ओर से खिचड़ी खिलाई जाती थी और इस अवसर पर गृहोपयोगी काफी सामान वरपक्ष को दिये जाते थे। इसमें बर्तन, साइकिल, पलंग, सोने की चेन, घड़ी आदि प्रमुख थे। दक्षिण भारत के महाराष्ट्र, कर्नाटक, तमिलनाडू बर्तन आदि भारी मात्रा में देता था। गहने लड़की वाले अपनी बेटी को देते थे।

वर्ष 1970 के बाद विश्वकर्मा समाज में भारी परिवर्तन आया। ब्राह्मण या क्षत्रिय समाज की तरह इनमें भी तिलक की प्रथा जोर पकड़ी। उत्तर भारत खासतौर से उत्तर प्रदेश, बिहार, बंगाल, मध्य प्रदेश के कुछ हिस्से में लड़की पक्ष के लोग लड़के को तिलक चढ़ाने जाने लगे। दस-बीस नहीं बल्कि तिलक में सौ-दो-सौ लोग गाजे-बाजे के साथ वरपक्ष के यहाँ जाने लगे। 5 हजार रुपये तिलक से प्रारम्भ होकर आज यह प्रथा दो लाख-तीन लाख तक पहुँच गयी है। लड़के को सोने की एक वजनदार चेन, घड़ी, अँगूठी तिलक में देने का रिवाज हो गया है। इसके अलावा परातों में फल, मिठाई, कपड़े, सूखे मेवे सभी भारी मात्रा में देने का रिवाज बन गया है। एक तरीके से यह लड़की पक्ष के लोगों द्वारा अपना वैभव प्रदर्शन है। दक्षिण भारत में भी दहेज की कुछ ऐसी ही प्रथा है। हाँ, वहाँ इस संदर्भ में विशेष दिखावा नहीं है। राजस्थान, दिल्ली, हरियाणा, गुजरात आदि प्रान्तों में भी दहेज प्रथा का प्रचलन तेजी से हुआ है। अब शादी में वरपक्ष को टेलीविजन, सिलाई मशीन, वाशिंग मशीन, वी. डी. ओ. रिर्काडर, वी. सी. पी., चार या दो पहिये की गाड़ी, गहने, कपड़े, भारी मात्रा में बर्तन, चूल्हे, पलंग, गरम शूट, कम्बल, रजाई, गद्दे आदि सभी कुछ बड़ी शान-शौकत के साथ मीना बाजार की तरह प्रदर्शन लगाकर देश के हर हिस्से में दिये जाते हैं।

विश्वकर्मा समाज के लोग अब आपस में बैठकर बातें करते या इकट्ठे होते हैं तो दहेज की बढ़ती इस प्रवृत्ति की कड़े शब्दों में निन्दा करते हैं किन्तु जब उनकी बारी आती है तो फिर ये उसी मार्ग पर तेजी के साथ बढ़ जाते हैं। वे यह भूल जाते हैं कि हमने अभी कुछ दिन पहले क्या कहा था। वैसे आज दहेज प्रथा से मध्यम तथा गरीब वर्ग काफी पीड़ित व परेशान है किन्तु इसके विरुद्ध कोई गंभीर आन्दोलन विश्वकर्मा समाज में नहीं खड़ा हो रहा है।

4. भोज-भात

विश्वकर्मा समाज की आदतों के बारे में पिछले अध्याय में लिखा जा चुका है कि इनका खान-पान एकदम राजसी है। आज खाने पर काफी जोर दिया जाता था। उत्तर भारत के पूर्वी राज्यों में आज के 60-70 साल पहले शादी-विवाह आदि समारोहों में लोग जमीन पर बैठकर पंगत में पूड़ी, सब्जी, दाल, चावल, चटनी खाते थे। इस अवसर पर सबको कुल्हड़ में दही या मिठाई खिलाई जाती थी। पूर्वोत्तर राज्यों में चने की अत्यंत स्वादिष्ट दाल तथा चावल खाने का रिवाज था। गोश्त नहीं खिलाया जाता था। पश्चिमोत्तर राज्यों में भी कुछ ऐसी ही व्यवस्था थी किन्तु खाने के साथ यहाँ 'नॉनवेज' की प्रथा थी। दक्षिण भारत के राज्यों में अनिवार्य रूप से 'नॉनवेज' खाना दिया जाता था।

पहले लोग जमीन पर बैठकर खाते थे। कुछ दिनों के बाद टाट-पट्टी पर बैठकर खाने की पहल हुई। दस-बीस वर्षों तक इस प्रक्रिया के बाद लोग कुर्सी-टेबुल पर बैठकर खाने लगे। अब यह प्रक्रिया बदलकर 'बफे' सिस्टम पर पहुँच गई। 'वेज', 'नॉनवेज' दोनों प्रकार के खाने परोसे जाने लगे। खाने में नॉनवेज में मछली, चिकेन, मीट में से कोई एक या दो, वेज में सब्जी दो-तीन किस्म की, दाल, बिरयानी या प्लेन राइस, दो-तीन किस्म की पूड़ी, सादी रोटी, नॉन रोटी, चटनी, खीर, गाजर का हलवा, दहीबड़ा, पापड़, सलाद, मिठाई ही नहीं बल्कि गोलगप्पे, चाट, टमाटर चाट आदि की व्यवस्था की जाती है। विश्वकर्मा समाज अब पूरे देश में ऐसा ही खाना बड़ी शानो-शौकत के साथ खिला रहा है। सुन्दर लाइट से जगमगाते अद्‌भुत पण्डाल लगाये जा रहे हैं।

मदिरापान विश्वकर्मा समाज के उन लोगों के लिए बहुत ही घातक व विनाशकारी साबित हुआ है जो इसका सेवन करने के आदी थे और आज भी मदिरापान नहीं छोड़ रहे है। इस जाति के कुछ लोग सामूहिक रूप से मांस और मदिरा का सेवन विशेषतौर पर करते पाये गये हैं। बल्कि यूँ भी कहा जा सकता है कि शादी-विवाह, मृत्यु, पूजा-पाठ आदि अवसरों पर विश्वकर्मा जाति के लोग प्रायः पीते पिलाते रहे हैं। उत्तर भारत हो या दक्षिण भारत पूर्वी भारत, सभी स्थानों में शराब पीने का रिवाज बहुत पहले से ही चला आ रहा है।

राजस्थान, दिल्ली, हरियाणा, उत्तर प्रदेश, मध्य प्रदेश और पश्चिम बंगाल आदि में शराब के कारण कहीं-कहीं अनेक गंभीर दुर्घटनाएँ भी देखने तथा सुनने में आई हैं। राजस्थान में एक बारात में सभी बाराती शराब के नशे में चूर थे। घर वाले यानी बधू पक्ष के लोग भी शराब पी रक्खे थे। नाचते-गाते बारात दरवाजे पर पहुँची। किसी बात पर दोनों पक्षों में विवाद हो गया, देखते ही देखते विवाद मारपीट में बदला। भयंकर झगड़ा हुआ। इसी बीच दूल्हे के मामा को लोगों ने नशे में जमकर पीटा। क्षुब्ध मामा बन्दनवार काटनेवाली तलवार से दूल्हे की गर्दन ही काट दी। मामा का कहना था यदि इसकी बारात न आई होती तो यह झगड़ा न होता। न मुझे इतनी मार पड़ती।

उत्तर प्रदेश के जनपद जौनपुर में एक बारात एक शिक्षित परिवार में गई। शराब के नशे में अधिकांश बाराती मस्त थे। घर के लोग भी शराब पी रक्खे थे। इस पुस्तक का लेखक भी बारात में शामिल था। दरवाजे पर बारात पहुँची, द्वारचार हुआ। थोड़ी देर के बाद दूल्हे को शादी के लिए वधू के पास मण्डप में ले जाया जाने लगा। वधू के सम्भवतः चाचा एक एम.बी.बी. एस. डॉक्टर थे। उन्होंने वर के साथ अंदर जाने की पहल कर रहे दूल्हे के भाई को दरवाजे पर रोक दिया। बस झगड़ा शुरू हो गया। नोंक-झोंक के बीच डॉक्टर ने दूल्हे के भाई को 'रूसो' कह दिया। बस इस 'रूसो' शब्द ने महाभारत खड़ा कर दिया। घण्टों 'रूसो' कहने की बात पर बहस होती रही। लाख समझाने के बावजूद मामला शान्त नहीं हुआ।

पश्चिम बंगाल के कलकत्ता में एक बारात निकली। वरपक्ष शराब के नशे में मस्त होकर नाच रहा था। नाचते-नाचते आपस में झगड़ा हो गया। थोड़ी देर में बारात ने महाभारत के दृश्य जैसा रूप ग्रहण कर लिया। भगदड़ मच गई। एक आदमी ने वाराणसी स्थिति महेश नामक एक व्यक्ति के पेट में छुरा घुसेड़ दिया। महेश की मृत्यु घटनास्थल पर ही हो गई। एक लम्बी अवधि तक मुकदमा चला।

इस प्रकार शराब पीने-पिलाने की कुरीति ने विश्वकर्मा समाज को काफी नुकसान पहुँचाया। हम लोग आज के 35-40 वर्ष पहले नशाबन्दी के लिए घूम-घूमकर आन्दोलन करते थे। शराब की बोतलें तोड़कर गिरा देते थे पर वाराणसी, आजमगढ़, जौनपुर आदि में शराब पीने वाले लोग मुँह चिढ़ा-चिढ़ाकर समाज सुधारकों के समक्ष गाना गाते, दिखा-दिखा कर शराब

पीते, उन्हें तरह-तरह से चुनौती देते। 1970 के बाद इस रिवाज में कमी आई। दिल्ली, हरियाणा में भी कन्ट्रोल हुआ। मध्य प्रदेश और बिहार के लोगों ने भी इस पर काफी नियंत्रण कर लिया। ऐसा लगता है कि आगे चलकर अपने आप विश्वकर्मा समाज से ताड़ी, शराब समारोहों में पीना-पिलाना एकदम बंद हो जायगा।

5. मृत्युभोज

उत्तर भारत के कुछ राज्यों में मृत्युभोज भी एक अजीब कुरीति के रूप में विश्वकर्मा समाज में खड़ा था। उत्तर प्रदेश में विश्वकर्मा ही नहीं बल्कि अन्य दूसरी जातियों में भी भव्य मृत्यु भोज का आयोजन आज भी होता है। बड़ी धूम-धाम के साथ तेरही, सत्रही, दसवाँ आदि का नियम है। हजारों आदमी इस भोज में सम्मिलति होते हैं। पूड़ी, सब्जी, दही, मालपुआ, मिठाई आदि खिलाया जाता है। नवजवान के मरने पर भी तेरही आदि होती है पर इसे ज्यादा भव्य रूप नहीं दिया जाता है।

विश्वकर्मा समाज में पूर्वी उत्तर प्रदेश, पश्चिमी बिहार, पश्चिम बंगाल आदि स्थानों में शवयात्रा होती है। लोग गाजे-बाजे के साथ सैकड़ों कफन डालकर शव को पलंग या बाँस की टिकठी पर चढ़ाकर श्मशान तक जाते हैं। कहीं-कहीं शवयात्री शराब पीकर मस्ती में चूर रहते हैं। जहाँ शराब नहीं पी जाती वहाँ घाट पर मिठाई खाने का प्रचलन है। अनेक स्थानों पर शवयात्रा में भी मारपीट, लड़ाई, झगड़ा होने की सम्भावना बनी ही रहती है।

6. भूत-पिशाच

बिश्वकर्मा समाज भारत का एक अत्यन्त प्राचीन समाज रहा है। प्राचीन जातियों के अध्ययन से एक बात बहुत अच्दी तरह ऊभर कर सामने आती है कि इस श्रेणी की सभी जातियाँ, देवी-देवता, तंत्र-मंत्र पर विशेष ध्यान देती रही है। ओझाई, देवाई का इन जातियों में सर्वदा बोलबाला रहा है। शिक्षा की कमी भी इसमें बहुत बड़ी सहायक रही है।

पूर्वी उत्तर प्रदेश, पश्चिमी बंगाल, बिहार, उत्तरी मध्य प्रदेश में जातीय समाज भूत-प्रेत आदि का काफी शिकार रहा है। अनेक जवान लड़कियाँ भूत के चक्कर में ससुराल से निष्कासित जीवन बसर कर रही हैं। शादी-विवाह में अन्य बातों के साथ-साथ भूत-पिशाच की काफी छानबीन होती थी। आज के चालिस-पचास वर्ष पूर्व विश्वकर्मा समाज में आपसी मुलाकात

शादी-विवाह या अन्य सम्बन्धों में सबसे पहले इसी मुद्दे पर बातचीत होती थी। जो परिवार भूत-पिशाच से दूर रहता था या जिस परिवार में भूत-पिशच नहीं होते थे उस परिवार में शादी या कोई भी सम्बन्ध बड़े आराम या आसानी से कायम हो जाते रहे।

विश्वकर्मा जाति ही नहीं बल्कि भारत की अन्य दूसरी जातियाँ जिनमें भूत-पिशाच का प्रचलन है, उनकी मान्यता है कि सर्वदा लड़की पक्ष से भूत आता है। यदि लड़की का भाई मोहन के घर ब्याहा है तो मोहन का भूत पहले लड़की के पिता भाई के यहाँ आयेगा फिर इसके बाद उसकी ससुराल में पहुँचेगा। यदि मोहन के घर में भूत नहीं है किन्तु मोहन के लड़के की शादी सौ दो सौ किलोमीटर दूर नन्दलाल के यहाँ हुई है और नन्दलाल की शादी सीताराम के यहाँ हुई है तो सीताराम का भूत नन्दलाल के यहाँ से होता हुआ मोहन के यहाँ से लड़की के मायके होता हुआ लड़की के ससुराल आ जायेगा। इन भूतों में कई प्रकार के भूत होते हैं।

उक्त प्रदेशों में हजारों पंचायतें भूत-पिशाच को लेकर हुई हैं। हजारों ब्याही गई लड़कियाँ बाल-बच्चा होने के बावजूद भी त्याग दी गयीं। भूत रूपी इस दानव ने अनेक परिवार तबाह कर दिये। समय-समय पर इसके विरोध में भी आन्दोलन उठाये गये। हम इसका वर्णन आगे करेंगे। वैसे अब इस विचारधारा पर काफी रोक लगी है। मान्यता के बन्धन ढीले पड़े हैं।

7. अजातीय प्रथा

रक्त की शुद्धता पर विश्वकर्मा समाज में आदिकाल से ही ध्यान दिया जाता रहा है। लोग हर हालत में अपने आपको मिट-मिटाकर भी अपने रक्त की पवित्रता को बनाये रखने को सर्वदा तत्पर रहते रहे हैं। यदि विश्वकर्मा जाति का कोई युवक या व्यक्ति किसी गैर-जातीय महिला से शादी रचा लेता था तो उसके ऊपर कार्यवाही होती रही है। उस दम्पत्ति से पैदा होने वाले बच्चों की भी शादी विश्वकर्मा समाज में एक समस्या बन जाती थी। चाहे विश्वकर्मा समाज में आने वाली वह युवती ब्राह्मण, क्षत्रिय ही क्यों न हो।

ऐसे ही विश्वकर्मा समाज की कोई लड़की किसी अन्य जाति के लड़के से शादी कर लेती थी तो उस परिवार को बड़े ही हेय दृष्टि से देखा जाता था। उसके दूसरे लड़के-लड़कियों की शादी उनके लिए अभिशाप

बन जाती रही है। चाहे उस लड़की ने किसी ब्राह्मण या क्षत्रिय से ही अपना रिश्ता क्यों न जोड़ा हो। शादी-विवाह जाति में एक बन्द प्रथा रही है। रोटी-बेटी अपनी जाति में ही करने का विश्वकर्मा समाज हिमायती रहा है। जातीय पंचायतें इसके लिए सर्वदा सख्त रूख अख्तियार करती रही हैं। यदि कहीं जातीय नियमों की अवहेलना हुई तो पंचायतें सजग हो उठीं। दोनों पक्षों या सम्बन्धित पक्ष को तलब किया जाता रहा। इक्सप्लेनेशन होते और जातीय समाज से इन्हें बहिष्कृत कर दिया जाता।

8. पंचायती व्यवस्था

विश्वकर्मा जाति के अंदर अत्यंत प्राचीनकाल से पंचाती व्यवस्था रही है। जातीय कुछ नियम बड़ी ही सख्ती से लागू थे। इन पर नियंत्रण तथा इसकी सुव्यवस्थित देख-रेख पंचायतें ही करती रही हैं। पंचायती व्यवस्था में एक-एक मुहल्ले से एक-एक चौधरी फिर सभी चौधरियों के ऊपर एक बड़ा चौधरी; चौधरी के बाद 'सरदार' की व्यवस्था रही। सरदार मामले को पंचायत में चौधरी के समक्ष प्रस्तुत करता रहा। उस पर वकालत करने के लिए 'कहवा' अथवा 'बतकहा' की व्यवस्था थी। मामले की देख-रेख तथा उस पर नियंत्रण एवं पुकार के लिए हर पंचायतों में 'गोड़इत' हुआ करते थे। इस प्रकार पंचाती व्यवस्था में चौधरी, बड़ा चौधरी, सरदार, कहवा, बतकहा और गोड़इत पदों की रचना थी।

उत्तर भारत हो या दक्षिण भारत हर जगह पंचायतें थीं। जातीय समाज इससे नियंत्रित था। पंचायती व्यवस्था में कहीं-कहीं थोड़ा-सा पदों में अंतर था। कहीं चौधरी, कहीं माते, मुखिया आदि शब्द इसके लिए बनाये गये थे। आंध्र प्रदेश, कर्नाटक, दिल्ली, राजस्थान, महाराष्ट्र आदि सभी स्थानों पर विश्वकर्मा जाति में एक सख्त दुरूस्त एवं अत्यंत सजग यह व्यवस्था जाति को नियंत्रित करती रही। वैसे विश्वकर्मा जाति ही नहीं अन्य दूसरी जातियों में भी यह व्यवस्था इसी प्रकार लागू रही। दक्षिण भारत में जिलेवार चौध रियों की व्यवस्था थी। इस सम्बन्ध में कर्नाटक श्री के. श्याम राव ने लिखा है कि–

About 30 years ago in each Village, town and city there was one person from among our people called "Chowdhari" who was supposed to be the Head of our community in that area for a group of people, participating in the social work, the welfare of our people and keeping our people under his control with some minimum discipline. Along with a panel of members he used to conduct marriage taking part in other functions and settling minor disputes of each family of the place and also in funerals. He was able to enjoy this status from hereditary. Among these Chowdharis there were some prominent personalities, *e.g.*, 1. Bangalore city-Late L. Govinda Rao, 2. Bellary-Bada Bacha Rao, 3. Mysore-Bapu Rao, 4. Mangalore-Dada BhaiRao, 5. Raichur-Bada Khaja, 6. Dharwad-Krishnaji Rao Mankar, 7. Belgaum-Raja Rao, 8. Madras city (Tamilnadu)-Late Raja Rao etc.

The wives of these Chowdharis were called "Chowdharins" and enjoying the status of "Heads" among women groups. From 1970 as there has been gradual change in the society and living conditions of our people all over the state, having gained some improvement and strength socially, educationally and economically, each family with its members has become independent to take descisions by themselves all about the affairs of their families and therefore the rule of "Chowdhari" has been gradually avoided and vanished.

However, unity was badly lacking. There was no connection between the poeple of South Karnataka and North Karnataka and even among the people of the districts and towns and identified themselves calling the caste of each group.

उत्तर प्रदेश में वाराण्सी की पंचायत का नाम 'असीबरना' था। शायद पूर्वजों को 'वाराणसी' नहीं कहने आता था या वे 'वाराणसी' शब्द का उच्चारण शीघ्रता से न कर पाने के कारण पंचायत का नाम वाराणसी 'से असीबरना' कर दिये हों। वाराणसी दो शब्दों अर्थात वरुण + अस्सी = वाराणसी से रचित है। यहाँ 'वरुणा' नाम की एक बड़ी नदी शहर के उत्तरी किनारे पर एवं अस्सी नामक एक नाला शहर के दक्षिणी किनारे पर आज भी स्थित है। इसी दोनों के बीच बसी काशी को वाराणसी कहा जाता रहा किन्तु अब तो इसका काफी विस्तार हो चुका है।

सामन्तवाद में ही वर्तमान समाज का धर्म, श्रेणी विभाजन, रुपया का प्रचलन, व्यक्तित्व एवं सामाजिक-उद्भव विकसित हो चुके थे। प्राचीन युग में जैसे व्यवसाय कर समाज संगठित होता था सामन्तयुग में ठीक उसी प्रकार धर्म के आधार पर समाज संगठन प्ररम्भ हुआ। क्रमशः विकसित हुआ।

सामन्तों की सहायता से ही धर्म प्रचारक ब्राह्मण लोग पनपते थे। राजा के अधिकारों को कायम रखने के लिए धर्म प्रचारकों का अर्विभाव हुआ लेकिन चालाकी से तथा परलोक भय दिखाकर ब्राह्मण लोग सामन्ती राजाओं के ऊपर भी अपना प्रभाव डालने में समर्थ हुए।

धर्म प्रचारक ब्राह्मणों तथा राजाओं के बीच के संघर्ष के बारे में हमें रामायण तथा महाभारत में उदाहरण मिलता है। इस विरोध ने बहुत तीव्र रूप धारण किया था। इससे सबसे अधिक नुकसान पाँचाल विश्वकर्मा ब्राह्मणों को हुआ जिनके शिल्प शास्त्र, पौराणिक ज्ञान विलुप्त कर दिये गये और इस पर इन्हीं से उपजे ब्राह्मणों का आधिपत्य हो गया।

परिणामतः विश्वकर्मा वंशज पाँचाल ब्राह्मण कालांतर उसी में समाहित हो गये और शिल्पी जातियाँ राजाओं के महल, मुकुट, दुर्ग, किला, अस्त्र-शस्त्र आदि निर्माण और उत्पादन कार्यों में लग गई। धार्मिक कार्यों में संलिप्त लोग पूजा पाठ, अनुष्ठान, धर्म प्रचारक कार्यों में लग गये। आश्रयदाता राजाओं के मंत्री, सिपहसलार होकर मार्ग दर्शन करने लगे।

इस प्रकार विश्वकर्मा संततियों का दो स्वरूप विकसित हुआ। पहला शिल्पाचार्य दूसरा धर्माचार्य। इसका स्वरूप आज भी विश्वकर्मा जाति उपजाति, पाँचाल ब्राह्मण जाति उपजाति के रूप में प्रचलित है। दोनों क्षेत्रों में ये लोग समुन्नत एवं विकसित हुए। दोनों की उत्पत्ति एक होते हुए भी एक निर्माता और दूसरा भाग्य विधाता के रूप में परिलक्षित हुए। एक की दिशा व दशा कर्म प्रधान है और दूसरे की दिशा-दशा धर्म प्रधान है। इसका उल्लेख लेखक ने यथास्थान इस पुस्तक में वर्णित किया है ताकि विश्वकर्मा समाज अपने गौरव को पहचान सके। यह भी जान सके कि हम कौन है, क्या है, क्या कर रहे है। कठिन परिश्रम कर लोगों का पेट भरने वाले विश्वकर्मा वंशज को उनके उत्पादन का लाभकारी मूल्य नहीं मिल पा रहा है। पसीना बहाकर मजूदरी करने वालों की हालत सुधारने के लिए कोई ठोस नीति नहीं बनायी जा रही है। इस गौरवशाली समाज की उपेक्षा का मुख्य कारण आपसी एकता, समन्वय एवं दृढ़ संकल्पित कुशल नेतृत्व का अभाव है।

हम सभी को एकता और समन्वय का मार्ग अपनाकर-खुले दिल और दिमाग से एक मंच पर आना समय की माँग है ताकि समाज के चतुर्दिक

विकास में और खतरा उत्पन्न न हो। आज जिसके हाथ में देश की रक्षा, शासन और न्याय की बागडोर है उनसे आज विश्वकर्मा समाज अपने बिखराव के कारण हर प्रकार से उपेक्षित एवं वंचित है। बिना साहसिक भावना को अपनाए इसका हल नहीं निकल सकता।

यहाँ आइन्स्टाइन के विचार उद्धृत करना समीचीन होगा। जब उनसे पूछा गया संसार में इतने दुःख और कलह क्यों है? जबकि विज्ञान ने एक से एक बढ़कर सुख साधन उत्पन्न कर दिये? उत्तर देते हुए उन्होंने कहा कमी बस एक ही रह गयी है कि अच्छे मनुष्य बनाने की कोई योजना नहीं बनी। देश, संप्रदाय और भाषण के पक्षधर सभी दीखते है, पर ऐसे लोग दीख नहीं पड़ते जो अच्छे इंसान बनाने की योजना बनाएँ। इससे मैं काफी प्रभावित हुआ हूँ।

9. समाज का विकास कैसे हो?

संसार के अनेक राष्ट्र विकास कर रहे हैं। हमारा राष्ट्र भी विकासशील है। भारत की लगभग सभी जातियाँ विकास कर एक सभ्य शिक्षित समाज की स्थापना कर रही हैं, परन्तु हमारा विश्वकर्मा समाज इस विज्ञान के युग में क्यों पीछे है? विज्ञान ही नहीं शिक्षा, आर्थिक, राजनीतिक और रोजगार के क्षेत्र में निम्न स्तर पर है। क्या आप बता सकते हैं कि हमारा दैवज्ञ समाज जिसके अंदर बहुत सारे गुण मौजूद हैं, फिर भी विकास के मार्ग पर क्यों नहीं चल पा रहा है।

आइये कुछ बिन्दुओं पर हम चर्चा कर समाज के उत्थान में सहयोग करें।

शिक्षा और समाज

हमारा विश्वकर्मा समाज आज भी शिक्षा से कोसों दूर है। इसके अलावा शिष्टाचार, सदाचार व्यावहारिकता का भी अभाव देखा जा सकता है। इसका मुख्य कारण शिक्षा के प्रति जागरूक न होना है। आप अपने समाज में देखते हैं कि आई.ए.एस. और पी.सी.एस. सिविल सर्विसेज इंजीनियरिंग करने की चेष्टा नहीं करते हैं। हमें विकास के प्रत्येक पहलू तक पहुँचना जरूरी है। अगर हम शिक्षित बनेंगे तो समाज शिक्षित बनेगा, समाज शिक्षित बनेगा तो हमारे समाज की बुराईयाँ खामियाँ और कुरीतियाँ अपने आप दूर हो जाएंगी तथा हमारा समाज एक मजबूत और शक्तिशाली समाज अवश्य बन जायेगा।

सभी बुद्धिजीवी व प्रबुद्धवर्ग के लोग यह संकल्प कर लें कि जिस स्थान पर हम रह रहे हैं वहाँ के समाज के लोगों को शिक्षित करने तथा उनके आगे बढ़ने में पुरजोर व यथासंभव उनकी सहायता करेंगे। इस प्रकार के प्रयास से समाज का शैक्षिक विकास संभव है।

आर्थिक पृष्ठभूमि और समाज

समाज का अगर आर्थिक दृष्टिकोण देखा जाय तो आपको यह जानकर दुःख होगा कि यह समाज अन्य पिछड़ी जातियों की अपेक्षा नगण्य है। आज सभी देश तथा उन देशों में रहने वाले प्रत्येक समाज के लोग अपने आर्थिक पक्ष को मजबूत कर रहे हें तो हमें भी समय न नष्ट कर पश्रिश्रम करके अपने आर्थिक पक्ष को मजबूत करना चाहिए। आज के आधुनिक युग में या इस महंगाई के जमाने में घर का प्रत्येक सदस्य काम करेगा तभी वह आगे बढ़ पायेगा। हमारे समाज में किसान भी हैं लेकिन उनके पास ज्यादा भूमि न होने के कारण आर्थिक पृष्ठभूमि कमजोर है। इतिहास भी बताता है कि इस समाज के लोग कभी आगे नहीं रहे हैं, आज हमें इतिहास को बदलना है और हमें हर क्षेत्र में उन्नति करना है।

राजनीति और हमारा समाज

राजनीति की बात करें तो अब हमारा समाज जागरूक हो रहा है, लेकिन अभी बहुत से लोग हैं जो कहते हैं कि राजनीति इस समाज के बस की बात नहीं है। यह सही भी है क्योंकि 2005 के ग्राम पंचायत चुनाव का उदाहरण लेकर देखा जाय तो विदित होगा कि विश्वकर्मा बाहुल्य गाँव में भी ग्राम प्रधान के प्रत्याशी के रूप में विश्वकर्मा प्रत्याशी अन्य जातियों के अपेक्षा बहुत कम हैं। जब एक छोटे से ग्राम पंचायत के चुनाव में लोग भाग नहीं ले रहे हैं तो विधान सभा और लोक सभा सदस्य के चुनाव की बात ही दूर है। हमें इन सबके लिए जागरूक रहना चाहिए। अपने को किसी से कम नहीं आंकना चाहिएं आप भी विधायक, सांसद और मंत्री बन सकते हैं।

रोजगार और हमारा समाज

समाज में लगभग 40 प्रतिशत लोग मजदूरी करते हैं तथा 20 प्रतिशत लोग नौकरी करते हैं और 5 प्रतिशत लोग बड़े उद्योग पति हैं। बाकी 25 प्रतिशत लोग अपना व्यवसाय किए हुए और 10 प्रतिशत समाज के लोग

कृषि पर निर्भर हैं अगर यही 40 प्रतिशत लोग अपना स्वयं का रोजगार व व्यवसाय कर लें तो अपना समाज ऊँचाईयों को छू सकता है, जिससे उनके व्यक्तित्व का विकास होगा और अन्य समाजों में उनका मान सम्मान बढ़ेगा।

वर्तमान समय में समाज विकासोन्मुख है। प्रत्येक व्यक्ति जागरूक हो रहा है तथा हर क्षेत्र में अपना झण्डा लहराने की कोशिश कर रहा है। हमारे समाज में कुछ संगठन हैं जो समाज के विकास के लिए संघर्ष कर रहे हैं। यह सामाजिक संगठन समाज के आर्थिक, राजनैतिक तथा शैक्षिक विकास के लिए यथा संभव प्रयास कर रहे हैं और हमें भी उन संगठनों का साथ देना चाहिए।

10. 'शिल्प ध्वज'

शिल्प ध्वज के निर्माण के बारे में कुछ मूलभूत बातें दी जा रही है जिससे एक संगठन में एक ध्वज और उसकी एकरूपता रखी जा सके। हम सभी जानते है कि सभी राष्ट्रों के, सभी संगठनों का अपना एक ध्वज हुआ करता है। ध्वज अनायास ही नहीं बनते, उनके पीछे एक इतिहास परम्परा तथा जीवन दृष्टि होती है। एकता तथा दृढ़ता के लिए सबसे महत्वपूर्ण स्थान ध्वज का है। जैसे अपने देश के तिरंगे का भी एक इतिहास है। क्रांतिकारी जब यूरोप गये तो वहाँ फ्रांस तथा इटली की क्रांति गाथाएँ सुनी। वहाँ के क्रांतिकारियों के झण्डे तिरंगे थे इसलिए अपना झण्डा भी तिरंगा बनाने की इच्छा बनी। इसी प्रकार पंच शिल्प करने वाले जब अपना इतिहास भूल गए थे, अपनी उत्पत्ति के बारे में भ्रमित हो गये थे तब अपने प्राचीन ग्रन्थों एवं पुराणों का अध्ययन करने वाले मनीषियों ने प्रमाण पेश करते हुए एक ब्रह्मर्षि विश्वकर्मा की पाँच संतानों का वर्णन करते हुए उनको एक सूत्र में बाँधने के लिए एक संगठन एवं एक ध्वज की परिकल्पना की।

शिल्प ध्वज पचरंगा है। जिसमें कम से ऊपर से नीचे श्वेत, नीला, लाल, धूम्र एवं पीला रंग जो न केवल विश्वकर्मा के पाँच वंश मनु, मय, त्वष्ठा, शिल्पी एवं दैवज्ञ का प्रतिनिधित्व करते है वरन सृष्टि निर्माण में प्रयुक्त पंच तत्व, जल, आकाश, अग्नि; पृथ्वी एवं वायु के गुणों को भी दर्शाते है। इस ध्वज की लम्बाई 1/4 मीटर एवं चौड़ाई 1 मीटर होनी चाहिए। यदि किसी स्थल पर उपस्थिति 1000 से अधिक व्यक्ति की हो तो ध्वज का आकार अनुपात में डयोढ़ा करके बनाया जा सकता है। हमारा यह

शिल्प ध्वज शील, स्नेह, शौर्य, समता एवं धैर्य का सन्देश जन-जन तक पहुँचाने में समर्थ है। ऐसे ध्वज को शतशः नमन वन्दन करते हुए विश्वास है कि यह मनु, मनय; त्वष्ठा, शिल्पी, एवं दैवज्ञ आदि कारीगर बंधुओं को एकाकार कर उनकी उन्नति का मार्ग प्रशस्त करेगा।

जब समर-शिविरों के तने हुए तम्बुओं से बंधे विजय-ध्वज अट्टहास करते फहर रहे थे तब मरुस्थल में मरे पड़े लोगों की पथरायी आँखों और युद्ध के कहर से कँहर रहे घायलों की कराह ने राजनीतिज्ञों से पूछा था-"यह युद्ध किसकी स्वतंत्रता और किस लोकतंत्र के लिए था।

11. विकास की नयी अवधारणा एवं चुनौतियाँ

भारत की गरीबी का एक प्रमुख कारण यह तेजी से हो रहा भूमि का अपक्रमण है। देश के कुल 32.9 करोड़ हेक्टेयर भू-क्षेत्र का 53 प्रतिशत हिस्सा अब किसी न किसी रूप में अपक्रमित हो चुका है। इससे भी ज्यादा चिंता की बात तो यह है कि भूमि के इस अपक्रमण की रफ्तार तेजी से बढ़ती जा रही है। हर वर्ष 15 लाख हेक्टेयर क्षेत्र में हरित आवरण गायब हो रहा है। इसके अलावा अनुमानतः 10 लाख हेक्टेयर जमीन उसके गलत उपयोग के कारण अनुत्पादक बन गयी है।

भारत के भू-क्षेत्र पर दबाव निरंतर बढ़ रहा है मगर इसके बावजूद देश में चरनोई, पशु आहार उत्पादन तथा उपलब्ध चरनोइयोंका उन पर निर्भर मवेशियों की संख्या के बारे में कोई निश्चित नीतियाँ नहीं है। भारत की वन-नीति में स्पष्ट रूप से कहा गया है कि देश के समस्त भू-क्षेत्र का लगभग एक तिहाई (10 करोड़ हेक्टेयर) भाग वनाच्छादित होना चाहिये। वर्तमान में वन-विभाग के पास जो 74 करोड़ हेक्टेयर वन-क्षेत्र है उसमें से बमुश्किल 47 प्रतिशत ही ऐसा है जिसे पर्याप्त रूप से वनाच्छादित कहा जा सकता है। इस भारी प्रमाण में वन-विनाश के कारण न केवल ईंधन की गंभीर कमी हो गयी है बल्कि उसने कई आदिवासी समुदायों की संस्कृति और आजीविका के सांधनों को नष्ट कर दिया है। ईंधन तथा पशुओं के चारे की समस्या को हल करने के लिए प्रारम्भ में जो सामाजिक वानिकी कार्यक्रम शुरू किये गये उन्होंने वास्तव में कागज, लुगदी तथा भवन-निर्माण उद्योगों के लिए कच्चा माल उपलब्ध करने में मदद की है तथा जिन गरीब लोगों के लिए ये योजनाएँ बनायी गयी थी उनकी पूरी तरह उपेक्षा हो गयी।

दुष्चक्र

गरीब लोग एक ऐसे दुष्चक्र में फंस गये है जिसमें उनकी हालत लगातार बद से बदतर होती जा रही है। जहाँ गरीबी के कारण संसाधनों का अनुचित दोहन होता है वही संसाधनों की विपन्नता से मानव की गरीबी बढ़ती जाती है। आजादी के बाद से हर पंचवर्षीय योजना ने सर्वोच्च प्राथमिकताके आधार पर इस बुराई को दूर करने की कोशिश की लेकिन आज 40 वर्ष बीत जाने के बाद भी आधी से ज्यादा जनसंख्या को उनकी बुनियादी आवश्यकताएँ तक उपलबध नहीं है। जवाहरलाल नेहरू ने आधुनिक और औद्योगिक दृष्टि से सम्पन्न भारत का सपना देख था। एक ऐसा भारत जिसमें इस्पात तथा उर्वरकों के कारखाने होंगे, बाँध बनेंगे तथा उनसे पन बिजली पैदा होगी, कृषि का अनुधनिकीकरण होगा तथा ज्ञान विज्ञान की उन्नति होगी। उनका विश्वास था कि तेज रफ्तार औद्योगिकरण से देश भौतिक समृद्धि की ओर उसी तरह अग्रसर होगा जैसा कि यूरोप और उत्तरी अमेरिका में हुआ।

इस बारे में कोई संदेह नहीं कि भारत ने विज्ञान ओर प्रौद्योगिकी के क्षेत्र में बहुत कुछ हासिल किया है, मगर इस आधारभूत ढाँचे के विकास से जनता, खास तौर से गरीबों का कल्याण कितना हुआ उस बारे में संदेह की काफी गुंजाइश है। औद्योगिककरण के द्वारा क्या कुछ हासिल किया जा सकेगा इसके बारे में नेहरू ने जो कुछ सोचा था वैसा हुआ नहीं। बल्कि उनकी नीतियों से गरीबी और ज्यादा बढ़ी। बड़े तथा भारी उद्योगों का नतीजा पर्यावरण की भारी क्षति के रूप में सामने आया। यह अब साबित हो चुका है कि विकास का यह नमूना स्वयं निर्भर या कायम रहने योग्य नहीं है।

विकास की कीमत

बुनियादी सवाल तो यह है कि आखिर विकास का मतलब क्या होता है और उसके लिए हम क्या कीमत चुकाने को तैयार है? क्या नागालैण्ड या मिजोरम के किसी आदिवासी से कलकत्ता की झोपड़ पट्टियों में रहने वाले ज्यादा गनीमत हाल में हैं?

दिक्कत यह है कि पाश्चात्य अर्थव्यवस्थाओं की बुनियादी धारणाएँ कुछ अन्य तथा पुरातन संस्कृतियों के संदर्भ प्रासंगिक नहीं हैं; क्योंकि उन्हें वहाँ लागू करने पर वांछित नतीजे प्राप्त नहीं होते। यह तो तय है कि आर्थिक

समृद्धि की सीमा वहाँ तक होती है जितनी कि प्राकृतिक संसाधनों की स्वयं को पुनर्जीवित करने की क्षमता होती है। स्पष्ट ही, यह एक ऐसी चीज है जो क्षेत्र से क्षेत्र और संस्कृति से संस्कृति बदलती रहती है। जो चीज उत्तरी गोलार्द्ध में व्यावहारिक है, हो सकता है दक्षिणी गोलार्द्ध में वह वैसा न हो।

पर्यावरण के बारे में बहस प्रारम्भ होने से कई बरस पहले ही गाँधी जी ने पूछा था कि पाश्चात्य अर्थ में औद्योगिक होनी की भारत को ऐसी क्या जरूरत है? उनके सपनों का भारत तो उन छोटे-छोटे ग्राम-गणतंत्रों का महासंघ था जो अपने समुदाय को उनकी बनुयादी आवश्यकताएँ बगैर बड़े पैमाने के उद्योगीकरण के ही मुहैया कर दें। इस विचारधारा के अंतर्गत कायम रहने योग्य विकास अगैर प्राकृतिक संसाधनों के अति-दोहन के भी संभव होता है। 'मुझे पूरा विश्वास है' उन्होंने कहा था, 'कि यदि भारत की सच्ची स्वीधनता प्राप्त करनी है तो देर-सबेर हमें यह तथ्य स्वीकार करना होगा कि लोगों को शहरों के बजाय गाँवों तथा महलों के बजाय झोपड़ियों में ही रहना होगा।'

गाँधी जी की इस दृष्टि में तर्कसंगतता थी क्योंकि उन्हें पता था कि प्रकृति में चीजें एक दूसरे से जुड़ी जोती हैं। आदिवासियों में यह समझ हमेशा रही है। आधुनिक चिंतकों और प्रकृति संतुलन शास्त्रियों ने उसे अब समझना शुरू किया है। इस नयी बल्कि युगों प्राचीन नैतिकता पर गाँधी जी ने जोर दिया था लेकिन तथाकथित आधुनिक विचारकों ने उनकी बात को हँसी में उड़ा दिया। लेकिन अब हम घूम-फिरकर इसी विचार की तरफ लौटे हैं कि विकास प्राकृति की कीमत पर न होकर उसके साथ सुसंगति बिठाकर ही संभव है। पश्चिमी ढंग का उद्योगीकरण भारत में असफल हो चुका है इस बात को एक दिन हमें स्वीकार करके अपनी समस्याओं के नये हल खोजने होंगे। यदि गरीबी की समस्या को सचमुच हल करना है तो पर्यावरण ह्रास के मुद्दे को सर्वोच्च प्राथमिकता राजनीतिज्ञों को भी देनी होगी।

विकास के लिए चुनौतियाँ अनिवार्य

आजकल सोच यह चल रही है कि अपने घरेलू उद्योगों के समक्ष आयात से प्रतिस्पर्द्धा करने की चुनौती खड़ी करनी चाहिए, तभी वे उन्नति करेंगे। इसे केसे समझा जाए? यह ठीक है कि कुछ हद तक चुनौती आवश्यक है अन्यथा आलस्य धर दबोचता है। लेकिन दूसरी तरफ यह भी

सही है कि आयातों की बाढ़ आ जाए तो वे डूब भी सकते हैं। अतः प्रश्न यह उठता है कि भारतीय उद्योग के सामने कितनी चुनौती खड़ी की जानी चाहिए? इस बात को माँ एवं बच्चों के उदारण से स्पष्ट किया जा सकता है। किस प्रकार वह अपने बच्चे को समाज से जूझने योगय बनाती है? माँ अपने बच्चे को प्रेरित करती है वह कालोनी के अन्य बच्चों से दोस्ती करे, उनके साथ खेले। वह उसके मित्रों को घर बुलाती है, मिठाई खिलाती है। बच्चे आपस में झगड़ा भी कर लेते हैं, माँ देखती रहती है और चुप रहती है। वह बच्चों की लड़ाई तब तक चुपचाप देखती रहती है जब तक दोनों को कोई नुकसान नहीं होता। नुकसान होने की संम्भावना का अंदाज पड़ते ही वह कमजोर बच्चे को सहारा देती है। और सबल बच्चे को डाँट-डपट कर दूर भगाती है। बच्चे के सामने माँ चुनौती अवश्य खड़ी कर देती है लेकिन सोच विचार कर उतनी ही जितने से बच्चे का नुकसान न होने पाए और बच्चा अपनी पूरी ताकत लगा दे। माँ की यह चुनौती अनुकूलतम है। न ज्यादा न कम। यही दृष्टिकोण सरकार का व्यापारियों के प्रति होना चाहिए। आयातों से उन्हें न तो पूर्ण संरक्षण दिया जाना चाहिए और न ही पूर्ण मुकाबला। माँ की तरह सरकार भी अपने व्यापारियों को कम से कम उतना सहारा तो दे ही कि वे आयातों की बाढ़ में डूबने से बचे रहे और अंतर्राष्ट्रीयकरण का मुकाबला कर सकें।

इतिहास के सबक–इतिहास ने यही सबक सिखाता हैं। सभ्यता के प्रादुर्भाव के लिए चुनौती चाहिए– न अधिक न कम। यह बात प्रसिद्ध इतिहासकार टायनबी ने बड़े अच्छे ढंग से समझाई है। उन्होंने विश्व की लगभग सभी सभ्यताओं का अध्ययन किया है। उन्होंने बताया कि जिन लोगों को आसान और आरामदेह परिस्थितियाँ उपलब्ध रही हैं वे सभ्यताएँ बनाने में असफल रहे हैं। जो पिछड़े थे और पिछड़े ही रह गये। जिनके समझ नई चुनौतियाँ उत्पन्न हुई वे आगे बढ़ गये। उन्होंने नई सभ्यताओं का निर्माण कर डाला। इस तथ्य के आधार पर टायनबी ने निष्कर्ष निकाला कि आरामदेह नहीं, बल्कि चुनौती विकास का आधार होती है। आइए देखें टायनबी ने इस संदर्भ में क्या कहा।

आज से 5000 वर्ष पूर्व सहारा मरूस्थल हरा भरा था। वहाँ घास उगती थी। जंगली जानवरों का बाहुल्य था। मनुष्य उन्हें मारकर अपना जीवन यापन करते थे। यह परिस्थिति अनेक सहस्त्र वर्षों तक बनी रही। फिर वहाँ वर्षा

का अभाव हुआ। घास उगनी बंद हो गई। वह हरा-भरा स्थल मरूस्थल में परिणत हो गया। मनुष्य के सामने एक चुनौती खड़ी हो गई। जियें तो केसे जियें? बढ़ते हुए मरूस्थल से बचने के लिए कुछ लोग मिस्र की नील घाटी में उतरने को मजबूर हुए। यहाँ भी उन्हें चैन नहीं मिला। नील नदी के किनारे भयंकर दलदल था। क्या ही दुर्भाग्य की बात एक ओर सहारा मरूस्थल था तो दूसरी ओर नील घाटी का दलदल था। बेचारा मनुष्य मरता क्या न करता? पाँव तो जमाना ही था। उन्होंने नील घाटी का दलदल सुखाया और उस भूमि पर खेती करना शुरू किया। यह थी मिस्र की सभ्यता की शुरूआत। उनकी लगन और परिश्रम से उनकी आय बढ़ी और फिर उन्होंने ही पिरामिड जैसे आश्चर्य भी बना डाले। न ही मरूस्थल बढ़ता और न ही नील घाटी में उतरना पड़ता न ही यह सभ्यता उभरती। मिस्र के पिरामिड तो मरूस्थल की चुनौती का ही परिणाम हैं।

हमारे देश का इतिहास भी कुछ ऐसा ही कहता है। एक समय था जबकि राजस्थान के थार मरूस्थल में अनेक नदियाँ प्रवाहित होती थीं। जिनके सुखने के कारण हमारे पूर्वजों के सामने एक चुनौती खड़ी हो गई। उन्होंने चुनौती स्वीकार की और सिन्धु घाटी के किनारे पर बसना शुरू कर दिया और एक विशाल सभ्यता उभर कर सामने आ गयी। इन्होंने नदियों के माध्यम से व्यापार किया और हड़प्पा तथा मोहनजोदड़ों जैसे शहर स्थापित कर दिये। न थार की नदियाँ सूखती और न ही सिन्धु घाटी की सभ्यता का प्रादुर्भाव होता। स्पष्ट होता है कि चुनौती विकास में सहायक है।

ऐसे अनेक उदाहरणों के धार पर इतिहासकार टायनबी ने यह निष्कर्ष निकाला कि विकास सामान्य परिस्थितियों में नहीं होता है। विकास के लिए परिस्थितियों का विषम होना आवश्यक है। चुनौती के पल में, सामना करो या मरो की परिस्थिति होती है और तब ही मनुष्य का विकास होता है। मिस्र के पिरामिड और हड़प्पा जैसे आश्चर्य विषम परिस्थितियों की ही देन है। निष्कर्ष यह निकलता है कि विकास के लिए चुनौती अनिवार्य है। अतः यदि आज हमारे व्यापारियों के समक्ष विदेशी आयातों से प्रतिस्पर्द्धा करने की चुनौती खड़ी होती है तो इसे आवश्यक ही माना जाना चाहिए।

चुनौती–'चुनौती' का एक पूर्व पक्ष भी है। चुनौती का आधिक्य भी हानिकारक हो सकता है। टायनबी ऐसे अनेक-अनेक उदाहरण देते है जिनसे यह बात स्पष्ट होता है। उत्तरी यूरोप के व्यापारी आइसलैण्ड में बसे।

आइसलैण्ड यानी बर्फ का स्थान। वहाँ की बंजर भूमि उनके समक्ष एक चुनौती बनी। मरता क्या न करता? उन्होंने बंजर में स्वर्ग बना डाला। आइसलैण्ड साहित्य और राजनीति में अगुआ रहा। उनमें से कुछ ग्रीनलैण्ड में भी जाकर बसे। ग्रीनलैण्ड की परिस्थिति आइसलैण्ड से भी अधिक विषम थी। ये व्यापारी इस अति विषम परिस्थिति, इस अति चुनौती का सामना न कर सके। ग्रीनलैण्ड में सभ्यता कायम नहीं हुई। चुनौती के आधिक्य के सामने मनुष्य धाराशायी हो गया।

ऐसा ही चीन के लोगों के साथ हुआ। अंग्रेज मलेशिया पर राज्य करते थे। उन्हें कुली चाहिए थे। चीन से अनेक लोग इस कार्य को करने के लिए मलेशिया पहुँचे। अपना घर बार, अपने देश को छोड़ नई परिस्थितियों का उन्होंने आलिंगन किया। उनमें से कुछ कुली से व्यापारी बन गये। फलस्वरूप मलेशिया के व्यापार पर चीन के लोगों का अधिपत्य स्थापित हुआ। यह था चुनौती का सफल जवाब। नये देश की चुनौती में कुली व्यापारी बन बैठा लेकिन वही चीनी लोग आस्ट्रेलिया तथा अमेरिका में असफल हो गए। सफेद चमड़ी के इन देशों की चुनौती उनके लिए भारी प्रमाणित हुई। वहाँ वे कुली के कुली ही बने रहे। मिस्त्र तथा सिन्धु घाटी के उदाहरणों से यह स्पष्ट हुआ था कि विकास के लिए चुनौती आवश्यक होती है। उत्तरी यूरोप तथा चीन उदाहारणों से यह स्पष्ट होता है कि चुनौती आवश्यक तो है लेकिन उसके आधिक्य से मनुष्य धाराशयी भी हो सकता है। निष्कर्ष यह निकलता है कि चुनौती अनुकूलतम होनी चाहिए। न अधिक न कम' तभी विकास होता है। कम चुनौती होती है तो आलस्य उत्पन्न होता है मनुष्य विकास का प्रयास ही नहीं करता है। अत्यधिक चुनौती प्रस्तुत हो जाए तो मनुष्य सिमट कर रह जाता है। जब अुकूलतम चुनौती प्रस्तुत हो तभी विकास होता है। यही बात अंतर्राष्ट्रीयकरण की चुनौती पर भी लागू होती है। सस्ते आयातों की चुनौती का हमारे व्यापारियों पर दोनो प्रकार का प्रभाव हो सकता है। वे अपने उद्योगों को और चुस्त बना सकते है। सफलतापूर्वक ऐसा कर लेने पर हम विश्व में अहपनी साख जमा सकते है। उन आयातों से भी अच्छा एवं सस्ता माल बना कर हम आयातों की खटिया खड़ी कर सकते है। उल्टे विश्व भर में चुनौती भी दे सकते है। लेकिन इसी चुनौती के आधिक्य होने पर हमारे व्यापारी धाराशायी भी हो सकते है। उत्तरी यूरोप के व्यापारी ग्रीनलैण्ड की चुनौती का सामना न कर सके। चीन के कुली

आस्ट्रेलिया तथा अमेरिका की चुनौती का सामना न कर सके। उसी प्रकार यदि आयातों की चुनौती का आधिक्य हो जाए तो हमारे व्यापारियों की भी खटिया खड़ी हो सकती है।

निष्कर्ष यह निकलता है कि आयातों की चुनौती को स्वीकार करना चाहिए लेकिन अंधाधुंध नहीं। माँ बच्चे की क्षमता को आंकती है और उसके अनुकूल उसके समक्ष चुनौती खड़ी कर देती हैं। बच्चे को न तो बैठे रहने देती और न ही दुष्ट पड़ोसियों से मार पड़ने देती है। अनुकूलतम चुनौती खड़ी करती है। इसी तरह हमारी सरकार को अपने व्यापारियों की क्षमता को आंकना होगा। उनकी आवाज को सुनना होगा। उनके समक्ष आयात की चुनौती भी खड़ी करनी होगी और आयातों से संरक्षण भी देना होगा। ऐसी चुनौती नहीं खड़ी की जा सकती कि वे हिम्मत हार जायें और सिमट कर रह जाएँ। यदि फार्मूले के केन्द्र में अपने व्यापारी को सुदृढ़ बनाये रखा जाय तो आयात करने में कोई बुराई नहीं।

वो क्या करें—यह कि चुनौती का सामना करें संरक्षण माँगे लेकिन इसलिए कि उस अवधि में और बड़ी चुनौतियों का समाना करने की क्षमता जुटा सकें। इसलिए नहीं कि संरक्षण की आड़ में आलसी बने रहें। विश्व की आधुनिकतम तकनीकों और उत्पादों का मुकाबला करने की हमें तैयारी करनी होगी। कोई कारण नहीं कि इस चुनौती का हम सामना न कर सके। अब की हड़प्पा और पाटलिपुत्र नहीं, न्यूयार्क से भी महान शहर बसाना है।

रोजगार और हमारा समाज—समाज में लगभग 40 प्रतिशत लोग मजूदरी करते है तथा 20 प्रतिशत लोग नौकरी करते हैं और 5 प्रतिशत लोग बड़े उद्योगपति है। बाकी 20 प्रतिशत लोग अपना स्वयं का रोजगार व व्यवसाय कर लें तो अपना सामाज ऊँचाइयों को छू सकता है, जिससे उनके व्यक्तित्व का विकास होगा और अन्य समाजों में उनका मान सम्मान बढ़ेगा।

वर्तमान समय में समाज विकासोन्मुख है। प्रत्येक व्यक्ति जागरूक हो रहा है तथा हर क्षेत्र में अपना झण्डा लहराने की कोशिश कर रहा है। हमारे समाज में कुछ संगठन हैं जो समाज के विकास के लिये संघर्ष कर रहे हैं। यह सामाजिक संगठन समाज के आर्थिक, राजनीतिक तथा शैक्षिक विकास के लिये यथा संभव, प्रयास कर रहे हैं और हमें भी उन संगठनों का साथ देना चाहिये।

12. हमारा लक्ष्य एवं विश्वकर्मा समाज

संसार में समस्त प्राणियों में मनुष्य अपनी बुद्धि बल के कारण श्रेष्ठ है। मुनष्य अपने जीवन को अपनी इच्छानुसार बना सकने की सामर्थ्य लेकर जन्म लेता है। वह मनुष्य ही है जो समयानुसार अपनी क्षमता द्वारा अपनी आवश्यकता के अनुरूप वातावरण तैयार कर लेता है। इतिहास गवाह है कि जिस समाज, वर्ग एवं व्यक्ति ने अपना लक्ष्य निर्धारित कर सतत प्रयास किया है वे उन्नति के शिखर पर अवश्य पहुँचे हैं। मनुष्यता का प्रथम लक्ष्य चिंतन करना है जो मनन करे वही मनुष्य है। मानव जीवन की सार्थकता यह है कि वह मनुष्य है। मानव जीवन की सार्थकता यह है कि वह तिनके या पत्ते की भाँति न उड़े बल्कि वह अपना कर्त्तव्य स्वयं निर्धारित करें। उसकी अंतर्निहित शक्ति कहती है कि तुम परिस्थितियों के दास मत बनो बल्कि परिस्थितियों को अपने अनुकूल बनाओ।

आदि से लेकर अब तक जो भी समाज विकसित है या फिर विकासशील है, वे सब इन्हीं विचारों एवं तथ्यों के आधार पर है। वर्तमान समय में किसी भी समाज के विकास का मापदण्ड राजनीति में निहित उसकी भागीदारी से माना जाता है। जिस समाज की राजनीति में जितनी अधिक भागीदारी है आज वह उतना ही उन्नतिशील एवं विकसित माना जाता है। देश की वर्तमान राजनीति जातीयता पर आधारित है। जिस जाति में एकता है लक्ष्य को प्राप्त करने का जुनून है, वे राजनीति में सफल है। उदाहरण के तौर पर यादव, सचान, पाल एवं दलित सभी अपनी जुनूनी ताकत एवं जातीय समीकरण के आधार पर राजनीति में सफल हैं ये सभी अपनी जाति के नाम पर अपनी जाति के प्रत्येक व्यक्ति के लिए कुछ भी करने के लिए तत्पर रहते हैं।

विश्वकर्मा समाज को आज ऐसी ही जुनूनी ताकत एवं जातीय आधार की आवश्यकता है।, तभी विश्वकर्मा समाज राजनीति में भागीदारी प्राप्त करने का लक्ष्य हासिल कर पायेगा। जैसा कहा गया है "यो विश्व सर्व कर्म क्रियमाण: स: विश्वकर्मा।" अर्थात जो विश्व के समस्त कर्मों का ज्ञान रखता है और उसे पूर्ण करने की क्षमता रखता है, विश्वकर्मा कहलाता है। समस्त कर्मों का ज्ञान है और उन्हें पूरा करने की क्षमता भी। फिर आज क्या कारण है कि विश्वकर्मा समाज को अपनी क्षमता का एहसास नहीं हो पा रहा है। आखिर वे कौन से बिन्दु हैं जो विश्वकर्मा समाज को जुनूनी ताकत

देने एवं जातीय आधार को मजबूत करने में बाधा पहुँचाते हैं। हमें सभी को उन बिन्दुओं को खोजना होगा, कहीं उच्च शिक्षा का अभाव तो नहीं, शीर्ष व्यक्तियों में नेतृत्व की कमी या वर्चस्व स्थापित करने की भावना तो नहीं। आपसी द्वेष, ईर्ष्या, कलह एवं निजी स्वार्थपरता तो नहीं। समाज के पुरुषों द्वारा महिलाओं को भागीदारी के लिए प्रोत्साहित करने का अभाव तो नहीं। कहीं मनु, मय, त्वष्टा, दैवज्ञ शिल्पी इन पाँचों भाइयों में छोटे बड़े का भेदभाव तो नहीं। यदि वे बिन्दु यही हैं तो आवश्यकता है इन बिन्दुओं पर चिंतन एवं मनन करने की तभी समाज के निम्न व्यक्ति से लेकर शीर्ष व्यक्ति में जूनूनी ताकत एवं जातीय भावना का संचार हो सकता है और विश्वकर्मा समाज राजनीति में महत्वपूर्ण भागीदारी प्राप्त करने का लक्ष्य प्राप्त कर सकता है।

जीवन एक संघर्ष है। इसमें सफल होने के लिये मानव को अथक प्रयास करना पड़ता है। प्रत्येक विवेकशील व्यक्ति के पास अपने भविष्य की कुछ योजनाएँ होती हैं, किसी लक्ष्य को प्राप्त करने का स्वप्न होता है। परन्तु हम लोगों के समक्ष अनेक उदाहरण अपने मनोवंछित इच्छा को लक्ष्य और अलक्ष्य बनाने वालों में मिलते हैं। आखिर क्या कारण है कि एक ही समाज में तदो चेहरे अपनी-अपनी भिन्नता का परिचय देते हैं। इसका साक्ष्य हमें इतिहास मिथक एवं वर्तमान से भी प्राप्त होता है।

लक्ष्य को प्राप्त करने के लिए प्रत्येक व्यक्ति में एक लक्ष्य की तरह संकल्प और अर्जुन की भाँति दृष्टि का होना अपरिहार्य है। यदि इसमें कमी है तो आपकी योजनाएँ सदैव संदेहास्पद बनी रहेगी। लक्ष्य को निश्चित करना एक सरल कार्य है किन्तु उसके लिये प्रयास करना असम्भव नहीं तो कठिन अवश्य है। किसी भी दिशा में यात्रा प्रारम्भ करने से पूर्व उसके नकारात्मक पक्ष पर अधिक नहीं सोचना चाहिये अपितु उसके साकारात्मक पक्ष (पहलू) का ही अवलोकन करना हितकर होता है। हालांकि अंधाकार की सत्ता को चुनौती नहीं दी जा सकती है परन्तु किसी भी चीज के अवलोकित पक्ष पर विशेष बल देने से आपको एक उत्साह मिलता है इससे आपके अंदर मंजिल पाने की क्षमता में वृद्धि होती है।

हम लोग कितनी लम्बी योजनाओं को मूर्त रूप देने में लगे होते हैं तो परिस्थितियाँ बाधाएँ उत्पन्न करती हैं यदि व्यक्ति अपनी समस्याओं के भवर-जाल में फँस जाता है तो उसके हाथ से अवसर छूट जाते हैं और

लक्ष्य सदा सदा के लिये उससे दूर हो जाता है अतः रास्ते में आए काँटों से घबराना नहीं चाहिये अपितु उनके बीच से एक रास्ता निकालना चाहिये, जो लक्ष्य तक पहुँचे। वस्तुतः समस्याएं और विपरीत परिस्थितियाँ मानव का अभिन्न अंग है और इससे उलझने पर हमारा विकास अवरूद्ध होता है। कुल मिलाकर यही कहा जा सकता है कि इनकी महत्ता हमारे जीवन की सम्पूर्ण परिभाषा को ही बदल कर रख देगी। इसलिये इनके ऊपर विजय प्राप्त करना श्रेयष्कर होगा।

व्यक्ति की व्यक्तिगत खामियाँ भी मनोकूल दशा को प्राप्त करने में शत्रु सिद्ध होती हैं। अपने अन्दर आलस्य, अहं, अनुशासन की कमी सकारात्मक सोच का अभाव, चरित्र में कमी आदि जैसे अनचाहे मित्रों का दमन करना ही आपका प्रथम कार्य होना चाहिये। आप इनका नाश कर देते हैं तो आधी सफलता आपके हाथ में आ जाती है। इसके उपरान्त आपका जीवन सुखी रहेगा और सफलता आपके चरणों में लौटेगी।

कभी-कभी मनोवंछित फल प्रापत करने में समय लगता है। इसी बीच हम अपना धैर्य खो बैठते है यहाँ यह ध्यान रखना चाहिये कि किसी भी महान सिद्धि को प्राप्त करने में समय अवश्य लगता है परन्तु कार्य अपूर्ण नहीं रहता है। इसलिए हमें धैर्य को सच्चा मित्र बनाकर ही अपना प्रयास आरम्भ करना चाहिये। ज्ञातव्य है कि धैर्य का अभाव व्यक्ति एव कार्य दोनों को पूर्ण नहीं होने देता । धैर्य के अभाव में व्यक्ति सदैव अपने उद्देश्य भी बदलता रहता है और उसका सम्पूर्ण जीवन अशांत हो जाता है। सदैव अपने लक्ष्य को आराध्य देव मानकर उसकी पूजा करनी चाहिये। प्रतिदिन उस दूरी का लेखा जोखा तैयार करना चाहिये जहाँ तक आप उस साध्य से होते हैं। इन परिस्थितियों में आपको अपना लक्ष्य प्राप्त न हो ऐसा सम्भव नहीं है। अतएव हमेशा एक ही प्रयास हो– "लक्ष्य की ओर"।

चतुर्थ खण्ड
अद्वितीय कलाकृतियां

13

वास्तुकला, स्थापत्य कला, शिल्प कला, ललित कलाएँ

1. खजुराहो की वाराह मूर्ति

विष्णु के विविध अवतारों के मंदिर बनाने की परम्परा इस देश में हजारों वर्ष पुरानी है। गुप्तकाल के वैष्णव सम्राटों ने विष्णु के अनेक भव्य मंदिर बनावाए थे। दशावतार मंदिरों के भग्नावशेष इस परम्परा के स्पष्ट प्रमाण हैं।

खजुराहों में विष्णु मंदिर के अत्यंत निकट स्थित वाराह मंदिर आकार में अपेक्षाकृत काफी लघु है, पर कलात्मकता में अपरिमेय है। इसकी सबसे बड़ी विशेषता यह है कि यह एक ही पत्थर से काट कर गढ़ी गई मूर्ति है। मूर्ति के सर्वांग पर छोटी-छोटी असंख्य देव मूर्तियाँ उकेरी गई है। कान के पास नवग्रह स्पष्ट देखे जा सकते हैं।

खजुराहों के मूर्तिकार में असीम धैर्य ओर पर्याप्त हत्मीनान था यही नहीं, उसकी कल्पना में अतुलित विस्तार है, उसने हिन्दु पुराणों में वर्णित तैतीस कोटि देवताओं की अंकित करने का प्रयत्न कर संपूर्णता को समेटने की चेष्टा की है। उसका यह अंकन किसी भी भाँति एक पवित्र अनुष्ठान से कम नहीं है।

लगभग चार फुट ऊँची यह मूर्ति सामान्य वाराह से आकार में काफी बड़ी है और एक लघु गैंडे जैसी दिखायी देती है। यह वाराह मूर्ति वीर मुद्रा में है, वाराह का मुखाग्र एक निश्चित कोण पर ऊपर का उठा हुआ है और पद संचालन पराक्रम भाव को व्यंजित करता है। वाराह रूप में भगवान विष्णु ने पृथ्वी का उद्धार कर उसे ऊपर लाने की जो चेष्टा की थी, वह संपूर्ण उपक्रम और उनका पैरुष भली-भाँति और अद्‌भूत कलात्मकता से रूपायित

हुआ है। विष्णु के वाराह अवतार और पृथ्वी उद्धार की कथा अत्यंत विस्तार और रोचकता के साथ पुराणों में आयी है। ऐसा लगता है कि मूर्तिकार ने उस संपूर्ण कमी को आत्मसात किया है।

मूर्ति को देखने से उत्साह का स्फुरण होता है। उत्साह वीर रस का स्थाई भाव है। मूर्ति का वीरत्व व्यंजक रूप वीर रसा की साकार अभिव्यक्ति है। पृथ्वी की मूर्ति तो अब यहां नहीं है पर उसके होने के स्पष्ट प्रमाण यहां देखे जा सकते हैं।

भक्त और कलाकार दोनों भावुक होते हैं अतः यदि कलाकार भक्त भी हो तो भावुकता में गुणात्मक अभिवृद्धि होती है। खजुराहो के शिल्पी में कवि की संवेदना, भक्त की तन्मयता और योगी की साधना का समन्वय था, यही कारण है कि उसका कलात्मक वैभव अत्यंत भव्य ओर शैल्पिक कौशल अद्‌भुत बन पड़ा है। खजुराहो अपनी भव्यता, दिव्यता और युग्म-मूर्तियों में व्यंजित काम भावों के लिए सारे संसार में विख्यात है पर एक अकेली मूर्ति में पृथ्वी उद्धार की संपूर्ण कथा को कहने की सामर्थ्य तथा पौरुष, ओज और उत्साह के संतुलित संयोजन के लिए भी कम महत्वपूर्ण ही है।

खजुराहो की अगणित मूर्तियों में जो कुछ भी रूपायित हुआ है, वह संपूर्ण पृथ्वी तल पर अतुलनीय माना जाता है। जहाँ एक ही मूर्ति इतनी महत्वपूर्ण है वहाँ यदि देशी-विदेशी पर्यटकों का सदैव मेला लगा रहता है तो इसमें कुछ भी आश्चर्य जनक नहीं है।

2. प्राचीन दुर्ग निर्माण की शिल्पी विरासत

किलों का एक रोमांचक इतिहास रहा है। किले इतिहास के पन्नों को खोलकर हमें सदियों पीछे ले जाते हैं। किला के अद्‌भुत संसार से शिल्पकार इतिहास के चश्मदीद गवाह हैं।

किला-दुर्ग संस्कृति-1

किला या दुर्ग देखते ही रहस्य, रोमांच पैदा होता है। किलों का अपना सम्मोहन है। वे इतिहास के पत्रों को खोलकर सदियों पीछे ले जाते हैं। हर किले को अपनी अलग ही कहानी है। उसकी अपनी विशेषताएं हैं। उनके साथ दंतकथाओं का अपना संसार है। महाभारतकालीन हस्तिनापुर और इन्द्रप्रस्थ के भग्नावशेष इतिहास की गौरवगाथा गा रहे हैं। आश्चर्यजनक किलों में

दानवीर कर्ण का इंदोक स्थित किला है। प्राचीन भारतीय सभ्यता, संस्कृति के विद्वान वेन के पुत्र पृभु को दुर्ग का जनक मानते हैं। ऋग्वेद में किलेबंदी का उल्लेख मिलता है। यह स्पष्ट नहीं है कि ये किले किस प्रकार से निर्मित हुए। गोया किलों की दीवारें मिट्टी, पत्थर या लकड़ी की थी। यह बताया है कि वैदिनक काल में किले उपस्थित थे। इन्हें 'पुर' कहा गया। युद्ध के देव इन्द्र ने निन्यानवें पुरों को नष्ट कर पुरन्दर की उपाधि ली। पौराणिक काल से सिन्धु घाटी सभ्यता तक सुंदर, सुदृढ़ किलों-पुरों का वर्णन मिलता है।

प्राचीन भारत की सभ्यता संस्कृति के विद्वान दामोदर धर्माचंद कौशम्बी ने सिंधु घाटी के दुर्ग के बारे में महत्वपूर्ण जानकारी दी है। कौशम्बी लिखते हैं—सिंधु नगरों के सामाजिक स्वरूप पर कुछ कहने से पहले इन दोनों नगरों की एक और विशेषता का उल्लेख आवश्यक है। सर्वोनाम भवन समूह के समीप एक 10 मीटर ऊँचे ईंटों के चबूतरे पर धनी लोगों के लिए मकान स्पष्टतः पृथक, दुर्ग का किला है। कौशम्बी आगे लिखते हैं ये टीले आयताकार थे। इनका निर्माण ईंटों से हुआ। यह साफतौर पर कहा जा सकता है कि इनका आरंभ में इस्तेमाल सार्वजनिक कार्यों के लिए होता रहा। बाद में इनका इस्तेमाल सैनिक कार्यों में हुआ। प्राचीन भारतीय नगरों के शोधकों के अनुसार हड़प्पा का गढ़ पश्चिम में एक चबूतरे पर बना था। बाहरी हमलों से बचाव के लिए कहीं-कहीं 4.5 फुट चौड़ी दीवार खड़ी की गयी। किले में चारों दिशाओं में दरवाजे थे। दीवार की ऊँचाई पर मजबूत बुर्ज था। मोहनजोदड़ो का किला भी इसी सिद्धांत पर बना था। मोहनजोदड़ो के दुर्ग में सुंदर सभा भवन भी था।

प्राचीन काल से ब्रितानी हिन्दुस्तान के रजवाड़ों-रियासतों तक किलों की वास्तुकला ज्यों की त्यों ही रही।' उसमें युद्ध में तोपों के उपयोग के समय कुछ बदलाव किये गये। ईसा पूर्व काल में किलों के निर्माण और उससे राजधानियों के बचाव का खुलासा किया है उस समय किले के लिए पुर शब्द इस्तेमाल किया जाता था। खाईयाँ-परिखा कहलाती थीं। किले की ऊँची दीवारें 'प्रकार' के नाम से जानी जाती थीं। किले की दीवारों पर रक्षा के लिए बने बुर्ज अट्टालक कहलाते थे। किले के छोटे प्रोतली और किले के दरवाजे की बुर्जियां द्वार अट्टालक कही गयी। मेगस्थनीज लिखते हैं कि

पाटलिपुत्र में 570 बुर्ज थे। चाणक्य (कौटिल्य) ने चार प्रकार के दुर्गों का उल्लेख किया है। ये औदक, पार्वत, धान्वन और वन दुर्ग हैं। चाणक्य औदक दुर्ग को जल रक्षित बतलाते हैं। यर्थात् किले की स्थिति जल से घिरे टापू की हो। कौशल जनपद की पावन अयोध्या नगरी, मधुरा, इन्द्रप्रस्थ, कान्यकुब्ज, वाराणसी, श्रावस्ती, दसपुर-मंदसोर, शाकल-स्यालकोट, वैशाली, पाटलिपुत्र, मिथिला आदि प्राचीन नगरों की पुर व्यवस्था औदक रही। औदक दुर्ग निर्माण परम्परा का पालन दिल्ली के लालकिले, आगरा के किले, भरतपुर के मिट्टी टीलों से घिरे लोहागढ़, जैसलमेर के किले आदि में किया गया। किलों के चारों तरफ गहरी खाइयां पानी से भरी रहती थीं। इन खइयों में नदियों, नालों और कुओं से पानी लाकर छोड़ा जाता था। पाटलिपुत्र की खाई की चौड़ाई 600 फीट और गहराई कम से कम 15 फीट थी। चाणक्य के अनुसार खाई की गहराई कम से कम आदमी के तीन पोरसा होनी चाहिए। पोरसा हाथ सीधा खड़ाकर आदमी की लम्बाई को कहा जाता था। औदक दुर्ग में खाई के उस पार धनुर्धर तैनात रहते थे। दूसरे प्रकार के दुर्ग पावर्त रहे। चाणक्य ने इन्हें पहाड़ी पर या गुफावाला माना। प्राचीनकाल से रियासतीकाल (बीसवीं सदी) तक के ज्यादातार किले पार्वत श्रेणी में आते हैं। पार्वत किलों में गिरिनार चूनागढ़ का किला, पटना के नजदीक राजगृह, प्रग्योतिषपुर (असम), गोलकुंडा का किला, बुंदेलखंड का कालींजर किला, ग्वालियर का किला, मांडू किला, सिंहगढ़ किला, रहस्मय जयगढ़ का किला, बाबर से लोहा लेने वाले मेवात के राजा हसनखां का बाला किला, अंतिम हिन्दू सम्राट पृथ्वीराज चौहान के वंशजों का नीमराणा का किला आदि गिने जा सकते हैं।

धान्वन किला तीसरी तरह का किला बताया गया है। धान्वन से मतलब मरूभूमिवाला, जलविहन भूखंड पर, जहां झाड़झंखाड़ हो, है। वहां की भूमि बंजर अर्थात् अनुर्वर हो। धान्वन किलों की शृंखला में परमाणु विस्फोट के स्थल पोकरण का दुर्ग, लोकदेवता गोगादेवजी का देवालय दुर्ग, इलाहाबाद का किला, दाबोनी का किला, चौमूगढ़, रेगिस्तान का भटनेर का किला, जालौर का किला, हुमायूं को हराने वाले हिन्दू सम्राट हेमू का दुर्ग आदि मशहूर रहे हैं। चाणक्य ने चौथी श्रेणी में वनदुर्ग को रखा। वनदुर्ग को खंजन, जलमूर्गियों वाले जन-झाड़झंकाड़ युक्त और बांसों के झरमुट के बीच होना चाहिए। इसमें प्राचीन कुशीनगर का पुर, भृगुकच्छ, मदुरापुर, इटाराना दुर्ग,

सरिस्का, दाराशिकोह को कैद रखने वाला कांकवाड़ी का किला, सिवाना किला, राव हम्मीर का रणथम्भौर, राजोरगढ़ का किला आदि प्रमुख हैं। चाणक्य ने दुर्गों को उनके महत्व की दृष्टि से वर्गीकृत किया। उन्होंने औदक और पार्वत दुर्ग जनसंकुल स्थानों की रक्षा के लिए और धान्वन तथा वनदुर्ग वनों की रक्षा के लिए बताया। मनुस्मृति, विष्णुधर्मसूत्र और विष्णुध र्मोत्तर में छह प्रकार के दुर्गों का ब्यौरा दिया है। ये धान्व दुर्ग, महीदुर्ग, जलदुर्ग, वार्क्ष दुर्ग, गिरिदुर्ग और नृदुर्ग हैं।

मनु ने पहाड़ों पर बने गिरिदुर्ग को सबसे अच्छा माना। उस समय की परिस्थितियों के कारण उन पर आसानी से चढ़ा नहीं जा सकता था। गोलकुंडा और चित्तौड़गढ़ के किले की सुरक्षा उनकी ऊँचाई कर रही थी। चित्तौड़गढ़ में मुगल हमलावरों ने लम्बे समय तक घेरा डाला, पर निराश ही लौटना पड़ा। गोलकुंडा की विशेषता उसकी रहस्मय ध्वनि व्यवस्था है। झांसी का ऐतिहासिक किला, सिंहगढ़ का किला, गागरोन का किला आदि भी इसमें गिने जा सकते हैं। मनु का धान्व दुर्ग पाँच योजन के घेरे में फैला बताया गया है। यह जमीन शुष्क होनी चाहिए। महीदुर्ग एक प्रकार से स्थल दुर्ग होता था। इसकी दीवारें बारह फीट से अधिक चौड़ी और चौड़ाई से चार गुनी ऊँची होनी चाहिए, जिससे दुर्ग के पहरी घोड़ों पर सरपट एक जगह से दूसरी जगह जा सकें। उनकी चौकसी अच्छी रहे। भारतीय दुर्गों में ज्यादातर की दीवारें इसी अनुपात में हैं। इसकी चिनाई में बारीक' पिसा हुआ चूना इस्तेमाल होता था। जलदुर्ग जल से घिरे माने गये। लंका को इसी कतार में रखा गया। वार्क्षदुर्ग को एक योजन में लम्बे वृक्षों, कांटेदार बेलों के झुंडों और झाड़ियों से ढका माना गया। चतुरंगिनी सेना से घिरे दुर्ग को नृदुर्ग बताया है। मनसोल्लास ने पत्थर, ईंट और मिट्टी से नौ तरह के दुर्गों के निर्माण का उल्लेख किया है।

किलों में गुप्त सुरंगों की अपनी भूलभुलैयां रही। ये सुरंगों खुफिया कामों में इस्तेमाल होती थी। शत्रु के हमले के समय सुरंगें अपना कमाल दिखाती थी। नीति वाक्यामृत के अनुसार सुरंगों के अभाव में दुर्ग बंदीगृह बन कर रह जाता था। इन सुरंगों के इस्तेमाल के लिए गुप्त संकेत चिह्न बनाये जाते थे। लोकगाथाओं में अकबर के सेनापति महाराजा मानसिंह के आमेर किले से दिल्ली तक सुरंग का चिक्र मिलता है। पुराने नगरों में राजमहल से मंत्रियों के दीवाने खास तक गुप्त सुरंगों का जाल बिछा रहता था।

दुर्भाग्य यह भी रहा कि शत्रुओं-हमलावरों ने दुर्ग के भेदियों के जरिये सुरंगों का रहस्य समझा। गुप्त सुरंगों से घुसी हमलावर सेना ने तबाही का तांडव किया। प्राचीन भारत में दुर्ग की स्थिति से राजा की सुरक्षा, कोष और प्रजा की रक्षा को जोड़ा गया। उस समय पुर-किले ही नागरिक बस्तियां थीं। उत्तरी भारत के मैदानों में हमलावरों से बचने में दुर्ग अनिवार्यता बने थे। उसके निर्माण में यह ध्यान रखा जाता था कि किले का एक सैनिक हमलावर सेना के 100 जवानों पर भारी पड़े। बड़े शहरों के किले के मुख्य दरवाजे पर सैन्य टुकड़ियां मुस्तैद रहती थीं। सैन्य शिविर में अग्निबाण, धनुष, शतत्लियां, वजनदार, मुगदर, भाले, बर्छे, कुठार ईंट और पत्थर का अम्बार जमा रहता था। उसका उपयोग आक्रमण के समय होता था। दुर्ग की बुर्जियों पर धौंसावादक चौकन्ने बैठते थे। जो कोई हलचल दिखाई देते ही धौसा बजाने लगते थे। दुर्ग के जंगी दरवाजों पर नुकीले कीले जड़े रहते थे।

रियासती काल तक किले के अंदर ही राजधानी की बसावट का सिलसिला चला। अक्सर विदेशी हमलावर भी विजय के बाद किले को तहस-नहस करते, जिससे हारा हुआ राजा अपनी सैन्य शक्ति शीघ्र खड़ी नहीं कर सके। यह क्रम मुगलकाल मेंतेजी से चला। व्यापारिक रेशम मार्ग पर किलों की लम्बी श्रृंखला मिलती है। कुछ किलेदार व्यापारिक माल सुरक्षित जाने देने की चौथ वसूलते रहे थे। प्राचीन भारत की सभ्यता संस्कृति के विद्वानों ने तो यहां तक लिखा कि अगर किला बचा लिया जाए तो हारा हआ राज्य वापस लौटाया जा सकता है। छत्रपति शिवाजी ने गढ़ फतह करने के लिए अपने प्रियतम सहयोगी खोये। दुर्ग निर्माण में तोपों के उपयोग के बाद बदलाव आने लगे। मुगलकाल के दुर्गों में वास्तुकला के नजरिये से अंतर है। राजपूती और सल्तनत शैली के किले अलग ही हैं। अट्ठारह सौ सत्तावन के गदर में रियासतों के किले ही गदर का केन्द्र बने। हर किले का अपना वैभव, अपना मिथक है। उनके मिथकीय खजानों की खुदाई चलती रहती है, लेकिन उनके रहस्य अभी रहस्य ही है।

3. देश के प्रमुख किले

देश में ऐतिहासिक दृष्टि से महत्वपूर्ण किलों में महाभारत-कालीन दानवीर कर्ण का किला प्रमुख है। प्रमुख किलों में-

बुंदेलखंड का कालींजर किला, भैंसरोढ़गढ़ किला, बयाना किला, पारानगर का किला, भूतों का भानगढ़, सम्राट हेमू का किला, गोलकूंडा का किला,

ग्वालियर का किला, दौलताबाद का किला, अहमदनगर किला, आगा का लालकिला, मांडू किला, सिंगगढ़ का किला, अहमदनगर किला, चंदेरी किला, असेरगढ़ किला, बादर किला, बीजापुर का किला, गिंधी किला, दबोही किला, दिल्ली का पुराना किला, पटियाला किला, ओरछज्ञ का किला, चित्तौड़गढ़ का किला, कुम्भलगढ़, बाला किला अलवर, राजगढ़ का किला, दराशिकोह को केदवाला कांकवाड़ी का किला, तिजारा किला, गागरोन किला, रावहम्मीर का रणथम्भौर, भटनेर का किला, जैसलमेर का किला, सिवाना किला, जालौर किला, मेहरानगढ़, लोहागढ़, भरतपुर, तारागढ़ बूंदी, सोजत का किला, शाहबाद का किला, फतेहपुर का किला, अमरसिंह राठौड़ का किला, लक्ष्मणगढ़, माण्डलगढ़ किला, अंतिम अश्वमेघ पर बना नाहरगढ़, पृथ्वीराज चौहान वंशजोपें का नीमराणा किला, अकबर के सेनापति मानसिंह का आमेरगढ़, खजाने का किला जयगढ़, बीकानेर का लालगढ़, अचलगढ़ किला, शिवजी का राजगढ़ दुर्ग, सिंहपट्टमकिला, तालभाट किला, झांसी किला, समथर किला, दंतिया किला, गौड़ किला, कलकत्ता का किला, जंजीरा किला, फतेहपुर सीकरी, विजय दुर्ग, अगूड़ा किला, तुंगभद्रा पर विजयनगर किला, वेल्लोर का किला अंग्रेजों के किले आदि शामिल हैं।

4. विजयगढ़ का किला

इतिहास में जिन महापुरुषों ने अपने त्याग और बलिदान की मिसाल कायम की है., उन्हें लोक जीवन में एकता और वीरता का प्रतीक मान लिया गया। खेद और चिन्ता करने लायक बात यह है कि अब उन प्रेरणा पुरुषों का सांप्रदायिक बंटवारा किया जा रहा है। मिर्जापुर जिले का प्राचीन दुर्ग विजयगढ़ अपनी विलक्षण वास्तुकला और अपराजेयता के साथ ही वारेन हेस्टिंग्स और काशी नरेश महाराज चेत सिंह के बीच हुए भयंकर युद्ध और महाराज के एक सेनापति पूज्य सैयद मीरान शाह उर्फ मीरा बाबा के बलिदान का प्रतीक है।

विन्ध्य के स्वाभिमानी अतीत का साक्षी है– विजयगढ़। रोहतास, नौगढ़, पलामू, सीधी बनांचलों से घिरे विजयगढ़ क्षेत्र की कुछ विशेषताएं अद्वितीय है। केमूर के उच्च पीठ पर पूर्व में मनेश्वर शिखर से पश्चिम में रोहतास तक फैला है जिवयगढ़ का हरा सुनहरा पहाड़। घ्घर, कन्हर, हंसुआ, पाण्डू, बेलन, कर्मनाशा आदि नदियां लटॅटू की डोरी सी इस पहाड़ से लिपटी हैं। दूर-दूर पर बसे पुने गांवों में धांगर, खखर, गोंड़, कोल, धरकार, बैगा,

घसिया, चेरो, मांझी, बंसोर, भुइयां, केवल आदि वनवासी तथा अन्य जातियों के भी लोग रहते हैं। इनके बीच सहिष्णुता और सद्‌भाव की जीवन परंतपरायें आज भी विद्यमान हैं। साथ ही अतीत की गौरवशाली स्मृतियों के साथी है। इनके सृदृढ़ रक्षा पंक्ति से सुरक्षित ऐतिहासिक अवशेष। गांवों के छोटे-छोटे टोलों विजयगढ़ के पथरीले-बनैले विस्तार में दूर-दूर पर बसे हैं। यहां के लोगों के जूझारू और गौरवशाली अतीत का प्रतीक है–वियगढ़ दुर्ग। यह अपनी विशालता सुदृढ़ता तथा कलात्मकता के कारण देश के पर्वतीय किलों में अपनी अलग पहचान रखता है।

विजयगढ़ का दुर्ग सोन और घाघरा नदियों के दक्षिणपूर्व में समुद्रतट से लगभग दो हजार फीट ऊँची और पांच किलोमीटर क्षेत्र में फैली एक खड़ी पहाड़ी पर स्थित है। यह वाराणसी और मिर्जापुर शहरों से सौ कि.मी. दक्षिण-पूर्व में है। दुर्ग के उत्तर में नौगढ़, पूर्व में शाहाबाद (रोहतास) पश्चिम में अगोरी दुर्ग, गोठानी तथा कुडारी के तीर्थ और दक्षिण में सोन नदी है।

विजयगढ़ जाकर देखने पर मन पुरा-संपदा के इस निष्ठुर विनाश से खिनन हो गया। भवनों के भीतर वास्तु शिल्प की सूक्ष्म कलात्मकता का मूल्यांकन इसी तथ्य से हो जाता है कि किले के बुर्ज और बंदूक चलाने के स्थानों को भी बारीक पच्चीकारी से सजाया गया है।

विजयगढ़ का असुर शिल्पी भी निर्माण कार्य में जोर-शोर से लगा हुआ था। एक रात शिल्पी की छेनी हाथ से छूट गयी। उसे खोजने के लिए उसने एक भारी मशाल जलायी। ज्योंही उसने मशाल ऊपर उठायी कि कुंडेश्वर के असुर शिल्पी ने देख लिया। उसने सोचा कि विजयगढ़ का दुर्ग पूरा हो गया और मैं हार गया। उसने किले के परकोटे से कूद कर अपनी जान दे दी।

विजयगढ़ का असुर शिल्पी रात दिन अपने काम में तल्लीन रहा और उसने किले को पूर्ण कर लिया।

विजयगढ़ के आस-पास की पहाड़ियों में इतिहास के पदचिन्ह अंकित हैं। प्रागैतिहासिक काल के गुफा चित्र, कौवा खोह, मारकूंडी, तंदहवा, मच्छरमारा, बूढत्री विजयगढ़ की गुफाओं में हैं। डा. काशीप्रसाद जायसवाल के अनुसार भारशिव नागों की समृद्ध सभ्यता इस अंचल में ही विकसित

हुई। शिवद्वार के उरमा-महेश्वर की मोहक प्रणय-प्रतिमा भी भारशिव नारा काल की है। डारु मोती चंद्र के अनुसार सोन के तट पर इसी विजयगढ़-अगोरी अंचल में विजयकाशी (द्वितीय काशी या गुप्तकाशी) की स्थापना हुई है। ध्वंस, उपेक्षा तथा सोन के बचे खुचे देवालय उसकी याद दिलाता है।

5. राजा नल का बसाया नलग्राम

लखनऊ से पूर्व-दक्षिण 35 किलोमीटर दूरी पर बसा नगराम कस्ब महाभारतकाल का नलग्राम है जो नल-दमयंती की अमर-कथा के नायक राजा नल का बसाया हुआ बताया जाता है।

यह उपनगर लखनऊ जनपद की मोहनलालगंज तहसील का एक परगना है जो बाराबंकी ओर रायबरेली जिलों की सीमाओं को लखनऊ जिले से जोड़ता है। नगराम को अब टाउन एरिया का दर्जा भी मिल गया हैं यहा एक प्राचीन दुर्ग का ध्वंसावशेष ही बचा है जो राजा नल के किले के नाम से विख्यात है। नगराम के वयोवृद्ध निवासियों के अनुसार पहले पुरा नगराम कस्बा ही किले पर बसा था लेकिन अब उसका अधिकांश भाग खेतों और पान की भीठों में बदल चुका है।

इस किले की खुदाई में तीन फुट के पत्थर की स्लीपेंट, लंबी-चौड़ी पक्की ईंटे, सोने-चांदी के सिक्के तथा भाले, तीरों और तलवारों के फलक भारी संख्या में पाए गए हैं जो इसकी ऐतिहासकता को सिद्ध करते हैं। आर्यिलॉजी ऑफ लखनऊ में भी इस कस्बे का चिक्र है। कुछ वर्ष पूर्व मै। स्वयं राज्य सरकार के पुरातत्व विभाग के निदेशक श्री रामचन्द्र सिंह के साथ इस कस्बे में गया जहां अनेक ऐतिहासिक अवशेष देखने को मिले।

नल-दमयन्ती की कथा अपने आप में लघु महाभारत है। यह घूत (जुए) में हारे राजा नल और उनकी धर्मपत्नी दमयंती का अत्यंत हृदयस्पर्शी उपाख्यान है, पुराणों में दी गई कथाओं में जिसे प्रथम स्थान दिया गया है। महाकवि कालिदास ने 'नलोदय' नाम से जिसे काव्यबद्ध कर और भी सार्थक तथा सरस बना दिया।

इस महान मर्मस्पर्शी कथा की ओर यूरोपीय विद्वानों का भी ध्यान गया और वर्ष 1850 में प्रोफेसर एम. विलियम्स ने 'नल' नामक अंग्रेजी ग्रंथ का प्रणयन किया। इसके उपरान्त सर एडविन अरनाल्ड ने संस्कृत के मूल महाभारत का अंग्रेजी में जो अविकल पद्यानुवाद किया उसमें 'नल एण्ड दमयन्ती', का एक स्वतंत्र अध्याय ही है।

अरनाल्ड ने लिखा है कि देवताओं में जो स्थान इन्द्र का है, राजाओं में वहीं स्थान राजाधिराज नल का था।

6. जैसलमेर की विशाल हवेलिया

जैसलमेर मध्यकालीन भारत की नगर योजना का भी अद्‌भुत नमुना है। राजा रावल जैसल ने जब 1156 ई. में शहर की नींच रखी तभी उन्होंने यहां गढ़ीसर झील भी बनवा दी थी ताकि मरूस्थल में भी शहर के लोगों को पानी की तंगी न हो। समय बीतने के साथ-साथ इसी झील के चारों ओर शहर बसता गया। बाद में मिस्त्र, ईरान, मध्य एशिया तथा कंधार से आने वाले ऊंटों के काफिलों ने भी यहां ठहरना शुरू कर दिया। इसके फलस्वरूप जैसलमेर मध्यकाल में बहुत बड़ा व्यापारिक केन्द्र बन गया।

थार के रेगिस्थान की रूपहली रेत पर बसे जैसलमेर शहर को देख कर दिल की धड़कनें थम-सी जाती हैं। करीब साढ़े आठ सो साल पहले रावल जैसल ने त्रिकूट की पहाड़ियों पर यह शहर बसाया था। बाद में विभिन्न शासकों ने इसकी खूबसूरती में चार चांद लगाए। बलुआ पत्थर से बने महलों और हवेलियों की अद्‌भुत पञ्चीकारी ने जैसलमेर को विश्व प्रसिद्ध कर दिया है।

जैसलमेर की अधिकांश इमारतें वक्त के थपेड़ों को झेलती हुई आज भी अच्छी हालत में हैं। थार की तपती रेत और मरीचिकाओं ने किलों के इस खूबसूरत शहर को विदेशी हमलावरों से सदियों तक बचाए रखां शायद इसी वजह से सदियों पुरानी सजावट और बारीक पच्चीकारी आज भी ज्यों की त्यों है।

जैसलमेर की हवेलियों तथा महलों की बारीक पच्चीकारी देखकर लगता है मानों किसी सुनार ने इन्हें बड़ी मेहनत और नजाकत से बनाया हो।

जैसलमेर मध्यकालीन भारत की नगर योजना का भी अद्‌भुत नमूना है। राजा रावल जैसल ने जब 1156 ई. में शहर की नींव रखी तभी उन्होंने यहां गढ़ीसर झील भी बनवा दी थी ताकि मरूस्थल में भी शहर के लोगों को पानी की तंगी न हो। समय बीतने के साथ-साथ इसी झील के चारों ओर शहर बसता गयां बाद में मिस्त्र, ईरान, मध्य एशिया तथा कंधार से आने वाले ऊंटों के काफिलों ने भी यहां ठहरना शुरू कर दिया। इसके फलस्वरूप जैसलमेर मध्यकाल में बहुत बड़ा व्यापारिक केन्द्र बन गया।

76 मीटर ऊंची त्रिकूट पहाड़ियों पर पीले पत्थरों से बना महल दिन की धूप में सोने-सा चमकता है। कहा भी जाता है कि चांदनी में ताजमहल और धूप में राजमहल का कोई जवाब नही। त्रिकूट में ही बाजार, हवेली और जैन मंदिरों की छटा कभी न भूलने वाला नजारा पेश करते हें। पहाड़ी के नीचे ही गढ़ीसर झील के पासपुराने राजाओं की छतरियां, मंदिर और संग्रहालय भी हैं। ज्यादातर इमारतों और हवेलियों के पीले बलुआ पत्थर पर बड़ी बारीकी से पच्चीकारी की गई है। सलीम सिंह, नाथमलजी और पटवों की हवेलियां इस कारीगरी की उम्दा मिसाल है।

7. आध्यात्मिक क्रान्ति का साक्षी सारनाथ

प्राचीन काल में 'ऋषि पत्तन' नाम से विख्यात सारनाथ भारत के प्राचीन एवं धार्मिक नगर वाराणसी (काशी) से लगभग 10 (दस) किलोमीटर की दूरी पर स्थित है। ज्ञान-प्राप्ति के बाद सर्व प्रथम इसी स्थान पर तथागत बुद्ध अपने उन पांच शिष्यों को बौद्ध धर्म की दीक्षा दी। अपने धार्मिक एवं ऐतिहासिक वैशिष्ट्म के कारण यह एक आदर्श पयर्टन स्थल के रूप में विश्व में अपना विशेष स्थान रखता है।

चौखण्डी स्तूप–चार आधारों पर आधारित होने के कारण इसे चौखण्डी स्तुप कहा जाता है। ज्ञान प्राप्ति के बाद सारनाथ आने पर गौतम बुद्ध की पंचभिक्षुओं से इसी स्थलपर मुलाकात हुई। सम्भवतः सम्राट अशोक ने इस स्तूप का निर्माण कराया था।

धमेक स्तूप–इस स्तूप का निर्माण सम्राट अशोक ने कराया था। इसका व्यास 28.35 मीटर एवं ऊंचाई 39..1 मीटर है। नीचे से 11.20 मीटर तक अलंकृत शिलापट्टों से बना हुआ है। कहते हैं इसी स्थान पर भगवान बुद्ध ने धर्म और गति चक्र का उपदेश दिया था। बौद्ध मतावलम्बियों द्वारा स्तूप की परिक्रमा एवं पूजा-अर्चना श्रद्धपूर्वक की जाती है।

धर्मराजिका स्तूप–यह भी सम्राट अशोक द्वारा निर्मित कराया गया था। इसका कुछ निर्माण काशी नरेश राजा जगत सिंह ने कराया था। वर्तमान में इस स्तूप का केवल मूल आधार ही अवशेष है।

मूलगंध कुटी बिहार–इसका निर्माण सन् 1939 में महाबोधि सोसायटी द्वारा कराया गया था। मंदिर के अंदर जापानी कलाकार 'कोसेट्स नीसु' द्वारा जीवंत चित्रकारी की गयी है जिसके माध्यम से भगवान बुद्ध के सम्पूर्ण

जीवन-चरित्र की जानकारी स्वतः ही मिल जाती है। मंदिर के मुख्य द्वार पर विश्व शांति का प्रतीक एक विशाल घंआ लगा है।

पुरातत्व संग्रहालय–सनृ 1910 में स्थापित यह संग्रहालय चौखण्डी स्तूप से थोड़ा आगे है। इसमें सारनाथ की खोदाई में प्राप्त दुर्लभ मूर्तियां तथा अन्य वस्तुएं संग्रहीत है। इस संग्रहालय में चार वीथियां हैं जिनमें पांचवी, छठवीं, दसवीं, ग्यारहवीं एवं बारहवीं शती की मूर्तियां, औजार, मिट्‌टी के बर्तन, दीपक आदि कुछ गुप्तकालीन एवं शिलापट्‌ट भी है। खोदाई में प्राप्त अशोक स्तम्भ भी यही सुरक्षित रखा है।

चीनी मंदिर–इसमें भगवान बुद्ध की सुंदर धर्मचक्र प्रवर्तन मुद्रा में बैठी हुई प्रतिमा स्थापित है। इसकी स्थापना सन् 1939 में चीन के श्री ली चुंग सेगड़ द्वारा की गयी थी।

दिगम्बर जैन मंदिर–इसका निर्माण सन् 1803 में श्री छज्जोमल जैन द्वारा कराया गया था। इसमें जैन धर्म के ग्यारहवें धर्म तीर्थाकार भागवान श्रेयांस नाथ की प्रतिमा है। वर्तमान में इस जैन मंदिर की पूजा अर्चना जैन मतावलम्बी एक अन्य लोगों द्वारा की जाती है।

तिब्बती मंदिर–इस मंदिर में दोनों तरफ तिब्बती देवी देवताओं तथा मुख्य भाग में भगवान बुद्ध की विशाल प्रतिमा है। इसका निर्माण 1956 में श्री गेधोसे लामा द्वारा कराया गया था यहां रविवार को विशेष पूजा की जाती है।

सारंगनाथ मंदिर–सारनाथ में भगवान विश्वनाि सारंगनाथ नाम से जाने जाते हैं। यहां भगवान शिव का अति प्राचीन एवं सुंदर ज्योतिर्लिंग स्थापित है। जिसकी पुजा प्रतिदिन श्रद्धापूर्वक की जाती है। महाशिवरात्रि एवं श्रावण मास में पूरे एक मास का मेला लगता है जिसमें दूर-दूर से आये श्रद्धालु एवं भक्त गण भाग लेते हैं।

बर्मी मंदिर–प्रसिद्ध भिक्षु श्री चन्द्रमणि महावस्तुवी द्वारा सन् 1934 में इसका निर्माण कराया गया था। इस मंदिर में भगवान बुद्ध की मनोहारी मूर्ति स्थापित है।

जापानी मंदिर–इस मंदिर का निर्माण अभी जल्दी ही समाप्त हुआ है। यहां पूर्ण रूपेण जापानी संस्कृति सम्पन्न भगवान बुद्ध की प्रतिमा स्थापित है।

थाई बुद्ध मंदिर—इस मंदिर में थाई संस्कृति में बनी भगवान बुद्ध की मूर्ति स्थापित है।

वस्तुतः सारनाथ एक ऐसा पवित्र स्थल है जिसने अपने ह्रदर्यांचल में अनेक ऐतिहासक, धार्मिक, तथा आध्यात्मिक धरोहर संजो रखे हैं। ईसा से शताब्दियों पूर्व हुए आध्यात्मिक, क्रांति का सांक्षी सारनाथ आज भी ग्यान दीप के आलोक से सम्पूर्ण विश्व को आलोकित कर विश्व शांति का संदेश दे रहा है। जिस धरती पर प्रजापति विश्वकर्मा ने घोर-साधना और तपस्या किया था जो सदा से ऋषियों, मुनियों, देवी और देवताओं की तपस्थली रही है, उनकी अमर कीर्ति विहार, मठो, राजप्रसाद, भवनों के खण्डहरों से कीर्ति स्तम्भों (लाटों, शिलालेखा) पर केन्द्रित होता हुआ शिलालेख, मुद्राये, मूर्तियों, प्रभाषगिरि की शिलाओं तथा मंदिरों तक रूक जाता है।

कालचक्र के साथ बहुत कुछ बदला, मिटा, बना। सांस्कृतिक-अभ्यूदय, कला और कुटीर उद्योग आज भी यह याद दिलाते हैं लोहारों द्वारा गड़ासा, कुल्हाड़ी, फावड़ा, चिमटा तथा अन्य लोहे के उपकरण बनाने का कारोबार तथा कुम्हारों द्वारा मिट्टी के मुंदर बर्तन बनाने की कला, सोनारो द्वारा सोने का आभूषण, बढ़ई द्वारा लकड़ी के सामानों का निर्माण, नक्कासी, कसेरा, ठठेरा द्वारा धातुओं के सामानों के सामानों का निर्माण अपने आप में एक बेजोड़ मिशाल है।

ईसा पूर्व छठी सदी में बुद्ध के समय 16 बड़े राज्य थे जिन्हें महाजनपद कहा जाता था। जिसमें मगध-कौशाम्बी, वत्स और अवन्ति ये चार शक्तिशाली थे। वत्स जनपद की राजधानी कौशाम्बी थी। बुद्धकाल में यहां पौर वंश का शासन था जिसका शासक उद्यन था।

बौद्ध, जैन धर्म शिल्प नगरी का सर्वाधिक विनाश मुस्लिम शासकों द्वारा किया गया। मूर्तियाँ, मंदिर, स्तूप तोड़ दिये गये। शिला लेखों को खण्डित कर दिया गया। इसी प्रकार निर्माण कला का स्वर्णिम इतिहास अतीत के खण्डहरों में विलीन हो गया। प्राचीन ऐतिहासिक कला का अलख जगा रहा है सम्राट अशोक का "कीर्ति स्तम्भ (अशोक लाट)।

प्राचीन स्तम्भों के लेखों के अध्ययन से ये लेख गुप्तकाल से लेकर अकबर के समय तक के मालूम पड़ते है। प्राचीन धरोहर के साथ-साथ ये मूर्तियाँ धर्म निरपेक्षता और धार्मिक आस्थाओं की प्रतीक बनी हुई है।

चीनी यात्री फाहय्यान ह्वेनसांग और इन्सिंग को यहां की मूर्ति और चित्रकला ने विशेरूप से आकर्षित किया है। कला और संस्कृति की एक झलक मिट्टी बर्तनों में चित्रित-पुरुष और महिलाओं का पहनावा, गहनें, नृत्य, संगीत काम कला, आमोद प्रमोद, घने जंगल, हाथियों के झुण्ड, मानव और शेर-का द्वन्द युद्ध, महाराजाओं के क्रिया अलाप और खिलौने आदि की प्रचुरता रही है।

इस तरह उत्खनन से प्राप्त अभिलेखों, स्तूपों, कला-वस्तुओं, भूरे, चिकने काले, मृण पावों, बर्तन आदि को इतिहासकारों ने कला और सांस्कृतिक अभ्यूदय की अवस्थाओं का प्रमाण माना है। तख्त, ताज और राज बदल जाते है परन्तु स्मृति चिन्ह उनकी यादों को सीने समेटे रहते है। इस धारणा एवं तथ्य मूलक विचार को लेखक ने अपनी पुस्तक में यथा स्थान उल्लिखित किया है ताकि आम जन इससे लाभन्वित हो सकें। इससे प्रेरणा-लेकर अपने जीवन को सवार सके।

14

विश्वकर्मा समाज की विभूतियाँ

1. 1857 एवं स्वाधीनता संघर्ष में कारीगरों की भूमिका

इतिहास प्रसिद्ध भील विद्रोह, आदिवासी विद्रोह 1821 गारों विद्रोह 1846 खासिया 1833 सिगफो विद्रोह 1831 छोटा नागुपर काल विद्रोह 1832 सभलपुर गोड विद्रोह अबोरा, लुसाइयों और नागाओं के विद्रोह 1833 उड़ीसा में खांड विद्रोह 1846 आसाम में 1848 और संथाल विद्रोह 1855 के बाद आम भारतवासियों और अंग्रेज शासकों के बीच विरोधों ने उग्र रूप धारण किया जिसका परिणाम 1857 के राष्ट्रीय महाविद्रोह में सर्वाधिक क्षति स्वाभिमानी विश्वकर्मा वंशजों की हुई जिसके दौरान अस्त्र-शस्त्र निर्माता विश्वकर्मा लोहार वंशजों को चुन-चुन कर जबरन समुद्री जहाज से विभिन्न टापुओं और यूरोपियन देशों को भेजा गया। उन पर अमानवीय अत्याचार किये गये। उनकी कार्यशालाओं को नष्ट कर दिया गया। जिन्होंने इसका विरोध किया उनमें से बहुतो के हाथ काट दिये और निर्मम हत्या की गयी। सन् 1860 से 1863 का समय ब्रिटिश भारत में हथियार निर्माता लोहारों के लिये ह्रदय विदारक था जब 1860 में 5500 1861 में 2800, 1862 में 2300 1863 में 3500 कुशल शिल्पियों को जबरन शिप से अन्यत्र भेजा गया जिनमें से 5280 लापता बताये गये अथवा समुद्र से कूदकर आत्म हत्या किये। जिसके संबंध में सिनेटरों में ब्रिटिश संसद में इस क्रूरतम व्यवहार की घोर निन्दा की है।

उल्लिखित है कि 1857 में सेना में भारतीयों की संख्या 2,38,000 और यूरोपियों की 45,000 थी। 1863 में यह संख्या क्रमशः 1,40,000 और 65,000 कर दी गई। भारतीयों में भी अवध व बिहार के सैनिकों की संख्या घटाकर सिखों और नेपालियों की संख्या बढ़ा दी गयी। देश भक्त लौहकार शिल्पिकार जो विदेशियों के जूर्म से त्रस्त थे, विवश होकर साधू

संत के वेश में अन्यत्र जंगल, पहाड़ गुफाओं में शरण लेकर निर्माण कार्य करने लगे। पहाड़ों को काट छाट कर आवागमन का मार्ग बनाया पहाड़ों की चोटियों और गुफाओं में सुंदर आकर्षक मंदिरों का निर्माण किया तथा अति प्राचीन कालीन मंदिरों, तीर्थ स्थलों, देवालायों दुर्ग किला आदि का पुर्ननिर्माण किया। आस्था विश्वास के केन्द्र स्थापित कर साधुओं की टोलियां बनाकर भारत के सनातन, सिखो और इस्लाम जैसे प्रमुख धर्मों और विभिन्न पंथों का अद्भूत संगम स्थापित कर प्रथम स्वाधीनता संग्राम को बल दिया।

सितम्बर 1857 के बाद दिल्ली के सुंदर भवन खण्डहर बन चुके थे। बगीचे तबाह हो गये थे। जीनत मस्जिद बेकरी में बदल गयी थी। शाहजहानाबाद एक अधिकृत शहर हो गया था, लेकिन अंग्रेजों की दिक्कते समाप्त होने का नाम नहीं ले रही थी। मोहर सिंह ने कुरुक्षेत्र करनाल, भटिंडा, संगरूर और अंम्बाला में अंग्रेजी सेनाओं से घनघोर लड़ाई लड़ी। मोहर सिंह के संघर्ष के दौरान इतनी तरह के अंतरधार्मिक और अंतरपंथीय सहयोग दिखाई पड़ते है कि इस देश समुदायों में फर्क मानने वाले हैरान हो सकते है। इस गठजोड़ में सनातन धर्म, नानक पंथ, मुस्लिम फकीर, सूफी मत और कट्टर मुसलमानों के बीच एक सहज भाईचारा दिखाई पड़ता है। स्वामी, ऋषि, साधु और नागा, मुस्लिम फकीरों की श्रृंखला में जूड़े हुए थे।

इस पृष्ठ भूमि से गुजरते हुए मोहर सिंह ने हरिद्वार, काशी और पुरी की यात्राएँ की। वे अजमेर शरीफ भी गये और वहां की सूफी शिक्षाओं को समझा। पंजाब और हरियाणा की सीमा पर रोटी और कमल का आंदोलन शुरू करने का श्रेय मोहर सिंह को जाता है। कहते है रोटी और कमल के इस प्रतीक से देश को स्वाधीनता के लिए जगाने का विचार स्वामी ओमानंद का था जो एक शिल्प ज्ञाता थे। ओमानंद ने पूर्णानंद और अन्य साधुओं के साथ मिलकर इस प्रतीक को खोजा। कमल का फूल सेना की इकाइयों में घुमाया जाता था जिसे सेना एक ईकाई से दूसरी ईकाई को भेज देती थी जिसका मतलब था कि वह क्रांति के लिये तैयार है। इसी तरह गांव-गांव रोटी घुमाई जाती थी जिसका मतलब था कि वह गांव क्रांति के समर्थन के लिए तैयार है।

हरिद्वार के नील पर्वत का चंडी मंदिर प्राचीन काल में विश्व शिल्पियों का प्रमुख केन्द्र था जो विश्वकर्मा पुत्र नील के नाम से अंलकृत है जो कभी पुरे ब्रहमाण्ड में प्रकाशवान था। कहा जाता है कि सृष्टि निर्माता और

नियंता की तपो स्थली थी। वहां से सर्व धर्म समाज का संदेश पूरे विश्व में प्रसारित हुआ। ज्ञान पीपासा के लिये बुद्ध ने इस अलौकिक नील पर्वत को सृष्टि रचना का केन्द्र बिन्दु मानते हुए वर्षों तक ध्यानावस्थित रहे। चीनी यात्री ह्वेन सांग ने भी इसकी संपुष्टि की है। भारतीय शिल्पी विशेष रूप से श्रावन पूर्णिमा के दिन दर्शन करने जाते है तथा पूजा अर्चना करते है।

क्रांतिकारियों ने भी इसे प्रेरणा श्रोत मानते हुए विजय की कामना सहित पूजन अर्चन कर कई सभाये आयोजित की। गुढ़मुक्तेश्वर की सभा 5 अक्टूबर 1855 को स्वामी पूर्णानंद की अध्यक्षता में गढ़मुक्तेश्वर में की जिसमें अंग्रेजों के खिलाफ धार्मिक एवं राजनीतिक आधार पर कई भाषाण हुए। स्वामी पूर्णानंद ने सार प्रस्तुत करते हुए कहा है राष्ट्र को विदेशियों के भरोसे मत छोड़ो। उनसे सावधान रहो। वे तुम्हारी जमीन पर कब्जा कर लेगे। तुम्हारी कौम को बरबाद कर देंगे। 11 अक्टूबर 1855 को हरिद्वार की सभा में स्वामी बिरजानंद ने भाषाण दिया और मोहर सिंह को आजादी के योद्धा के रूप में आर्शीवाद दिया। सभा का आयोजन स्वामी पूर्णानंद ने हरिद्वार की पहाड़ियों में किया था। इस सभा में 565 साधु शामिल हुए। इसमें 195 मुस्लिम साधु और 370 हिन्दु साधु थे।

स्वामी पूर्णानंद ने न केवल धर्म के पालन पर जोर दिया, बल्कि राष्ट्र को ऊपर उठाने का भी आवाह्न किया। स्वामी दयानंद ने 1856 में हरिद्वार के नील पर्वत के चण्डी मंदिर में डेरा डाला। यहां स्वामी रूद्रसेन ने उन्हें बताया कि भारत की जनता को जगाने के लिए आजादी के आंदोलन के नेता जल्दी ही चण्डी मंदिर आने वाले है। इन पांच लोगों के साथ दो और क्रांतिकारियों ने स्वामी जी से सम्पर्क किया। ये दोनों थे राजा गोबिन्द राय और लक्ष्मीबाई। गोबिन्द राय उत्तर बंगाल के नादौर राज्य के मशहूर रानी भवानी वंश से जुड़े हुए थे। चण्डी मंदिर पर उन्होंने ने बताया कि जिस तरह उनका राज्य हड़प लिया गया। इसी दोरान झांसी की रानी लक्ष्मीबाई और उनकी तीन अंगरक्षिका स्वामी जी से मिलते है। रानी ने आंखों में आंसू भर कर अपनी कहानी कही। महाराजा मैं एक विधवा हूँ। अंग्रेजों ने एलान किया है कि वे आप की बहन का राज्य हड़प लेंगे। वे झांसी पर बड़ी सेना के साथ हमला करने की तैयारी में है। जब तक मैं जिन्दा हूँ अपना राज्य हड़पने नहीं दूगी। आप मुझे आर्शीवाद दीजिये मैं एक योद्धा के रूप में लड़ते हुए अपना जीवन बलिदान कर सकूँ। उस बहादुर महिला से यह शब्द

सुनकर उन्होंने कहा वे लोग भाग्यशाली है जिनका शरीर किसी कर्तव्य के लिये बलिदान हो जाता है। वे अमर रहते है। अपनी तलवार उठाओं और विदेशियों से साहस के साथ लड़ो। स्वामी जी का कहना था जनता का नेतृत्व करना और आग से खेलना एक जैसा ही खतरनाक है। छोटी सी गलती का मतलब है सम्पूर्ण विनाश।

मधुरा में 1856 में हुई एक अन्य बैठक का जिक्र यहां महत्वपूर्ण है। इसका नेतृत्व स्वामी बिरजानन्द कर रहे थे। इस बैठक में हिन्दू, मुसलमान और अन्य समुदाय के लोगों ने हिस्सा लिया। पंचायत में नेत्रहीन साधू बिरजानंद को पालिकी में लाया गया। जब वे मंच पर बैठे तो सभी हिन्दू और मुसलमान फकीरों ने आदर देने के लिये उनका पैर चूमा। उन्होंने कहा स्वाधीनता ही संपत्ति है और गुलामी छल है। देश पर स्थानीय लोगों का शासन विदेशी लोगों के शासन से सैकड़ों गुना ज्यादा बेहतर है। ये क्रूर लोग हमारी जनता पर जबरदस्ती शासन कर रहे है। हम इस धरती के लोगों से अपील करते है कि यह हर नागरिक का कर्तव्य है कि वह देश भक्त बने और दूसरे को भाई माने। बिरजानंद का यह भषाण 1857 के दबे पक्ष को प्रकाशित करता है। इससे यह पता चलता है कि सनातन धर्म के दर्शन ने भारत में बहादुर शाह जफर को दैवीय समर्थन दिया था और किस तरह से सनातन धर्म और इस्लाम के बीच ऐतिहासिक गठजोड़ कायम किया था। अंग्रेजों और बंबई व कलकत्ता में बैठे उनके चन्द बुद्धिजीवियों को यह अहसास नहीं था कि भारत पर मुगलों का शासन सनातन धर्म के समर्थन से चल रहा था पहाड़ों में रहने वाले ऋषियों और मुनियों की औरंगजेब सहित सभी मुगल दरबारों में पहुच थी। मुगल दरबार में यह मान्यता थी कि जबतक पहाड़ों में रहने वाले ऋषि मुनि तपस्या करते रहेंगे भारत और मुगलवंश सुरक्षित है।

प्रथम स्वाधीनता संग्राम न सिर्फ अखिल भारतीय था, बल्कि इसमें भारत के सनातन, सिख, और इस्लाम जैसे प्रमुख धर्मों और विभिन्न पंथों का अद्‌भूत संगम था। सूफी दायरा और कट्टर इस्लामी केन्द्रों से संबंधित होने के बावजूद फकीर स्वायत्त भी थे। गंगा के मैदान से निकले ये फकीर कबीर पंथी, गोरखापंथी, दादूपंथी जैसे तमाम पंथी की सदस्यता अदलते-बदलते रहते थे। वे मुल्ला और पंडित दोनों की संगत में एकदम सहज रहते थे। कई बार नग्न नागाओं की संहिता का पालन न करते हुए अखाड़ों की सेना में शामिल भी होते थे।

1857 की इस क्रांति को भले ही सफल नहीं कहा जा सकता लेकिन इस बात से भी इंकार नहीं किया जा सकता कि इसी संग्राम का परिणाम था कि आने वाली पीढ़ी के अंदर देश भक्ति का जोश भर गया था। इस संग्राम से उठी चिनगारी ही शोला बनी और सन् 1947 में देश को आजादी मिली। अतः इस संग्राम के महत्व को कम करके नहीं देखना चाहिए। आजादी के महत्व को हमें समझना होगा। जब तक आजादी के महत्व और उसकी कीमत नहीं समझेंगे तब तक कुछ नहीं हो सकता।

1857 के स्वाधीनता संग्राम को अंग्रेजों द्वारा इस समर को मामूली घटना बताने में मेटकाप की रिर्पोट को इतना प्रचारित किया कि कार्लमार्क्स सरीखे वामपंथी विचारक भी अंग्रेजों के झासे में आ गये।

फ्रांसीसी पर्यटक बर्नियर ने भारत प्रवास के दौरान अपने कुछ मित्रों को पत्र लिख जिसे उसके मित्रों ने पुस्तक की शक्ल दे दी। कालांतर में उसके पत्रों को ही भारत का अधिकृत स्वरूप मान लिया गया। बर्नियर एक अति भावुक और मौजीकिस्म का व्यक्ति था। उसने सामन्तों का जो स्वरूप देखा, उस आधार पर वर्णन कर दिया। यह आधी अधूरी जानकारी थी।

यूरोप में इसके अलावा मोरलैण्ड और पादरियों के जरिये भारत की विकृत तस्वीर पहुँची जो भारतीयों को सभ्य बनाने के लिए उन्हें ईसाई बनाना चाहते थे। युद्ध के लिए अस्त्र-शस्त्र बनाने वाले भारतीय लोहारों के साथ बहुत ही अमानवीय अत्याचार हुए। अंसख्य मारे गये, आत्महत्या कर लिये, शेष कार्य कुशल कारीगरों को यूरोपीय देशों तथा समुद्री टापूओं पर जबरन छोड़ा गया। बर्नियर लिखता है कि ये आर्टिजन्स ब्लैकस्मिथ भारतीय मनुबंशी लोहार इतने कट्टर और स्वाभिमानी थे कि उनके द्वारा निर्मित ढाल, कटार, बर्झे और तलवारें/अंग्रेजों के छक्के छुड़ा देते थे। सेनानायक बर्टियर के अनुसार उन्होंने तात्याटोपे, झांसी की रानी तथा अन्य योद्धाओं को जो अस्त्र-शस्त्र बनाकर-बनाकर दिये उसके आगे अंग्रेज सैनिक टिक नहीं पाते थे। इनकी जगह-जगह कार्यशालायें थी। इनकी एक टोली थी जो योद्धाओं को युद्ध स्थल में शस्त्र आपूर्ति एवं मरम्मत का कार्य करते थे तथा जरूरत पड़ने पर स्वयं लड़ाई लड़ते थे। ये लोग अस्त्र-शस्त्र निर्माण के साथ युद्ध कौशल में भी निपुण थे।

भारत में इतिहास लेखन की परम्परा का अभाव रहा है। कथाओं और महाकाव्यों के जरिये यहां इतिहास रचा गया। भारतीय शिल्पियों का कोई इतिहास नहीं लिखा गया जबकि उनके द्वारा निर्मित दुर्ग, किला, तोप बन्दूके स्तम्भ, शिलालेख, राज भाव आदि के अवशेष इसके चस्मदीद गवाह है। इसी प्रकार 1857 का कोई इतिहास हमारे यहां नहीं है। उन्होंने न केवल भारतीयों को इस पर लिखने की पाबन्दी लगा दी थी वरन् शास्त्र निर्माताओं और योद्धाओं के नामों पर अपनी संतानों के नाम रखने पर रोक लगा दी थी। अंग्रेजों ने इस विद्रोह को कुचलने के लिए जो पुशता दिखाई, वह खुद मेटकाफ की थ्योरी का खाण्डन करने को काफी है।

स्वतंत्रता समर के संघर्ष में वतन पर न्यौछावर होने वालो अस्त्र-शस्त्र निर्माता हजारों विश्वकर्मा कारीगर थे। जिनको अंग्रेजों ने फांसी के फन्दों पर लटका दिया था। परन्तु उन्होंने विदेशी हुकुमत के सामने आत्मसमर्पण नहीं किया।

इसी क्रम में **"दि म्यूटिनी"**, में प्रवीजिनल सिविल कमिश्नर सर जार्ज केम्वेल ने बड़ी बेवाकी के साथ इस घटनाक्रम का उल्लेख किया है "मैं जानता हूँ कि बड़ी बेदर्दी के साथ कत्लेआम किया गया। वास्तविकता यह है कि अंग्रेजों ने वह काम किये है जो कत्लेआम से भी भयंकर थे। हैव्वाक की सेना के अधिकारी द्वारा ब्रिटेन भेजे गये पत्र के मुताबिक हमें याद रखना चाहिये कि जिन लोगों को कठोर यातना, देश निष्कासन, फांसी दी गयी वे कोई सशस्त्र वागी नहीं, निरीह नागरिक थे। जिन्हें संदेह के आधार पर पकड़ने के बाद कठोर अमानवीय दण्ड दिया गया। इनमें अधिकांश शास्त्र निर्माता ब्लैकस्मिथ, लोहार थे।

2. स्वतंत्रता समर में विश्वकर्मा वंशजों की कुर्बानिया

नागा प्रसाद विश्वकर्मा–आप का जन्म सन् 1920 में ग्राम-अहरौरा, जिला मिर्जापुर (उ. प्र.) में हुआ था। आप की माता का नाम श्रीमती प्यारीदेवी था। आप आजीविका की दृष्टि से मजदूर थे, किन्तु स्वातन्त्र्य चेतना आप में अत्यन्त प्रखर थी। आपने भारत छोड़ों आंदोलन (1942) में भाग लिया तथा अपने सहकर्मियों को राष्ट्रीय कार्य के लिए प्रेरित एवं संगठित किया। आप सन् 1942 में आंदोलन के समय अहरौरा बाजार में पुलिस की गोली से गंभीर रूप से घायल हुए और मात्र 22 वर्ष की अल्पायु में वीर गति को प्राप्त हुए।

रामदास विश्वकर्मा–आप का जन्म (जन्म-तिथि अज्ञात) डुमराव, जिला-शाहाबाद (बिहार) में हुआ था। आपके पिता श्री रामनारायण लौहकार थे। स्वातन्त्र्य प्रेम की अभर भावना से वशीभूत हो भारत छोड़ों आंदोलन (1942) में भाग लिया। 16 अगस्त सन् 1942 को डुमराव थाने की ओर जाते हुए जुलूस में सक्रिय भाग लिया, पुलिस की गोली से गंभीर रूप से घायल होने के उपरान्त भी हाथ में लिए तिरंगे को मरते दम तक गिरने न दिया और अमरत्व को प्राप्त किया।

शिवराज स्वर्णकार उर्फ सोना–आप का जन्म 1 जनवरी सनृ 1909 को हुआ था। आप सहोदर पट्टी जिला-देवरिया (उ. प्र.) के निवासी थे। आप के पिता श्री छज्जु थे। आप आजीविका की दृष्टि से किसान एवं अभिरूचि के आधार पर राजनैतिक कार्यकर्ता थे। आपने भारत छोड़ों आंदोलन (सन् 1942) में सक्रिय भाग लिया। देवरिया कचहरी पर तिरंगा फहराने के जुर्म में दिनांक 14.8.1942 को पुलिस द्वारा चलायी गयी गोली से गंभीर रूप से घायल हुए तथा उक्त स्थल पर ही शहीद पद को प्राप्त किया।

कोड़े सुनागढ़िया (स्वर्णकार)–आप का (जन्मतिथि अज्ञात) ग्राम–क्यांग जिला–कोरापुर (उड़ीसा) में हुआ था। आप के पिता श्री काटू स्वर्णकार थे। आप क्रांतिकारी प्रवृत्ति के स्वतंत्रता संग्राम सेनानी थे। आप ने भारत छोड़ों आंदोलन (1942) में सक्रिय भाग लिया तथा 21 अगस्त 1942 को मोतिली थाने पर किए गए आक्रमण में भाग लिया। आक्रमण में आप पकड़े गए तथा 20 वर्ष के कठोर कारावास की सजा मिली। जेल में आपको कठोर यंत्रणायें दी गई। यंत्रणाओं के कारण आप जेल में ही वीरगति को प्राप्त हुए।

हरिसिन्दे (बढ़ई)–आप का जन्म सन् 1907 में बम्बई में हुआ था। आप के पिता श्री सदाशिव शिन्दे थे। आप जन्म एवं कर्म से बढ़ई थे। आपने भारत छोड़ों आंदोलन (1942) में सक्रिय भाग लिया। 10 अगस्त, 1942 को बम्बई में पुलिस की गोली लगने से इस स्वतंत्र वीर का उसी दिन स्वर्गवास हो गया।

गुन्दा सुतार–आप का जन्म सन् 1921 में ग्राम–अताटे हत कानन गले तालुका, जिला-कोल्हापुर (महाराष्ट्र) में हुआ था। आप के पिता श्री बाघा सुतार थे। आजीविका की दृष्टि से आप किसान थे। आप मराठी की चौथी कक्षा तक की शिक्षा प्राप्त कर सके थे। सन् 1942 में कोल्हापुर की

रियासत जन परिषद् द्वारा किए गए सत्याग्रह आंदोलन में सक्रिय भाग लिया। आप गिरफ्तार करके कैद किए गए। कठोर शारीरिक यातनाओं के परिणाम स्वरूप सन् 1943 में जेल में ही स्वर्ग प्रयाण किए।

महादेव सुतार–आपका जन्म सन् 1926 में ग्राम-गंगापुर, भुडारगुड तालुका जिला-कोल्हापुर (महाराष्ट्र) में हुआ था। आपके पिता श्री बाबाजी सुतार थे। आपकी शिक्षा मराठी की छठी कक्षा तक हुई थी। आप क्रांतिकारी प्रवृत्ति के थे। आपने भारत छोड़ों आंदोलन (1942) में सक्रिय भाग लिया। 13 दिसम्बर 42 को कागल तालुका में गरगोटी के खजाने पर हुए हले में भाग लिए तथा आप उसी दिन पुलिस की गोली से वीरगति को प्राप्त हुए।

रामचन्द्र सुतार–आपका जन्म सन् 1910 में मलेगांव जिला-सांगली (महाराष्ट्र) में हुआ था। आपके पिता श्री कृष्ण सुतार थे। आपकी शिक्षा पांचवी कक्षा तक हुई थी। आजीविका की दृष्टि से आप बढ़ई किन्तु अभिरूचि के आधार पर आप राजनैतिक कार्यकर्ता थे। आपने भारत छोड़ो-आंदोलन (सन् 1942) में सक्रिय भाग लिया और गिरफ्तार करके करड़ जेल में बंद किए गए। जेल में दी गई कठोर यातना के फलस्वरूप आप सन् 1943) में जेल में ही स्वर्ग प्रयाण किए।

सूर्य नारायण चारी स्वर्णकार–आपका जन्म सन् 1888 में, ग्राम-देलागुट्टी, जिला-शिमोगा (मैसूर) में हुआ था। आपके पिता श्री पम्प्पा स्वर्णकार थे। आपकी शिक्षा मात्र प्राइमरी स्तर तक की हुई थी। आप क्रांतिकारी प्रवृत्ति के स्वतन्त्र वीर थे। आपने भारत छोड़ों आंदोलन (सन् 1942) में सक्रिय भाग लिया। शिमोगा में इस्सुर शिकारीपुरी के पुलिस उपनिरीक्षक एवं वहां के तहसीलदार को मारने के अपराध में आप पर मुकदमा चलाया गया। अपराध प्रमाणित होने पर आप को 1 मार्च 1943 की मृत्यु दण्ड दिया गया और आप मातृभूमि की बलिवेदी पर वीरगति को प्राप्त हुए।

गोपाल ताली स्वर्णकार–आप का जन्म सन् 1916 में हुबरी, हतकाननगाले तालुका जिला-कोल्हापुर (महाराष्ट्र) में हुआ था। आपके पिता श्रीकृष्ण जी गोपाल ताली थे। आपने सातवीं स्तर तक की शिक्षा प्राप्त किया था। आप क्षीरसागर उपनाम से प्रख्यात थे सन् 1940 में कोल्हापुर में देशी राज्य प्रजा परिषद स्टेट्स पीपुल्स कांफेस) द्वारा किए गए सत्याग्रह आंदोलन में सक्रिय

रूप से भाग लिया। आप कैद करके जेल भेजे गए। जल में कठोर शारीरिक यातनाओं के परिणाम स्वरूप सन् 1945 में जेल में ही वीरगति को प्राप्त हुए।

सुखना लोहार–आपका जन्म (जन्मतिथि अज्ञात) ग्राम कोसन सराय जिला-शाहबाद (बिहार) में हुआ था। आपके पिता श्री शिव प्रकाश लोहार थे। स्वतंत्र प्रेम के उत्कट भावना से वशीभूत हो आप ने भारत छोड़ों आंदोलन (सन् 1942) में सक्रिय भाग लिया। परिणाम स्वरूप 19 अगस्त सन् 1942 को आप ने गांव में ब्रितानी सैनिकों की गोली का निशाना बने और वीरगति को प्राप्त हुए।

काला सिंह (काष्ठकार)–आपका जन्म सन् 1874 में हुआ था। आप अमृतसर (पंजाब) के निवासी थे। आपके पिता श्री गुलाम सिंह थे। आप जन्म एवं कर्म से बढ़ई थे। स्वातन्त्र्य प्रेम की अमर भावना से राष्ट्रीय कार्यकलापों में सदैव भाग लेते रहे है। 13 अप्रैल, 1019 को अमृतसर जलियावाला बाग में हो रही सार्वजनिक सभा में भाग लिए। सभा में उपस्थित लोगों पर ब्रिटिश सैनिकों द्वारा किये गये अन्धाधुन्ध फायर में गोली लगने से घायल हुए और वीरगति को प्राप्त हुए।

काहन सिंह (काष्ठकार)–आपका जन्म (जन्मतिथि-अज्ञात) ग्रास-सांगोवाल, जिला-लुधियाना (पंजाब) में हुआ था। आपके पिता श्री दयाल चन्द बढ़ई थे। आप क्रांतिकारी प्रवृत्ति के स्वतन्त्रता संग्राम सेनानी थे। आपने कूका आंदोलन में सक्रिय भाग लिया। मलौद और मलेर कोटला पर हुए आक्रमण में अत्यन्त वीरता-पूर्वक भाग लिया। इस आक्रमण में आप पकड़े गये और 17 जनवरी 1872 को मलेर कोटला में तोप से उड़ा दिये गये तथा अमर पद को प्राप्त किया।

सुरजन सिंह (काष्टकार)–आपका जन्म सन् 1895 में ग्राम-पनाहबाद, जिला-अमृसर (पंजाब) में हुआ था। आपके पिता श्री गंडा सिंह बढ़ई थे। आपने आजीविका के लिए अपने पैतृक कर्म को ही अपनाया। आप सदैव राष्ट्रीय कार्य कलापों में भाग लेते रहे हैं। 13 अप्रैल 1019 को अमृतसर जलियावाला बाग में हो रही सार्वजनिक सभा में भाग लिए। सभा में भाग लेने वालों पर ब्रितानी सैनिकों द्वारा चलायी गयी मशीनगन की अन्धाधुन्ध गोली से घायल हुए तथा सभा स्थल पर ही वीरगति को प्राप्त हुए।

रतन सिंह (काष्टकार)—आपका जन्म 7 दिसंबर 1916 में, ग्राम पचीसी, जिला अल्मोड़ा (उ. प्र.) में हुआ था। आपके पिता श्री दौलत सिंह बढ़ई थे। आप स्वतन्त्रता आंदोलन में सक्रिय भाग लेते रहे हैं। आपने भारत छोड़ों आंदोलन (1942) में बढ़चढ़कर हिस्सा लिया तथा चनौड़ा में पुलिस द्वारा चलाई गई गोली से घायल होकर वीरगति को प्रापत हुए।

साहिब सिंह (काष्टकार)—आपका जन्म सन् 1832 में ग्राम वंगवालीपुर, अमृतसर (पंजाब में हुआ था। आपके पिता री दयाल सिंह बढ़ई थें आप देश भक्ति की भावना से ओतप्रोत थे। आपने कूका आंदोलन में सक्रिय भाग लिया और नेतृत्व क्षमता के बल से एक कुशल नेता बने। आप श्री गुरु राम सिंह की ओर से उपहार लेकर नेपाल के राजा के पास गये। मलौद और मलेर कोटला पर हुए कूका आक्रमणों के बाद सन् 1872 में गिरफ्तार किये गये। आप दीर्घ अवधि तक इलाहाबाद के किले, हजारीबाग जेल तथा अमन में कैद कर रखे गये। आप जेल में ही 10 जून 1879 को स्वर्ग सिधारे।

सुकुल स्वर्णकार—आपका जन्म सन् 1909, तारापुर, जिला मूंगेर (बिहार) में हुआ था। क्रांतिकारी प्रवृत्ति के कारण आप विभिन्न आंदोलनों में भाग लेते रहे हैं। सन् 1930 के सविनय अवज्ञा आंदोलन में भी भाग लिया। 15 फरवरी 1932 को तारापुर थाने पर तिरंगा फहराते समय सैनिक टुकड़ी ने आपको लक्ष्य कर गोली वर्षा किया और आप मातृभूमि के बलिवेदी पर सहीद हुए।

तुकाराम सतुवा (स्वर्णकार)—आपका जन्म सन 1930 में हुआ था। आपने, रायल इण्डियन नेबी के नौ सैनिकों द्वारा ब्रिटिश सत्ता के विरुद्ध विद्रोह किये जाने पर, उनके समर्थन में हुए लोक प्रदर्शनों में अत्यन्त सक्रिय रूप से भाग लिया नथा विदेशी शासन के कोपभाजन बने। 22 फरवरी 1946 को भायखला बम्बई में आप पुलिस की गोली के शिकार बने तथा उसी दिन अस्पताल में ही वीर गति को प्राप्त हुए।

(श्रीमती) राधा स्वर्णकार—आपका जन्म सन् 1890 में ग्राम निमुचना, जिला अलवर (राजस्थान) में हुआ था। आपके पति श्री रूपा सोनार किसान थे। आपने सन् 1924 में भूमि राजस्व में हुई 50% वृद्धि के विरुद्ध किये गये आंदोलन में भाग लिया। शेखावत राजपूत, जमींदारों और किसानों ने इस बुद्धि और अपने पशुओं के लिए चारागाह के रूप में प्रयोग की जाने वाली

बंजर भूमि के जब्त किये जाने का विरोध किया। परिणामस्वरूप 16 मई 1925 को मशीनगनों और तोपखानों से लैस ब्रितानी सेनाओं ने गांव को चारों ओर से घेर लिया। आतंक के साये में प्यास से मरते हुए ग्रामीणों के आर्तनाद का जवाब मशीनगन की गोलियों से दिया गया। विरोध प्रदर्शन में आप अन्य आठ व्यक्तियों संहित मारी गयी एवं परमपद को प्राप्त किया।

(कु.) सुधा कुमारी शर्मा–आप वेलछी जिला-पटना (बिहार) की निवासिनी थी। आपके पिता श्री सुखदेव शर्मा थे। आपकी माता भी क्रांतिकारिणी थीं। आपने भारत छोड़ों आंदोलन (सन् 1942) में भाग लिया तथा अपनी माता सहित गिरफ्तार हो, कैद की गयीं। सन् 1043 में बांकीपुर जेल में, जेल यातनाओं को सहते हुए प्राणान्त हुआ।

सुधांशु कुमार शर्मा–आपका जन्म सन् 1910 में ग्राम मोंइली भ,ग, जिला सिलहट (अब बंगलादेश) में हुआ था। आप बी.ए. फाइनल के छात्र तथा सूरमा-घाटी छात्र समिति के सचिव थे। आपने सविनय अवज्ञा आंदोलन (सन् 1930) में सक्रिय रूप से भाग लिया। आपको गिरफ्तार कर चार महीने का कठोर कारावास का दण्ड दिया गया। 19 अगस्त, 1930 को सिलहट जेल में ही जेल यातनाओं के कारण देहान्त हो गया।

भागीरथ मिस्त्री–आपका जन्म सन् 1898 में ग्राम-कमडा, किला-उत्तर काशी (उ. प्र.) में हुआ था। आपके पिता श्री जुलम आजीविका की दृष्टि से कृषक थे। आप विभिन्न आंदोलनों में भाग लेते रहे है। ब्रितानियों द्वारा लगाये गये वन नियमों के विरुद्ध विरोध आंदोलन सक्रिय भाग लिया। पुलिस द्वारा चलाये गये गोली से घायल होकर वीरगति को प्राप्त हुए।

लाभा (काष्टकार)–आप का जन्म सन् 1889 में अमृतसर (पंजाब) में हुआ था। आपके पिता श्री मंगू बढ़ई थे। आप सदैव राष्ट्रीय कार्यकलापों में भाग लेते रहे हैं। 13 अप्रैल 1919 की जलियावाला बाग (अमृतसर) की सार्वजनिक सभा में भी आपने भाग लिया तथा सार्वजनिक सभा में उपस्थित लोगों पर ब्रितानी सैनिकों द्वारा किये गये मशीनगन के अन्धाधुन्ध फायर में आप भी गोली के शिकार हो, स्वर्ग प्रयाण किया।

मणीन्द्रनाथ सेठ (स्वर्णकार)–आप रंगपुर बंगाल (अब बंगला देश) के निवासी थे तथा रंगपुर कालेज में अध्यापन का कार्य करते थे। ब्रितानी

शासन के विरुद्ध प्रत्येक राष्ट्रीय कार्यकलापों में भाग लेते रहे हैं, जिसके कारण जिला मजिस्ट्रेट की गुप्त पुलिस रिपोर्ट के आधार पर जून 1917 में नौकरी से बर्खास्त हुए तथा 28 अगस्त 1917 में गिरफ्तार हो, हवालात में कैद कर दियेगये। 26 सितम्बर 1919 को रिहाकर, कलकत्ता में नजरबंद कर दिये गए। 16 जनवरी 1918 को नजरबंदी के दौरान मेडिकल कालेज अस्पताल में ही आपका प्राणान्त हो गया।

मणिराम (स्वर्णकार)–आपका जन्म सन् 1879 में अमृतसर (पंजाब) में हुआ था। आपके पिता श्री खनाय राम थे। आप सदैव राष्ट्रीय कार्यकलापों में भाग लेते रहे हैं। आपने 13 अप्रैल 1919 को अमृतसर जलियावाला बाग में हुई सार्वजनिक सभा में भी भाग लिया तथा सार्वजनिक सभा में उपस्थित लोगों पर ब्रितानी सैनिकों द्वारा किये गये मशीनगन के अंधाधुंध फायर में गोली के शिकार होकर वीरगति को प्राप्त हुए।

गणपति स्वर्णकार–आपका जन्म सन् 1920 में ग्राम-उपाणे, जनपद-उस्मानाबाद (महाराष्ट्र) में हुआ। आपके पिता का नाम श्री भगवान था। आपकी शिक्षा 6टें स्तर की थी। आप स्वर्णकारी करते थे। हैदराबाद राज्य के भारतीय संघ में विलय सम्बन्धी मांग के प्रसिद्ध आंदोलन में आप सम्मिलित हुए (1947-48)। आपके अतिरिक्त श्रोत के रूप में गन्ने की खेती भी करते थे। 12 अप्रैल 1948 को आप ने बैलगाड़ी पर गन्ना लादकर ले जाते समय रजाकारों द्वारा गोली से भूनकर मार डाले गये। काफिले में चल रहे बैलगाड़ियों पर लदे 10 अन्य व्यक्ति भी रजाकारों द्वारा मार डाले गये।

हरी लाल शाह उर्फ शंकर लाल सर्राफ–आपका, जन्म बाम्बे जिला केरा (गुजरात) में हुआ था। आपके पिता श्री मतीलाल शाह थे। आपकी शिक्षा मैट्रिक तक थी और आप अपने पैतृक व्यवसाय सर्राफी को करते थे। सविनय अवज्ञा आंदोलन (1930) के दौरान धरमना के नमक सत्याग्रह में सम्मिलित हुए। धरमना में हथियारबंद पुलिस के आक्रमण के समय पैरों से कुचलकर गम्भीर रूप से घायल हो गये। चिकित्सा हेतु बाम्बे लाये गये। कुछ सप्ताह् बाद पुनः बाम्बे में शराब की दुकानों पर विकेटिंग करते समय पुलिस द्वारा किये लाठी चार्ज से गंभीर रूप से घायल हुए और इस बार कुछ दिनों बाद ही स्वर्गवासी हो गये।

भानूदास (लौहकार)–आप करमाला जिला-शोलापुर (महाराष्ट्र) के निवासी थे। आपके पिता श्री तुलजाराम लोहार थे। आप राष्ट्रीय आंदोलन में भाग लेते रहते थे। आपने सविनय अवज्ञा आंदोलन (1930) में भी भाग लिया। दिनांक 8.5.1930 को शोलापुर में रूप भवानी चौक के समीप सैनिक गस्ती टुकड़ी द्वारा चलाई गई गोली से घायल हुए और उसी दिन स्वर्ग सिधारे।

तातीकोंडा ब्रम्हैया (लौहकार)–(Tatikorda Brahmayya)–आप अकनूर जिला–बारांगल (warargal) आंध्र प्रदेश के निवासी थे। आप श्री पापाय्या (Papayya) लौहकार के सुपुत्र थे। आप क्रांतिकारी प्रवृत्ति के एक जुझारू व्यक्ति थे। पुलिस द्वारा किए जा रहे क्रूरतापूर्ण एवं घृणित कृत्यों के विरुद्ध हुए प्रसिद्ध प्रदर्शन में बढ़-चढ़कर आप ने हिस्सा लिया। सन् 1946 में अपने गांव के ही राममन्दिर प्रांगण में गिरफ्तार करके गोली से भून दिए गए। आपके साथ ही अन्य आठ व्यक्ति भी गोली से भून दिए गए थे। एक विधि न्यायालय (Court of Law) में रजाकारों एवं निजाम पुलिस के विरुद्ध गवाही देने के दण्ड स्वरूप ही रजाकारों एवं निजाम की पुलिस ने यह धावा मारा था।

नारायण काष्टकार–आपका जन्म सन् 1926 में हुबली जिला-धारवाड़ (मैसूर) में हुआ था। आपके पिता का नाम श्री गोविन्दप्पा था जो महादेव दोनी के उपनाम से जाने जाते थे। आप की शिक्षा मात्र तीसरी कक्ष तक ही थी। आजीविका की दृष्टि से भी आप बढ़ई थे। स्वतंत्र प्रेम की असीम भावना से उत्प्रेरित होकर आपने भारत छोड़ों आंदोलन (1942) में भाग लिया। 15 अगस्त 1942 को प्रदर्शन और हुबली नगर थाने पर किए गए आक्रमण में आपने भाग लिया, पुलिस द्वारा चलाई गई गोली से बुरी तरह जख्मी हुए और उसी दिन अस्पताल में देहान्त हो गया।

वामन टांडेल (काष्टकार)–आपका जन्म सन् 1942 में हुआ था। आपके पिता री देव जी टांडेल थे। आप बम्बई बिजली सप्लाई और परिवहन अण्डर टेकिंग में बढ़ई के यप में कार्यरत रहे हैं। आपने भारत छोड़ों आंदोलन 1942 में सक्रिय भाग लिया। 10 अगस्त 1942 को बम्बई में पुलिस की गोली से घायल हुए और उसी दिन आपका प्राणान्त हुआ।

विनायक साप्ते (ताम्रकार)–आपका जन्म गोवा के कोरीलम ग्राम में सन् 1939 में हुआ था। आपके पिता री धर्म ताप्ते ताम्रकार थे। पुर्तगाली शासन में गोवा की विमुक्ति के लिए, गोवा के नेशनल कांग्रेस द्वारा छेड़े गए प्रसिद्ध आंदोलन में आपने बढ़-चढ़ कर हिस्सा लिया। सत्याग्रह करने के कारण दो बार जेल भेजे गए। गोवा के स्वतन्त्रता संग्राम सेनानियों के गुप्त संगठन आजाद गोमान्तक दल में सम्मिलित हुए। पुर्तगाली पुलिस के विरुद्ध विभिन्न तोड़फोड़ मिशनों में हिस्सा लिया। दिनांक 19.2.57 को सिरगांव मार्न्ईस पर राष्ट्रवादियों द्वारा किये गये हमले में भाग लिया। सुरंग में यंत्रों के विध्वंस के सफलता पूर्वक अभियान सम्पन्न होने पर आपको छोड़कर अन्य सभी राष्ट्रवादी साथी भागने में सफल रहे।

सुखलाल (ताम्रकार)–आपका जन्म मध्य प्रदेश के नरसिंहपुर जनपद के चिचली ग्राम में सन् 1901 में हुआ था। आपके पिता श्री चन्द्रभान थे। आपकी शिक्षा प्राइमरी स्तर की थी, आप पीतल बर्तन के निर्माता थे। भारत छोड़ों आंदोलन (1942) में सम्मिलित हुए 23 अगस्त 1942 को चिचली में ब्रिटिश सत्ता के विरुद्ध हुए प्रदशन में भाग लिया तथा उसी दिन पुलिस द्वारा किये गये गोली वर्षा से शहीद हुए।

बुलेन्गल चन्द्र या काष्टकार (Vullengala Chandrrayya)–आप आन्ध्रप्रदेश के जनपद वरांगल (warangal) के ग्राम अफनूर के निवासी थे आपके पिता श्री शिवलिंगम् बढ़ई थे पुलिस द्वारा किये जा रहे क्रूरतापूर्ण एवं घृणित कार्यों के विरुद्ध हुए प्रसिद्ध आंदोलन में भाग लिया। एक विधि न्यायालय (Court of law) में रजाकारों एवं निजाम पुलिस के विरुद्ध गवाही देने के दण्ड स्वरूप, रजाकारों एवं निजाम पुलिस ने आपके गांव पर धावा बोला तथा अगस्त सन् 1946 में गांव के राममंदिर में गिरफ्तार करके आठ अन्य साथियों सहित भून दिये गये।

महादेव राव कनक–आपका जन्म महाराष्ट्र के उस्मानाबाद जिले के ग्राम मंगरूल में सन् 1918 में हुआ था। आपके पिता श्री शंकर राव कनक थे। आपकी शिक्षा चौथे स्तर तक की थी। आप कृषक थे। हैदराबाद राज्य के भारतीय संघ में विलय की मांग को लेकर हुए प्रसिद्ध आंदोलन में आप ने भाग लिया (1947-48), बड़ागांव में 1948 में रजाकारों द्वारा गोली मार दिये गये।

नर सिम्मैया कनक–आप मकथल जिला महबूब नगर (आंध्र प्रदेश) के निवासी थे। हैदराबाद राज्य के भारतीय संघ में विलय की मांग को लेकर हुए प्रसिद्ध आंदोलन (147-48) में आपने भाग लिया। रजाकारों द्वारा गोली मारकर शहीद कर दिये गये।

जक्केय्या कनक–आप अनन्तराम जिला-नाल गोंडा (आंध्र प्रदेश) के निवासी थे, आपने हैदराबाद राज्य के भारतीय संघ में विलय की मांग को लेकर हुए प्रसिद्ध आंदोलन (1947-48) में भाग लिया। रजाकारों द्वारा गोली मार कर शहीद कर दिये गये।

वीरु (स्वर्णकार)–आपका जन्म सन् 1869 में हुआ था। आप अमृतसर (पंजाब) के निवासी थे। आपके पिता री गहामण-सुनार थे। आप पैतृक धन्धे से भी जुड़े थे। राजनैतिक चेतना के कारण आप सैदव राष्ट्रीय कार्यकलापों में भाग लेते रहे है। 13 अप्रैल 1919 को जलिया वाला बाग (अमृतसर) में हो रही सार्वजनिक सभा में भाग लेने वालों पर ब्रितानी सैनिकों द्वारा चलाई गई मशीनगन की अंधाधुंध गोली वर्षा में आप घायल होकर शहीद हुए।

गोलमन सेठ (स्वर्णकार)–आप का जन्म सन् 1897 में ग्राम-चिचली जिला बैतूल (मध्य प्रदेश) में हुआ था। आपके पिता श्री राओजी सेठ थे। आप पैतृक व्यवसाय से जुड़े थे। भारत छोड़ों आंदोलन (1942) में आपने सक्रिय भाग लिया तथा 21 अगस्त 1942 को गिरफ्तार कर नागपुर जेल भेजे गये। जेल में ही आप का प्राणान्त हुआ था।

शिवनाथ कपूर (स्वर्णकार)–आपका जन्म जिला गुजराज (पंजाब) अब पाकिस्तान में) हुआ था। आप इण्डियन आर्मी आर्डिनेंस काप्स में स्टोर कीपर थे। इण्डियन नेशनल आर्मी मलाया में भर्ती हुए। चौथे गुरिल्ला रेजिमेंट में लेफ्टिनेंट के रूप में सेवा किया। आपकी मृत्यु वर्मा में हुई।

रामटहल पोद्दार (स्वर्णकार)–आपका जन्म ग्राम हुसेना जिला-मुगरे (बहार) में हुआ था। आपके पिता श्री बैजनाथ पोद्दार थे। आपकी कार्यकर्ता भी थे। भारत छोड़ों आंदोलन (1942) में आपने भाग लिया। 13 अगस्त 1942 को खगरिया में जुलूस गर चलाई गई सैनिक गश्ती टुकड़ी की गोली से जख्मी हुए और उसी दिन स्वर्गवास हो गया।

दुर्गा पोद्दार (स्वर्णकार)–आपका जन्म ग्राम जैतू जिला दरभंगा (बिहार) में हुआ था। आपने भारत छोड़ों आंदोलन (1942) में भाग लिया। 15

अगस्त 1942 को दलसिंह सराय में पुलिस की गोली से जख्मी हुए और उसी दिन स्वर्ग वास हो गया।

लटचय्या कम्मारी (लौहकार)–Latchay Kammari–आप आंध्र प्रदेश के जनपद-वरैंगल ग्राम-बहराल पल्ली के निवासी थे। आपके पिता रामानुजम लौहकार थे। हैदराबाद राज्य के भारत संघ में विलय की मांग को लेकर हुए प्रसिद्ध आंदोलन में आपने भाग लिया (1947-48)। निजामशाही द्वारा जबरन की जा रही वसूली के विरुद्ध विरोध प्रदर्शित किया। राजाकारों एवं निजाम की लगभग 1500 लोग की टुकड़ी द्वारा जान पर किये हमले के फलस्वरूप प्रति रोधात्मक संघर्ष में आप 25 अगस्त 1948 को शहीद हो गये। बच्चों एवं औरतों सहित 75 ग्रामीण हमले में मारे गये।

ब्रम्हैय्या कम्मारी–आप आंध्र प्रदेश के वारांगाव जनपद के ग्राम-कोलकुण्डा (Kolukonda) के निवासी थे। हैदराबाद राज्य के भारतीय संघ में विलय की मांग को लेकर हुए प्रसिद्ध आंदोलन में आपने भाग लिया फरवरी 1948 में गांव पर रजाकारों द्वारा किये गये हमलों में गोली मार दिये गये। 12 अन्य ग्रामीण आपके साथ ही गोली के शिकार हुए।

नारायण कम्मारी–आप आंध्र प्रदेश के जनपद वारांगल के ग्राम-कोंकापाक के निवासी थे। हैदराबाद राज्य के भारतीय संघ में विलय की मांग को लेकर हुई प्रसिद्ध आंदोलन (1947-48) में आपने भाग लिया निजामशाही द्वारा जबरन की जा रही वसूली के विरुद्ध विरोध प्रदर्शित किया। निजाम-पुलिस एवं रजाकारों द्वारा 15 मार्च 1948 को गांव पर किये गये हमले का मुकबला किया। गिरफ्तार करके रस्सियों से जकड़े गये तथा पन्द्रह अन्य ग्रामीण साथियों के साथ ही। रजाकारों द्वारा जलाये गये घरों में लपटों के बीच फेंक दिये गये उसी दिन जलकर शहीद हुए।

षड्डैया कस्मारी–आप आंध्र प्रदेश के जनपद-वारांगल के ग्राम-कोलुकुण्ड (Kolukonda) के निवासी थे। हैदराबाद राज्य के भारतीय संघ में विलय की मांग को लेकर हुए प्रसिद्ध आंदोलन (1947-48) में आपने भाग लिया। फरवरी 1948 में गांव पर रजाकारों द्वारा किये गये हमलों में गोली मार दिये गये। आपके साथ ही 12 अन्य ग्रामीण भी गोली के शिकार हुए।

सत्य हरी कम्मारी–आप आंध प्रदेश के जनपद-वारांगल के ग्राम-पेद्दामुपरम् (Peddamuppram) के निवासी थे। हैदराबाद राज्य के भारतीय संघ में

विलय की मांग को लेकर हुए प्रसिद्ध आंदोलन (1947-48) में आपने भाग लिया। आंदोलन में हथियारों के निर्माण एवं आपूर्ति के संदेह में निजाम पुलिस द्वारा गोली मार दिये गये।

वेनकन्ना कम्मारी—आप आंध्र प्रदेश के नाल गोण्डा जनपद के सूर्यपेट के निवासी थे। हैदराबाद राज्य के भारतीय संघ में विलय की मांग को लेकर हुए प्रसिद्ध आंदोलन (1947-48) में आपने भाग लिया। मालगुजारी न देने के अभियान में सम्मिलित हुए निजाम पुलिस द्वारा पकड़े गये एवं गोली से उड़ा दिये गये।

अनकेय्या कम्मारी—आप आंध्र प्रदेश के नाल गोण्डा जनपद के ग्राम-अनन्तराम के निवासी थे। हैदराबाद राज्य के भारतीय संघ में विलय की मांग को लेकर हुए प्रसिद्ध आंदोलन (1947-48) में आपने भाग लिया रजाकारों द्वारा गोली मारकार शहीद कर दिये गए।

3. महाराजा जस्सा सिंह रामगढ़िया

इस भौतिक संसार में प्रत्येक व्यक्ति की अभिलाषा होती है कि वह सफलता के चरमोत्कर्ष पर पहुचें, प्रयास करने पर कुछ लोगों को सफलता प्राप्त होती है, कुछ को नहीं! शूल्य से शिखर पर पहुंचने के लिए मनुष्य के अंदर विद्यमान दृढ़ इच्छाशक्ति बहुत महत्वपूर्ण होती है।

इतिहास के झरोखे में झांकने पर कई नाम हमारे मानस पटल पर अंकित होते है, उनमें से एक अठ्ठारहवीं सदी के महान योद्ध, दिल्ली पर अपनी विजय पताका फहराने वाले, विश्वकर्मा वंश के शिरमौर महाराजा जस्सा सिंह रामगढ़िया का नाम सहज ही हमारे सामने आ जाता है।

5 मई 1723, लाहौर से बारह किलोमीटर दूर इचोगिल नामक स्थान सरदार हरदास सिंह जी के सुपुत्र स. ज्ञानी भगवान सिंह जी के घर एक सांसारिक जीव का जन्म होता है, जिसका नाम विचार कर जस्सा सिंह रखा जाता है।

जस्सा सिंह का लालन पालन उनके दादा एवं पिता के संरक्षण में होता है, उन्हें पंजाबी भाषा के साथ-साथ धार्मिक एवं शास्त्र विद्या का ज्ञान भी कराया गया। ज्ञानी भगवान सिंह जी की माली हालत अच्छी नहीं थी, उन्होंने अपने बेटे से लकड़ी के काम में मदद करने को कहा ताकि परिवार

की आर्थिक दशा ठीक हो सके। जस्सा सिंह को लकड़ी का काम करने में कोई दिलचस्पी नहीं थी वह गुरुग्रन्थ साहब का पाठ करते थे।

मुगलों द्वारा, सिक्खों एवं हिन्दुओं पर हो रहे अत्याचार से उसका हृदय द्रवित होता था अतः सिक्खों एवं हिन्दुओं को संगठित कर मुगलों को शिकस्त देने पर गहन विचार किया।

सन् 1738 में नादिरशाह ने हिन्दुस्तान पर हमला किया, उस समय पंजाब प्रान्त के गवर्नर जकरिया खां थे। जकरिया खान एवं नादिरशाह के बीच भयंकर युद्ध हुआ। इस युद्ध में पन्द्रह वर्षीय जस्सा सिंह अपने पिता के साथ शामिल हुए। इस युद्ध में पिता को शहीदी प्राप्त हुई। जस्सा सिंह की दिलेरी, शूरवीरता से जकरिया खां बहुत प्रभावित हुआ उसने जस्सा सिंह को पांच गांव की जागीरदारी देकर रसालदार की पदवीं से सम्मानित किया।

सिक्खों की एकता का प्रदर्शन करने के लिए किलों के निर्माण का प्रस्ताव पारित हुआ, अमृतसर में पहले किले का निर्माण गुरु रामदास जी द्वारा कराया गया। उस किले का नाम रामरौणी रखा गया। इस किले के निर्माण में स. जस्सा सिंह जी का विशेष योगदान था।

कई युद्धों को जीतने, पंथ के प्रति प्यार और सेवा भाव के कारण स. जस्सा सिंह का आदर सत्कार बढ़ गया। उन्हें रामरौणी किले का किलेदार बना दिया गया। स. जस्सा सिंह का नाम स. जस्सा सिंह रामगढ़िया रखा दिया गया।

हिन्दुओं और सिक्खों पर हो रहे अत्याचार एवं जुल्म के खिलाफ आप निरंतर युद्ध करके विरोधियों को पराजित करते रहे। इनकी ताकत दिनोदिन बढ़ती रही, इन्होंने सबसे पहले बटाला, कलानौर, दीना नगर, हरगोविन्दपुर, आदि पर अधिकार कर लिया जल्दी ही दाढ़ा, मनीवाल, सरही आदि पर भी कब्जा कर लेने से इनकी सालाना आय बीस लाख रुपया हो गई। कांगड़ा, कसूर पर अपना कब्जा करने के बाद अपने पुत्र जोध सिंह को हिसार की जागीर देकर उत्तर प्रदेश की ओर प्रस्थान किया। आप कहा करते थे कि "कोऊ किसी को राज न दे है, जो ले है निज बल से ले है"

सन् 1783 मार्च का महिला, स. जस्सासिंह रामगढ़िया का दिल्ली के मुगल शासक बादशाह आलम पर जोरदार हमला हुआ, और विजय प्राप्त हुई।

विश्वकर्मा वंशज स. जस्स सिंह रामगढ़िया का कब्जा दिल्ली पर हो गया। मुगलों की ताजपोशी जिस रंग बिरंगे पत्थर पर होती थी उस पर कब्जा कर अपनी ताजपोशी कराकर "महाराज जस्सा सिंह रामगढ़िया" कहलायें। अन्य स्थानों पर युद्ध में भाग लेने के कारण महाराजा जस्सा सिंह को दिल्ली छोड़नी पड़ी जिससे मुगलों का पुनः कब्जा हो गया। परन्तु वह शिला जिस पर मुगलों की ताजपोशी होती थी महाराज जस्सा सिंह अपने साथ उठा ले गये जो आज भी अमृतसर में रखी है और विश्वकर्मा वंशियों के शौर्य की प्रतीक है।

विश्वकर्मा मय वंश के कुल भूषण महाराजा जस्सा सिंह जी का सूर्य जो 5 मई 1723 को इचोगिल स्थान से उदय हुआ था वह 1803 को श्री हर गोविन्दपुर में 80 वर्ष की अवस्था में अपने नश्वर शरीर को त्याग कर परमपिता परमेश्वर की कृपा से उन्हीं के श्री चरणों में अस्त हो गया।

शून्य से अपनी सांसारिक यात्रा आरम्भ कर अपने अदम्य साहस, बुद्धि कौशल एवं वीरता से शिखर पर अपना पश्चम लहराने वाले महाराजा जस्सा सिंह रामगढ़िया को समाज प्रेरणाश्रोत बनायें, यही हमारी अभिलाषा है।

4. महामहिम ज्ञानी जैल सिंह राष्ट्रपति

पंजाब में संधवां नाम के एक छोटे गांव में 5 मई 1916 को ज्ञानी जैल सिंह का जन्म हुआ था। ज्ञानीजी को अपनी मां के प्रति बड़ी श्रद्धा और प्रेम था। ज्ञानीजी के जीवन पर उनका अमिट प्रभाव पड़ा। उनकी मां ने उन्हें तीन बातों की विशेष रूप से शिक्षा दी थी—परमात्मा, अपनी माता और मातृभूमि के प्रति सच्चा प्रेम। जब 23 मार्च 1931 को भारत माँ के तीन सपूतों—भगत सिंह, राजगुरु और सुखदेव-को ब्रिटिश सरकार ने फांसी दे दी, तो उनके हृदय में देश प्रेम की ज्वाला भड़क उठी और उन्हें अंग्रेजों और राजाओं से नफरत हो गयी। ज्ञानीजी का गांव भी तत्कालीन फरीदकोट रियासत के राजा के अधीन था। वे भारत की स्वतंत्रता के लिये संघर्ष कर रहे क्रांतिकारियों के सम्पर्क में आए और मोमबत्तियों की लौ पर हाथ रखकर कसम खाई कि मैं भारत माँ की स्वतंत्रता के लिये बलिदान देने के लिये प्रस्तुत हूँ।

ज्ञानीजी एक निर्भीक स्वतंत्रता सेनानी रहे थे। उन्होंने भारत माँ की गुलामी की बेड़ियों को काटने के लिये अपनी जान की बाजी लगा दी थी।

9 अगस्त 1948 को जनता के सहयोग से जब ज्ञानीजी ने फरीदकोट के राजा के विरुद्ध समांतर सरकार की घोषणा कर दी तो इन्हें और इनके साथियों को गिरफ्तार किया गया। उन्हें घोर यातनाएँ दी गयी। ज्ञानीजी को झुकाने के लिये उन्हें जीप में बांधकर सड़क पर घसीटने के आदेश हुए। बड़ा लोमहर्षक दृश्य था। उनहें बांध भी लिया गया। फिर भी स्वतंत्रता के अपने अधिकार को त्यागने के लिये वे टस से मस नहीं हुए। ज्ञानीजी की स्वतंत्रता सेनानियों को अपने परिवार का सदस्य मानते थे। भारत का गृहमंत्री बनते ही उन्होंने स्वतंत्रता सेनानियों को दी जाने वाली पेन्शन की शर्तों को उदार बनाया और इसे "स्वतंत्रता सैनिक सम्मान पेन्शन" का नाम दिया। उनका कहना था कि यह कोई दान नहीं है। राष्ट्रपति बनते ही उन्होंने सभी स्वतंत्रता सेनानियों को राष्ट्रपति भवन में आमंत्रित किया। उन्होंने यह परम्परा भी डाली कि स्वतंत्रता दिवस व गणतंत्र दिवस के अवसरों पर पहले दिन स्वतंत्रता सेनानियों के सम्मान में पार्टी का आयोजन हुआ करेगा।

जैल सिंह का असली नाम जरनैल सिंह था। जब वे जेल में थे तो एक बार किसी बात पर क्रुद्ध होकर जेलर ने इनसे इनका नाम पूछा तो वे सीना तान कर बोले "जेल सिंह"। "क्या मतलब?" जेलर ने त्योरियां चढ़ाते हुए पूछा। जरनैल सिंह ने फिर कहा, जेल सिंह मतलब–जेल का शेर। जेलर बौखला गया और उसने उनके ऊपर डण्डे बरसाना शुरू कर दिया। जरनैल सिंह ने निर्भिकता से कहा, "तुम्हारे डण्डों की मार मेरी भावनाओं को नहीं बदल सकती। मैं शेर हूँ, शेर ही रहूँगा।" पिटते-पिटते भी 'जेल सिंह–जेल सिंह' चिल्लाते रहे। दूसरे केदियों ने इनके अदम्य साहस को देखा तो बाद में वे उन्हें जेल सिंह के नाम से पुकारने लगे। यही नाम 'जेल सिंह' बना और वही ज्ञानीजी बाद में देश के सर्वोच्च पद तक पहुँचे।'

पंजाब के मुख्यमंत्री के रूप में ज्ञानीजी ने 10 अप्रैल 1973 को 640 किमी लम्बे गुरु गोविन्द सिंह मार्ग की स्थापना का एक ऐतिहासिक कार्य किया था। लेकिन ज्ञानीजी केवल पंजाब के ही नेता नहीं थे वे सारे राष्ट्र को अपना घर मानते थे। वे लोकतंत्र के पक्के समर्थक थे। वे कहते थे कि "विपक्ष को कभी शत्रु नहीं समझना चाहिये। लोकतंत्र की सफलता में विपक्ष का भी समान योगदान होता है।" राष्ट्रपति बनने के बाद वे सभी राजनैतिक दलों के साथ निष्पक्ष रूप से मिलते थे क्योंकि उनका कोई राजनैतिक दल नहीं रह गया था। बाद में भी इसी नीति पर कायम रहे।

ज्ञानी जी इस महान राष्ट्र के एक महान राष्ट्रपति रहे। वे एक विलक्षण प्रतिभा के धनी थे, भले ही उनहें किसी विद्यालय या कालेज में शिक्षा प्राप्त करने का अवसर न मिला हो। उनके ज्ञान का भण्डार विशाल था और वे वास्तविक रूप से "धनी" ही थे। आध्यात्मिक क्षेत्र में उनका अध्ययन गहन था। उन्होंने भारत के सभी प्रमुख धर्मों और मतों का अध्ययन किया था। सिक्ख मत के तो वे पारंगत विद्वान और ज्ञानी थे ही, बौद्ध, जैन, सनातन और वैदिक मत के सिद्धान्तों से भी उनका पूरा परिचय था। कुरान शरीफ जेल में पढ़ी और बाद में बाइबिल का विस्तार से अध्ययन किया। लोग जिन्हें धर्म कहते हैं, वे इन्हें अलग-अलग धर्म का नाम नहीं देते थे। उनका कहना था कि धर्म तो मानव का एक ही है। और हम सभी एक ही परमात्मा के बन्दे है, यह सब तो मत है। वे मानव की एकता पर बल देते थे। "सर्व धर्म सम्भाव" के वे समर्थक थे। यही कारण है कि वे सभी धर्मों के लोगों में लोकप्रिय थे। उन्होंने इस भावना को अपने व्यवहारिक जीवन में भी उतारा था। अपनी मृत्यु से कुछ ही दिन पूर्व कोटा में एक बड़े चर्च का शिलान्यास कर वे लौट थे। वही जैन समाज के जलसे में उनका अभिनन्दन भी हुआ था। इससे पिछले वर्ष उन्होंने हजरत निजामुद्दीन औलिया के गद्दीनशीन प्रसिद्ध सुफी सन्त ख्वाजा पीर ज़ामिन निज़ामी की अन्त्येष्टि में शामिल होने का समय निकाला।

राष्ट्रपति का पद्भार सम्भालते ही तुरन्त 25 जुलाई 1982 को सर्वप्रथम उन्होंने इसी गुरुद्वारे में परमात्मा से यह प्रार्थना की थी, "मेरे देश के लोग समृद्ध हो" उनका आपसी प्रेमभाव बढ़े और देश की स्वतंत्रता को कोई खतरा न हो। जो शक्तियाँ देश को विभाजित करने व अशन्ति फैलाने में लगी है, परमात्मा उन्हें सद्बुद्धि प्रदान करे। यह संयोग ही था कि अपनी अंतिम प्रार्थना के लिये भी वे यहाँ हाजिर हुए।

ज्ञानीजी भारतीय भाषाओं के अनन्य समर्थक थे। उनके प्राय: सभी भाषण हिन्दी में होते थे। कभी-कभी उर्दू और पंजाबी में भी बोलते थे। अंग्रेजी में भी आवश्यकतानुसार स्वयं ही अपना भाषण पढ़ते थे। वे भारतीय भाषाओं को उनका उचित स्थान दिलाने के पक्ष में थे। यह एक ऐतिहासिक सत्य है कि जब कभी भी विदेश में जाते थे तो अपना औपचारिक भाषण हिन्दी में ही देते थे और उसका अनुवाद उस देश की भाषा में उपलब्ध

करा दिया जाता था। अंग्रेजी की बैशाखी का सहारा लेना वे अनावश्यक और अनुचित भी मानते थे। वे कहते थे कि जब उस देश की भाषा जहाँ हम बात कर रहे है, अंग्रेजी नहीं है और हमारी भाषा नहीं है, तो हम अनावश्यक रूप से उन पर अंग्रेजी क्यों थोपें। वे अपनी भाषा का सम्मान करते हें तो हम भी अपनी भाषा का सम्मान क्यों न करें?

जब उन्होंने कई भारतीय भाषाओं में लिखी तत्कालीन प्रधानमंत्री श्री नरसिंहराव जी की जीवनी का लोकार्पण किया तो वहाँ उपस्थित सभी लोगों ने एक मत से यह प्रस्ताव पास किया कि ज्ञानीजी का जन्म दिन 5 मई को 'भारतीय भाषा दिवस' के रूप में मनाया जाया करेगा। ज्ञानीजी मानते थे कि जिस देश की अपनी कोई भाषा नहीं वह गूंगा है और उसकी आजादी भी अधूरी है। वे सभी भारतीय भाषाओं का समान आदर करते थे। सभी जानते हैं कि संघ लोक सेवा आयोग के बाहर भारतीय भाषाओं के लिये धरना दे रहे युवकों की उचित माँग के समर्थन में वे उनके साथ बैठने तक भी तैयार हो गए थे।

कौन जानता था कि 27 नवम्बर 1994 को यमुना नगर के खालसा कालेज के प्रांगण में कालेज की रजत जयन्ती के अवसर पर दिये गए उनके भाषण के यह अन्तिम शब्द उनके जीवन की संध्या के संकेत थे। "उजाले उनकी यादों के हमारे साथ रहने दो, न जाने किस गली में ज़िदगी की शाम हो जाए"

उस दिन वह बड़े प्रसन्न चित्त और स्वस्थ नजर आ रहे थे। खड़े होकर दिये गए अपने लम्बे भाषण के अन्त में वे सहसा भावुक हो उठे और अन्त में इस शेर के बाद वे एकत्रित जनसमूह को प्रणाम कर बैठ गए। उसी दिन शाम को वे चण्डीगढ़ राजभवन में विश्राम के लिये चले आए। वहाँ निर्धारित कार्यक्रम के अनुसार एक महत्वपूर्ण भाषण होना था यहाँ वे दो दिन विश्राम के लिये आये थे, किन्तु किसे पता था कि उनका यह विश्राम उनको उस मंजिल पर ले जाएगा, जहाँ से वापस आना उनके भाग्य में नहीं बदा था। 29 नवम्बर को कार दुर्घटना में उन्हें घातक चोटें आयी और वे फिर कभी नहीं उठ पाए। वे उस ऐतिहासिक गुरुद्वारा साहब तख्त श्री केशगढ़ साहिब में प्रार्थना के बाद लौट रहे थे उसके प्रति उनमें अपार श्रद्धा थी।

5. संत-स्वामी कल्याण देव जी महाराज

उन्नीसवीं शताब्दी में जब सामाजिक क्षितिज पर देश में अंधविश्वास, धार्मिक कुरीतियाँ तथा समाज में विघटनकारी तत्व जन्म ले रहे थें और अपनी बात मनवाने के लिये हिंसा तक का सहारा लिया जा रहा था। ऐसे समय में अत्यन्त ही निर्धन विश्वकर्मा परिवार में कल्याण देव जी का जन्म हुआ। इनके पिता श्री फरूदत्त एक पक्के आर्यसमाजी थे। संभवतया इसी कारण कल्याण देव जी पर स्वामी दयानंद जी के चरित्र का अमिट प्रभाव था। केवल 10 वर्ष की अवस्था में संपूर्ण देश में एक वैजयन्ती माला में पिरोकर परब्रह्म को समर्पित करने का भाव लेकर इस बालक ने वैरागय ले लिया। उस समय प्रकृति का रोम-रोम पुलकित हो उठा होगा, जब इस बालक ने नंगे पैर को कांटों भरी धरती पर रखा होगा। ध्रुव की तरह इस बालक ने भी भूख, प्यास, गर्मी, सर्दी को भूलाकर उत्तरांचल के जंगलों में जाकर घोर तपस्या की और वहीं रहकर तपस्वी पूज्य संत शिरोमणि स्वामी पूर्णानंद मुनि जी से ऋषि केश में सन्यास की दीक्षा ली। परम पूज्य संत महाराज जी ने इस विलक्षण बालक का नाम कल्याण देव रखा अर्थात समाज का कल्याण करने वाला मनुष्य नहीं बल्कि साक्षात् देवता।

1905 में जब कल्याण देव परम विद्वान एवं महान समाज सुधारक स्वामी विवेकानंद जी से मिले, तो उनका उनके जीवन पर अमिट प्रभाव पड़ा। स्वामी विवेकानंद जी के व्यक्तित्व से प्रभावित होकर उन्हें प्रेरणा प्राप्त हुई कि भगवान के दर्शन तो गरीब की झोपड़ी में ही होते हैं। वह एक ऐसा समय था, जब भारतवर्ष अंग्रेजों की गुलामी में जकड़ा हुआ था। देश में 90 प्रतिशत जनता अशिक्षित रहकर गाँवों में निवास करती थी और अज्ञान रूपी अंधाकर छाया हुआ था। उस समय कल्याणदेव जी गांव-गांव पैदल चलकर गरीबों की सेवा तथा अशिक्षा के अंधकार से जनता को बाहर निकालने के लिए प्रेरित किया करते थे। 1942 में जब राष्ट्रपिता महात्मा गांधी जी के नेतृत्व में जंग-ए-आजादी अपनी चरम सीमा पर थी और ब्रिटिश साम्राज्य का सूर्य डूबता नजर आ रहा था, कलयाणदेव जी चुपचाप भारतीय क्रांतिकारियों की प्रतिदिन हर संभव सहायता करते थे। गंगा प्रसाद, आचार्य युगल किशोर जैसे जंग-ए-आजादी के सपूतों की कल्याणदेव जी ने तन-मन-धन से सहायता की, ताकि वे अपने लक्ष्य की ओर बिना विचलित हुए बढ़ सकें।

15 अगस्त, 1947 को जब देश आजाद हुआ, तो हर भारतवासी का रोम-रोम पुलकित हो उठा। मानो सदियों के बाद सावन आया हो। सम्पूर्ण देश आजादी की भीनी-भीनी खुशबूओं से महक उठा। उस समय स्वामी कल्याण देव जी ने देश में रह रही अशिक्षित जनता को शिक्षित करने तथा उन्हें नई राह दिखाने का बीड़ा उठाया। स्वामी जी द्वारा उठाया गया बीड़ा उनके जीवन पर्यन्त जारी रहा। 124 वर्षायु अवस्था में भी वे शिक्षा के प्रति उतने ही समर्पित रहे, जितने कि पूर्व के पचास वर्षों में थे। उन्होंने अपने जीवन काल में लगभग 234 शिक्षण संस्थाओं का निर्माण कराया, जिनमें सामानय शिक्षा, मेडिकल शिक्षा, इंजीनियरिंग कालेज, तकनीकी संस्थान, व्यावसायिक शिक्षा, कृषि शिक्षा तथा कम्प्यूटर शिक्षा शामिल है। इन शिक्षण संस्थाओं से लाखों की संख्या में छात्र एवं छात्राएं शिक्षा ग्रहण करके राष्ट्र की मुख्यधारा में शामिल हो रहे हैं।

करोड़ों की लागत से निर्मित ये सभी संस्थाएं स्वामी कल्याण देव जी को आज भी समर्पित हैं। उत्तर प्रदेश के जनपद मुजफ्फरनगर से पूर्व की ओर गंगा के तट पर स्थित शुकताल नामक प्रसिद्ध प्राचीन धार्मिक स्थल, जो कि ऋषियों की तपोभूमि रही है, जिसका उल्लेख संस्कृत के प्रकाण्ड विद्वान महाकवि कालिदास ने अपने प्रसिद्ध नाटक अभिज्ञान शाकुंतलम में शुक्रवतार तीर्थ के रूप में में किया है, जैसे प्राकृतिक एवं मनोरम तीर्थ स्थल पर स्थित आश्रम में मुझे भी एक बार स्वामी कल्याण देव जी के दर्शन का सौभाग्य प्राप्त हुआ है। कहने को यह संसार के लिए एक आश्चर्य भले हो, परन्तु यह एक यथार्थ सत्य है कि इस स्वार्थमय संसार में स्वामी कल्याण देव जैसा एक इंसान भी था, जिसने करोड़ों की दानराशि से बनवाये गये शिक्षण संस्थानों को राष्ट्र को समर्पित ही नहीं किया, वरन इन संस्थानों से हमेशा अपने को दूर रखा। स्वामी जी ने उस स्थान का अन्न जल कभी नहीं ग्रहण किया, जिसका सर्जन उन्होंने स्वयं न किया हो।

124 वर्ष की अवस्था में भी वे 24 घंटे कार्य करने की क्षमता रखते थे, भोजन में रोटी के नाम मात्र का खाते थे और सब्जी का सेवन बिना मसाले के करते थे। वस्त्रों में केवल खद्दर का भगवा वस्त्र धारण करते थे और उसे तब तक नहीं त्यागते थे, जब तक वह जीर्ण शीर्ण नहीं हो जाता तथा उसी जीर्ण शीर्ण वस्त्र की वह पगड़ी पहना करते थे।

स्वामी कल्याण देव जी का जीवन सांसारिक एवं आध्यात्मिक जीवन का एक विहंगम दृश्य था। स्वामी जी को भारत के महामहिम राष्ट्रपति, प्रधानमंत्री व अन्य राज्यों के मुख्यमंत्रियों एवं राज्यपालों से उनके प्रदेशों में आगमन का आमंत्रण प्रेषित कर देते थे। स्वामी कल्याण देव जी की शिक्षा के क्षेत्र में किए गए महत्वपूर्ण योगदान का भारत सरकार ही नहीं वरन् पूरा राष्ट्र कृतज्ञ है। भारत सरकार ने स्वामी जी की सेवाओं के सम्मान के लिए 1982 में उन्हें पद्म श्री की उपाधि से अलंकृत किया। उन्हें इस अलंकरण से विभूषित करते हुए तत्कालीन महामहिम राष्ट्रपति नीलम संजीव रेड्डी ने कहा था। "यदि इस देश के 80 लाख साधुसंत स्वामी कल्याण देव जी भाँति अपना जीवन दरिद्र नारायण की सेवा में समर्पित कर दें, तो यह देश स्वर्ग बन जायेगा।"

इस संसार में जो भी जनमा है उसका अंत प्रकृति का नियम है कुछ बिरले ही होते हैं जिनके न रहने पर देश व समाज उनको याद रखता है 124 वर्ष की आयु में उनका निधन हो गया। विश्वकर्मा समाज का एक चमकता सितारा हमेशा के लिए अस्त हो गया। उनका अंतिम संस्कार शुक्रताल के तट पर उत्तर प्रदेश सरकार की आज्ञा से पूरे राजकीय सम्मान के साथ किया गया। जिसमें लाखों की संख्या में आम जनता भारत सरकार व प्रदेश स?कार के कई मंत्रियों एवं उच्चधिकारियों व साधुसंतों ने भाग लिया और अपनी शोक संवेदनाएं प्रकट की। स्वामी कल्याण देव जी आज हमारे बीच नहीं हैं लेकिन उनके द्वारा किए गए कार्यों का पूरा राष्ट्र आभारी रहेगा।

विश्व की प्राचीनतम संस्कृति का यह देश सदा से ही ऋषियों और दार्शनिकों का देश रहा है। "सर्वे भवन्तु सुखिनः, सर्वे सन्तु निरामयः" अर्थात् सब सुखी रहें और सभी कष्टों और रोगों से दूर रहें। यह सर्व हितकारी संदेश यहीं से विश्व को प्राप्त हुआ। "बहुजन हिताय, बहुजन सुखाय" की उदात्त भावना से उद्भूत त्याग, प्रेम और परोपकार ही हमारे जीवन मूल्यों का सार और हमारी संस्कृति का केन्द्र-बिन्दु रहा है। उदार-चेता और युग दृष्टा ऋषियों और संतों की यह परम्परा आज तक यहां अनवरत रूप से चली आ रही है। इसी श्रृंखला की एक कड़ी थे निष्काम कर्मयोगी वीतराग स्वामी कल्याण देव जी महाराज। वे ब्रह्मवत्ता थे और अपनी 129 वर्ष की दीर्घायु तक भी निरंतर परोपकार, शिक्षा प्रसार और जनकल्याण कार्यों में संलग्न रहे।

गीता में वर्णित "सर्व भूत हिते रता:" अर्थात् सभी प्राणियों का हित हो यही उनके जीवन का ध्येय रहा। गिनीज बुक में भले ही इनका नाम न दर्ज हो पाया हो, किन्तु राग द्वेषातीत, त्यागमूर्ति, स्वामी कल्याण देवजी के सौ से अधिक वर्ष तो जन सेवा में ही व्यतीत हो गए। देश, धर्म, समाज, संस्कृति और मानव कल्याण के क्षेत्र में उनकी दीर्घ कालीन निःस्वार्थ सेवा को देखते हुए भारत सरकार ने उन्हें 1982 में 'पद्मभूषण' की उपाधि से विभूषित किया और 2000 में पद्भूषण की उपाधि से। वीतराग स्वामी कल्याण देव जी शायद ऐसे विरले व्यक्ति थे जिन्हें अपने जीवन काल में दो बार यह गौरव पूर्ण राष्ट्रीय सम्मान ग्रहण करने का सौभाग्य प्राप्त हुआ हो। तीन शताब्दियों में रहकर सेवा, ज्ञान और परोपकार की अलख जगानेवाला यह कर्मयोगी 13 जुलाई 2004 को अपने शरीर को त्यागकर ब्रह्मलीन हो गया और अपने पीछे शिक्षा, सेवा और त्याग की एक लम्बी परम्परा छोड़ गया। इनके द्वारा स्थापित सैकड़ों शिक्षण संस्थाएं ज्ञान के मंदिर और आध्यात्मिक केन्द्र उनकी स्मृति को सदैव अमर रखेंगे।

स्वामी जी कभी किसी उपाधि या सम्मान के इच्छुक नहीं रहे। वे निःस्वार्थ सेवा में ही विश्वास करते थे। जब भारत सरकार द्वारा उन्हें उपाधि प्रदान करने की घोषणा की गयी तो उन्होंने गीता में वर्णित 'मा फलेषु कदाचन' की भावना से अपनी प्रतिक्रिया व्यक्त करते हुए कहा कि सन्तों के लिये उपाधि की जरूरत नहीं। उन्हें तो राष्ट्र, धर्म, दीनदुखियों, जरूरत मन्दों तथा प्राणि मात्र की निःस्वार्थ सेवा करनी चाहिये। राष्ट्रपति के सचिव से उन्हें दिल्ली आने का निमंत्रण मिला जिसमें सरकारी खर्च पर वायुयान द्वारा दो व्यक्तियों को यात्रा करने और चार दिन तक पंचतारा होटल में ठहरने की व्यवस्था की गई थी तो स्वामी जी ने कहा, "मैं तो एक आश्रम में ही ठहरूंगा और साधारण वाहन से ही चला आउंगा।" स्वामी जी का जन्म 1875 में मुजफ्फर नगर के मुण्डभर गांव में विश्वकर्मा परिवार में हुआ था। आपको बाल्यकाल से ही वैराग्य उत्पन्न हो गया था। 10 वर्ष की अवस्था में ही इन्होंने घर बार छोड़ दिया तथा उत्तरखण्ड के वन-पर्वतों में घोर तपस्या में लीन हो गए। सन् 1900 में उन्होंने मुनि की रेती ऋषिकेश में जाकर स्वामी पूर्णानन्दजी से सन्यास की दीक्षा ग्रहण की इनकी कल्याणकारी प्रवृत्ति से प्रभावित हो गुरुजी ने इनहें "स्वामी कल्याण देव" का सार्थक नाम दिया। इसी नाम को लेकर स्वामी जी आध्यात्मिक क्षेत्र में ख्याति प्राप्त

करते हुए परोपकार, जनकल्याण और राष्ट्रसेवा में जुट गए। उन्होंने जीवन में 300 से भी अधिक शिक्षा संस्थाओं की स्थापना की थी, जिनमें अनेक विद्यालय, माध्यमिक स्कूल, कन्या विद्यालय, इंजीनियरिंग कालेज, आर्युवेदिक मेडिकल कालेज, नेत्र चिकित्सालय, औषधालय, संस्कृत संस्थान, कृषि विज्ञान केन्द्र तथा उद्योग शालाएं और छात्रावास आदि सम्मिलित हैं। ये सभी संस्थाएं और प्रतिष्ठान आदि सुचारू रूप से चल रहे हैं जिनमें सभी धर्मों, जातियों और सभी वर्गों के धनी और निर्धन छात्र बिना किसी भेद भाव के समान रूप से शिक्षा ग्रहण करते हैं। हरिद्वार की पवित्र नगरी में उन्होंने एक आध्यात्मिक विश्वविद्यालय का भी शिलान्यास किया था। उनकी इच्छा थी कि ज्ञान और विज्ञान के क्षेत्र में शोध के लिये एक विश्व विद्यापीठ की स्थापना की जाए जिसमें हमारी प्राचीन वैदिक संस्कृति की वैज्ञानिक उपलब्धियों के साथ-साथ आधुनिक विज्ञान और प्रौद्योगिक का समन्वित रूप में अध्ययन हो सके, किन्तु खेद है कि विश्वकर्मा विश्वविद्यालय स्थापित करने की उनकी यह आकांक्षा पूरी नहीं हो पायी। कारगिल के शहीदों की स्मृति में उन्होंने एक राष्ट्रीय स्मारक का निर्माण भी कराया था।

स्वामी जी की एक बड़ी उपलब्धि यह थी कि उन्होंने मुजफ्फर नगर जिले में पवित्र गंगातट पर महाभारत में वर्णित वेदव्यास के सुपुत्र महामुनि सुकदेव जी की तीर्थ स्थली (शुकताल) का जीर्णोद्धार किया जो पहले एक वीरान जंगल मात्र था। कहा जाता है कि यह वह ऐतिहासिक स्थल है जहां महर्षि शुकदेव जी ने वटवृक्ष के नीचे अभिमन्यु के पुत्र राजा परीक्षित को शाप से मुक्ति के लिये श्री मद्भागवत् की कथा सुनाई थी। इस प्राचीन और ऐतिहासिक तपोभूमि पर विशाल मंदिर भवनों सत्संग केन्द्रों, विद्यालयों और ऋषि आश्रमों की स्थापना कराकर इसे देश विदेश के तीर्थ यात्रियों और पर्यटकों के लिये आकर्षण का केन्द्र बना दिया। इन्होंने यहां एक गुरुद्वारे की भी स्थापना कराई इसी तीर्थ पर हर वर्ष कार्तिक पूर्णिमा को गंगा स्नान के लिये लाखों श्रद्धालु एकत्रित होते है।

स्वामी जी का जीवन अत्यंत सरल, सौम्य और पवित्र था तथा किसी भी प्रकार के आडम्बर से रहित था। उनके जीवन का एक-एक क्षण लोकोपकारी और प्राणिमात्र की सेवा के कार्यों को समर्पित था। किसी भी प्रकार का अहंकार और अभिमान उन्हें छू तक नहीं गया था। वे हाथ से बुने खद्दर के साधारण गेरूये रंग के वस्त्र धारण करते थे। वे गांव में कते मोटे

सूत की मामूली चादर तथा सर्दियों में किसी साधु संत के सस्ते पुराने दिये हुए कम्बल के फटे चीथड़े ही अपने दुर्बल कुश और वृद्ध शरीर पर लपेटे हुए दिन रात मानव सेवा और राष्ट्रन्नति के चिन्तन में ध्यानमग्न रहते थे। वे अपने वस्त्र स्वयं ही धोते थे। सिर पर एक फटी सी पगड़ी उनकी गरिमा और सादगी की प्रतीक थी इसे वे अपनी फटी चादर से ही तैयार कर लेते थे। आहार-विहार में स्वामी जी अत्यंत संयमित थे। वे फल मिठाई या उपहार में मिले खाद्य पदार्थों को स्वीकार नहीं करते थे। आग्रह वश यदि ले भी लेते तो उन्हें श्रद्धालु एवं आगन्तुकों में वितरित कर देते थे। स्वयं ग्रहण नहीं करते थे। अपने आहार के लिये वे किसी शुद्ध सांत्विक और परिश्रम करने वाले किसान के घर से लाया हुआ सादा भोजन ही स्वीकार करते थे। वह भी आधी-आधी रोटी भिक्षा के रूप में मांगकर ग्रहण करते थे। उनके आहार में किसान, मजदूर के शाक पात (बथुआ, सरसों और चना) के साथ मोटा अनाज (मक्का) की रोटी (मधुकर) छाछ (लस्सी) आदि होती थी। इसे ग्रहण कर उन्होंने भारत की ऋषि परम्परा का अपनी 129 वर्षों की वृद्धवस्था में भी निर्वाह किया। भारतीय संस्कृति के प्रतिस्थापक कपिल, कणाद, गौतम, प्रभूति, महाऋषियों के जीवनदर्शन अपने में समेटे हुए वीतराग, स्वामी कल्याण देव जी ने जीवन पर्यन्त ऋषिकुल परम्परा को जीवित रखा वे सभी साधु संतों से यह अपेक्षा रखते थें कि वे देश और मानव सेवा को ध्यान में रखेंगे।

6. नेत्र विशेषज्ञ डा. विधेश्वर ठाकुर

किसी मनुष्य के जीवन में ज्योति का बहुत ही महत्व है। जब कोई ज्योति विहीन मनुष्य के आंखों की रोशनी मिलती है, तो उसे संसार को देखकर कितने सुख की अनुभूति होती है, इसे शब्दों में व्यक्त नहीं किया जा सकता है। डाक्टर ईश्वर का रूप होता है, जो मानव को कष्टो से मुक्ति दिलाता है। जीवन तो सभी जीते हैं, परन्तु कुछ लोगों का औरों के लिए वरदान बन जाता है उन्हीं में से डा. विधेश्वर ठाकुर उर्फ डा. वी. ठाकुर आज नेत्रहीनों को नेत्र देने वाले ऐसे नेत्र चिकित्सक है, जिन्हें देव पुरुष कहना अतिशयोक्ति नहीं।

बहुआयामी व्यक्तित्व के धनी, पीड़ित मानव के रक्षक, लाखों नेत्रहीनों को नेत्र प्रदान करने वाले स्वभाव से सौम्य एवं व्यवहार में अजातशत्रु,

सृष्टिकर्ता भगवान विश्वकर्मा की प्रतिपूर्ति प्रो. (डा.) विधेश्वर ठाकुर का जन्म 13 सितम्बर 1933 को विहार प्रान्त के दरभंगा जिला में हुआ था। आप की प्रारम्भिक शिक्षा इन्टर तक सी.एम. डिग्री कालेज दरभंगा में हुई। दरभंगा मेडिकल कालेज से 1956 में एम.वी.वी.एस. की डिग्री प्राप्त की। विहार मेडिकल सेवा में नियुक्ति एवं तैनाती के दौरान आप विहार के अनेको मेडिकल कालेजों में सेवारत रहे। आप का विवाह वाराणसी के अपने समय के सबसे प्रसिद्ध नेत्र चिकित्सक डा. एस. नाथ जी की सुपुत्री डा. विमला जी से 1959 में हुआ। डा. ठाकुर ने 1962 में पटना मेडिकल कालेज से नेत्र चिकित्सा में एम.एस. की डिग्री प्राप्त की। चिकित्सा संस्थानों में जाने माने कुशल नेत्र चिकित्सक होने के फलस्वरूप 1963 में तत्कालीन राष्ट्रपति महामहिम डा. सर्वपल्ली एस. राधाकृष्णन के नेत्र आपरेशन का इन्हें सुअवसर प्राप्त हुआ। यह किसी राष्ट्राध्यक्ष के नेत्र का सफल आपरेशन की इनकी सर्वोच्च उपलब्धि रही।

विहार प्रदेश चिकित्सा सेवा के उपरान्त डा. वी. ठाकुर को बनारस हिन्दू विश्वविद्यालय के चिकित्सा संस्थान के नेत्र विभाग का उत्तरदायित्व सौंपा गया। पूर्वांचल के ख्याति प्राप्त नेत्र चिकित्सक डा. एस. नाथ जी के मार्गदर्शन में इन्हें उच्च कोटि के नेत्र चिकित्सा सेवा का सुअवसर प्राप्त हुआ। आप की 1965 में काशी हिन्दू विश्वविद्यालय में रजिस्ट्रार के पद पर नियुक्ति हुई। चिकित्सा विज्ञान की उपलब्धियों के आधार पर 1967 में लेक्चरर हो गये, 1969 में रीडर एवं 1970 में प्रोफेसर हुए। इस प्रकार आप की योग्यता एवं उत्कृष्ट पात्रता ने ही आप को चिकित्सक एवं शिक्षक जैसे चुनौतीपूर्ण दोनों पदों के गुरुतर दायित्व का निर्वहन करते हुए शिक्षा के भी क्षेत्र में मूल्यांकित कर प्रवक्ता से रीडर, प्रोफेसर तथा विभागाध्यक्ष के पद को गौरान्वित किया।

प्रो. ठाकुर आपथेल्मिक सोसाइटिज सहित वाराणसी के राटेरी, लायन, जे.सी. क्लब के सम्मानित सदस्य रहे। वे पूर्व के उत्तर प्रदेश सरकार के नेत्र विज्ञान सलाहकार रहे तथा विहार सरकार के ट्रैकोमा कन्ट्रोल पायलट प्रोजेक्ट के इन्चार्ज भी रहे है। एक समर्पित नेत्र चिकित्सक के रूप में डा. ठाकुर अन्धेपन को नियंत्रित करने के लिए चल रहे आंदोलन से वे सदा से जुड़े रहे है। लेखक द्वारा सर्वेक्षण के अनुसार बिहार और उत्तर प्रदेश के राज्यों में

उन्होंने अब तक 5 लाख से अधिक नेत्र रोगियों का सफलतापूर्वक आपरेशन किया है जो अपने आप में एक कीर्तिमान है। इनकी पच्चासों शोधपूर्ण आटिकिल्स आपथोल्मिक जर्नलो में प्रकाशित हैं। ये काशी आपथकान 2004 के आर्गनाइजिंग सेक्रेटरी रहे जिसके तहत वाराणसी में आल इंडिया आपथेमोलाजिकल सोसाइटी का भव्य आयोजन किया गया जिसमें राष्ट्रीय अंर्तराष्ट्रीय ख्याति प्राप्त नेत्र विशेषज्ञों ने भाग लिया। अब तक नेत्र विज्ञान के सैकड़ों स्नाकोत्तर शोध छात्रों का निर्देशन कर चुके हें जो विभिन्न देशों में अपनी सेवायें प्रदान कर रहे हैं। प्राप्त जानकारी के अनुसार डा. वी. ठाकुर राष्ट्रीय अंर्तराष्ट्रीय अनेकों आपथोल्मिक अधिवंशनों में भाग लेते हुए अपने पच्चासी वैज्ञानिक शोधपूर्ण पत्र प्रस्तुत कर चुके हैं।

डा. ठाकुर एक योग्य शिक्षक और प्रशासक रहे है। इनके प्रशासन में काशी हिन्दू विश्वविद्यालय के नेत्र विभाग में आशातीत प्रगति हुई। इनके कार्यकाल में अनेक आधुनिक उपकरण लगाए गए, जिससे रोगियों का उचित उपचार किया जा सके। लाखों लोगों की भावनाओं के अनुसार डा. ठाकुर एक आशावादी व्यक्तित्व हैं। वे रोगियों में बहुत लोकप्रिय है। रोगी उनके चरित्रबल एवं नैतिकता की प्रशंसा करते है। अच्छे कार्यों के लिये डा. ठाकुर मुक्त हस्त से दान करते है। उनका विश्वास है कि प्रत्येक व्यक्ति इसीलिये उत्पन्न होता है कि वह दूसरे के कष्ट को कम करने में योगदान करें। इनका मुख्य उद्देश्य रोगियों की मदद और सेवा करना है। इस प्रवृत्ति से उन्होंने इतना यश और सम्मान प्राप्त किया है जिसकी कल्पना नहीं की जा सकती।

डा. ठाकुर सन् 1993 में बी.एच.यू. के चिकित्सा विज्ञान संस्थान से सेवा निबृत्त होने के उपरान्त "नटराज नेत्र चिकित्सालय" रविन्द्रपुरी, वाराणसी के संस्थापक निर्देशक एवं संचालक है। समाज सेवा में अग्रणी भूमिका निभाने वाले डा. ठाकुर श्री विश्वकर्मा सभा, वाराणसी के संरक्षक है तथा विश्वकर्मा समाज के हर कार्यों में तन-मन-धन से सहयोग करते है। राष्ट्र एवं समाज हित में इनकी गहरी दिलचस्पी है। उन्होंने अपना कार्य अपने सुयोग्य सुपुत्र डा. संजय ठाकुर के जिम्मे लगा दिया है। डा. संजय भी अपने पूज्य पिता की परम्परा को कायम रखने हेतु सतत् प्रयत्नशील है।

7. डा. गुरुरामजी विश्वकर्मा मधुकर राष्ट्रीय चिंतक एवं इतिहासकार

साहित्य, कला, संस्कृति, समाज कल्याण के क्षेत्र में उत्कृष्ट कार्य करने वाले नारी समाज की अमर कृति "भारतीय नारी और उसका त्याग" सहित कई पुस्तकों के लेखक, विचारक, समाजसेवी रचनाकार, गुरुरामजी विश्वकर्मा मधुकर का जन्म 1938 को गाजीपुर जनपद में हुआ है। इनके पिता का नाम रामसनेही था जिन्होंने स्वतंत्रता संग्राम में भाग लिया था। इनकी माता बासमती देवी धार्मिक प्रवृत्ति की थी। इनके पिता श्री की अकाल मृत्यु हो जाने के कारण इनका बचपन बहुत ही संकट में व्यतीत हुआ। इन्होंने कठिन श्रम एवं अपने अध्यावसाय से मगध विश्वविद्यालय, बोध गया (बिहार) से एम.ए. भारतीय इतिहास, संस्कृति, पूरातत्व एवं एशियाई अध्ययन विषयों में विशिष्ट योग्यता सहित उत्तीर्ण की। पी.एच.डी. शोध "भारत कम्बोडिया सांस्कृतिक सम्बन्ध" तथा सन् 1947 से भारत-नेपाल सम्बन्ध में किया। राजकीय सेवा में उच्च आदर्श प्रस्तुत कर भारत सेवक समाज के माध्यम से इन्होंने निर्धन व्यक्तियों को सहायता पहुँचाना, रोगियों की चिकित्सा एवं देखभाल करना, पीड़ित लोगों की सुरक्षा, मद्यनिषेध, पर्यावरण आदि लोकहितकारी कार्य किया है। मदर टेरेसा के सानिध्य में इन्होंने पीड़ित लोगों, अनाथ, बेसहारा, अन्धे, मुकबधिर बच्चों के लिए उत्कृष्ट कार्य किया है। समाज सेवा के क्षेत्र में इनका अद्वितीय योगदान है। जिसे सामाजिक संगठनों ने प्रेरणा श्रोत उद्घृत किया है।

राष्ट्रीय एकता, सद्भावना, भाईचारा का पैगाम जन-जन तक पहुँचाने हेतु इन्होंने देश-प्रदेश के विभिन्न अंचलों की पदयात्राएं की हैं। राष्ट्रीय-अंतर्राष्ट्रीय क्षेत्रों में भी इनका उल्लेखनीय योगदान रहा है। भारत-नेपाल, भारत-चीन, भारत तिब्बत मैत्री संघ, सामाजिक, शैक्षिक, सहकारी संगठनों, शोध संस्थानों से सम्बद्ध रहे हैं। इन्होंने विभिन्न आयोगों, राष्ट्रीय अंतर्राष्ट्रीय सम्मेलनों, सेमिनारों में प्रतिनिधित्व किया है। वर्तमान में भारत-तिब्बत मैत्री संघ के संयोजक हैं। इन्होंने तिब्बत के मामले को दृढ़ता से विश्व पटल पर लाने में सार्थक प्रयास किया है।

साहित्य, कला, संस्कृति, इतिहास के क्षेत्र में इनका उल्लेखनीय योगदान रहा है। विभिन्न विषयों पर इनके 400 से अधिक समीक्षात्मक लेख, निबन्ध, शोध, सर्वेक्षण पत्र और पत्रिकाओं में प्रकाशित हुए हैं। डॉ. मधुकर ख्यातिलब्ध समाजसेवी, रचनाकार है। इनकी लोकप्रिय पुस्तक "हम और

हमारी आज़ादी" सन् 2004 में प्रकाशित हुई जो विभिन्न भाषाओं में अनूवादित हो रही है। इस पुस्तक में भारत की आज़ादी के पूर्व एवं बाद के कालक्रम का चित्रण है। लेखक ने देश के बलिदानियों की विरासत को याद रखते हुए एक ऐसे भारत के पुर्ननिर्माण की कामना की है जिसमें सर्वत्र शांति और सम्पन्नता हो। देश के हालात से चिन्तित करोड़ों लोगों की भावनाओं, पीड़ा, समस्याओं, विचार और सुझाओं को भारतीय संसद और उसके प्रहरियों तक पहुँचाने में राष्ट्रीय एवं अंतर्राष्ट्रीय महत्व का कार्य किया है। इस सम्बन्ध में धर्म गुरू परम पावन दलाईलामा जी ने विश्व बौद्ध सम्मेलन, सारनाथ वाराणसी में कहा है कि यह पुस्तक ऐतिहासिक एवं राष्ट्रीय महत्व की है। भारत और तिब्बत के लोगों के लिए किया गया अच्छा प्रयास है। साहित्य-श्रृजन-इतिहास, कला-संस्कृति के क्षेत्र में डा. मधुकर का उल्लेखनीय योगदान चिरस्मरणीय रहेगा।

इनकी दूसरी समसामयिक पुस्तक **"सामाजिक न्याय"** सन् 2005 में प्रकाशित हुई जो सामाजिक समरसता के लिए मार्गदर्शिका है। करोड़ों दीनहीन लोगों के दुख-दर्द की पीड़ा लेखक की पुस्तकों एवं विचारों में समाहित है। यह उन देशवासियों को प्रतिबिम्बित करती है जो सदा से निर्माण एवं सृजन में लगे हैं और आज भी अंतिम पंक्ति में खड़े हैं जिन तक सही मायने में आज़ादी की किरण पहुँच नहीं पायी है ऐसे लोगों को राष्ट्रीय धारा में जोड़ने हेतु लेखक का प्रयास सराहनीय है।

इनकी तीसरी कृति **"भारतीय नारी ओर उसका त्याग"** सन् 2006 में प्रकाशित है। जिसमें नारी जीवन का यथार्थ एवं मार्मिक चित्रण है। इस पुस्तक में नारी एवं सर्वसाधारण जन की सामाजिक, आर्थिक, शैक्षिक, राजनीतिक स्थितियों पर आधारित पारिवारिक जीवन का दैन्य कुण्ठा और संघर्ष, व्यक्तित्वों की टकराहटें और सदियों से ग्रस्त जर्जर मन की छटपटाहट का लेखक ने ऐसे मानवीय दृष्टि एवं गरिमा से अंकन किया है कि मन पर रचना का स्थायी प्रभाव पड़ता है। भारतीय ग्रामीण परिवार एवं नारी का आत्मीय चित्रण बड़ी कुशलता और सुक्ष्मता से आंका गया है।

इनकी चौथी कृति सृष्टिकर्त्ता विश्वकर्मा का इतिहास निर्माण एवं सृजन की ऐतिहासिक धरोहर है जो आदि देव विश्वकर्मा के सृजनात्मक एवं संरचनात्मक स्वरूप को प्रतिबिम्बित करती है तथा पांचवी प्रकाशनीय कृति **"अतुल्य भारत"** जिसकी संरचना में डा. मधुकर जी संप्रति लेखन में लगे

हैं। उनका मानना है कि देश के आदर्श जीवित रहेंगे तो व्यक्तिगत उत्थान की परिस्थितियों भी अनुकूल होंगी, भले ही उनमें बहुत सा समय लगे, पर यदि राष्ट्र धर्म ही नष्ट हुआ तो अपने आप को नष्ट हुआ समझना चाहिए। राष्ट्र की रक्षा और उसके स्वाभिमान को जीवित रखने के लिए जितना कुछ बन पड़े सहयोग देते रहना चाहिए। उचित सहयोग एवं संरक्षण प्राप्त होने पर यह कार्य देश एवं राष्ट्र को गौरान्वित करेगा।

लेखक ने ग्राम्य जीवन के मध्य-निम्न वर्गीय परिवारों की संवेदना एवं भावनाओं को, लोक-संस्कृति के छुए अनछुए पहलुओं को आमजन के बीच पहुँचाने का उत्कृष्ट कार्य किया है और उनकी पीड़ा को आत्मसात कर उनका अनुभव अपनी लेखनी से दूसरों को कराया है जो कदाचित ही अन्यत्र मिलता है। देश, राष्ट्र एवं समाज का दायित्व है कि ऐसे लेखक, चिन्तक, विचारक, समाज सेवक एवं पथप्रदर्शक को विशेष प्रोत्साहित किया जाय जिससे आम जनता और भावी पीढ़ी इनकी साधना और लगन से अनुप्राणित होकर अपना जीवन सँवार सके।

लेखक की महान कृति 'सृष्टिकर्त्ता विश्वकर्मा का इतिहास' कुल पाँच खण्डो-पन्द्रह अध्यायों में विश्कर्मा का मिथकरूप वैदिक पौराणिक देव परम्परा में विशिष्ट स्थान, सर्जकरूप, समाज व्यवस्था, त्रिविध ललित कलाएं, प्रतीक शास्त्र, प्रतिमा विज्ञान, शिल्प निर्माण-सृजनात्मक इतिहास में विश्वकर्मा का श्रेष्ठ स्थान तथा इनके वंशजों की स्थिति एवं समीक्षा सहित आदि देव विश्वकर्मा का सृजनात्मक एवं संरचनात्मक स्वरूप के गौरवशाली दैवीय परम्परा को अमरत्व प्रदान करती है।

पुस्तक की प्रतियाँ दक्षेस (सार्क) सम्मेलन तथ जंग-ए-आजादी की 150वी वर्षगांठ के अवसर पर समर्पित की गयी हैं। लेखक की उत्कृष्ट उपलब्धियों को दृष्टिगत रखते हुए भारतीय दस्तकार परिषद ने ''विश्वकर्मारत्न'' तथा समाज कल्याण परिषद ने ''समाजरत्न'' से विभूषित किया है।

डॉ. ईश्वरी शरण

पंचम खण्ड
पुरातात्विक श्रोत एवं संसाधन

15

पौराणिक ग्रंथ एवं शिल्प शास्त्र

1. वैदिक एवं पौराणिक ग्रंथ

विश्वकर्मा की सर्वाधिक चर्चा वैदिक, पौराणिक एवं शिल्पश्वकीय ग्रंथों में हुई। यहाँ तक कि जैन एवं बौद्ध साहित्य में भी "विस्सफम्भ" के रूप में विश्वकर्मा शब्द का उल्लेख है। वास्तु शास्भीय साहित्यिक कृतियों में शिल्पविद्या, वास्तुविद्या के आचार्य, प्रर्वतक तथा शिल्प देवता के रूप में संपूर्ण वास्तु जगत के अधिष्ठाता की आध्यात्मिक एवं भौतिक अवधारणा का परिचय मिलता है।

एक देवता के रूप में विश्वकर्मा का प्रथमोल्लेख ऋग्वेद में मिलता है। दशम् मण्डल के दो सूक्त संख्या 81 एवं 82 के ऋषि एक देवता दोनों ही विश्वकर्मा है। वैदिक ऋषियों ने न केवल विश्वकर्मा के देवत्व एवं विराट स्वरूप का अपने प्रतिभा चक्षु से दर्शन किया अपितु उसका ऋषित्व भी प्रतिपादित हुआ।

सामवेद में विश्वकर्मा विषयक सामग्रियों का अभाव स्वाभाविक है। क्योंकि 75 मौलिक ऋचाओं के अतिरिक्त शेष सभी ऋग्वेद से लिये गये है। यर्जुवेद का वर्ण्य विषय यज्ञीय है। इसलिये इससे अन्य नाम अध्वर्युवेद भी है। चूंकि यर्जूवेद यज्ञीय प्रक्रिया का विवेचन करता है तथा कुल 40 अध्यायों में पाँच शाखाओं के माध्यम से यज्ञीय कर्मकाण्डों तथा विमानों पर केन्द्रित ऋचायें मिलती है इसलिए समस्त वैदिक देवमण्डल यज्ञीय शक्ति के साथ सम्बद्ध है।

अथर्ववेद सामाजिक एवं लौकिक विषयों से संबंधित है। वेदों में यह उत्तर वैदिक काल में रखा जाता है जिसमें आर्य-अनार्य सांस्कृतिक धाराओं

का संश्लेषण दिखाई देता है। ऋग्वेद की भाँति अर्थवेद में विश्वकर्मा का देवत्व प्रतिपादित है। द्वितीय काण्ड के सूक्त संख्या 35 मंत्र 1-5 तथा षष्ठ काण्ड के सूक्त संख्या 122 मंत्र 1 का देवता विश्वकर्मा है तथा ऋषि क्रमशः अंगिरा एवं भृगु है। अथर्ववेदीय स्रोत साम्रगिया उपयोगी तथा विश्वकर्मा के देवत्व की अवधारणा की एक सुंदर परिणति है। अथर्ववेदीय अन्य ऋचाओं में उसे विश्व का रचयिता, विश्व का रक्षक, विश्व का कल्याण करने वाला उत्तर दिशा का रक्षक, यज्ञकर्त्ता, बलवान निर्माता तथा इन्द्रादि वैदिक देवताओं का प्रतिरूपक बतलाया गया है। विश्वकर्मा तथा त्वष्टा दोनों की अवधारणा तथा संकल्पता में एक ही सर्जक तत्व विद्यमान है।

विवेच्य विषय की स्रोत सामग्रियाँ ब्रह्मपुराण (अध्याय 6), पद्मपुराण (सृष्टिखण्ड, अध्याय 23, 28, 39; भूमिखण्ड, अध्याय 5; क्रियायोग खण्ड, अध्याय 6, उत्तरखण्ड अध्याय 9 एवं 174), विष्णुपुराण (प्रमि अंश, अध्याय 9, 15; द्वितीय अंश, अध्याय 10; तृतीय अंश अ. 1; चतुर्थ अंश, अ. 2 तथा पंचम् अंश के अध्याय 23), शिवपुराण (खण्ड 5, अ. 6), वायु पुराण (अ. 6, 30, 39, 66 एवं 84 तथा अन्य), भागवत पुराण (अ. 6), नारदीय पुराण (उत्तरखण्ड अ. 54, 73), मार्कण्डेय पुराण (देवी माहात्म्य), अग्निपुराण (अ. 18 एवं 51), भविष्य पुराण (ब्राह्मपर्व अ. 79, 121), ब्रह्मवैवर्त पुराण (1/10), लिंग पुराण (पूर्वभाग, अ. 55, 60, 65; उत्तरभाग, अ. 12), वराह पुराण (अ. 20, 28, 89 एवं 147), स्कन्द पुराण (माहेश्वरखण्ड, वैष्णवखण्ड, ब्रह्मखण्ड), वामन पुराण (अ. 10, 17, 24, 46, 54, 63, 64, 65, 77, 88, 94), मत्स्य पुराण (अ. 5, 6 129, 130, 252 आदि), गरूड़ पुराण (1.6. 34), ब्रह्माण्ड पुराण (पूर्व भाग अ. 14, 24; मध्यभाग, अ. 1, 14, 59 आदि), विष्णु धर्मोत्तर पुराण (अध्याय 71), शाक्त उपपुराण (अ. 72), साम्ब पुराण (अ. 10, 11, 24, 25, 29, 42, 43, 45), नरसिंह उपपुराण (अ. 20) तथा देवीपुराण में विश्वकर्मा तथा उनके परिवार के सम्बन्ध में पर्याप्त सूचनायें हैं जिनसे कालान्तर की विश्वकर्मा परम्परा तथा शिल्प के क्षेत्र में किये गये योगदान को रेखांकित किया जा सकता है।

वैदिक, उपनिषदिक्, तथा पौराणिक ग्रंथों में विश्वकर्मा देवता के सम्बन्ध में प्राप्त उल्लेखों तथा माहात्म्य संदर्भों के आधार पर 19-20 वीं शताब्दी ई. में श्री विश्वकर्मा पुराण (सम्पूर्ण विश्वकर्मा उत्पत्ति, पूजन एवं उपासना सहित) संकलित एवं सम्पादित हुआ। वर्तमान में यह विभिन्न क्षेत्रीय भाषाओं

में अनुवादित होकर श्रद्धालुओं तथा भक्तो द्वारा उपयोग में लाया जा रहा है। सौभाग्य से सामग्रियों के संकलन प्रक्रिया में हिन्दी एवं गुजराती संस्करण बड़ी कठिनाई से प्राप्त हुए।

विश्वकर्मा पुराण के कुल 42 अध्यायों में विश्वकर्मा चालीसा, मंगलाचारण, महासत्र प्रारम्भ, ऋषियों के प्रश्न, मैथुन सृष्टि, अन्य सृष्टियाँ, वेन की दुष्टता, पृथुचरित्र, विश्वकर्मा का आगमन, नव निर्माण, समुद्र मंथन, वामनातार, वंशोत्पत्ति वर्णन, पाँच पुत्रों की उत्पत्ति, पाँच ब्रह्मर्षि, इलाचल माहात्म्य, कन्यादान की महिमा, सूर्य विवाह-1, सूर्य विवाह-2, अग्निपान, सृष्टि वर्णन, पाताल वर्णन, नर्क वर्णन, विश्वकर्मा माहात्म्य, पूजन विधि, विश्वकर्मोपनिषद्, अध्ययन की स्रोत सामग्रीः संदर्भगत समीक्षा वज्र रचना, गुप्त क्षेत्र माहात्म्य, भक्तियोग, विश्वावासु आख्यान-1, विश्वावासु आख्यान-2, विश्वासवासु आख्यान-3, द्वारावती वर्णन, वास्तु प्रतिष्ठा, शिल्पी प्रतिष्ठा, श्रवण विधि, श्रवण काल, विश्वकर्मा उपनिषद् (मूल) विश्वकर्मा सूक्त (मूल), अष्टोत्तरशतनाम, श्री विश्वकर्मापुराण माहात्मय तथा श्री विश्वकर्मा जी की आरती का कुल 331 पृष्ठों में वर्णन है। इसके साथ ही माहात्म्य प्रसंगों को रंगीन चित्रों के माध्यम से कथाशैली में प्रस्तुत किया गया है। इसमें ऐतिहासिक सामग्रियों पर माहात्म्य की गहरी छाप है। कथा संकलक एवं सम्पादक ने वेदों, उपनिषदों तथा पुराणों के कथावृत्त को इतना मिश्रित कर दिया है कि विश्वकर्मा देवता का मिथकीय स्वरूप अधिक उभरा है तथा वास्तविक देव स्वरूप दब गया है। तथापि इस पुराण की सामग्रियाँ लोक कथा परम्परा का दृष्टांत प्रस्तुत करती हैं।

"श्रीमद् विश्वकर्मा महापुराण" नामक एक अन्य पुराण भाषा-टीका सहित श्रीकृष्ण शर्मा (सानग) द्वारा सम्पादित तथा श्री विश्वकर्मा ब्राह्मण पुस्तकालय कल्हेरूआ, सिवान (बिहार) से प्रकाशित सम्पादक से प्राप्त हुआ है। इसमें सम्पादक ने परिश्रमपूर्वक कुल नौ अध्याओं में वैदिक, उपनिषदिक तथा पुराणों से विश्वकर्मा विषयक मंत्रों, श्लोकों तथा आख्यानों को बांटकर हिन्दी अनुवाद के साथ कुल 122 पृष्ठों में लघु पुस्तिका के रूप में प्रस्तुत किया है। इसमें सम्पादक-प्रकाशक का प्रयास इस अर्थ में श्लाघनीय है, क्योंकि विश्वकर्मा देवता के सम्बन्ध में जिज्ञासुओं, पाठकों तथा शोधकर्ताओं को ऋग्वेद के विश्वकर्मा सूक्त से लेकर पुराणों तक की सामग्रियाँ तथा उनके संवाद-संदर्भ एक पुस्तक में एकत्र मिल गये हैं।

प्रथम दृष्ट्या ग्रंथ के अवलोकन से यह ज्ञात होता है कि विश्वकर्मा देवता के प्रति अगाध भक्ति तथा विश्वकर्मा को कुल परम्परा से सम्बन्धित होने के कारण ही इस ग्रंथ का सम्पादन एवं प्रकाशन किया गया। इसमें पुराण लक्षणों के निर्वहन का प्रश्न ही नहीं उठता। उक्त पुराण के नौ अध्यायों में प्रथम अध्याय-ऋग्वेदान्तर्गत विश्वकर्मा माहात्म्यम्, द्वितीय अध्याय-यजुर्वेदान्तर्गत विश्वकर्मा माहात्म्यम्, तृतीय अध्याय-सामवेदान्तर्गत विश्वकर्मा माहात्म्यम्, चतुर्थ अध्याय-अथर्ववेदान्तर्गत विश्वकर्मा माहात्म्यम्, पंचम् अध्याय-ब्राह्मण ग्रंथों एवं पुराणान्तर्गत विश्वकर्मा माहात्म्यम्, षष्ठ अध्याय-स्कन्दपुराणें प्रभासखंडे सोमनाथ माहात्म्ये सोम पुत्र संवाद, सप्तम् अध्याय पुराणान्तर्गत इन्द्र और विश्वरूप कथा, अष्टम् अध्याय-शिवउवाच तथा नवम् अध्याय-मूल स्तम्भ है।

कालिदास के कुमारसम्भव (सप्तम्सर्ग), अमरकोष (तृतीय काण्ड), वराहमिहिर की बृहत्संहिता (अ. 42), भवभूतिकृत उत्तरामचरित (6/3) तथा कल्हण की राजतरंगिणी में देवताओं के कारीगर विश्वकर्मा एवं त्वष्टा के सम्बन्ध में प्रसंगात उल्लेख हैं। इन सामग्रियों का उपयोग इस शोध में यथा स्थान किया गया है।

2. वास्तु एवं शिल्प शास्त्र

वास्तु और शिल्पशास्त्र की भारतीय परम्परा अत्यंत ही प्राचीन है। कतिपय विद्वान इसे वेदांग के अन्तर्गत रखकर इसे उपवेद मानते हैं। वास्तव में वास्तु विषय शुल्व सूत्र में आते हैं। भारतीय परम्परा के अनुसार देवताओं के स्थपति विश्वकर्मा को वास्तुविद्या का प्रथम प्रवर्तक एवं आचार्य माना गया है। भारतीय वास्तु एवं शिल्प शास्त्रों के गहन अध्येताओं के निष्कर्षों से अब यह प्रमाणित हो गया है कि विश्वकर्मा नामक देवता जो विश्व के निर्माता, देव स्थपति, देव वर्धकि आदि रूपों में वैदिक महाकाव्य एवं पुराणों में उल्लिखित हैं, उनकी परम्परा में कालान्तर में शिल्पाचार्यों की कुल परम्परा विकसित हुई जो शास्त्रज्ञ एवं शिल्पज्ञ दोनों थे। इसलिए ऐतिहासिक युग की वास्तु एवं शिल्पशास्त्रीय कृतियों में विश्वकर्मा नामक जिन आचार्यों तथा शिल्पज्ञों का उल्लेख है उनसे विश्वकर्मा देवता का तादात्म्य स्थापित नहीं करना चाहिए। चूंकि, वैदिक साहित्य में शिल्पकर्म को यज्ञकर्म निरूपित किया गया है, इसीलिए विश्वकर्मा की आधिभौतिक एवं आध्यात्मिक

अवधारणाएँ प्रत्येक युगों में संचरित होती हुई शिल्पविद्या के आराध्यदेव के रूप में प्रस्थापित हो गयी।

मत्स्यपुराण में अट्ठारह वास्तुशास्त्रोपदेशकों की जो सूची दी गई है, वैसी ही सूचियाँ बृहत्संहिता, अग्निपुराण, मानसार, विश्वकर्मा प्रकाश आदि ग्रंथों में थोड़े-बहुत अंतरों के साथ प्रायः सभी वास्तु एवं शिल्पग्रंथों में मिलती हैं। इन सूचियों में ब्रह्मा, शिव, अग्नि, सोम-चन्द्र, इन्द्र-पुरन्दर, कुबेर, गणपति, विष्णु, नारायण, वासुदेव, प्रजापति, भास्कर, कुमार, मातङ्गी, नन्दीश, पुलस्त्य, मत्स्य, यम, वरुण, मरूत, विशालाक्ष, अनिरूद्ध, वैश्रवण, सरस्वती आदि देवी-देवताओं तथा अनेक ऋषि-आचार्यों की गणना शास्त्र की आर्षता सिद्ध करने के लिए हैं। ऋषियों तथा देवता नामों की परम्परा प्राचीन है किन्तु, उनके द्वारा प्रणीत शास्त्र प्राचीन नहीं हैं। अध्ययन की स्रोत सामग्रीः संदर्भगत समीक्षा

इसीलिए वास्तु एवं शिल्पशास्त्रों में विश्वकर्मा देवता सम्बन्धी जो सामग्रियाँ हैं, उन्हें ही विवेच्य संदर्भ में संग्रहीत किया गया है। संपूर्ण वास्तुशास्त्र तथा शिल्पशास्त्र के स्वरूप एवं विषयवस्तु का विवेचन अभीष्ट नहीं है। विषय को स्पष्ट करने के लिए विश्वकर्मा की देव-परम्परा को भारत के धार्मिक एवं सामाजिक परिवेश में महत्वांकित किया गया है। शिल्पी-कुलों पर अनेक शोध लेख तथा पुस्तकें प्रकाश में आ चुकी हैं।

वास्तव में वास्तु एवं शिल्पशास्त्रों की रचना-पृष्ठभूमि में भी विश्वकर्मा का देवत्व निहित है। इसीलिए सम्पूर्ण वास्तुशास्त्रोपदेश एवं शिल्प विधान विश्वकर्मा के दैवी सम्बोधनों तथा संवादों से जोड़ दिये जाते हैं। उपलब्ध सभी वास्तु शास्त्रीय एवं शिल्पशास्त्रीय ग्रंथों से विश्वकर्मा देवता विषयक स्रोत सामग्रियों को संकलित करने का प्रयास किया गया है। इस सम्बन्ध में आनन्द कुमार स्वामी, स्टेला क्रेमरिश, तारापदभट्टाचार्य, द्विजेन्द्रनाथ शुक्ल, प्रसन्न कुमार आचार्य, प्रभाशंकर ओघड़भाई सोमपुरा, एन.एन. भट्टाचार्य, सी. शिवरामूर्ति, एलिस बोनर, डॉ. वी. गणपति स्थपति आदि विद्वानों की महत्वपूर्ण कृतियों तथा सूचियों से सहायता ली गई है। वास्तु और शिल्प की उत्तरी एवं दक्षिणी भारत की शास्त्रीय परम्पराओं में इस देवता के स्वरूप को पहचानने तथा विषयगत अध्ययन में उपयोग की सायास चेष्टा की गई है।

आज भी कला अध्ययन के वैश्विक क्षितिज पर वास्तु एवं शिल्प शास्त्र की विधा पूर्ण प्रकाशित नहीं है क्योंकि अधिकांश शिल्प एवं वास्तु

शास्त्रीय पाण्डुलिपियाँ एवं ग्रंथ अप्रकाशित, दुष्प्राप्य एवं जीर्ण हैं। इस क्षेत्र में शोध की आवश्यकता तथा अनिवार्यता है। ग्रंथों में उल्लिखित सभी शिल्पाचार्यों की शिष्य-कुल-परम्परा जीवित है, उनके ग्रंथ फिर भी प्राप्य हैं।

उत्तर भारत में शास्त्र एवं शिल्प की विश्वकर्मा-परम्परा की तरह ही दक्षिण भारत में मय की वास्तु एवं शिल्प शास्त्रीय परम्परा पर शोध के लिए अनेक शोध संस्थान बने हुए हैं। दक्षिण के विश्वकर्मा मय की परम्परा अद्यावधि शिष्य-कुल-परम्परा से जीवित है। तथ्य संकलन तथा अनुसंधान की प्रक्रिया में यह स्पष्ट ज्ञात हुआ कि यद्यपि शिल्प साहित्य विपुल संख्या में प्रत्येक क्षेत्र से प्राप्त होते हैं किन्तु, उनमें देवता विषयक, विवेचन या तो ग्रंथ के प्रारम्भ में या अन्त में कुछ श्लोकों में ही मिल पाता है। क्योंकि परम्परानुसार शास्त्र एवं शिल्प रचना प्रक्रिया में अन्तर्निहित भाव विश्वकर्मा देवता से व्याप्त हैं। ऐतरेय ब्राह्मण[1] में यह शब्द "आवर्श्यकरं" कहा गया है साथ ही देवशिल्प एवं मानुष शिल्प दो प्रकार का वर्णित है। र्दष्टव्य है सायण भाष्य-

"शिल्प शब्दश्चाऽचर्यकरं कर्म बुते। तच्च शिल्पं द्विविधं देवशिल्पं मानुषशिल्पं चेति: नामोनेदिष्ठादीनि यानि शिल्पानि सन्ति तानि देवानि प्रीति हेतुत्वाद्देवशिल्पानीत्युच्यन्ते, ऐतेषामेव देवशिल्पानामनुकृति सदृशरूपाणि मनुष्यलोके शिल्पमधिगम्यते प्रतीयते।"

अर्थात् "शिल्प" शब्द आश्चर्यकर कर्म को कहा जाता है। यह देवशिल्प और मानुषशिल्प दो प्रकार का होता है; नामानेदिष्ठा शिल्प देवशिल्प तथा उनकी सदृशरूप अनुकृति मानुषलोक में शिल्प कही जाती है।

शिल्पदेवता तथा शिल्पाचार्य के रूप में क्रमश: देवलोक एवं मनुष्यलोक दोनों में विश्वकर्मा के शिल्पकर्म का महत्व है। एक बृहत्तर अवधारणा में यह विश्व विश्वकर्मा की शिल्प-रचना है। कला में वास्तु शिल्प, मूर्ति, शिल्प, चित्रशिल्प प्रचलित हैं जबकि उद्योग एवं व्यवसाय में लौह, काष्ठ, पाषाण, मृद्माण्ड, सुवर्ण आदि के द्वारा सृजित संरचनायें शिल्प के अर्थ को विस्तार प्रदान करती हैं। शिल्प में शील एवं समाधि दोनों की स्थितियाँ हैं।[2] इसीलिए शिल्प-सिद्धि इसकी चरम अभिव्यक्ति है-

नहि जन्मान्तरं तस्य शिल्पसिद्धिर्भवेत्तथा।

शिल्पविद्या सदा श्रेष्ठा सर्वदानन्द दायिका।।

3. वास्तु एवं शिल्प शाखा

वास्तु एवं शिल्प भारतीय भाषाओं के शब्द हैं जिनका प्रयोग देशज संस्कृति के सृजनात्मक संदर्भों में होता है। दोनों ही शब्दों के निर्वचन एवं निष्पत्ति में भिन्नतायें हैं किन्तु सामान्य प्रयोग एक साथ होता है। प्रयोग में ये परस्परावलम्बित एवं पर्यायी भी बन जाते हैं। दोनों में घनिष्ठ अन्तर्सम्बन्ध हैं। शब्द एवं शास्त्र की व्यापकता की दृष्टि से दोनों में थोड़ा अन्तर है किन्तु विद्या की दृष्टि से दोनों एक हैं। व्यापकता के विचार से दोनों में थोड़ा अन्तर है।

"वास्तु" शब्द "शिल्प" की अपेक्षा प्राचीनतर है। वैदिक वास्तोस्पति से इसकी प्राचीनता प्रमाणित होती है। पुराणों में इसकी कथा का सविस्तार वर्णन मिलता है। एक ऋचा में इसका समीकरण इन्द्र के साथ दिखाई देता है। ऋग्वेद में ही इसका समीकरण देव तथा त्वष्टा से किया गया है। निघण्टु में यह त्वष्टा और विश्वकर्मा के साथ एक पद है यास्क एवं शौनक ने वास्तु अर्थ का निर्वचन तथा व्याख्या दी है जिसमें बसने या निवास या आवास प्रदान करने का शब्दार्थ है।

वैसे तो "वास्तु" की सामान्य उत्पत्ति "वास्तु" शब्द से मानी जाती है। इस प्रकार कोई भी निर्माण द्रव्य-काष्ठ, इष्टिका, पाषाण, धातु इत्यादि जब एक अभिनव निर्मिति में परिणत होते हैं तो वे वास्तु की संज्ञा से व्यवहारित होते हैं। यह समस्त दृष्टि ही वस्तु है परन्तु विश्वकर्मा के द्वारा वह वस्तु में परिणत हो गई। ब्रह्मा ने केवल मानसी सृष्टि की। पुनः इस उबड़-खाबड़ जमीन को महाराज पृथु से समीकृत कर भूतल पर आवास योग्य पुर, ग्राम, भवन, पत्तन, प्रासाद आदि का निर्माण विश्वकर्मा से कराया। अस्तु, निष्कर्षत वास्तु का साधारण अर्थ भवन या नगर है। वास्तु का व्यापक अर्थ धरा है। अतः धरा पर निर्मित भवन, पुर प्रासाद सभी वास्तु संरचनायें है।

वास्तु एवं शिल्प दोनों शबदों की व्यापकता के कारण उनमें अन्तर करना कठिन हो जाता है। द्राविड़ी परम्परा में वास्तु शास्त्रीय ग्रंथों को भी शिल्प शास्त्र की संज्ञा से कीर्तित किया गया है। द्राविड़ अर्थात् दक्षिण की वास्तुकला में चित्रण का प्राधान्य होने के कारण वास्तु अर्थात् भवन-कला भी एक प्रकार से शिल्प-कला अर्थात् मूर्तिकला के रूप में परिणत हुई। चूंकि भारतीय कला प्रतीकात्मक दैवी। अवधारणा पर पल्लवित तथा फलित

हुई, इसलिए वास्तु के अन्तर्गत शिल्प, चित्र अनिवार्य तत्व हैं। शिल्प का एक पक्ष है मूर्ति या प्रतिमा। वास्तु शास्त्र के आचार्य शिल्पशास्त्रज्ञ एवं शिल्पज्ञ भी थे। शिल्पग्रंथ रूपमण्डन में मण्डन ने अपनी इस कृति को वास्तुशास्त्र के अंतर्गत माना है।

प्रविधि एवं पृष्ठभूमि की दृष्टि से तो वास्तु एवं शिल्प में अंतर किया जा सकता है किन्तु सर्जनात्मक तथा आध्यात्मिक या धार्मिक दृष्टि से दोनों की व्यापकता तुल्य है। वास्तु की सर्जनात्मकता शिल्प में सन्निहित है। विश्वकर्मा के संदर्भ में दोनों ही विधायें एक हैं। वे शिल्पदेवता तथा वास्तुविद्या के प्रवर्तक हैं। प्रत्येक जागतिक वस्तु को शिल्पित कर उनमें चेतना-संचार का महत् दैवी कार्य विश्वकर्मा द्वारा सम्पन्न किये जाते हैं, इसीलिए पवर्ती साहित्य, लोक एवं शिल्प परम्पराओं में इसे सर्जक, निर्माता देवता तथा सृजन-तत्व के रूप में व्याख्यायित किया गया है।

वास्तु एवं शिल्प की दोनों परम्परायें देवतत्व के साथ मिलकर एकाकार हो जाती हैं। क्योंकि यह संरचना एवं रचना का विशिष्ट नियामक देव है। पुराणों में इसकी व्यापक चर्चा तथा प्रतिपादन है कि विश्वकर्मा से ही सभी वास्तु एवं शिल्प उद्भूत हुए। इसीलिए शिल्प एवं शिल्पियों की उत्पत्ति भी इन्हीं से मानी जाती है। "वास्तु पुरुष" और "वास्तु पुरुष मंडल" की अवधारणा भी इसी देवचिन्तन की परिणति है। इसीलिए वर्तमान वास्तु-विज्ञान के अंतर्गत मूर्तिशिल्प, वास्तुशिल्प, छंदशास्त्र, संगीत विद्या तथा नृत्य शास्त्र की गणना की जा रही है। विश्वकर्मा पुराण में एक ही साथ वास्तु प्रतिष्ठा और शिल्प प्रतिष्ठा को विवेचित किया गया है। इसलिए देवता प्रसंग में वास्तु एवं शिल्प में भेद उचित प्रतीत नहीं होता है। इसी वैचारिक पृष्ठभूमि के साथ शिल्प एवं वास्तु विषयक अध्यायों को प्रस्तुत किया गया है।

शिल्प, वास्तु के साथ जुड़कर ही सार्थक अभिव्यक्ति देता है। इसीलिए "वास्तुशिल्प" संज्ञा का प्रचलन दिखाई देता है; वास्तु सम्बन्धी शिल्प सर्जनायें दैवी भावना से ओतप्रोत होती है। अतः शिल्पाचार्य के रूप में विश्वकर्मा की एक संज्ञा "वास्तुशिल्पी" समीचीन लगती है।

शिल्प प्रजापति विश्वकर्मा द्वारा प्रवर्तित भारतीय वास्तु एवं शिल्प विद्या की परम्परा अत्यन्त प्राचीन है। ऋग्वैदिक विश्वकर्मा सूक्त में इनका सम्बन्ध

किसी शिल्प विशेष से न होकर विश्व के सृजन कर्म से है क्योंकि वह प्रावस्था चिन्तन के आरम्भिक युग की थी। इसीलिए विश्व के कर्ता की धारणा अधिक बलवती हुई। किन्तु, परवर्ती साहित्यिक परम्पराओं के विश्वकर्मा सम्बन्धी उल्लेखों से यह ज्ञात होता है कि जागतिक आवश्यकताओं की पूर्ति तथा प्रसार के कारण ऋग्वैदिक उद्‌भावना ही शिल्प देवता के रूप में परिवर्धित हुई। विश्वकर्मा के अतिरिक्त भी इस परम्परा के दृष्टान्त मिलते हैं। आवास प्रदान करने वाली उपाधि "वसु" या "गृहपति" (गृह स्वामी या देवता) भी अग्नि, सोम, मरूत् आदि देवताओं के साथ सम्बद्ध हो गई। विश्वकर्मा की गणना भी परवर्ती पौराणिक साहित्य में प्रभासवसु के पुत्र रूप में लोक जीवन की परम्पराओं में की गई। महाकाव्यों एवं पुराणों की शास्त्र परम्परा में विश्वकर्मा के लौकिक निर्माण के स्वरूप को उभारा गया। किन्तु इन धाराणाओं के मूल में ऋग्वैदिक सर्वकर्ता विश्वकर्मा का बीज-तत्व सदैव विद्यमान रहा।

भारतीय सहित्य एवं चिन्तन में विश्वकर्मा की प्राचीनता तथा सुदीर्घ परम्परा विख्यात है। प्रारम्भिक अध्यायों में इसका विशद् विवेचन किया गया है। विश्वकर्मा की दैवी परम्परा की तरह ही उसके द्वारा सृजित वास्तु एवं शिल्प विद्याओं की प्राचीनता है।

ऋग्वेद में विश्वकर्मा की एक संज्ञा "होता" है। जिसका पल्लवन यजुर्वेद एवं अथर्ववेद में यज्ञकर्ता, यज्ञ की इष्टका (ईंट) तथा अग्नि के विस्तारक एवं विशेषणों के रूप में दिखाई देता है। वेदांगों के काल में याज्ञिक कार्यों की वृद्धि के कारण शुल्वसूत्रों में वेदांग षट्क से (विशेषतः ज्योतिष एवं कल्प) वास्तुविद्या का जन्म हुआ। चूंकि भारतीय कला का आश्रय धर्म रहा है, अतः धार्मिक संस्करों, यज्ञों, पूजादि के सम्बन्ध में आवश्यक भूमि-चयन, भू-संस्कार, भूमि के मान और उन्मान, वेदी-रचना आदि आवश्यकीय अंगों के सम्बन्ध में जो निर्देश तथा विवरण सूत्रग्रंथों में प्राप्त होते हैं वे ही कालान्तर में वास्तु एवं शिल्प विद्या के विकास में सहायक बनें।

वैदिक विश्वकर्मा के देवत्व एवं ऋषितत्व से ही शिल्प का उद्‌भव मानना समीचीन है। अथर्ववेद के एक उपवेद अर्थवेद की रचना, पदार्थों का वर्णन (वस्तु) तथा उन्हीं पदार्थों के संगतिकरण की संज्ञा "शिल्पविद्या" हुई।

यद्यपि भारत की प्राचीन शास्त्र-परम्परा में वास्तु विद्या का पृथक् स्पष्ट उल्लेख नहीं मिलता है किन्तु इसका अर्थ यह नहीं है कि यह विद्या विद्यमान नहीं थी। वास्तव में इस विद्या का सम्बन्ध शालेय जीवन से है जहाँ संचरणशीलता के पश्चात् आवास, स्थायी आवास सम्बन्धी संकेत वैदिक ग्राम्य जीवन में देखे जा सकते हैं। सैन्धव संस्कृति की उन्नत वास्तु योजना इसका निदर्शन है। रामायण एवं महाभारत में विश्वकर्मा द्वारा सुन्दर अलंकृत देव अधिवासों का निर्माण इसकी एक महत्वपूर्ण कड़ी है।

वास्तव में सभ्यता और संस्कृति के प्रसार के साथ ही इन विधाओं तथा विधाओं का क्रमिक विकास हुआ। जब पुराणों और आगमों की उपासना परम्परा प्रारम्भ हुई तो इसी के पल्लवन के साथ ही शिव भक्ति तथा विष्णु भक्ति के उत्तर एवं दक्षिण में प्रसार द्वारा प्रतिभा-सापेक्ष इस नवीन पौराणिक धर्म के बृहत् विजृम्भण से देश के कोने-कोने में तीर्थ स्थानों, शिवमंदिरों एवं विष्णुमंदिरों की स्थापना तथा उनका निर्माण हुआ। इसी पौराणिक धर्म के विकास ने उत्तरापथ और दक्षिणापथ इन दोनों भूखण्डों में वास्तुविद्या तथा वास्तुकला, शिल्पविद्या एवं शिल्प कला में धार्मिक आश्रय प्रदान करते हुए उन्नति के शिखर का संस्पर्श करा दिया जो जिज्ञासुओं तथा शोधार्थियों के लिए एक रोचक गम्भीर विषय बना हुआ है।

भारतीय वास्तु परम्परा में दैवी अवधारणाओं के अनुसार सर्वप्रथम देव वास्तु एवं शिल्प निर्मित हुए तथा यह कार्य विश्वकर्मा द्वारा सम्पन्न कराया गया। देवताओं के सुन्दर निवास स्थान, महल, पुरियों तथा वाहनायुध विश्वकर्मा की महत्वपूर्ण दिव्य निर्मितियाँ हैं जिनका विवेचन पिछले अध्याय में किया गया है। मनुष्य लोक में इस विद्या का प्रादुर्भाव विश्वकर्मा की परम्परा द्वारा सम्पन्न हुआ। इसीलिए वास्तुशास्त्रों में इस विद्या के अनेक प्रवर्तकों का संदर्भ प्राप्त होता है।

भारतीय देव-परम्परा में इन विद्याओं के प्रवर्तक देव तथा प्रथम आचार्य विश्वकर्मा ही निरूपति किये गये हैं। चूँकि भारतीय समाज में देव-तत्व सर्वत्र विद्यमान है, इसलिए उन्हीं की परम्परा को संतति रूप में सामाजिक आवश्यकताओं के अनुरूप प्रवर्द्धित किया गया तथा जो परम्परा विकसित हुई उसमें भी विश्वकर्मा का दैवी तत्व विद्यमान रखा गया। यह उस शास्त्र की

पवित्रता तथा अपौरूषेयता को प्रतिपादित करने के लिए एक वैचारिक प्रक्रिया थी। इसीलिए आज भी समाज जीवन में देवताओं तथा ऋषियों के नाम पर नामकरण की भारतीय श्रेष्ठ परम्परा विद्यमान है। देश के प्रत्येक भाग में इस विद्या का चरम विकास हुआ। लौकिक एवं पारलौकिक जीवन की समस्त क्रियायें वास्तु एवं शिल्प संरचनाओं के साथ जोड़ दी गई। देवत्व की प्रतिष्ठा तथा प्रत्येक शिल्प में दैवी तत्वों की धारणा ने इस परम्परा को विस्तार दिया। पारिणामतः शिल्प एवं शास्त्र की अनेक परम्परायें तथा उनके प्रवर्त्तकों की संज्ञा 'विश्वकर्मा' है। यह विचार जहाँ एक ओर समग्र भारतीय संस्कृति के सम्बद्धन में सहायक सिद्ध हुआ वहीं समाज में इसके वर्ग विकसित हुए। विश्वकर्मा का शिल्पी प्रजापतित्व अनेक शिल्पों के जन्म का कारण तो है ही, शिल्पाचार्यों, शिल्पज्ञों तथा शिल्पी कुलों की सुदीर्घ परम्परा का रोचक इतिहास भी प्रस्तुत करता है जिस पर विद्वानों ने महत्वपूर्ण कार्य किया है।

भारतीय वास्तु एवं शिल्प विद्या की सुदीर्घ परम्परा में समय-समय पर इन विद्याओं की प्रतिष्ठा के साथ-साथ इनके प्रवर्तकों की भी प्रतिष्ठा और परम्परा प्रचलित हुई। श्री तारापद भट्टाचार्य और द्विजेन्द्रनाथ शुक्ल दोनों की मान्यता है कि वास्तु विद्या के मूल पवर्तकों में दो नाम विशेष रूप से उल्लेखनीय हैं-विश्वकर्मा और मय। वाल्मीकि रामायण में दानव शिल्पी मय का उल्लेख प्रापत होता है जिसने सहस्रों वर्षों तक वन में घोर तपस्या करके ब्रह्मा के वरदान से शुक्राचार्य का सारा शिल्प वैभव प्राप्त कर लिया था। मय ने स्वर्णमय वन का अपनी माया के प्रभाव से निर्माण किया था। इसके द्वारा लंकापुरी का निर्माण पदानवराज रावण के लिए किया गया था। इसके आधार पर यह मत प्रकट किया गया है कि मय दक्षिणी भारत की परम्परा का शिल्पी था एवं विश्वकर्मा उजरी भारत की वास्तु विद्या परम्परा का। महाभारत में भी दानवों के विश्वकर्मा मय द्वारा शिल्पविद्या का ज्ञाता होने, पूर्व काल में दानवों के लिए अनेक महल, उद्यान, अस्त्र-शस्त्र, रथ, अट्टालिकायें, परिखा, प्राकार, विशाल तोरणयुक्त नगर, वाहन और सुखदायक सुरंगों के निर्माण का सुन्दर विवरण प्रापत होता है। मय द्वारा पाण्डवों की सभा भवन का निर्माण शिल्प एवं वास्तु की उच्च कला का एक सुंदर प्रतिमान था। इसी के साथ देवशिल्पी विश्वकर्मा द्वारा भी लंकापुरी के निर्माण के अनेक संदर्भ महाकाव्यों में हैं।

आर्य वास्तु परम्परा के प्रथम आचार्य विश्वकर्मा ने यह विद्या स्वयं पितामह ब्रह्मा से प्राप्त की थी। इसकी परवर्ती परम्परा के गहन अन्वेषण तथा अनुसंधान से ज्ञात होता है कि कालान्तर में ऐतिहासिक युगों में विभिन्न कुशल तथा प्रसिद्ध स्थपतियों ने अपने नाम भी विश्वकर्मा के नाम से प्रचलित कर दिये। जिसका विवेचन आगे के पृष्ठों में किया जायेगा।

वास्तु एवं शिल्प विद्या की दक्षिणी परम्परा के प्रवर्तक दानवशिल्पी मय का दिक्षणी भारत की वास्तु एवं शिल्प विद्या में सर्वोच्च स्थान है। दक्षिणी परम्परा के वास्तुग्रंथों में मय आसुरी वास्तु-विद्या के मूल प्रवर्तक माने गये हैं। इस प्रकार यह दूसरी परम्परा "मय परम्परा" (स्कूल) के नाम से प्रसिद्ध है। आसुरी सभ्यता भी इसी देश के मूल निवासियों की सभ्यता है। मय परम्परा में निर्मित दक्षिण भारत के विशाल प्रासाद, देवायतन, मूर्तिशिल्प आदि इस विद्या की श्रेष्ठता को प्रमाणित और प्रतिपादित करते हैं।

विश्वकर्मा तथा मय की दोनों परम्पराओं में विशेष अंतर यह था कि विश्वकर्मा निर्माणोन्मुख थे तो मय दानव और असुरों के मध्य रहने के कारण सत्ता और भोग के लिए संघर्षरत थे। देव-दानव संघर्ष में विष्णु देवों की तथा शिव मय की सहायता करते थे। इसीलिए दक्षिणी वास्तु एवं शिल्प परम्परा में शिव तत्व प्रबल रूप से उभरा। दानव परम्परा के शिल्प प्रवर्तक होने के प्रश्चात् भी मय के साथ विश्वकर्मा का सम्बन्ध बना रहा। युधिष्ठिर की राजधानी इन्द्रप्रस्थ की सभा का निर्माण मय ने विश्वकर्मा के साथ मिलकर किया था। दोनों समकालीन, प्रतिद्वन्द्वी तथा सहकर्मी भी थे। इसी सांस्कृतिक समन्वय के कारण भारत में दून विधाओं को विकसित होन का सुअवसर प्राप्त हुआ। दक्षिणी भारत में आज भी मय की वास्तु एवं शिल्प परम्परा जीवित है जबकि उत्तर भारत में विश्वकर्मा की परम्परा। वर्तमान में मय की शिल्प विद्या अंतर्राष्ट्रीय शोध का विषय है। मध्य अमेरिका में मय साम्राज्य (मैक्सिकन मय; के पुरावेशेषों की खोज की जा रही है। "मय सिद्धांत" अंर्तराष्ट्रीय वास्तुविज्ञानिकों के लिए नवीन विद्या के रूप में स्वीकार की जा रही है।

विश्वकर्मा नामक शिल्प देवता के आचार्यत्व एवं ऋषित्व का वास्तु एवं शिल्प की शास्त्र में आचार्य परम्परा के रूप में सम्यक् निर्वहन हुआ है। आचार्य-परम्परा से यहाँ तात्पर्य शास्त्रीय परम्परा से जुड़े विश्वकर्मा नामक वास्तु एवं शिल्प शास्त्रकारों से है, जिनका उल्लेख पुराणों एवं शिल्पग्रंथों में

प्राप्त होता है। विश्वकर्मा की पूजा एवं देवत्व से अधिक समृद्ध उनकी आचार्य-परम्परा है जिसकी परिणति वास्तु एवं शिल्प ग्रंथों के रूप में स्वतंत्र तथा राज्याश्रय में दिखाई देती है।

यद्यपि यह पता लगाना कठिन है कि इस आचार्य-परम्परा में विश्वकर्मा नामधारी कितने आचार्य हुए जिन्होंने इस स्कूल (परम्परा) को प्रवर्द्धित किया। उपलब्ध शास्त्रों तथा उनमें प्राप्त नामोंल्लेखों के आधार पर ही इस पक्ष पर कतिपय प्रकाश डाला जा सकता है। वास्तुशास्त्रों का अध्ययन अपेक्षाकृत कठिन कार्य है क्योंकि, या तो उनके ग्रंथ अनुपलब्ध हैं या यदि उपलब्ध होते हैं तो जीर्णावस्था में। आचार्य-परम्परा के कुल, वंश या शिल्प भी सामाजिक एवं राजनीतिक व्यवस्था के शिकार होते गये, तथापि उपलब्ध स्त्रोतों के आधार पर साहित्यिक एवं अभिलेखिक संदर्भों का आश्रय लेकर अद्यावधि किये गये शोधों के आलोक में विचार का क्रम जारी रखा गया है।

4. पुरातात्विक स्त्रोत एवं अभिलेख

समस्त वास्तु एवं शिल्प संरचनाएँ शिल्पदेवता विश्वकर्मा की पूजा एवं शक्ति से निर्मित और नियंत्रित होती हैं किन्तु यह एक महत्वपूर्ण विचारणीय पक्ष है कि अन्य देवों की तुलना में भारत में विश्वकर्मा के मंदिर एवं मूर्तियाँ दुर्लभ हैं। किसी भी प्राचीन मंदिर एवं मूर्त्ति का उल्लेख बड़ी कठिनाई से ही खोजा जा सकता है। वास्तुविद्या का विवेचन तो प्राप्त होता है किन्तु इस विद्या के प्रवर्तक एवं आदि देव के वास्तुरूप तथा प्रतिमाएँ कठिनाई से प्राप्त नहीं होती हैं।

सर्वाधिक गुम्फित सामग्री वास्तु एवं शिल्प ग्रंथों की है जिसके विनियोग तथा विचयन में सावधानी रखी गई है। शिल्प के शास्त्र और व्यवहार दोनों में विश्वकर्मा का देवतत्व एवं आचार्य की कुल परम्परा एक साथ उपस्थित रहती है। शिल्पकृति शिवकर्मा देवता को अर्पित होती है जबकि शिल्प का निर्माता कुशल शिल्पी होता है जिसे उपाधि नाम से विश्वकर्मा के रूप में अभिहित किया जाता है।

एलिस बोनर एवं सदाशिव रथ शर्मा ने रामचन्द्र कौलाचार कृत उड़ीसा की पाण्डुलिपि "शिल्प प्रकाश" को सम्पादित एवं प्रकाशित कर सराहनीय कार्य किया है। यहाँ सुश्री बोनर के "वास्तुरूप उपनिषद्" को भी उल्लिखित करना अपेक्षित है।

वास्तु एवं शिल्प सम्बन्धी साहित्यिक ग्रंथों की तरह शिल्प की एक अन्य महत्वपूर्ण विधा चित्र कला सम्बन्धी शास्त्रीय नियमों तथा लक्षणों का सूक्ष्म विवरण शास्त्रों में मिलता है। भोजकृत समराङ्गणसूत्रधार के द्वितीय भाग, विष्णुधर्मोत्तरपुराण तथा अपराजितपृच्छा आदि ग्रंथों में चित्र के उद्देश्य, उत्पत्ति एवं क्षेत्र तथा विस्तार, अंग, अवयव तथा विधा पर पर्याप्त समग्रियाँ हैं। किन्तु इनमें विश्वकर्मा के चित्रशिल्प का कहीं दृष्टान्त नहीं है इसमें विश्वकर्मा को 'चित्र विद्या' का ज्ञाता कहा गया है। ये शास्त्रीय सामग्रियाँ चित्र कला की महत्वपूर्ण विधा से सम्बद्ध हैं क्योंकि शिल्प की समग्र अवधारणा में चित्र का अर्थ एकमात्र आलेख्य नहीं, चित्र का अर्थ वासतव में प्रतिमा है। विष्णुधर्मोत्तर, समराङ्गणसूत्रधार तथा मानसोल्लास में चित्र शास्त्र को बड़ा ही महत्व दिया गया है।

तिब्बत से प्राप्त नग्नाजित् के "चित्रलक्षण" का अंग्रेजी अनुवाद श्री बी. एन. गोस्वामी ने करके इस विधा को महत्ववांकित किया है। नग्नजित् की आचार्य परम्परा मत्स्यपुराण की सूची से प्रमाणित है। "चित्रलक्षण" नामक ग्रंथ में नग्नजित् ने विश्वकर्मा देवता का उल्लेख (अ. 1) में किया है। तदनुसार विश्वकर्मा चित्र शास्त्र के भी ज्ञाता है। "चित्रलक्षण सूत्र" नामक अन्य शास्त्र जो श्रीकुमार विरचित है, ए. के. भट्टाचार्य द्वारा सम्पादित एवं अनुवादित है।

प्रस्तुत शोध अध्ययन को रूपायित करने में साहित्यिक स्रोतों की तरह की जोड़ी का उत्पादक वनस्पतियों की स्वामी निरूपति किया गया। ये सभी कार्य विश्वकर्मा के ही थे किन्तु ऐसा प्रतीत होता है कि विभिन्न सर्जनाओं के साथ विश्वकर्मा का नाम-रूप भी परिवर्तित होता रहा। महाभारत के एक प्रसंग में कहा गया है कि उसने स्वर्णमयी गौयें निर्मित की जो त्वष्टा के विवरण से बिल्कुल साम्य रखता है। इस प्रकार वैदिक, महाकाव्य तथा पौराणिक विवरणों में विश्वकर्मा को सृष्टि, विश्व, ब्राह्माण्ड, लोक तथा जीव जगत् का स्रष्टा होने का गौरव प्राप्त है।

विश्वकर्मा की विविध दैवी सर्जनायें गहन अध्ययन तथा विश्लेषण का विषय प्रस्तुत करती हैं। सामान्य दृष्टि या ज्ञान से इन सर्जनाओं के विशिष्ट गुणों को नहीं पहचाना और जाना जा सकता है। आज के वैज्ञानिक युग के अनुसंधानों के लिए भारतीय साहित्य में आख्यात देवों के विमान, वाहन,

शास्त्रास्त्र, आयुध, दिव्य अलंकरण, भवन तथा पुरियाँ अभिज्ञान एवं समीकरण के लिए एक चुनौती बनी हुई हैं। ये सभी विश्वकर्मा परम्परा की भारतीय उपलब्धियाँ हैं।

विमानों में पुष्पक विमान विश्वकर्मा की अनुपम कृति है जिसका सुंदर विवरण वाल्मीकि रामायण एवं महाभारत दोनों ही महाकाव्यों में पूर्ण प्रौद्योगिकी तथा वैज्ञानिकता के साथ मिलता है। उक्त विमान जो सभी प्रकार के रत्नों से विभूषित एवं दिव्य था, भागवान् विश्वकर्मा ने ब्रह्मा जी के लिए स्वर्गलोक में बनाया था। इसकी बनावट के संबंध में लिखा है–कोई भी वस्तु उस विमान में ऐसी न थी जो पूरे प्रयत्न के साथ न बनाई गई हो और न उसका कोई ऐसा भाग था जो मूल्यवान रत्नों से सजाया गया हो। उसमें रमणीय सुन्दर पुष्प और रमणीय उपवन बनाये गये थे। पुष्पयुक्त पुष्पकरणियों में पराग सहित कमल के फूल अपनी अनोखी छटा दिखा रहे थे। गर्मी और शीत वे प्रभाव से दूर यह विमानन सब ऋतुओं में सुखदायी था। यह सब मनोरथों को पूर्ण करने वाला विमान था। इसकी गति वायु के समान थी और स्वामी के मन की इच्छा के अनुसार अभीष्ट स्थान पर पहुँचा देता था। वह अद्भुत कांति दे। वह अद्भुत कान्ति से उद्दीप्त हो रहा था। उसमें सुमेरू और मंदराचल के समान ऊँचे अनेकानेक गुप्त गृह और मंगल भवन बने हुये थे, जो अपनी ऊँचाई से आकाश में रेखा सी खींचते हुये जान पड़ते थे। उनके द्वारा यह विमान सब प्रकार से सुशोभित था। उसमें प्रकाश व्यवस्था अग्नि और सूर्य के समान थी। विश्वकर्मा ने बड़ी निर्माण कौशल से उस विमान का निर्माण किया था। उसमें सोने की सीढ़ियाँ और उत्तम अत्यन्त मनोहर वेदियाँ बनाई गई थीं। सोने और स्फटिक के झरोखे और खिड़कियाँ लगायी गई थीं। इन्द्रनील और महानील मणियों की श्रेष्ठतम वेदियाँ रची गयी थीं।

विश्वकर्मा की दैवी यांत्रिक रचनाओं में यंत्रों का साहित्यिक उल्लेख प्राप्त होता है। एक धारणा यह भी प्रचलित है कि विश्वकर्मा ने विष्णु के लिए वाहन गरूड़ निर्मित किया था। गरूड़ कोई पक्षी नहीं बल्कि श्येन को आकृति का विशिष्ट प्रकार का विमान था।

भारद्वाज रचित "यंत्रसर्वस्व" के वैमानिक प्रकरण की एक खण्डित प्रति में बौधायन की व्याख्या के केवल चार सूत्र प्राप्त हुये हैं जिनमें विमान के

32 रहस्यों का वर्णन मिलता है। उनमें विमान से मारक धूम्र फेंककर शत्रु विमान को नष्ट करना, विमान अदृश्य कर देना, शत्रतु की स्मृति नष्ट कर देना, दूसरे विमान में बैठे शत्रु की वार्ता सुन लेना, जैसे रहस्यों का वर्णन है। इस ग्रंथ के 500 सूत्रों में से केवल चार ही प्राप्त हुये हैं तथा इस ग्रंथ में ऐसे 6 ग्रंथों का उल्लेख मिलता है। विवरण प्राचीन भारतीय तकनीकि के विकास में विश्वकर्मा तथा उसकी परम्परा के महत्तम योगदान को रेखांकित करता है।

वास्तव में विश्वकर्मा की दैवी परम्परा में निर्मित विमान और यंत्र उसकी दैवी सृष्टि की क्षमता तथा निर्माण-प्रविधि को संकेतित करते हैं। इनका साहित्यिक वर्णन प्रतीक कथाओं के माध्यम से किया गया है। इन रहस्यपूर्ण कथाओं के माध्यम से ज्ञान-विज्ञान का परिचय देने की विशिष्ट शैली हमारे पूर्वजों को रही है। विवरणों से ज्ञात होता है कि पुष्पक विमान तथा लतायंत्र के निर्माता विश्वकर्मा वनस्पति शास्त्र के निष्णात ज्ञाता रहे होंगे।

देवताओं के वाहनों के निर्माण में देवशिल्पी विश्वकर्मा कुशल थे। इनमें सर्वाधिक प्रशस्त आख्यान अर्जुन के रथ तथा रथ के ध्वज का है। इस रथ का निर्माण कठोर तपस्या के बाद विश्वकर्मा ने किया था। त्वष्टा द्वारा भी अर्जुन के रथ का वर्णन मिलता है। उसमें लगा हुआ ध्वज विश्वकर्मा की दैवीमाया थी। अन्य देवताओं के वाहनों के निर्माण का विशद् विवेचन साम्ब पुराण में है। सूर्य के रथ की समग्र रचना तथा गति निर्धारण की श्रेय भी विश्वकर्मा को परोक्ष रूप से दिया जाता है। क्योंकि उस विश्व निर्माता के सूर्य और चन्द्र दो नेत्र माने गये हैं।

दैवी सर्जनाओं में देवताओं के लिए **आयुधों का निर्माण** विशेष महत्वपूर्ण है। इन आयुधों में वैदिक "वज्र" का उल्लेखनीय महत्त्व है। वैदिक साहित्य तथा परवर्ती पौराणिक साहित्य में "वज्र" के अनेक संदर्भ हैं। वैदिक युग में इसके निर्माता के रूप में त्वष्टा का उल्लेख है किन्तु पौराणिक साहित्य में विश्वकर्मा तथा त्वष्टा के तादात्म्य के साथ ही इसका सम्बन्ध विश्वकर्मा से जोड़ दिया गया। वज्र की अवधारणा, स्वरूप तथा निर्माण प्रक्रिया के साथ समीकरण पर विद्वानों ने पर्याप्त अनुसंधान किया है। वैदिक साहित्य में वज्र के विविधरूप तथा आकार एवं प्रकारों का वर्णन किया गया है। इन्द्र हाथ

में चतुष्कोणीय वज्र धारणकार परूष्णी नदी के युद्ध में विजयी हुए थे। वज्र एक यूप के रूप में, रथ के रूप में, त्रिष्टुभ् वचन के रूप में, वषट्कार के रूप में, मेखला के रूप में, पिशंशाश्व रूप में बनता था। अवेस्ता में भी वज्र के अनेक संदर्भ हैं।

महाकाव्य और पुराणों में विश्वकर्मा द्वारा निर्मित दैवी **आयुधों** का प्रसंगतः विविधताओं के साथ वर्णन प्रापत होता है। विश्वकर्मा द्वारा निर्मित देवायुधों में शिव एवं विष्णु के धनुष, श्रीराम के लिए दिव्य धनुष, विष्णु के लिए सदुर्शनचक्र, श्रीराम के लिए दारूण अस्त्र, शिव की शक्ति दुर्गा के लिए परशु, शिव का पिनाक, सहस्त्रों प्रकार के निर्विकार विविधायुध, अर्जुन के लिए त्वाष्ट्र अस्त्र विशेष उल्लेखनीय हैं जिनके दैवी गुणों तथा प्रयोगों की प्रशंसा प्राप्त होती है।

इसी प्रकार प्रमुख अलंकरणों में लक्ष्मी के लिए आभूषण, स्कन्द के गले के लिए सुवर्ण माला तथा अनेक संदर्भों में देवताओं के शृंगार के समय विश्वकर्मा की दिव्य वस्तुओं का विवरण प्राप्त होता है।

इन्द्र की अमरावती की तरह कृष्ण की द्वारकापुरी थी जिसका निर्माण श्रेष्ठ कौशल के साथ शिल्पाचार्य बुद्धिमान् शिवकर्मा ने किया था। यह पुरी पाँच योजन विस्तृत और दस योजन लम्बी थी। इसके सुन्दर द्वार तोरण, ऊँची सुदंर अट्टालिका, द्वारों पर अनेक विधान-प्राकार, परिखा, सुंदर स्त्री-पुरुषों, दुकानों, व्यापारिक वस्तुओं, सरोवरों, उद्यान, चौराहें, उत्तम घने घर, करोड़ों गली और राजमार्गों से युक्त, तीक्ष्णयंत्र शतघ्नी से युक्त, हेम के जालों से भ्रमित, महाचक्र आयसों से भूषित, अष्टमार्ग वाली, महारथ्या और महाषोडश चौराहों वाली, एकमार्ग परिक्षिप्त, अत्यंत सुंदर थी। इसमें सत्यभाषा का मंदिर, जांबवती का घर, नग्नजिती प्रासाद, भीमा के निमित्त पद्यकूल नामक प्रासाद, मित्र विंदा का वैदूर्य कांति वाला हरित प्रसाद, वासुदेव का मंदिर चार योजन लम्बा और चार योजन चौड़ा, रूक्मिणी निवास, सुवार्त महीषी का केतुमान भवन, एक योजन विस्तार वाला विरजानामक महल, महात्मा केशव भवन, जहाँ देवता, ब्राह्माणादि उपस्थान करते थे, महाशोभित था।

हरिवंश पुराण का द्वारकापुरी निर्माण वर्णन विश्वकर्मा की निर्माण कुशलता तथा शिल्पज्ञान का चरम रूपायन है। वे वनस्पति शास्त्र के भी ज्ञाता थे इसलिए उन्होंने इन्द्र से अनुमति लेकर उस पुरी में पारिजातवृक्ष, कल्प वृक्ष,

रत्नसौगंधिक कमल, मणिहेमपल्लव, शाल, ताल, कदम्ब और रोहिण वृक्ष, हिमवान् वृक्ष आदि लगायी। उस पुरी में गौ, महिष, हाथी, वराह, मृग, पक्षियों के भी सुंदर निवास थे। द्वारकापुरी में विश्वकर्मा द्वारा निर्मित सौ हाथ ऊँचा सुवर्ण का दुर्ग था जो सौम्य पर्वत की भाँति वेष्टित होने लगा था।

द्वारकापुरी का पौराणिक वर्णन एक विशिष्ट वर्णन-शैली है। यह भी सत्य है कि सभी पौराणिक वर्णनों को मानुषिक कृतित्व की दृष्टि से देखने पर उसमें अतिरञ्जना तथा काल्पनिकता का पुट अधिक दिखाई देगां किन्तु दूसरी ओर नवीन पुरातात्विक अन्वेषणों तथा समुद्री पुरातत्व की प्रगति ने द्वारकापुरी के अस्तित्व को न केवल स्थापित कर दिया है, अपितु प्राचीन नगर के कतिपय पाषाण अवशेषों को भी ढूंढ़ निकाला है।

स्कन्द पुराण में विश्वकर्मा द्वारा निर्मित इन्द्रप्रस्थ तथा खाण्डवप्रस्थ नामक पुरियों का उल्लेख है।

5. शिल्प इतिहास में विश्वकर्मा

भारतीय शिल्प का इतिहास अत्यन्त प्राचीन है। मानवीय सभ्यता के प्रत्यूष से लेकर उत्कर्ष की चरमावस्था तक के सम्पूर्ण जागतिक कर्म उसके शिल्प ज्ञान का ही बोध कराते हैं। सर्वशिल्पप्रवर्तक देवता विश्वकर्मा से ही भारतीय परम्परा शिल्प के उद्‌भव तथा विकास की प्रत्येक अवस्था में उसकी दैवी शक्ति की विद्यमानता को मानय करती है। इसीलिए भारतीय शिल्प के दीर्घकालिक इतिहास में विश्वकर्मा तथा उनकी परम्पराओं का विशिष्ट स्थान अद्यावधि सुरक्षित है।

विश्वकर्मा का शिल्प प्रजापतित्व ही शिल्प इतिहास में उसकी सर्वोच्चता का सर्वोत्तम उदाहरण है जिसके उल्लेख महाकाव्य तथा पुराणों में बहुशः मिलते हैं। शिल्पाचार्य विश्वकर्मा नामक षष्ठ अध्याय में इसका विवेचन द्रष्टव्य है। ब्रह्माण्ड पुराण यह भी दृष्टान्त देता है कि मनुष्य उनके शिल्प से जीवन यापन करते हैं। शिल्पशास्त्र तथा पुराणों में यह सर्वत्र प्रतिपादित है कि विश्वकर्मा तथा शिल्प दोनों पूरक और पर्यायी हैं। विश्वकर्मा ने ही सृष्टि का शिल्पनृ कर शिल्प की अर्थवत्ता को स्थापित किया। इसीलिए 'शिल्प कर्म' को 'यज्ञकर्म' निरूपित किया गया।

भारतीय शिल्पी-परम्परा भी इस तथ्य से अनुप्रमाणित है कि शिल्प के प्रत्येक सिद्धांत प्रथमतः विश्वकर्मा से ही उद्‌भूत होकर शास्त्रों के माध्यम से सुरक्षित और संक्रमित होते रहे हैं। इसीलिए प्रत्येक शिल्पी शिल्प के रूप में साक्षात् विश्वकर्मा से प्रेरणा प्राप्त करता है।

वास्तु एवं शिल्प शास्त्र की इस विद्या के प्रवर्तक शिल्पदेवता विश्वकर्मा ही माने गये। मानसार नामक शिल्पग्रंथ में जिस महाविश्वकर्मा के विश्वभू (पूर्व) विश्वविद् (दक्षिण), विश्वस्थ (उत्तर) एवं विश्वस्रष्ट (पश्चिम) नामक चतुर्मुख से क्रमशः विश्वकर्मा, मय, त्वष्टा और मनु की उत्पत्ति तथा इनके क्रमशः स्थपति, सूत्रग्राही, वर्धकी एवं तक्षक नामक शिल्पी पुत्रों के उद्‌भव की बात कही गयी है, वह प्रतिपादित करता है कि भारतीय शिल्प के उद्‌भव का मूल स्रोत विश्वकर्मा की शक्तियाँ हैं तथा मानव जीवन का सम्पूर्ण क्षेत्र इन्हीं शक्तियों से विभिनन नामों द्वारा संचालित है।

विश्वकर्मा के शिल्प प्रवर्तना से ही कला में चारूत्व का समावेश हुआ तथा प्रत्येक शिल्पकृति में दैवीतत्व वतः समविष्ट हो जाता है। इसका उदाहरण एलोरा का विश्वकर्मा गुहा संख्या 10 है जिसे एलोरा की सम्पूर्ण बौद्ध गुफाओं कीशृंखला में महत्वपूर्ण माना जाता है। वास्तव में यह वहाँ के शिल्पियों की कार्यशाला थी किन्तु, एलोरा की गुफाओं को जो महायान बौद्धधर्म से सम्बन्धित हैं, अद्‌भुत तक्षण कर्म के कारण सहज ही कलाविदों ने विभोर होकर विश्वकर्मा की साक्षात् कृति कहा। मुल्कराज आनन्द ने एलोरा के विश्वकर्मा चैत्य के अद्‌भुत शिल्प सौंदर्य से मुग्ध होकर विश्वकर्मा को अपनी श्रद्धञ्जलि अर्पित करते हुए कहा है कि–

"हे देवकाल के महाशिल्पी! आपने विशाल चट्टान में से केलाश पर्वत बनाया, हिमालय की चोटियाँ बनायीं, हम केसे आपकी प्रशंसा करे? और आपके पुत्र और पौत्र एक शताब्दी तक छैनी-हथौड़े से देवताओं के निवास का निर्माण करते रहे, जिससे वे हमारे मध्य आकार रह सकें। नये युग के ऐसे व्यक्ति जो इस सृष्टि के विस्मयकारी चमत्कारों से अनभिज्ञ हैं, वे भी आपकी तात्विक ऊर्जा को देखकर आश्चर्यचकित रह जाते हैं। पृथ्वी पर स्वर्ग के निर्माता आपकी रचना तो स्वयं एक रहस्य है।...

हमारे पूर्वजों ने इस रहस्यमय ब्रह्माण्ड के साथ तादात्म्य स्थापित करने की जो शाश्वत इच्छा थी, हे विश्वकर्मा, तुम उसी के उत्तराधिकारी हो...।" (चित्र फलक 7)

भारतीय वास्तु एवं शिल्प का विशाल क्षेत्र विश्वकर्मा द्वारा सृजित एवं उसी को समर्पित है। इसी की परम्परा ने शिल्प के श्रेष्ठतम पवित्र भाव को जीवन के साथ जोड़कर मानव को सुख और समृद्धि प्रदान किया।

विश्वकर्मा का सम्बन्ध सभी प्रकार के शिल्पकर्म से है, इसलिए भारतीय शिल्प के इतिहास में इसके देवत्व की आवधारणा सभी धर्मों एवं सम्प्रदायों में निर्माता की ही है। मंदिर, भवन, दुर्ग का निर्माण हो या बौद्ध धर्म में स्तूप चैत्य, गुहा तथा बुद्ध मूर्तियों के निर्माण की बात हो या जैन धर्म के देवालय (जिनालय), गुहा एवं मूर्तियों के निर्माण का प्रसंग हो, सर्वत्र विश्वकर्मा का समान महत्व निर्माता एवं शिल्प देवता के रूप में प्रतिष्ठित है।

चूँकि विश्वकर्मा की परवर्ती संकल्पना शिल्पदेव तथा देववर्धकों के रूप में प्रतिष्ठित हुई, इसलिए शिल्प इतिहास में सभी निर्मितियों तथा शिल्पियों की कुल-परम्परा, कुल-देवता, शिल्प-देवता आदि के रूप में उसका स्थान सर्वोपरि है।

भारत के ऐतिहासिक युगों में देश के विभिन्न भागों में वास्तु एवं शिल्प का जो विकास हुआ वह भी विश्वकर्मा तथा उनकी परम्परा के द्वारा किया गया। शिल्प ग्रंथों में इनके जिस स्वरूप का वर्णन मिलता है उससे यह स्पष्ट दिखाई देता है कि सभी शिल्पकर्म विश्वकर्मा तथा उनके पुत्रों के द्वारा प्रवर्तित और प्रवर्धित किए गये जिनसे मनुष्य अपनी-अपनी जीविका ही नहीं अपितु, स्थान-स्थान पर उसके दिव्य कार्यों का मूर्तन् भी करते है।

परम्परा यह मानती है कि प्रत्येक शिल्प की प्रेरणा शिल्पी को उसके आराध्य देवता विश्वकर्मा से ही प्राप्त होती है। वे एक सर्वोच्च्व दैवी शक्ति हैं जो काल को भी क्रमित करते हैं। पिछले अध्यायों में ब्राह्मण ग्रंथों के उद्धरण से अनेकत्र यह उल्लिखित किया गया कि विश्वकर्मा (प्रजापति) ही संवत्सर है, कालचक्र है। इसलिए काल के प्रवाह में जितनी भी सर्जनायें तथा शिल्प संरचनायें हैं, वे सभी इसी देवता की शक्ति से सम्पन्न हुई हैं। यही कारण है कि आज भी शिल्प, उद्योग तथा व्यवसाय में लगा हुआ प्रत्येक वर्ग अपने उत्कृष्ट कार्यों का श्रेय अपने उपकरणों को देता है तथा प्रतीकात्मक रूप से उसकी पूजा द्वारा शिल्प देवता को अर्घ्य अर्पित करता है।

जिस प्रकार भारत में कण-कण में देवता का वास माना जाता है उसी प्रकार प्रत्येक शिल्प में देवता का निवास प्रकल्पित है। कालान्तर में विश्वकर्मा की प्रतिष्ठा शिल्पियों के विभिन्न वर्गों के कुल देवता के रूप में हुई।

इस प्रकार दैवी शिल्प के कर्ता तथा मानुषी शिल्प के प्रेरक दैवी शक्ति के रूप में भारतीय साहित्य एवं शिल्प शास्त्रों में विश्वकर्मा का निरूपण शिल्प इतिहास में उसे सदैव महत्वांकित करता है। वह एक अद्वितीय तथा शिल्प जगत् का अधिष्ठाता परमदेवता है। भारतीय शिल्प इतिहास के प्रत्येक युगों तथा विधाओं में विश्वकर्मा सर्वोच्च दैवी शक्ति के रूप में स्थापित हैं। शिल्प इतिहास विश्वकर्मा का कृतियों का ही इतिहास है।

6. समीक्षा

प्राचीन भारतीय इतिहास, संस्कृति, कला, धर्म, दर्शन तथा नैतिक मूल्यों की दृष्टि से यहाँ क्षेत्रीय, देशज भाषा एवं शैली में लिखित साहित्य तथा शिल्प सर्जना का विशेष महत्व है। स्त्रोत सामग्रियों की उत्पत्ति एवं अनुपलब्धता किसी भी ऐतिहासिक विषयवस्तु के प्रतिपादन, परिशोधन तथा प्रलेखन को विवादस्पद तथा दरूह बना देता है। इसी प्रकार स्त्रोति सामग्रियों की विपुलता तदयुगीन सामाजिक एवं सांस्कृतिक जीवन के उत्र्कषीत इतिबृत्त का सूचक है।

''सृष्टिकर्त्ता विश्वकर्मा का इतिहास'' विषयक प्रस्तुत पुस्तक में विभिन्न श्रोतों का विश्लेषणात्मक तथा अनुसंधानपरक दृष्टि से उपयोग किया गया। विश्वकर्मा विषयक सामग्रियाँ अत्यल्प तथा विषयवस्तु के सम्यक् विवेचन के लिये पर्याप्त नहीं कही जा सकती है।

विश्वकर्मा की सर्वाधिक चर्चा वैदिक, पौराणिक एवं शिल्पशास्त्रीय ग्रंथों में हुई है। यहाँ तक कि जैन एवं बौद्ध साहित्य में भी "विस्तकम्म" के रूप में विश्वकर्मा शब्द का उल्लेख है। एक देवता के रूप में विश्वकर्मा का प्रथमोल्लेख ऋग्वेद में मिलता है। इस विषय का अध्ययन शोध सामग्री भारतीय इतिहास के प्रथम लिखित साहित्य ऋग्वेद से प्रारम्भ होती है। ऋग्वेद में अन्यंत्र भी इस शब्द के प्रयोग अन्य वैदिक देवताओं के विश्लेषण के रूप में हुए है। ऋग्वेद में प्राप्त सामग्री अनुसंधान की दृष्टि से विशेष महत्वपूर्ण है क्योंकि इसमें वैदिक ऋषियों ने न केवल विश्वकर्मा के देवत्व एवं विराट् स्वरूप का अपने प्रतिम पक्ष से दर्शन किया अपितु, उसका ऋषित्व भी प्रतिपादित हुआ।

यजुर्वेद का वर्ण्य विषय यज्ञीय है। चूँकि यजुर्वेद यज्ञीय प्रक्रिया का विवेचन करता है। इसलिये समस्त वैदिक देवमण्डल यज्ञीय शक्ति के साथ सम्बद्ध है। देवता के विशेषण के रूप में विश्वकर्मा विषयक रोचक सामग्रियाँ मिलती है जिनके विश्लेषण से विश्वकर्मा के वैदिक देवत्व पर प्रकाश डाला गया है।

अथर्ववेद सामाजिक एवं लौकिक विषयों से संबंधित है। वेदों में यह उत्तर वैदिक काल में रखा जाता है। जिसमें आर्य अनार्य सांस्कृतिक धाराओं का संश्लेषण दिखाई देता है। ऋग्वेद के भाँति अथर्ववेद में विश्वकर्मा का देवत्व प्रतिपादित है। अथर्ववेद स्रोत सामग्रियाँ उपयोगी तथा विश्वकर्मा के देवत्व की एक सुन्दर परिणति है। अथर्ववेदीय अन्य ऋचाओं में उसे विश्व का रचयिता, विश्व का रक्षक, विश्व का कल्याण करने वाला, रक्षक, यज्ञकर्ता, बलवान निर्माता तथा वैदिक देवताओं का प्रतिरूपक बतलाया गया है।

महाकाव्यों में "महाभारत" तिथिक्रमानुसार रामायण के पश्चात् की रचना है। महाभारत में विविध उपयोगी ऐतिहासिक एवं तथा वृतान्त सामग्रियाँ अध्ययन और अनुसंधान हेतु विशिष्ट व्याख्यात्मक पृष्ठ भूमि प्रदान करती है। महाभारत में विश्वकर्मा जहाँ एक ओर विष्णु का नाम है वही वे शिल्प देवता भी है। महाभारत में आदि पर्व, सभापर्व, वनपर्व, विराटपर्व, उद्योगपर्व भीष्मपर्व, द्रोणपर्व, शाल्यपर्व, शांतिपर्व, अनुशासनपर्व तथा आश्वेमधिकपर्व में विश्वकर्मा एवं त्वष्टा के देवत्व तथा निर्माण कार्यों के आधार पर उपयोगी श्रोत सामग्रियाँ है। हरिवंश पर्व के मूक्तोत्पत्ति वर्णन, द्वादशादित्य जन्म वर्णन, विष्णुपर्व के द्वारावती निर्माण वर्णन, ब्रजना भपर में प्रद्यम्नगमन वर्णन, द्वारका विशेष निर्माण वर्णन, द्वारका प्रवेश, नारद वाक्य कथन, उषाहरण में चित्रलेखा का द्वारकागमन अध्याय विषय को विवेचित करने में उपयोगी साक्ष्य प्रदान करते है। इनसे न केवल विश्वकर्मा की महाकाव्ययुगीन परम्परा का प्रवाह तथा समाज जीवन में उसके मूर्तन का इतिहास ज्ञात होता है।

पौराणिक कथाशास्त्र के अंतर्गत विश्वकर्मा के विविध रूप वर्णित है। विश्वकर्मा के देवत्व एवं शिल्प विद्या के प्रवर्तक के रूप में वर्णन प्रायः सभी पुराणों एवं कीतिपय उप पुराणों में है। विश्वकर्मा की पत्नी संज्ञा का सूर्य से विवाह, विश्वकर्मा द्वारा सूर्य के तेज को कम करना, द्वादशादित्यों में

एक, अष्ट्म वस प्रभास के पुत्र रूप में विश्वकर्मा का वास्तुविद्या के अठ्ठारह, आचार्यों में सम्मिलित होना, विश्वकर्मा द्वारा देवताओं के लिये आवासीय महल, वाहन, आयुध आदि निर्मित करना एवं इसी जगत की स्थिरता तथा पालन से संबंधित ऐसी अनेक कथायें है जो प्रायः सभी पुराणों में यत्र-तत्र किसी न किसी प्रसंग में उपलब्ध हो जाती है। पुराणों के वर्णित विषय जितने व्यापक है उतने ही देवताओं का स्वरूप व्यापक है।

प्रारम्भिक बौद्ध/पालि साहित्य दीघ निकाय, अंगुतर निकाय, जातक जातिककटठ धाम्मपद्टठकथा तथा महावंश में विस्सकम्म के शिल्प कौशल का वर्णन मिलता है। शिल्पकर्म के उल्लेख से तो पूरा बौद्ध साहित्य भरा पड़ा है। विश्वकर्मा संबंधी पालि परम्परा का अनुकरण संस्कृत/बौद्ध साहित्य में भी किया गया है। संस्कृत बौद्ध ग्रंथ दिव्यावदान एवं सौन्दरनन्द में विश्वकर्मा द्वारा किये गये निर्माण कार्यों का संदर्भ मिलता है। भारतीय वास्तु एवं शिल्प शास्त्रों के गहन अध्येताओं के निष्कर्षों से यह प्रमाणित है कि विश्वकर्मा नामक देवता जो विश्व के निर्माता, देवस्थापति, देव वर्धकि आदि रूपों में वैदिक महाकाव्य एवं पुराणों में उल्लिखित है।

उत्तर भारत में शास्त्र एवं शिल्प की विश्वकर्मा परम्परा की तरह ही दक्षिण भारत में मय की वास्तु एवं शिल्प शास्त्रीय परम्परा पर शोधू हेतु अनेक शोध संस्थान है। दक्षिण के विश्वकर्मा मय की परम्परा अद्यवधि शिष्य-कुल-परम्परा से जीवित है। परम्परानुसार शास्त्र एवं शिल्प रचना प्रक्रिया में अर्न्तनिहित भाव विश्वकर्मा देवता से व्याप्त है।

तिब्बत से प्राप्त नग्नजित के "चित्रलक्षण" नामक ग्रंथ में नग्नजित ने विश्वकर्मा देवता का उल्लेख (अ) में किया है। तद्नुसार विश्वकर्मा चित्र शास्त्र के भी ज्ञाता है। विश्वकर्मा के स्वरूप निर्माण में पुरातात्विक श्रोता का अभाव है। पुरातात्विक स्त्रोत अभिलेख, सिक्के, स्मारक तथा मूर्तियाँ के रूप में विवेच्य विषय में अपेक्षित है। चन्देल तथा क्लचुरी अभिलेखों में "विश्वकर्म" विधानवेत" अथवा विश्वकर्मणा उपाधियों से विभूषित कला विदों के उल्लेखों से विश्वकर्मा शास्त्र की प्रसिद्धि का अनुमान लगाया जा सकता है।

विश्वकर्मा नामांकित सिक्के अभी तक तो प्राप्त नहीं हुए है। मंदिरों एवं स्मारकों की मूर्तियों में भी विश्वकर्मा के मूर्तिशिल्प के अन्वेषण का प्रयास

किया गया है। एलोरा का विश्वकर्मा चैत्य/दुर्ग निर्माण भी विश्वकर्मा के शिल्प को व्याख्यापित नहीं करता है। एक देवता के रूप में विश्वकर्मा की अवधारणा वैदिक है। ऋग्वेदिक युग की सर्वोच्च दैवी शक्ति का प्रतिनिधि है। यास्क ने विश्वकर्मा की आधिदैविक और आध्यात्मिक व्याख्यायें की है। दुर्गाचार्य का आशय है कि विश्वकर्मा भूत, वर्तमान और भविष्य जगत् के कर्ता है। ऋग्वेदिक युग में विश्वकर्मा की जो अवधारणा विकसित हुई उसमें वह स्वयम्भू ब्रहम एवं परात्पर परमात्मा ही है जो एक मात्र अपने द्वारा सारे भूत जगत की सृष्टि करता है।

ऋग्वैदिक काल के बाद नागर सभ्यता के विकास के साथ ही राजा और उसकी प्रजा का महत्व बढ़ा। वैदिक संहिताओं तथा ब्राहमण ग्रंथों में विश्वकर्मा के प्रजापतित्व का स्वरूप उभरने लगा जबकि इसके पूर्व ऋग्वेद में विश्वकर्मा ही सर्वोच्च शक्ति है। सृष्टि के निर्माण से संबंध होने के कारण विश्वकर्मा का प्रजापालकत्व स्वाभाविक था। यज्ञीय कर्मा की बहुलता, नागर संस्कृति में दैवी संकल्पनाओं का समावेश, प्रजापति जगतकृतित्व को व्यक्त करने के लिये बार-बार विश्वकर्मा को प्रजापति के नाम से अभिहित किया जाना ऐसे संदर्भ है जो विश्वकर्मा की धारणा को लोक तथा प्रजा के साथ संयुक्त करते है।

सृष्टि के देवता के रूप में विश्वकर्मा के चिंतन तथा ऋग्वेद में उसके विराट स्वरूप को बतलाने वाली ऋचायें ही कालान्तर में विश्वकर्मा की सामाजिक प्रतिष्ठा तथा उपासना का आधार बनी। भारती विद्या के वर्तमान अनुसंधान की दिशा में यह प्रमाणित कर दिया है कि वैदिक पराकथा का ऐतिहासिक, राजनीतिक, आर्थिक, तकनीक, वैज्ञानिक यहाँ तक कि पुरातात्विक महत्व है जिसके अध्ययन से भारतीय संस्कृति के प्रारम्भिक किन्तु विराट स्वरूप को उद्घाटित किया जा सकता है।

नवीनतम् अनुसंधानों से यह स्पष्ट हो गया है कि "तक्ष" एवं उसके सगोत्र शब्द भारोपीय परम्पराओं में बहुतायत से मिलते है। उसी "तक्ष" से आज की टेक्नॉलोजी का विकास हुआ तथा "तक्षा" ही प्रारम्भिक शिल्पी था। इस तक्ष के संगोत्री शब्द वैदिक साहित्य तथा भारोपीय भाषाओं में मिलते है जिनके ब्युत्पत्तिपरक विवेचन से मानव सभ्यता की प्रारम्भिक मूल प्रविधि प्रस्तर नहीं थी बल्कि काष्ठप्रविधि ही आरम्भिक संभ्यता की मूलप्रविधि थी। क्योंकि "तक्ष" का प्रयोग पत्थर के उपादानों के संबंध में भारतीय

भाषाओं में नहीं है। तक्ष के संबंध में अवेस्ता में "तस्न" तथा ग्रीक में टेकटोन" है जिससे "टेक्नॉलोजी" शब्द बना है। सर्वेदर्शी विश्वकर्मा द्वारा इस भूमि और द्विलोक की रचना के संबंध में ऋग्वेद की ऋचायें यह प्रतिवादित करती है कि प्रारम्भिक संरचना में वन एवं लकड़ी ही थे। अवेस्तिक तथा ग्रीकों रोमन परम्पराओं में भी वृक्ष से ही निर्माण कार्य की चर्चा है।

यदि "तक्ष" एवं शिल्प शब्दों के संगोत्रीय भाषाओं के शब्दों को ग्रहण किया जाय तो तुलनात्मक देवशास्त्र में त्वष्टा एवं विश्वकर्मा की परोक्ष उपस्थिति मानी जा सकती है। क्योंकि विश्वकर्मा की शाब्दी-परम्परा की विद्यमानता भारोपीय भाषाओं में उसके समानार्थी एवं संगोत्री शब्दों के कारण संभाव्य है। उत्तर वैदिक काल के साहित्य का एक महत्वपूर्ण ज्ञानमार्गी क्षेत्र उपनिषद है। किन्तु संहिताओं और ब्राहमणों की तरह ही विश्वकर्मा के देवत्व पर विचार न करके सम्पूर्ण सृजनात्मकता पर महत्वपूर्ण चिंतन हुआ जो द्वादश उपनिषदों के रूप में प्राप्त है। उपनिषदों में भी प्रजापति ही विश्वकर्मा है क्योंकि प्रजापति का सर्जनरूप विस्मृत नहीं हो पाया। वैदिक विश्वकर्मा की तरह ही इस युग के साहित्य में इस मिथक को महत्व मिला कि प्रजापति ने लोको के उद्देश्य से ध्यान रूप तय किया था।

वाल्मीकि रामायण में विश्वकर्मा एक निर्माता देव के रूप में वर्णित है। इसी के साथ "त्वष्टा" का निर्माण कार्यों से सम्बन्ध बतलाया गया है। वैदिक सृष्टि निर्माता, नियंता, सर्वपालक विश्वकर्मा रामायण में एक देवशिल्पी के रूप में स्थापित हैं। उनके इन गझा विशेषों के साथ अद्भूत अलौकिक एवं दैवीय अवधारणा ये भी प्रचलित हुई। विश्वकर्मा के एक वानरपुत्र नल हुए। नल पिता के ही समान प्रतिभा शाली तथा कांतिमान कपिश्रेष्ठ थें। इसीलिये समुद्र में सौ योजन लम्बा, दस योजन चौड़ा पुल निर्मित किया जो सुन्दर और शोभावाली आकाश में स्वातिपथ (छाया पथ) के समान सुशोभित थी। इसी सेतु से श्रीराम ने लंका पर विजय प्राप्त की।

रामायण में विश्वकर्मा को सूर्य से उपमित किया गया है। विश्वकर्मा द्वारा विष्णु के चक्र का निर्माण (सहस्त्रार-हजार अरो वाला), राम के लिए दिव्य धनुष का दिव्य निर्माण किया गया। उसमें सुवर्णों और हीरे जूड़े थे, कुबेर का भवन तो सफेद बादलों के समान प्रतीत होता था। उस संपूर्ण भवन को जाम्बूनद नामक सुवर्ण से विभूषित किया गया था। देवशिल्पी होने

के कारण विश्वकर्मा का संबंध दैवी निर्माण कार्यों से था। इस युग में संभवतः विश्वकर्मा की आवश्यकता सृष्टि के निर्माण की नहीं रह गयी थी बल्कि उसके भीतर देवताओं तथा मनुष्यों के लिये दिव्य भवनों, वाहनों, आयुधों आदि की तत्युगीन आवश्यकता थी। यहाँ केवल कथा पात्र का परिवर्तन है। विष्णु दशरथ के पुत्र के रूप में जन्म स्वीकार करते हैं इसीलिये विश्वकर्मा एक निर्माता के रूप में सदैव साथी है।

रामायण में दितिपुत्र दानवशिल्पी विश्वकर्मा मय का भी विवरण मिलता है जिनके द्वारा लंका का निर्माण, वनों का निर्माण आदि की चर्चा है। लंका के निर्माण से विश्वकर्मा का संबंध अत्यधिक निरूपित है। दानवपुरी लंका के निर्माण में विश्वकर्मा का कौशल अतिरंजित रूप में वर्णित है। नगर के मनोरम तथा दिव्य संकल्पनाओं के साथ इसकी मानसी संरचना का भी विवरण मिलता है। रामायण विश्वकर्मा को अविनाशी तथा शिल्पकर्म के ज्ञाताओं में सर्वश्रेष्ठ निर्माता एवं ज्ञाता बतलाता है।

लंका के निर्माण से विश्वकर्मा तथा मय दोनों का संबंध था जिसमें विश्वकर्मा देवशिल्पी तथा मय दानवशिल्पी थे। उस कथा-पराम्परा का प्रतिबिम्बन उत्तर भारत के आर्यदेश में विश्वकर्मा तथा द्रविण देश में मय की परम्परा विकसित हुई। शिल्पकर्म की श्रेष्ठता तथा पवित्रता को बनाये रखने के लिए लोक जीवन में विश्वकर्मा के शेष सभी पुत्र माने गये। रामायण की तरह ही महाभारत की देवकथा में शिल्प शिल्पदेवता विश्वकर्मा का मानुषीकरण हो गया किन्तु कथा परम्परा ब्रहमा, मनु, प्रजापति से जूड़ी रही। देव, दानव पशु-पक्षी आदि सम्पूर्ण प्राणियों की उत्पत्ति के प्रसंग में ब्रहमा से मनु, मनु से प्रजापति, प्रजापति से अष्टवसु, आठवे बसु प्रभास की पत्नी तथा बृहस्पति की बहन ब्रहमवादिनी योगिनी से देवशिल्पी विश्वकर्मा का जन्म विवेचित है। विश्वकर्मा ने ही देवताओं के लिए आभूषण और विमानादि का निर्माण किया।

विश्वकर्मा तथा त्वष्टा की अवधारणा को महाभारतकाल दोनों में अभिन्नता प्रदर्शित करते हुए कभी विश्वकर्मा को त्वष्टा तथा कभी त्वष्टा को विश्वकर्मा संबोधित करता है। यही स्थिति पुराणों की भी है। देव कथाओं के अतिरिक्त पुराणों में विश्वकर्मा द्वारा निर्मित किये गये दिव्य वाहनों, उपकरणों, भवनों आदि का उल्लेख है। इसमें शिव का त्रिशुल, विष्णु का चक्र, लक्ष्मी का आभूषण, दुर्गा को परशु भेट, इन्द्र के लिए महल, द्वारिकापुरी का निर्माण,

महलों का निर्माण, इन्द्रप्रस्थ का नगर निर्माण आदि अनेक पौराणिक निर्माण कार्यों का कथात्मक विवरण मिलता है। विश्वकर्मा पुराण में अनेक अध्याय केवल विश्वकर्मा के निर्माण कार्यों दैवी निर्मितियों का आख्यान प्रस्तुत करते है। इस प्रकार पौराणिक देव कथाओं में विश्वकर्मा तथा उसके परिवार की रोचक कथायें मिलती है जिसमें उनका दैवी मिथक स्वरूप प्रकट होता है।

भवभूति ने एक वर्णन में विश्वकर्मा (त्वष्टा) द्वारा अपनी पुत्री संज्ञा का सूर्य के तेज को सहन न कर पाने के कारण सूर्य को शाण पर चढ़ाकर उसे इधर-उधर के काट-छाटकर अपेक्षाकृत छोटा, गोल तथा कम तेजस्वी बनाने की कथा का संकेत दिया है। विश्वकर्मा के मिथक रूप का प्रसंगतः वर्णन बौद्ध पालि एवं संस्कृत साहित्य में भी मिलता है। इसमें विश्वकर्मा का उल्लेख "विस्सकम्म" एवं विस्सुकम्म" के रूप में है जिसे ब्राहमण साहित्य के विश्वकर्मा के रूप में स्वीकार किया है। बौद्ध देवकथा में बुद्ध ही सर्वोच्च देवता माने गये है। इसलिये ब्रहमा को बुद्ध की पूजा करते हुए दिखाया गया है। देवराज इन्द्र को बुद्ध के आदेश का पालन करते हुए वर्णित किया गया है साथ ही उन्हें भिक्षु से भी हीन निरूपित किया गया है। विश्वकर्मा को सदैव इन्द्र के साथ सहायक के रूप में विभिन्न निर्माण कार्यों को सम्पादित करते हुए दिखाया गया है। एकमिथकीय वर्णन में देवलोक के साथ विस्सकम्म एवं मातलि को पूरा पृथ्वीलोक पर विभिन्न अवसरों पर आने का सुंदर चित्रण किया गया है।

गहन अध्ययन, परीक्षण, अन्वेशषणात्मक तथ्यों के आधार पर यह स्पष्ट है कि लगभग सभी पुराणों में विश्वकर्मा देवशिल्पी है। लौकिक, अलौकिक सभी प्रकार की निर्माण प्रक्रिया से संबद्ध है। पुराण लेखकों ने बहुत कम स्थलों पर दोनों देवताओं में भिन्नता प्रदर्शित की है। किन्तु संज्ञा के पिता के रूप में कभी त्वष्टा और कभी विश्वकर्मा का नाम मिलता है। विश्वरूप के पिता के रूप में त्वष्टा ही मान्य है। इसलिये पुराणों की देव परम्परा में शिल्प देवता के संदर्भ से ही क्रियात्मकता के साथ अन्य देवों का तादात्म्य स्थापित किया गया है। वैसे प्रत्येक देवता की अपनी-अपनी स्थितियाँ है तथा स्थापनायें है।

विश्वकर्मा पुराणानुसार देवों में सर्वोच्च स्थान विश्वकर्मा का है। कहा गया है कि जब सृष्टि के निर्माण का कार्य प्रारम्भ किया गया तब अस्थिर पृथ्वी को स्थिर करने के लिये प्रार्थना की गयी थी। उस समय विराट

विश्वकर्मा का रूप धारणकर डगमगाती पृथ्वी को स्थिर किया था। उन्होंने ही सभी देवताओं के स्थान तथा निवास का और राजमहल आदि से युक्त ऐसे तीनों लोकों का निर्माण किया है। इसी प्रकार इस देवता की सर्वोच्चता स्थापित करने के लिये उनके 108 नाम बताये गये है। इसका यथास्थान चित्रण अध्याय 1 में किया गया है। सामाजिक व्यवस्था में जब देवताओं को कुलों से जोड़ा जाने लगा तो उनका कुलगत, जातिगत तथा व्यवसायगत वर्गीकरण हो गया। इसी क्रम में संभवतः विश्वकर्मा प्रस्थापन का संकलन और संपादन हुआ। पौराणिक देव परम्परा में विश्वकर्मा पुराण के आधार पर इसकी पुष्टी भी होती है।

REFERENCES

1. **ऐतरेय ब्राह्मण**, 6/27.
2. बसु, नगेन्द्र नाथ, (सम्पा.), **हिन्दी विश्वकोश**, भाग 23, पृ. 54.
3. **ऋग्वेद**, 8.54, 1–3; 7.55.1.
4. **वही**, 7.55.3.
5. भट्टाचार्य, तारापद, दि केनन्स **ऑफ इण्डियन आर्ट**, पृ. 10.
6. **ऋग्वेद**, 5.41.8.
7. **निघण्टु** 5.4.9.
8. **निरूक्त**, 10/16 : वास्तोष्पतिर् वास्तु वस तेर् निवासकर्मणत् तस्य पाता वा पालयिता वा।
9. **बृहदेवता**, 2/44 : वास्तुप्रयछेल्लोकस्य मध्यमः स तु पाति यत्।
   तेन वास्तोष्पतिं प्राह चतुर्भिरिममौर्वशः।।
10. **वायु पुराण**, 8/159–160, द्रष्टव्य, पंचम् अध्याय "अर्थ-व्यवस्था के आधार" के अंतर्गत विवेचन।
11. शुक्ल, द्विजेन्द्रनाथ, **समराङ्गसूत्रधार-वास्तु शास्त्रीय-भवान निवेश**, प्रथम भाग, भूमिका, पृष्ठ, 18.
12. शुक्ल, द्विजेन्द्रनाथ, **समराङ्गणसूत्रधार-वास्तु शास्त्रीय-भवन निवेश**, प्रथम भाग, भूमिका, पृ. 19.

13. **रूपमण्डन**, 1/1 "विश्वरूपं नमस्कृत्य पूर्वतन्त्रानुसारतः।
मण्डनस्तनुते वास्तुशास्त्रं श्रीरूपमण्डनम्।।
द्रष्टव्य, श्रीवास्तव, बलराम **"रूपमण्डन"** की भूमिका, पृ. 1.
14. **पद्मपुराण**, सृष्टिखण्ड, 6/28-30; **ब्रह्मवैवर्त पुराण , 1/10**
विश्वकर्मा प्रभासस्य पुत्रः शिल्पी प्रजापतिः।
प्रासाद भवनोद्यान प्रतिमा भूषणादिषु।।
तटाकारामकूपेपुत्रिदशानांच वर्द्धकिः।।
15. स्थपति, वी. गणपति, "वास्तु पुरुष का ज्योर्तिभौतिकीपक्षीय", **विज्ञान भारती प्रदीपिका,** (वास्तुशास्त्र विशेषांक) अंक 2, संख्या 2, 1996, पृ. 28.
16. द्रष्टव्य, **विश्वकर्मा पुराण**, अध्याय 34 एवं 35.
17. भट्टाचार्य, तारापाद, **दि केनन्स ऑफ इण्डियन आर्ट**, पृ. 10.
18. **ऋग्वेद**, 10/81/17 "वाचस्पतिं विश्वकर्माणभूतये मनोजुवं वाजे अद्या हुवेम।
19. **यजुर्वेद**, 13/55, 14/5 एवं अन्य।
20. **अथर्ववेद**, 19/58/5, 2/35/1-5.
21. शुक्ल, द्विजेन्द्रनाथ, **भारतीय स्थापत्य**, पृ. 23.
22. **वही**।
23. **ऋग्वेदादिभाष्य भूमिका** में महर्षि दयानन्द की व्याख्या-
अर्थवेदश्च विश्वकर्म त्वष्ट्र-देवज्ञ मय कृतश्चतसृसंहिताष्यों ग्राह्यः।
24. द्रष्टव्य, **मिश्र**, सच्चिदानन्द, **प्राचीन भात में ग्राम एवं ग्राम्य जीवन**, पृ. 38 एवं आगे त्रिपाठी, **दयानाथ**, "पिट-ड्वेलिंगः ऐन आर्क्यालॉजिकल एण्ड लिटरेरी स्टडी" **आर्क्यालॉजी एण्ड ट्रेडीशन**, पृ. 26-34, "वैदिक संदर्भ")।
25. शुक्ल, द्विजेन्द्रनाथ, **भारतीय स्थापत्य** पृ. 23.
26. द्रष्टव्य, मिश्र रमानाथ, **एंशिएंट आर्टिस्ट्स एंड आर्ट एक्टिविटी,** शिमला।
27. **पूर्वोद्धत**, पृ. 44, 45, 51, 52.

28. शुक्ल, द्विजेन्द्रनाथ, **भारतीय स्थापत्य**, पृ. 25-27.
29. **किष्किन्धा काण्ड**, 51/10-15; **सुन्दरकाण्ड**, 7/4
30. **सुन्दरकाण्ड**, सर्ग 7.
31. भट्टाचार्य तारापद, **पूर्वोद्धत**, पृ. 44-45; शुक्ल द्विजेन्द्रनाथ, **पूर्वोद्धत** पृ. 25.
32. सभापर्व, 1/6 : अहं हि विश्वकर्मा वै दानवानां महाकविः।

    सोऽहं वै त्वत्कृते कर्तु किंचिदिच्छामि पाण्डव।।

    वही, 3/26-28 : सभारूपेण सम्पन्ना यां चक्रे गतिमान् मयः।
33. **पूर्वोद्धत**, पृ. देखें।
34. शुक्ल, द्विजेन्द्रनाथ, **भारतीय स्थापत्य**, पृ. 26.
35. शर्मा, राणाप्रसाद, **पौराणिक कोश**, पृ. 400.
36. शर्मा, सुरेश्वर, "दानवशिल्पीमय", **विज्ञान भारती प्रदीपिका**, अंक 2, संख्या 2, (वास्तुशास्त्र विशेषांक), पृ. 61-62। (जिस प्रकार भारतीय संस्कृति के समग्र स्वरूप को सुसंस्कृत करने में उत्तरी एवं दक्षिणी परम्पराओं तथा क्षेत्रों का योगदान है, उसी परम्पराओं का योगदान सम्मिलित है)
37. मिश्र, रमानाथ, **भारतीय मूर्तिकला**, (परिशिष्ट), पृ. 279.
38. **वहीं, उद्धत**, शिल्प **प्रकाश**, 1.558.

    शुक्राचार्यकृते ग्रंथे विश्वकर्मानुशासने।

    तद्ग्रंथनीति भेदे देशभेदे तथा शुभे।।
39. **वही, एलिस** बोनर, शिल्पप्रकाश, पृ. 134; मिश्र रमानाथ, पूर्वोद्धत।
40. **तैत्तिरीय ब्रा.**, 3/8/11/2, 2/5/7/4.
41. **वही**, 3/11/4/1.
42. **महाभारत**, 3/121/12.
43. **सुन्दर काण्ड**, सर्ग : ब्रह्मणोऽर्थे कृतं दिव्यं दिवि यद् विश्वकर्मणा।

    विमानं पुष्पकं नाम सर्वरत्न विभूषितम्।।
44. **वनपर्व**, 161/37: स ह्यासनवरं श्रीमत् पुष्पकं विश्वकर्मणा।

    विहितं चित्र पर्यन्तमातिष्ठत धनाधिपः।।

45. **वाल्मीकि रामायण**, सर्ग 9, श्लोक 11-16.
46. **ऋग्वेद**, 1/18/1 : आ वां रथो, **जांगिड ब्राह्मण निर्देशिका**, पृ. 33.
47. **वही**, पृ. 34.
48. **भविष्य पुराण**, मध्यमपर्व, चतुर्थ, अध्याय 24 श्लोक 4.
49. **शिल्पसंहिता**, अ. 18.
50. **विज्ञान भारतीय प्रदीपिका**, खण्ड 1, (वास्तुशास्त्र विशेषांक) अंक 2, संख्या 2, अक्टूबर 21, 1996 (संपादक-सुरेश्वर शर्मा) पृ. 59.
51. **महाभारत, आदिपर्व**, 224/13; **विराट पर्व**, 46/3 :
दैवीं मायाँ रथं युक्तां विहितां विश्वकर्मणा। काञ्चनं सिंहालाङ्गलं ध्वजं वानरलक्षणम्।।
52. **वही**, **कर्णपर्व**, 68/25 : त्वष्ट्रा कृतं वाहमकूजनाक्षं शुभं समास्थाय कपिध्वजं तम्।
53. **साम्ब पुराण**, पृ. 14-34; उद्धृत, हाजरा, आर.सी., **स्टडीज़ इन उपपुराणाज**, भाग 1, पृ. 54.
54. आप्टे, बी. एस., "वज्र इन दि ऋग्वेद", एनॉल्स ऑफ भण्डारकर ओरिएण्टल **रिसर्च**, पूना, भाग 35, पृ. 292-295; दासगुप्ता, तपन कुमार, "दे्र वज्र" ऐन वेदिशे **बफे**, हम्बर्ग यूनिवर्सिटी, (1975); त्रिपाठी, दयानाथ, **आर्क्यालॉजी एण्ड ट्रेडीशन**, पृ. 1-6 (दि वैदिक वज्र); मालिन्द्र, डब्ल्यू, डब्ल्यू, "ए ग्लासरी ऑफ टर्म्स फार वीपन्स एण्ड आर्मस इन ओल्ड ईरानियन" (वज्र), **इण्डो ईरानिका जर्नल**, हालैण्ड, 15(4), पृ. 281-83, 1973-74; पाण्डेय, अजयकुमार, **प्राचीन भारतीय शस्त्रास्त्रों का अध्ययन**, पृ. 215-225.
55. **ऋग्वेद**, 4/22/2.
56. **ऐतरेय ब्राह्मण**, 2/1/3-4, 2/3/3; **काठक संहिता**, 26/3, 8; **षडविंश ब्राह्मण**, 5/4/2; **शतपथ ब्राह्मण**, 3/72/1, 3/7/3/2, 2/8/1/5 आदि।

57. **काठक संहिता**, 11/12, 37/12; **शतपथ ब्राह्मण**, 5/4/3/1, 5/4/3/4.
58. **कौषीतकि ब्राह्मण**, 7/2/1-15; **ऐतरेय ब्राह्मण**, 2/16/4, 2/21/1-2; एवं अन्य अनेक संदर्भ।
59. **ऐतरेय ब्राह्मण**, 3/6/1, 3/7/1-3, 3/8/2.
60. **काठक संहिता**, 23/4.
61. **तैत्तिरीय संहिता**, 6/6/11/6.
62. **द्रष्टव्य**, त्रिपाठी, दयानाथ, **पूर्वोद्धत**, पृ. 90-91.
63. **रामायण, बालकाण्ड**, 75/11; अरण्यकाण्ड, 12/32.
64. **वही, अरण्यकाण्ड**, 12/32-34.
65. **वही**, किष्किन्धा काण्ड, 42/27; **पद्म पुराण**, (उत्तर खण्ड), 9/26, 33-35; **लिंग पुराण**, 1/55/26, 1/65/16.
66. **रामायण, बालकाण्ड**, 27/20.
67. **महाभारत, शल्यपर्व**, 17/45-46.
68. **वायु पुराण**, 25/2, 29/132, 66/29.
69. **हरिवंश पुराण**, पर्व 3, अ. 29, श्लोक 5-13; **स्कन्द पुराण**, नागरखण्ड, स्कन्ध 6, अ. 5; **ब्रह्माण्ड पुराण**, अध्याय 29.
70. **महाभारत, वनपर्व**, 164/19.
71. **विष्णुपुराण**, 1/9/104.
72. **मत्स्यपुराण**, अध्याय 251, श्लोक 2-3.
73. **रामायण, किष्किन्धा काण्ड**, 41/34-35.
74. **ब्रह्मवैवर्त पुराण; बृहदेवता**, 6/56.
75. **रामायण**, किष्किन्धा काण्ड, 43/21.
76. **महाभारत**, 2/8/34.
77. **वही**, 2/9/2.
78. **वाल्मीकि रामायण, किष्किन्धा काण्ड**, 58/20-22; **महाभारत, वनपर्व**, 279/12.

79. **रामायण, किष्किन्धा काण्ड**, 58/20–22.
80. **वही, सुन्दरकाण्ड**, 2/0 : प्लवमानामिवाकाशे ददर्श हनुमान कपिः।
81. **वही**, 2/21–22.
82. **वही**, युद्ध काण्ड, 24/9–10.

    आलिखन्तीमिवाकाशमुत्थिता पश्च लक्ष्मण। मनसेव कृतां लङ्का नगाये विश्वकर्मणा।।

    विमानै बर्हुभिर्लङ्का संकोर्णा रचिता पुरा। विष्णोः पदमिवाकाशं छादितं पाण्डुभघनैः।।
83. **वही**, उत्तरखण्ड, 5/25–26.
84. **वही**, श्लोक 24.
85. **वही**,
86. **वही**, श्लोक 26.
87. विस्तृत विवरण के लिए द्रष्टव्य **हरिवंश पुराण**, पर्व-2, अध्याय 58, 88, 98, 99; **विष्णु पुराण** 5/23/13–14; **वराह पुराण**, 147/7–8.
88. **वराह पुराण**, अ. 148/8 :

    पञ्चयोजन विस्तारा दशयोजनमायता। वसाम्यत्र वरारोहे शतपञ्चसमास्तथा।

    हरिवंश पुराण 2/98/27 में क्रमशः आठ योजन तथा 12 योजन बताया गया है। योजन के मान के लिए देखें, विश्वकर्मा, ईश्वर शरण, **काशी का ऐतिहासिक भूगोल**, परिशिष्ट-एक (योजन, ली, कोश, फरसंग), पृ. 201–208.
89. **हरिवंश पुराण**, 2/58/42.
90. **वही**, श्लोक 45.
91. **वही**, श्लोक 45–48.
92. **वही**, 2/98/25.
93. **वही**, श्लोक 28.
94. **वही**, श्लोक 43.
95. **वही**, श्लोक 45.

96. **वही**, श्लोक 48.
97. **वही**, श्लोक 50.
98. **वही**, श्लोक 51.
99. **वही**, श्लोक 38.
100. **वही**, श्लोक 42.
101. **वही**, श्लोक 54.
102. **वही**, श्लोक 55.
103. **वही**, श्लोक 56.
104. **वही**, श्लोक 63–69.
105. **वही**, श्लोक 74–75.
106. **वही**, श्लोक 75–76.
107. **स्कन्द पुराण**, I-i- 29. 10.11, III-i- 27–47; अवस्थी, अवध बिहारी लाल, **स्टडीज़ इन स्कन्द पुराण**, भाग 1, पृ. 107.
108. **ब्राह्माण्ड पुराण**, 3.59. 17.19; **अग्निपुराण**, 18.40–41.
109. स्टेला क्रैमरिश, "ट्रेडीशन्स ऑफ दि इण्डियन क्राफ्ट्समैन" **एक्सपलोरिंग एण्डियाज सेक्रेड आर्ट** (सेलेक्टेड राइटिंग्स ऑफ स्टेला क्रैमरिश), सम्पा. मिल्लर बारबरास्टोलर, पृ. 59.
110. **मानसार**, 2/1–12.
111. **बनर्जी**, जे. एन., **डेवलपमेंट ऑफ हिन्दू आइकोनोग्राफी**, पृ. 14.
112. **ब्राउन, पर्सी, इण्डियन आर्किटेक्चर** (**बुद्धिस्ट** एंड हिन्दू), पृ. 60, 65.
113. **बर्कसन, कार्मेल, एलोरा कान्सेप्ट एण्ड स्टाइल** (आफ्टरवर्ड) पृ. 367–371.
114. **वही**, पृ. 367 (मूल अंग्रेजी का हिन्दी अनुवाद)।

संदर्भ-ग्रंथ-सूची

वेद

1. ऋग्वेद–10/81/2, 5–7 एवं 10/82/2
2. यर्जुवेद–12/61 प्रजापति विश्वकर्मा–18/43, 2/5/6, 2/26/1, 2/29/2, 3/8/2, 13/44/
3. अथर्ववेद–10/7/25, 2/5/6,
4. 2/26/1, 2/29/2,
5. सामवेद–2/10/26, 2/1589
6. ऋग्वेदश्च मनौश्चैव यर्जुवेदी मयस्यच,
7. सामवेद स्त्वाष्ट्रकस्य त्वकवा
8. शिल्पिकस्यचं।
9. शतपथ ब्राहमण-9/4/1/12-
10. प्रजापतिवै विश्वकर्मा एवं अन्य
11. विश्वकर्मा वंश भास्कर
12. विश्वब्रहम कुलोत्साह
13. मैत्रायणी संहिता
14. निरूक्त मीमांशा
15. अष्टोत्तरशतनाथ
16. वाल्मिकी रामायण
17. शिल्प संहिता

18. काठक-संहिता
19. रामायण
20. महाभारत
21. पुराण
22. विश्वकर्मा पुराण
33. श्रीमद् विश्वकर्मा महापुराण
23. ब्रहमपुराण
34. भविष्य पुराण
24. परम् पुराण
35. ब्रहमवैत पुराण
25. विष्णु पुराण
36. लिंग पुराण
26. शिव पुराण
37. वामन पुराण
27. वायु पुराण
38. मत्स्य पुराण
28. भागवत पुराण
39. गरुण पुराण
29. नारदीय पुराण
40. ग्रहमाण्ड पुराण
30. मारकण्डे पुराण
41. विष्णु धर्मोत्तर पुराण
31. अग्नि पुराण
42. देवी पुराण
32. हरिवंश पुराण

43. वृहदरूपक उपनिषद
44. वामन पुराण
45. ऋग्वेदान्तर्गत विश्वकर्मा माहात्म्यम्
46. यर्जुवेदान्तर्गत विश्वकर्मा माहात्म्यम्
47. सामवेदान्तर्गत विश्वकर्मा माहात्म्यम्
48. अर्थववेदान्तर्गत विश्वकर्मा माहात्यम्
49. पुराणनर्न्तगत विश्वकर्मा माहात्म्यम्
50. विश्वरूप कथा
51. आदि पर्व
52. शांति पर्व
53. विराट पर्व
54. सम पर्व
55. वन पर्व
56. कर्ण पर्व
57. निरूक्त
58. वृहदेवता
59. तैतिरीय संहिता
60 वाजसनेयी संहिता
61. काठक संहिता
62. कुमार संभव (सप्तम सर्ग)
63. अमर कोष (तृतीय काण्ड)
64. बराहमिहिर-वृहत्संहिता
65. भवमूतकृत-उत्तर रामचरित
66. कल्हण राजतंरिगिणी
67. मनु स्मृति

68. वृहत्संगिता
69. राजतरंगिणी
70. शिल्परत्न
71. शिल्प स्मृति वास्तु विद्या
72. प्रभाशंकर आघड़भाई-श्री विश्वकर्मा प्रणीत वास्तु ग्रंथ
73. भुवनरेन कृत अपराजितपृच्छा
74. डा. टी. आँफ्रेट केप्लागस केटलागोरम
75. अपराजितपृच्छा
76. वास्तु सार
77. विश्वकर्म प्रकाश
78. विश्वकर्म संहिता
79. वास्तु प्रकाश
80. वास्तु विधि
81. वास्तु शास्त्र
82. दीघ निकाय,
83. अगुत्तर निकाय
84. जातक
85. जातक कष्ठक कथा
86. धम्मपरत कथा
87. महावंश
88. विश्वकर्मा विभूतमना
89. महाकण्ड जातक
90. कुमार संभव — बुद्धचरित
91. रघुवंश — महावस्तु
92. उत्तरराम चरित — ललित विस्तार
93. महाभारत — सुमंगल विलासेनी
94. संयुक्त निकाय — सौन्दरनन्द

95. चाइल्जर्स अस्सी-डिक्शनरी आफ दि पालि-लेंग्वेज
96. हल्दर जे आर. अर्ली बुद्धिस्ट भाई-थोलाजी
97. जी-नलिनाथ-अर्ली बुद्धिस्टिक मोनाशीज्म
98. शर्मा रघुनन्दन-वैदिक सम्पत्ति
99. ज्ञानी शिवदत्त-वेदकालीन समाज
100. ब्लूयफील्ड एम-वैदिक कॉकोरडेन्स
101. त्रिपाठी रामाचरण-वैदिक देवता उद्बभव व विकास
102. ब्लूफील्ड एम-रिलिजन आफद वेद
103. सिंह-फतेह-दि वेदिक एटीमोलजी
104. मैकडानल ए.ए.-वैदिक माइथोलाजी
105. विश्वबन्धु-ब्रामेद्वारकोश
106. चरक-वियास्था
107. शास्त्री-शिवनारायण-निरूवत मीमांशा
108. मिश्रः राजछभ-फेमिली आयु वैदिक आर्टीअन्स एंस्सेज इन इण्डियन हिस्ट्री एण्ड कल्चर
109. सेलेरोर आर एन-इन्साइक्लो पीडियो आफ इण्डियन कल्चर
110. कमला प्रसाद-वैदिक देवता
111. महर्षि दयानन्द-ऋग्वेदादि भाव्य भूमिका
112. शिल्प प्रकाश-आचार्य परम्परा में विश्वकर्मा नामधारी
113. विश्वकर्मा प्रकाश
114. शिल्परत्नम् श्लोक
115. पुराणिक इन्साइक्लोषीडिया
116. शर्मा रामप्रसाद-पौराणिक कोष
117. वाजसनेयी संहिता
118. वनाफर्टजान एन्साईक्लोपीडिया आफ मिथएण्ड-लीजेण्ड
119. माग्रेय्एन्ड जेम्स-ए डिक्शनरी आफ हिन्दूज्म, इटस माइथोलाजी
112. हापकिन्स EW. एपिक माइक्रोलाजी

बौद्ध पालि साहित्य

113. डा. स्थपति बी. गनपति–वास्तु पुरुष का ज्योर्तिभौतिकी पक्ष

114. विश्वकर्मा ईश्वर शारण–भारतीय साहित्य एक शिल्प में विश्वकर्मा

115. मधुकर गुरूरामजी विश्वकर्मा–हम और हमारी आजादी सामाजिक न्याय, भारतीय नारी और उसका त्याग

116. मिश्र राममन्य–भारतीय मूर्तिकला

117. चर्तुवेदी प्रेमसागर–टेक्नॉलोजी इन वेदिक लिक्टेचर

118. मैक्समूलर–इण्डिया हाट केन इट टीच अस

119. कीथ–रिलीजन्स

120. चर्तुवेदी प्रेमसागर–दि दर्म शिल्यिन् एण्ड इच्स मीनिंग

121. मिश्र सच्चिदानन्द–प्राचीन भारत में ग्राम एवं ग्राम्य जीवन

122. त्रिपाठी दयाननन्द–ऐन आक्यांत्माचिकित्स एण्ड लिटरेरी स्टडी

123. शुक्ल द्विजेन्द्रनाथ–भारतीय स्थापत्य

124. शर्मा सुरेश्वर–दानव शिल्पीमय

125. आचार्य प्रसन्न कुमार–इण्डियन अनर्किवेक्चर एकार्डिंग टू मानसार शिल्प शास्त्र

126. हरिदास–देवता मूर्ति प्रकरण की भूमिका

127. अग्रवाल वासुदेवशरण–भारतीय धर्म मीमांशा

128. वाजपेयी कृष्णादत्त–भारतीय वास्तु कला का इतिहास

129. ब्राउन पर्सो–इण्डियन आर्किटेक्चर (बुद्धिस्ट एण्ड हिन्दू)

130. बर्कसेन कोर्मेल–एलोरा कान्सेप्ट एण्ड स्टाइल

131. कुमार स्वामी एके-विश्वकर्मा एक्जाम्कुल आफ इण्डियन स्कल्पचर

132. कौतुक विहारी लाल–विश्वकर्मा जीवन चरित्र

133. भुरके रामचन्द अनन्त–श्री जगतगुरु विराट विश्वकर्मा चरित्र

134. माचवे प्रभाकर–विश्वकर्मा (खण्डकाव्य)

135. शर्मा अनन्य स्वरूप–विश्वकर्मा समाज का संक्षिप्त इतिहास

136. शर्मा ओमदत्त–प्रमाण संग्रह विश्वकर्मा ब्राहमण भास्कर

137. शास्त्री रामचरण शर्मा–श्री विश्वकर्मा दर्शन

138. शास्त्री हरिकेशदत्त–विश्वकर्मा पर्व पद्धति

139. विश्वकर्मा ईश्वर शरण–विश्वकर्मा एक भारतीय वास्तु विद्या

जर्नल

इण्डोलाजिकल जर्नल

जर्नल आफ दि इण्डियन हिस्ट्र एण्ड कल्चर

जर्नल आफ दि एशियाटिक सोसाइटी आफ बंगाल, कलकत्ता

जर्नल आफ दि एशियाटिक सोसाइटी आफ इण्डिया

जर्नल आफ दि ओरियन्टल इन्स्टीट्च्यूट, बड़ौदा

दि जर्नल आफ गंगाभव्य झा रिसर्च इन्स्टीट्च्यूट, इलाहाबाद

भारतीय शोधसन संग्रह, जयपुर

विश्वेश्वरानन्द इन्डोलाजिकल जर्नल, होशियारपुर

विज्ञान भारती प्रदीपिका, जबलपुर

हिस्ट्री आफ रिलीजन्स, शिकागो

I

जर्नल आफ दि इस्ट इण्डिया एसोशियेशन–1867

वांम्वे गजट–1875

पूना आव्र्जावर–1876

II

मद्रास हिस्ट्री कल्चर गजेटियर्स

पार्लमेन्टरी पेपर 1857, 1878

140. योगेश चन्द्र वागल–हिस्ट्र आफ इण्डियन एसोशियेशन

141. इन्द्र विद्यावाचसति–भारतीय स्वाधीनता संग्राम का इतिहास

142. डा. काली किंकरदत्त–रिने सा, नेशनलिज्म एण्ड सोशल चेन्ज

143. केसी सेन–लेक्चर्स इन इण्डिया

144. अयोध्या सिंह–अठारहवीं और उन्नीसवी सदी के विद्रोह

145. Nukamara Hyime — Ways of Thinking of Eastern People India, China, Tibet, Japan.

146. Mehrotra S.R. — TowarosQ India Freedom & Partition.

147. Singh Ajit — Global Economic TrenosQ & Social Development.

148. World Bank — The Assult of World Poverty, Problems of Rural Development, Education & Health.

149. Dr. Madhirkar G.R.V. — Ham Aur Hamari Azadi 'We and our Freedom, Samajik Nyay (Social Justice) Bhartiya Nari Aur Uska Tyag.

150. विश्व कर्थीयन, विवम् विश्वसारम्, प्रबोधम्, बृत्तम्, मयमल्य्

151. J.C. Bagal — History of the Indian Association

152. A.C. Banerjee — Indian Constitional Documents (1757-1947)

153. Aparna Basu — The Growth of Education and Politreal Developmen in India (1898-1920)

154. Subhash Bose — The Indian Struggle

155. R. Paul Brass — Religion and Politics in North India

156. J.H. Broom Field — Elite conflict in plural Society

157. Bush N.A. Rise and Growth of Indian Liberlism.

158. Bipan Chandra — Nationalism and Communilism of Modern India.

159. M.L. Dentwala — Poverty in India.

160. P. Chhilbar — From Caste to class (Study of South Indian Middle classes.

161. K.N. Choudhary — A Historical survey in modrn Asian society.

162. M.L. Dantrala — Poverty in India (Then and now 1870/1970)

163. K.K. Datta — Anti British Plots and movements

164. A.R. Desai — Pleasnat struggle in India

165. Johnson Gallaghe — Localty, province and nation

166. Ramjig Guha — Elementary Aspects of Peasant Insurgency in colonial India

167. Mushirul Hasan — Nationals and communal politics in India

168. Ch. Heimsath — Indian nationalism and Hindu social Reform

169. Stephen Henmingham — Pleasant movement in colonial India

170. B.B. Mishra — The The Indian Middle classes.

171. M.D. Morris — Emergence of an individual Force in India

172. C. Mishra — Agrarian problems of permanent settlement

173. W.C. Neali — Economic change in Rural India (Reform 1800-1955)

174. S. Natarajan — A century of social reform in India cultural revolt in a colonial society

175. K. Rajat Roy — Industrialisation in India

176. Panchaman Saha — History of the working class

177. M.N. Srinivas — Social change in Modern India

178. D. Jhoranes — Land and Labour in India

179. Wadia and Merchant — Our Economic Problem

180. Sir Jeorge Campwell — The Maitiny

181. Bir Damodar Savarkar — First war of Indian Independence

1. **निरुक्त**, 5/2 तिस्र एवं देवता इति नैरूक्ताः। अग्निः पृथ्वी स्थानः। वायुर्वेन्द्रो वान्तरिक्षस्थानः। सूर्योद्युस्थानः। तासां महाभाग्याद् एकैकस्या अपि बहूनि नामधेयानि भवन्ति अपि ता कर्म पृथक्त्वात्।...
2. **बृहदेवता**, 1/69 अग्निरस्यिन्नथेन्द्रस्तु मध्यतो वायुरेव च। सूर्यो दिवीति विज्ञेयास तिस्र बृहदेवताः।।
3. **वही** 1/70
4. **वही** 1/72
5. **वही** 1/24 : निवासात्कर्मणो रूपान् मङ्गलाद्वाच आशिषः।
   यदृच्छयोपवसनात् तथामुष्यायणाच्च यत्।।

REFERENCES

Vishwak armas To the Sevence Technology & Culture of India orgin—Dr. V. Ganpati Sthapali

The Meaning of Vedic Korn, Prof. J. Gonda,

Indian Philosophy—Dr. Radhakrishan

The Rig Veda—S.D. Satwalekar

Cosmic hormony in the Rig Veda—Dr. Chakravorty

Vyasa and Maya—D.P. Napeshwar Rao.

Vishwakarma and his descedent—Alfred Rahertsom

The Corpus of Literature on Scientific Vaaster as Recorded in Mansara Vastu Shastra

There were, 32 Shatras

Shilpa kala Lalit Kala Academy

Bhartiya Itihas Sankalana Samiti

Akhil Bhartiya Vishawakarma Sahitya Academy.

Journals

Indian Economic and Social History Review

Indian History Review

Economic and Political Review

Journal of Asian History

Modern Asian studies

ताराचन्द्र — भारतीय स्वतंत्रता आंदोलन का इतिहास

रजनी पामदत्त — आज का भारत

ए.आर. देसाई — भारतीय राष्ट्रवाद की सामाजिक पृष्ठभूमि

भारतीय संग्रहालय

राष्ट्रीय संग्रहालय — नई दिल्ली

भारतीय संग्रहालय — कलकत्ता

भारत कला भवन — वाराणसी

मद्रास राज्य संग्रहालय — चेन्नई

रमेश चन्द्र मजूमदार — हिस्ट्री आफ फ्रीडम मूवमेन्ट

सर वैलेटाइन विरोल — इण्डिया ओल्ड एण्ड न्यू

जेम्पस कैंपवेल — सेडीशन कमेटी रिपोर्ट

ए.सी.बोस — इण्डियन रिवोल्यूसनरीज एब्राड

सुबोध राय — अपब्लिशड डाकूमेन्टस फ्राम नेशनल आर्काइज आफ इण्डिया

नफर इमाम — कालोनियालिज्म इन ईस्ट-वेस्ट

विलियम जे. स्मिथ — आर्टीजन्स एण्ड ब्रिटिश इम्पायर्स

हेली हेराल्ड — ब्रिटिश गजेटियर्स

डॉ. आर अम्बेदकर — लार्ड बुद्धा एण्ड हिज धम्मा

राहुल संस्कृत्यायन — वोलगा से गंगा

सी.वाई. चिन्तामणि — इन्डियन पालिटिक्स सिन्स म्यूईटजी